SANDRA BROWN

Sündige Seide

Buch

»Wir verkaufen Dessous und Accessoires. Unsere Kundinnen sollen sich schön und begehrenswert fühlen. French Silk verkauft Fantasien. Wir haben die Reizwäsche gesellschaftsfähig gemacht.« Das ist die Firmenphilosophie von Claire Laurent aus New Orleans. Karriere, Aufstieg, Ansehen und Macht – das sind schon immer magische Worte gewesen für Claire, die illegitime Tochter einer von der Gesellschaft verstoßenen Mutter. Und mit eisernem Willen hat sie es schließlich geschafft, ihr Unternehmen zu atemberaubendem Erfolg zu führen. Die Philosophie von Jackson Wilde ist eine ganz andere. Er ist fromm, fanatisch und wettert gegen das Böse, am wirkungsvollsten vom Bildschirm aus. Und jetzt startet er eine Hetzkampagne gegen Claire und French Silk. Als Wilde kurz darauf ermordet aufgefunden wird, fällt der Verdacht natürlich sofort auf Claire ...

Autorin

Sandra Brown ist heute eine der erfolgreichsten Autorinnen der Welt. Jeder ihrer Romane erreichte Spitzenplätze in den englischen und amerikanischen Bestsellerlisten. Sandra Brown wurde mehrfach mit dem *New York Times Award* ausgezeichnet, und ihre Bücher werden weltweit in neunundzwanzig Sprachen übersetzt. In Deutschland ist gerade ihr neuer Psychothriller »Rage-Zorn« erschienen. Sandra Brown lebt mit ihrer Familie in Arlington, Texas.

Von Sandra Brown sind bei Blanvalet bereits erschienen:

Celinas Tochter (35002) · Die Zeugin (35012) · Blindes Vertrauen (35134) · Trügerischer Spiegel (35192) · Im Haus meines Feindes (35289) · Schöne Lügen (35499) · Feuer in Eden (35547) · Glut unter der Haut (35548) · Tanz im Feuer (35554) · Nachtglut (35721) · Kein Alibi (35900) · Betrogen (36189) · Envy-Neid (36370) · Crush-Gier (geb. Ausgabe, 0162) · Rage-Zorn (geb. Ausgabe, 0163)

Sandra Brown

Sündige Seide

Roman

Deutsch
von Christoph Göhler

blanvalet

Die Originalausgabe erschien unter dem Titel
»French Silk«
bei Warner Books, Inc., New York.

1. Auflage
Deutsche Erstveröffentlichung März 2006
bei Blanvalet, einem Unternehmen der Verlagsgruppe
Random House GmbH, München
Copyright © der Originalausgabe 1992 by Sandra Brown
Copyright © der deutschsprachigen Ausgabe 1993
by Verlagsgruppe Random House GmbH
Umschlaggestaltung: Design Team München
Umschlagfoto: IFA Bilderteam/Campbell
UH · Herstellung: HN
Druck und Einband: GGP Media GmbH, Pößneck
Printed in Germany
ISBN-10: 3-442-36388-8
ISBN-13: 978-3-442-36388-9

www.blanvalet-verlag.de

Prolog

Ein Blauhäher flatterte heran und ließ sich auf den Zehen des nackten Cherubs nieder. Zu hochnäsig, um mit dem schlichten Spatzen in einem Becken zu planschen, nahm der Häher nur einen Schluck Wasser und schoß dann wieder aus dem Hof. Ihm schien die Ruhe innerhalb der alten, mit blühenden Kletterpflanzen bedeckten Ziegelmauern nicht zuzusagen. Hummeln summten geschäftig zwischen den pastellfarbenen Blüten herum. Der Farn in den aufgehängten Körben tropfte noch nach einem frühmorgendlichen Schauer. Auf den wachsigen Blättern der Philodendren und Kamelienbüsche glänzten Regentropfen in der strahlenden Sonne.

»Also ließ Rapunzel ihr schönes, blondes Haar herunter, und der Prinz kletterte an den schweren Locken die steinerne Mauer des Turmes hinauf.«

Claire Laurent, die aufmerksam zugehört hatte, sah ihre Mutter skeptisch an. »Tut das nicht weh, Mama?«

»Im Märchen nicht, Liebling.«

»Ich hätte auch gern langes, blondes Haar.« Das Mädchen seufzte sehnsüchtig.

Mary Catherine tätschelte den rostroten Lockenschopf ihrer fünfjährigen Tochter. »Dein Haar ist unbeschreiblich schön.«

Die Ruhe im Hof wurde unvermittelt von Tante Laurel gestört, die durch die Fliegentür stürmte. »Mary Catherine, sie sind wieder da! Und diesmal haben sie ein Papier, in dem steht, daß sie Claire mitnehmen dürfen.«

Mary Catherine starrte ihre Tante verständnislos an. »Wer ist da?«

Claire wußte es. Selbst wenn ihre Mutter ihn vergessen hatte, Claire erinnerte sich an den Mann in dem dunklen Anzug, der nach starken Pfefferminzbonbons und billiger Brillantine gerochen hatte. Zweimal war er ins Haus gekommen und hatte Tante Laurels Salon mit seinem widerwärtigen Gestank verpestet. Jedesmal hatte ihn eine Frau mit einer großen ledernen Aktentasche begleitet. Sie redeten mit Tante Laurel und Mary Catherine über sie, als wäre sie taub oder gar nicht da.

Claire verstand nicht alles, was gesagt wurde, aber sie begriff, worum es bei diesen Gesprächen ging. Tante Laurel war danach immer bekümmert, und ihre Mutter litt entsetzlich. Nach dem letzten Besuch hatte sie drei Tage weinend im Bett gelegen. Es war einer ihrer schlimmsten Anfälle gewesen und hatte ihrer Tante noch mehr Kummer bereitet.

Claire huschte hinter den schmiedeeisernen Stuhl, in dem ihre Mutter saß, und versuchte sich möglichst klein und unsichtbar zu machen. Angst schnürte ihr die Kehle zu und ließ das Herz in der kleinen Brust wild klopfen.

»Herrje, herrje!« Tante Laurels Kinne schwabbelten. Ihre fleischigen Finger verkrampften sich um das Handtuch in ihren Händen. »Ich weiß nicht, was ich machen soll. Mary Catherine, was soll ich denn tun? Sie behaupten, sie dürfen sie mitnehmen.«

Der Mann erschien zuerst. Sein Falkenblick schoß herrisch im Hof umher und blieb schließlich auf der schönen jungen Frau haften, die wie ein lebendes Porträt vor dem pittoresken Hintergrund lagerte.

»Guten Morgen, Miss Laurent.«

Aus dem Versteck hinter ihrer Mutter sah ihn Claire lächeln. Sein Lächeln gefiel ihr nicht. Es war so unaufrichtig wie das Grinsen auf einer Mardi-Gras-Maske. Selbst hier draußen konnte sie sein ekelerregend süßliches Haarwasser und die Pfefferminzbonbons riechen.

Tante Laurels Worte hatten ihr einen entsetzlichen Schrecken eingejagt. Wohin mitnehmen? Ohne ihre Mutter konnte sie nirgendwohin. Wenn man sie wegbrachte, wer würde sich dann um Mama kümmern und ihr etwas vorsingen, wenn sie traurig war? Wer würde sie suchen, wenn sie sich in einem ihrer Anfälle aus dem Haus schlich?

»Man hat Ihnen die Vormundschaft für Ihre Tochter entzogen«, sagte die triste Frau in dem häßlichen grauen Kleid ruppig zu Mary Catherine. »Diese Umgebung ist nicht gut für Ihr Kind. Sie wollen doch das Beste für sie, nicht wahr?«

Mary Catherines schmale Hand flatterte an ihre Brust und befingerte die Perlenkette über ihrem Spitzenkragen. »Ich verstehe das nicht. Das ist alles so ... verwirrend.«

Der Mann und die Frau sahen einander an. Der Mann sagte: »Machen Sie sich keine Sorgen, Miss Laurent. Man wird sich gut um Ihr kleines Mädchen kümmern.« Er nickte der Frau knapp zu, und sie kam hinter den Stuhl und packte Claire am Arm.

»Nein!« Claire riß ihren Arm aus der heißen, schwitzigen Umklammerung und wich zurück. »Ich will nicht mit Ihnen gehen. Ich will bei meiner Mama bleiben.«

»Jetzt komm, Claire«, lockte die Frau mit dürrem Lächeln. »Wir bringen dich zu einem Haus, wo viele andere Kinder zum Spielen sind. Es wird dir gefallen. Ganz bestimmt.«

Claire glaubte ihr nicht. Sie hatte eine spitze Nase und unstete Augen wie die Ratten, die durch den Müll in den Gassen des französischen Viertels huschten. Sie war nicht hübsch, nicht sanft und roch nicht gut, und obwohl sie versuchte, freundlich zu sprechen, klang ihre Stimme nicht so melodiös wie Mamas.

»Ich komme nicht mit«, erklärte Claire mit dem Starrsinn einer Fünfjährigen. »Ohne meine Mama gehe ich nirgendwohin.«

»Du wirst es müssen.«

Wieder langte die Frau nach Claire. Diesmal ließ sie sie nicht mehr los, obwohl Claire sich mit aller Gewalt zu befreien versuchte. »Nein! Nein!« Die Fingernägel der Frau gruben sich in ihren Arm und ritzten die Haut auf. »Lassen Sie mich los! Ich will bei meiner Mama und bei Tante Laurel bleiben!«

Sie kreischte, zappelte, trat und schlug um sich, stemmte die

Absätze ihrer schwarzen Lackschühchen in die Ziegel und tat alles nur Erdenkliche, um sich dem Griff der Frau zu entziehen, aber die war unerbittlich.

Tante Laurel hatte ihre Fassung wiedergefunden und redete auf den Mann ein, der ein Kind von seiner Mutter trennen wollte: »Mary Catherine leidet manchmal unter Melancholie, aber das tun wir doch alle. Sie empfindet sie nur tiefer. Sie ist eine wunderbare Mutter. Claire vergöttert sie. Glauben Sie mir, sie ist völlig harmlos.«

Ohne auf Tante Laurels Flehen zu achten, zerrte die Frau Claire durch die Fliegentür in die Küche. Das Kind drehte sich nach seiner Mutter um. »Mama!« schrie es. »Mama, sie dürfen mich nicht wegbringen!«

»Hör auf zu brüllen!« Die Frau schüttelte Claire so heftig, daß sich das Mädchen aus Versehen auf die Zunge biß und vor Schmerz noch lauter schrie.

Durch das Geheul ihrer Tochter wurde Mary Catherine schließlich aus ihrer Trance gerissen und begriff, daß Claire in Gefahr war. Sie erhob sich so schwungvoll aus dem schmiedeeisernen Stuhl, daß er nach hinten kippte und zwei Pflasterziegel zerschmetterte. Sie rannte zur Fliegentür und hatte sie schon beinahe erreicht, als der Mann sie mit der Hand an der Schulter packte und zurückkriß.

»Diesmal können Sie uns nicht aufhalten, Miss Laurent. Wir haben das Recht, Ihre Tochter aus Ihrer Obhut zu entfernen.«

»Eher bringe ich Sie um.« Mary Catherine ergriff eine Vase auf dem Patio-Tisch und holte damit zu einem Schlag auf seinen Kopf aus.

Mit einem dumpfen Schlag traf Bleikristall auf Fleisch. An der Schläfe des Sozialarbeiters platzte eine sieben Zentimeter lange Wunde auf. Mary Catherine ließ die Vase fallen, die auf dem Ziegelpflaster zersprang. Wasser durchnäßte den dunklen Anzug des Mannes. Rosen lagen verstreut zu ihren Füßen.

Er brüllte vor Zorn und Schmerz. »Völlig harmlos, ja leck mich«, schrie er Tante Laurel an. Sie war herbeigeeilt, um Mary Catherine zurückzuhalten.

Obwohl sich ihr Mund nach dem Biß mit Blut füllte, wehrte sich Claire weiterhin gegen die Frau, die sie durch das Haus schleifte. Der Mann folgte ihnen fluchend, wobei er versuchte, den Blutstrom von seiner Schläfe mit einem Taschentuch zu stillen.

Claire schaute so lange wie möglich zu ihrer Mutter zurück. Mit qualvoll verzerrtem Gesicht wehrte sich Mary Catherine gegen Tante Laurels Griff. Flehend streckte sie die Arme nach ihrer Tochter aus.

»Claire. Claire. Mein kleines Mädchen.«

»Mama! Mama! Mama!«

Claire setzte sich plötzlich in ihrem großen Bett auf. Keuchend rang sie nach Atem. Ihr Mund war wie ausgedörrt, und die Kehle war wund vom lautlosen Schreien im Schlaf. Das Nachthemd klebte ihr an der feuchten Haut.

Sie warf die Decke zurück, zog die Beine an und stützte die Stirn auf die Knie. Sie hob den Kopf erst wieder, als sie den Alptraum vollständig abgeschüttelt hatte und die Dämonen aus der Vergangenheit sich wieder in die Schlupfwinkel in ihrem Unterbewußtsein verkrochen hatten.

Sie stand auf und ging durch den Korridor zum Zimmer ihrer Mutter. Mary Catherine schlief friedlich. Erleichtert trank Claire am Waschbecken im Bad ein Glas Wasser und kehrte dann in ihr Schlafzimmer zurück. Sie wechselte das Nachthemd und strich die Laken glatt, bevor sie sich wieder ins Bett legte.

In letzter Zeit plagten sie immer wieder Alpträume, in denen sie die schrecklichsten Augenblicke ihrer unruhigen Kindheit durchleben mußte. Sie wußte, woher die Träume kamen. Sie rührten von dem Bösen her, das zur Zeit den Frieden und die Sicherheit bedrohte, die sie so verbissen zu verteidigen versuchte.

Sie hatte geglaubt, die Schmerzen der Vergangenheit wären so tief vergraben, daß sie nie wieder auftauchen könnten. Aber ein bösartiger Eindringling erweckte sie zu neuem Leben. Er bedrohte alles, was sie liebte. Er drohte, ihr Leben zu zerstören.

Wenn sie nicht zu einschneidenden Maßnahmen griff und den Lauf der Ereignisse änderte, würde er alles zerstören, was sie sich aufgebaut hatte.

Kapitel 1

Der Reverend Jackson Wilde war in den Kopf, ins Herz und in die Hoden getroffen worden. Cassidy hielt das vom ersten Augenblick an für einen wichtigen Hinweis.

»Was für eine Sauerei.«

Die Leichenbeschauerin untertrieb, fand Cassidy. Er vermutete, daß der Mord mit einem aus nächster Nähe abgefeuerten kurzläufigen .38er Revolver begangen worden war. Hohlmantelgeschosse. Der Täter hatte es zweifellos darauf abgesehen, das Opfer zu zerfetzen. Gewebe war auf das Kopfbrett und die Laken gespritzt. Die Matratze hatte sich mit Blut vollgesogen, das sich unter dem Körper angesammelt hatte. Abgesehen von dem verheerenden Schaden, den die Kugeln angerichtet hatten, war das Opfer nicht mißhandelt oder verstümmelt worden. So grausig es auch aussah, Cassidy hatte schon Schlimmeres gesehen.

Das Unangenehmste an diesem Mord war die Identität des Opfers. Cassidy hatte die Sondermeldung in seinem Autoradio gehört, während er sich durch den morgendlichen Stoßverkehr gekämpft hatte. Er hatte augenblicklich und ohne Rücksicht auf die Verkehrsregeln gewendet, obwohl er kein Recht hatte, ohne offizielle Aufforderung am Tatort zu erscheinen. Die Polizisten, die das Fairmont-Hotel abgeriegelt hatten, hatten ihn erkannt und automatisch angenommen, daß er als offizieller Vertreter des Orleans Parish District Attorneys da war. Niemand hatte ihn davon abgehalten, die San-Louis-Suite im siebten Stock zu betreten, wo sich die Detektive gegenseitig auf die Füße traten und wahrscheinlich mehr Beweismaterial unbrauchbar machten, als sie fanden.

Cassidy wandte sich an die Leichenbeschauerin. »Was halten Sie davon, Elvie?«

Dr. Elvira Dupuis war ein stämmiges, grauhaariges Mannweib. Ihr Liebesleben gab ständig Anlaß zu neuen Gerüchten, allerdings besaß keiner der Zuträger Erfahrungen aus erster Hand. Sie wurde von wenigen gemocht, aber niemand zweifelte an ihrer Kompetenz.

Die Pathologin rückte die Brille zurecht und antwortete: »Ich vermute, daß ihn der Kopfschuß drangekriegt hat. Die Kugel hat das meiste von seiner grauen Hirnmasse zerstört. Die Brustwunde erscheint mir ein bißchen zu weit rechts, um durchs Herz zu gehen, aber ich kann sie erst als Todesursache ausschließen, wenn ich ihm die Brust aufgeknackt habe. Der Schuß in die Eier hätte ihn wahrscheinlich nicht umgebracht, jedenfalls nicht gleich.« Sie sah zu dem stellvertretenden Staatsanwalt auf und grinste schadenfroh. »Obwohl er ihm bestimmt ganz schön die Tour vermasselt hätte.«

Cassidy verzog einfühlsam das Gesicht. »Ich frage mich, welcher Schuß zuerst abgefeuert wurde.«

»Keine Ahnung.«

»Ich tippe auf den Kopf.«

»Warum?«

»Der Schuß in die Brust hätte ihn vielleicht nicht umgebracht, aber bestimmt gelähmt.«

»Seine Lungen wären vollgelaufen. Und?«

»Und wenn mir jemand in die Hoden schießen würde, dann würde ich automatisch versuchen, sie zu schützen.«

»Also sich im Todeskampf die Eier halten?«

»So in etwa.«

Sie schüttelte den Kopf. »Wildes Arme lagen neben dem Körper. Keine Anzeichen für einen Kampf oder irgendwelche Gegenwehr. Er kannte vermutlich seinen Mörder. Vielleicht hat er sogar geschlafen. Er hat es nicht kommen sehen.«

»Das tun die Opfer selten«, murmelte Cassidy. »Wann, meinen Sie, ist es passiert?«

Sie nahm die rechte Hand des Leichnams und drehte sie im

Handgelenk, um die Starre zu überprüfen. »Mitternacht. Vielleicht früher.« Sie ließ die Hand wieder auf das Laken fallen und fragte: »Kann ich ihn jetzt haben?«

Cassidy musterte die entstellte Leiche ein letztes Mal. »Bedienen Sie sich.«

»Ich werde zusehen, daß Sie eine Kopie des Autopsieberichts bekommen, sobald ich fertig bin. Rufen Sie bloß nicht an und hetzen mich, bevor ich durch bin, sonst dauert's nur noch länger.«

Dr. Dupuis ging davon aus, daß er den Fall verfolgen würde. Er widersprach ihr nicht. Es war nur eine Frage der Zeit. Er würde diesen Fall übernehmen.

Cassidy trat beiseite, um der Spurensicherung Platz zu machen, und führte eine kurze Bestandsaufnahme des Hotelschlafzimmers durch. Die Gegenstände auf dem Nachttisch waren bereits auf Fingerabdrücke hin untersucht worden. Ein paar Dinge waren sorgfältig in Plastiktüten verpackt und beschriftet worden. Raub konnte man als Motiv ausschließen. Unter den Sachen auf dem Nachttisch war eine Rolex.

Ein Polizeifotograf machte Aufnahmen. Ein weiterer Polizist krabbelte auf den Knien herum und suchte mit Arzthandschuhen den Teppich nach Stoffasern ab.

»War die Presse schon da?«

»Nee«, antwortete der kniende Beamte.

»Halten Sie sie so lange wie möglich von hier fern, und rücken Sie keine wichtigen Informationen raus. Unser Büro wird heute noch eine Erklärung abgeben, sobald wir alle Fakten haben.«

Der Beamte bestätigte die Anweisungen mit einem Nicken.

Cassidy überließ die Polizisten ihrer Arbeit und ging in den Salon der Suite. Schwere Vorhänge waren vor die zwei Panoramafenster gezogen worden, so daß der Raum trotz der pastellfarbenen und weißen Einrichtung dämmrig und unheimlich wirkte. In der Ecke eines pfirsichfarbenen Samtsofas kauerte mit gesenktem Kopf eine junge Frau. Sie hatte das Gesicht in den Händen vergraben und schluchzte erbärmlich. Ein junger Mann saß neben ihr. Er sah nervös, fast verängstigt aus und versuchte vergebens, sie zu trösten.

Sie wurden von einem Kriminalbeamten aus dem Morddezernat des New Orleans Police Department verhört. Howard Glenn war seit mehr als zwanzig Jahren in der Abteilung, aber er war ein Einzelgänger und bei den Kollegen nicht besonders beliebt. Seine äußere Erscheinung war nicht gerade anziehend oder dazu geeignet, neue Freunde zu finden. Er wirkte schmuddlig und unordentlich, rauchte kettenweise filterlose Camels und sah insgesamt so aus, als gehörte er in einen *film noire* aus den vierziger Jahren. Aber man respektierte ihn bei der Polizei wie bei der Staatsanwaltschaft wegen seiner verbissenen Untersuchungsmethoden.

Als Cassidy näher kam, schaute Glenn auf und sagte: »Hallo, Cassidy. Sie sind schnell gekommen. Hat Crowder Sie geschickt?«

Anthony Crowder war der District Attorney des Bezirks Orleans und Cassidys Boß. Cassidy überging die Frage und machte eine Kopfbewegung zu dem Paar auf dem Sofa. »Wer ist das?«

»Sehen Sie nicht fern?«

»Keine religiösen Sendungen. Hab' seine Show nie gesehen.«

Glenn drehte den Kopf zur Seite und sagte aus dem Mundwinkel, so daß nur Cassidy ihn hören konnte: »Pech für Sie. Jetzt haben sie ihn abgesetzt.« Dann klärte er ihn auf: »Das ist die Frau des Evangelisten, Ariel Wilde, und sein Sohn Joshua.«

Der junge gutaussehende Mann sah zu Cassidy auf. Cassidy streckte die rechte Hand aus. »Cassidy, stellvertretender Bezirksbevollmächtigter.«

Joshua Wilde reichte ihm die Hand. Sein Griff war fest, aber seine Hände waren weich, glatt und gepflegt, die Hände eines Müßiggängers. Er hatte ausdrucksvolle braune Augen und langes, oben gewelltes, mausbraunes Haar.

Er sprach mit Südstaatenakzent. Seine Stimme klang so kultiviert wie ein Faß Jack Daniels. »Finden Sie das Monster, das meinem Vater das angetan hat, Mr. Cassidy.«

»Das habe ich vor.«

»Und bringen Sie ihn schleunigst vor den Richter.«

»*Ihn?* Sind Sie sicher, daß ein Mann Ihren Vater umgebracht hat, Mr. Wilde?«

Das verwirrte Joshua Wilde. »Keineswegs. Ich meinte nur ... ich verwende das männliche Pronomen im übertragenen Sinn.«

»Dann hätte es also auch eine Frau sein können.«

Bis jetzt hatte die Frau ihn ignoriert und in ein Kleenex geweint. Plötzlich warf sich Ariel Wilde das hellblonde, glatte Haar über die Schulter und fixierte Cassidy mit wildem, fanatischem Blick. Ihr Teint hatte nicht mehr Farbe als die weiße Gipslampe auf dem Tisch neben dem Sofa, aber sie hatte wunderschöne blaue Augen, die durch außergewöhnlich lange Wimpern und den Glanz frischer Tränen noch hervorgehoben wurden.

»Lösen Sie so Ihre Mordfälle, Mr. ... wie war noch Ihr Name?«

»Cassidy.«

»Lösen Sie Ihre Fälle, indem Sie Wortspiele treiben?«

»Manchmal ja.«

»Sie sind keinen Deut besser als dieser Detective.« Verächtlich bleckte sie die Zähne in Howard Glenns Richtung. »Statt den Mörder zu jagen, belästigt er Josh und mich.«

Cassidy tauschte einen vielsagenden Blick mit Glenn. Der Detective zuckte mit den Achseln und überließ Cassidy kommentarlos das Feld. »Bevor wir ›den Mörder jagen‹ können, Mrs. Wilde«, erklärte Cassidy, »müssen wir genau herausfinden, was Ihrem Mann zugestoßen ist.«

Sie zeigte auf das blutdurchtränkte Bett nebenan und kreischte: »Es ist doch klar, was passiert ist.«

»Nicht immer.«

»Glauben Sie, wir hätten Jackson gestern nacht allein in die Suite gelassen, wenn wir gewußt hätten, daß jemand ihn umbringen will?«

»Sie beide haben Reverend Wilde gestern nacht allein gelassen? Wo waren Sie?« Cassidy ließ sich auf dem Rand des kleinen Zweisitzersofas neben ihnen nieder. Er sah sich die Frau und ihren Stiefsohn genau an. Beide schienen etwa Ende Zwanzig zu sein.

»Wir waren in meiner Suite und haben geübt«, antwortete Josh.

»Was geübt?«

»Mrs. Wilde singt in allen Kreuzzugsgottesdiensten und in den Fernsehsendungen«, erläuterte Glenn. »Mr. Wilde spielt das Klavier.«

Wie geschickt von Jackson Wilde, sein Missionsunternehmen als Familienbetrieb zu führen, dachte Cassidy. Er mochte Fernsehprediger nicht und hatte bislang nichts gesehen, was seine Vorurteile widerlegt hätte. »Wo ist Ihre Suite, Mr. Wilde?« fragte er.

»Am Ende des Gangs. Daddy hat alle Zimmer auf diesem Stockwerk reservieren lassen.«

»Warum?«

»Das machte er immer. Um unsere Privatsphäre zu wahren. Daddys Jünger nehmen fast alles auf sich, um in seiner Nähe zu sein. Er liebte die Menschen, aber zwischen den Gottesdiensten brauchte er Ruhe und Abgeschiedenheit. Er und Ariel wohnten in dieser Suite. Ich nahm die nächstgrößere, damit ein Klavier zum Üben aufgestellt werden konnte.«

Cassidy wandte sich an die frischgebackene Witwe.

»Diese Suite hat zwei Schlafzimmer. Warum haben Sie nicht bei Ihrem Mann geschlafen?«

Mrs. Wilde antwortete mit einem verächtlichen Schniefen. »Das hat er mich schon gefragt«, sagte sie und blickte wieder vernichtend zu Detective Glenn. »Ich bin gestern erst spätnachts ins Bett gegangen und wollte Jackson nicht stören. Er war erschöpft, deshalb habe ich im anderen Schlafzimmer geschlafen.«

»Wann war das?«

»Ich habe nicht auf die Uhr geschaut.«

Cassidy sah Josh fragend an. »Wissen Sie noch, wann sie ihr Zimmer verlassen hat?«

»Leider nicht. Spät.«

»Nach Mitternacht?«

»Viel später.«

Fürs erste beließ Cassidy es dabei. »Haben Sie mit Ihrem Gatten gesprochen, als Sie in die Suite kamen, Mrs. Wilde?«

»Nein.«

»Sind Sie zu ihm gegangen und haben ihm einen Kuß gegeben?«

»Nein. Ich ging durch die Tür, die direkt vom Korridor in mein Zimmer führt. Ich hätte nach ihm sehen sollen«, schluchzte sie. »Aber ich dachte doch, er schläft friedlich.«

Cassidy warnte Glenn mit einem scharfen Blick vor dem naheliegenden Bonmot. Statt dessen sagte der Detective: »Leider hat Mrs. Wilde den Leichnam ihres Gatten erst heute morgen entdeckt.«

»Als er nicht auf seinen Weckruf reagierte«, bestätigte sie mit gebrochener Stimme. Sie nahm das durchnäßte Kleenex und drückte es sich unter die Nase. »Wenn ich mir vorstelle, daß er da drin war ... tot ... während ich nebenan geschlafen habe.«

Sie schloß die Augen und sank gegen ihren Stiefsohn. Er legte einen Arm um ihre Schultern und flüsterte leise in ihr Haar.

»Nun, das wäre vorerst alles.« Cassidy stand auf.

Glenn folgte ihm zur Tür. »Die Sache stinkt doch wie Fisch von letzter Woche.«

»Ach, ich weiß nicht«, antwortete Cassidy. »Die Geschichte ist fast zu plump für eine Lüge.«

»Für mich ist die Sache klar. Sie sind heiß aufeinander und haben den Prediger abserviert, um freie Bahn zu haben.«

»Vielleicht«, meinte Cassidy unverbindlich. »Vielleicht auch nicht.«

Glenn musterte ihn kritisch und zündete sich eine Camel an. »Ein schlaues Kerlchen wie Sie fällt doch nicht auf so hübsche blaue Augen rein, oder, Cassidy? Und auf all das Geheule? Mann, bevor Sie aufgetaucht sind, haben sie laut gebetet.« Er nahm einen tiefen Zug von seiner Zigarette. »Sie glauben doch nicht etwa, daß sie die Wahrheit sagen?«

»Aber natürlich glaube ich ihnen.« Als Cassidy aus der Tür trat, warf er einen Blick über die Schulter zurück und ergänzte: »Genausoweit, wie ich durch einen Hurrikan pissen kann.«

Er fuhr allein im Fahrstuhl nach unten und landete in einem Inferno. Die Lobby des Fairmont-Hotels erstreckte sich über einen ganzen Block. Normalerweise war sie mit ihren samtschwarzen Wänden, den roten Samtmöbeln und den Blattgoldakzenten ein Hort vornehmer Erhabenheit und des Luxus – das Fairmont war die große alte Dame unter den Hotels. Aber an diesem Morgen wimmelte es hier von verärgerten Menschen. Die Polizisten versuchten, die aggressiven Reporter zu ignorieren, die sich wie besessen auf alles stürzten, was irgendwie mit dem spektakulären Mord an Jackson Wilde zu tun hatte. Die Hotelgäste, die von der Polizei zusammengetrieben und im Ballsaal verhört worden waren, wurden nun nacheinander entlassen; sie schienen aber nicht gehen zu wollen, ohne ihrer Entrüstung Luft gemacht zu haben. Hotelbedienstete wurden befragt, während sie zugleich versuchten, die aufgebrachte Kundschaft zu beschwichtigen.

Gefolgsleute des Reverend Jackson Wilde, die vom Ableben ihres Führers erfahren hatten, trugen zu dem Chaos bei, indem sie sich in der Lobby versammelten und sie kurzfristig in eine Wallfahrtsstätte verwandelten. Sie weinten lautstark, stimmten spontan Gebete an, sangen Hymnen und riefen den Zorn des Allmächtigen auf denjenigen herab, der den Fernsehprediger ermordet hatte.

Cassidy drängte sich durch die lärmende Menge und versuchte, unbemerkt von den Medien zum Ausgang an der University Street zu gelangen, aber vergebens. Die Reporter umzingelten ihn.

»Mr. Cassidy, was haben Sie gesehen –«

»Nichts.«

»Mr. Cassidy, war er –«

»Kein Kommentar.«

»Mr. Cassidy –«

»Später.«

Er zwängte sich zwischen ihnen hindurch, duckte sich unter Kameras hinweg, schob hingehaltene Mikrofone beiseite und weigerte sich wohlweislich, irgend etwas zu sagen, ehe sein

Vorgesetzter Crowder ihm den Auftrag gegeben hatte, den Mordfall Wilde zu verfolgen.

Vorausgesetzt, Crowder tat das.

Nein, daran durfte es keinen Zweifel geben. Er mußte es tun. Cassidy war so scharf auf diesen Fall, daß ihm fast das Wasser im Mund zusammenlief. Mehr noch, er *brauchte* ihn.

Yasmine schritt mit hoch erhobenem Kopf durch die automatischen Türen des Internationalen Flughafens von New Orleans. Ein Träger folgte ihr mit zwei Koffern auf seinem Karren.

Auf ein Hupen hin entdeckte Yasmine Claires LeBaron, der wie vereinbart am Straßenrand wartete. Ihre Koffer wurden im Kofferraum verstaut, den Claire vom Armaturenbrett aus öffnete, der Träger erhielt sein Geld, und Yasmine glitt mit einem Aufblitzen der braunen Schenkel und gefolgt von einer Duftwolke Gardenienparfüm auf den Beifahrersitz.

»Guten Morgen«, sagte Claire. »Wie war dein Flug?«

»Hast du schon das von Jackson Wilde gehört?«

Claire Laurent schaute über die linke Schulter und tauchte dann wagemutig in den fließenden Verkehr. »Was hat er jetzt schon wieder angestellt?«

»Du hast es nicht gehört?« stieß Yasmine hervor. »Jesus, Claire, was hast du heute morgen gemacht?«

»Rechnungen kontrolliert und ... Warum?«

»Hast du keine Nachrichten gesehen? Kein Radio gehört?« Erst jetzt fiel Yasmine auf, daß im Wagen eine Kassette spielte.

»Ich habe diese Woche absichtlich auf alle Nachrichtensendungen verzichtet. Mama braucht nicht mitzubekommen, wie Jackson Wilde uns ins Visier nimmt, solange er in der Stadt ist. Übrigens haben wir schon wieder eine Einladung zu einer Fernsehdiskussion mit ihm erhalten. Ich habe abgesagt.«

Yasmine sah ihre beste Freundin und Geschäftspartnerin mit riesigen Augen an. »Du weißt es also wirklich nicht.«

»Was?« fragte Claire lachend. »Steht French Silk wieder unter Beschuß? Was hat er denn diesmal gesagt – daß wir ewig in der

Hölle schmoren werden? Daß ich meine Kollektion umstellen soll, sonst passiert noch was? Daß ich mit meinen pornografischen Fotografien des menschlichen Körpers die Moral aller Amerikaner untergrabe?«

Yasmine setzte die große, dunkle Sonnenbrille ab, die sie trug, wenn sie nicht erkannt werden wollte, und blickte Claire mit ihren Tigeraugen an, die ein Jahrzehnt lang die Cover zahlloser Modemagazine geziert hatten. »Reverend Jackson wird überhaupt nichts mehr über dich sagen, Claire. Er wird weder über French Silk noch über deinen Katalog herziehen. Er wurde für immer zum Schweigen gebracht. Der Mann ist tot.«

»*Tot?*« Claire bremste so plötzlich, daß sie nach vorne geschleudert wurden.

»Toter als 'n Türnagel, wie meine Mama immer gesagt hat.«

Kalkweiß und fassungslos starrte Claire sie an und wiederholte: »Tot?«

»Anscheinend hat er einmal zu oft gebetet. Er hat jemanden so wütend gemacht, daß der ihn umgelegt hat.«

Claire fuhr sich nervös mit der Zunge über die Lippen. »Du meinst, er wurde ermordet?«

Ein Autofahrer hupte entrüstet. Ein anderer machte eine obszöne Geste, bevor er um sie herum lenkte und Gas gab. Claire hob mühsam den Fuß vom Bremspedal und setzte ihn wieder aufs Gas. Der Wagen machte einen Satz nach vorne.

»Was ist denn los mit dir? Ich dachte, du würdest jubilieren. Soll ich fahren?«

»Nein. Nein, mir geht's gut.«

»Du siehst aber nicht so aus.«

»Ich habe nicht gut geschlafen.«

»Mary Catherine?«

Claire schüttelte den Kopf. »Ich hatte Alpträume.«

»Was für Alpträume denn?«

»Vergiß es. Yasmine, stimmt das wirklich mit Jackson Wilde?«

»Ich hab's im Flughafen gehört, während ich auf mein Gepäck wartete. Im Schalter von AVIS war ein Fernseher an. Die Leute drängelten sich davor. Also habe ich einen Mann gefragt, was denn los ist. Ich habe irgendwas wie die *Challenger*-Explosion erwartet. Der Mann sagte: ›Dieser Fernsehprediger hat sich gestern nacht abknallen lassen.‹ Und da ich eine Wodu-Puppe in seiner Gestalt besitze, war mein Interesse natürlich geweckt. Ich habe mich vor das Gerät geschoben und die Nachricht mit eigenen Ohren gehört.«

»Wurde er im Fairmont umgebracht?«

Yasmine schaute sie argwöhnisch an. »Woher weißt du das?«

»Ich habe gehört, daß er dort wohnt. Von Andre.«

»Andre. Den habe ich ganz vergessen. Ich wette, er hat heute morgen einen Lachkrampf gekriegt.« Bevor Yasmine sich weiter über ihren gemeinsamen Freund auslassen konnte, fragte Claire:

»Wer hat die Leiche entdeckt?«

»Seine Frau. Sie hat ihn heute morgen mit drei Einschüssen im Bett gefunden.«

»Mein Gott. Um welche Uhrzeit denn?«

»Uhrzeit? Keine Ahnung. Das haben sie nicht gesagt. Was macht das schon für einen Unterschied?«

»Haben Sie schon jemanden verhaftet?«

»Nein.«

»Hat der Täter irgendwelche Hinweise hinterlassen? Hat man die Mordwaffe gefunden?«

Ungeduldig antwortete Yasmine: »Es war eine Kurzmeldung, verstehst du? Sie gaben keine Einzelheiten bekannt. Die Reporter haben einen Typen aus dem Büro des D. A. bedrängt, einen Kommentar abzugeben, aber der hat nicht mal Piep gesagt. Veranstalten wir hier ein Quiz?«

»Ich kann nicht glauben, daß er ... tot ist.« Claire zögerte vor den beiden letzten Worten, als kämen sie ihr nur widerwillig über die Lippen. »Gestern abend hat er noch im Superdome gepredigt.«

»Sie haben einen Ausschnitt davon im Fernsehen gezeigt. Da stand er mit rotem Gesicht und wehendem weißem Haar und hat von Feuer und Schwefel gezetert. Dann hat er alle Amerikaner aufgefordert, mit ihm auf die Knie zu fallen und um Vergebung zu beten.« Yasmines dünne Brauen zogen sich zusammen. »Wie soll der Herr irgend jemanden beten hören, solange Wilde so rumbrüllt?« Sie zuckte mit den Achseln. »Ich bin froh, daß er in Zukunft die Klappe hält. Jetzt sind wir ihn endlich los.«

Claire warf Yasmine einen scharfen Blick zu. »Du solltest so etwas nicht sagen.«

»Warum nicht? Ich meine das ganz im Ernst. Ich werde ganz bestimmt nicht in Tränen ausbrechen und so tun, als würde ich seinen Tod betrauern.« Sie lachte kurz und spöttisch. »Wer ihn umgenietet hat, hat einen Orden dafür verdient, daß er das Land von einer Pest befreit hat.«

Der Reverend Jackson Wilde hatte seine Fernsehsendung als Forum für seinen Kreuzzug gegen die Pornografie benutzt. Er hatte dieses Thema zu seinem Auftrag gemacht und gelobt, Amerika von allem Unmoralischen zu befreien. Seine feurigen Predigten hatten Tausende von Gefolgsleuten bis zur Raserei aufgepeitscht. Künstler, Schriftsteller und andere kreative Menschen waren gewaltsam und persönlich angegriffen worden, man hatte ihre Werke verboten und teilweise zerstört.

Viele waren der Auffassung, daß der Kreuzzug des Fernsehpriesters wesentlich mehr bedrohte als nur den Handel mit Pornos. Sie sahen in ihm eine Gefahr für die Rechte, die im Ersten Verfassungszusatz gewährt wurden. Es war nicht eindeutig festgelegt, was obszön war und was nicht, nicht einmal der Oberste Gerichtshof gelangte zu einer klaren Richtlinie. Wildes Gegner protestierten natürlich dagegen, daß er seine Engstirnigkeit zum Maßstab erhob, an dem sich alle Kunst messen lassen sollte.

Der Krieg war erklärt worden. In Städten und Dörfern, in Kinosälen, Buchhandlungen, Büchereien und Museen wurden Schlachten geschlagen. Reverend Wildes Gegner wurden pauschal als »ungläubige Heiden« abgestempelt. Man beschimpfte sie als neuzeitliche Häretiker, Hexen und Heiden, als Widersacher jedes wahren Gläubigen.

Da der Katalog der Dessouskollektion French Silk ebenfalls

Jackson Wildes Zensur unterlag, war auch Claire als seine Schöpferin ins Rampenlicht gerückt worden. Seit Monaten hatte Jackson Wilde den Katalog kritisiert und ihn mit harter Pornografie gleichgesetzt. Yasmine hatte Claires Ansicht geteilt, daß es besser war, Wilde und seine lächerlichen Beschuldigungen zu ignorieren, als sich für etwas zu rechtfertigen, was ihrer Meinung nach keiner Rechtfertigung bedurfte.

Aber Wilde ließ sich nicht so leicht ignorieren. Als seine Predigten nicht die gewünschte Reaktion hervorriefen – eine Fernsehdebatte –, hatte er von der Kanzel aus Yasmine und Claire persönlich attackiert. Seine Predigten waren noch feuriger geworden, seit ihn sein Kreuzzug vor einer Woche nach New Orleans, die Heimatstadt von French Silk, geführt hatte. Yasmine hatte sich in New York um andere Geschäftsbelange gekümmert, darum hatte Claire das meiste von Wildes wüsten Beleidigungen abbekommen.

Deshalb wunderte sich Yasmine über Claires Reaktion auf die Nachricht von seinem Tod. French Silk war Claires Kind. Es beruhte auf ihrem Konzept. Ihr Geschäftssinn, ihr Einfallsreichtum und ihr Instinkt für das, was Amerikas Frauen wollten, hatten das Versandhaus so erstaunlich erfolgreich gemacht. Was Yasmine betraf, so hatte es ihrer langsam zu Ende gehenden Karriere zu neuem Aufschwung verholfen. French Silk war für sie die Rettung gewesen, obwohl nicht einmal Claire wußte, in welchem Ausmaß.

Jetzt war der Dreckskerl tot, der all das in Gefahr gebracht hatte. Yasmine fand, das war ein Grund zum Feiern.

Claire sah das allerdings anders: »Wilde hat uns zu Feinden erklärt, und er wurde ermordet. Deshalb sollten wir uns nicht dabei erwischen lassen, wie wir über seinen Tod frohlocken.«

»Man hat mir schon eine Menge vorgeworfen, Claire, aber nie Doppelzüngigkeit. Ich nehme kein Blatt vor den Mund. Ich sage, was ich denke. Du bist in einem Treibhaus für Adelspflänzchen aufgewachsen. Ich hab' mich in Harlem durchgeschlagen. Ich trete auf wie ein Rollkommando, du löst nicht mal einen Hauch aus, wenn du dich bewegst. Ich hab' eine Klappe wie der Lincoln-Tunnel. Mit deiner Stimme könntest du Butter zum Schmelzen bringen. Aber selbst deine Geduld kennt Grenzen, Claire Louise Laurent. Du hast diesen Priester fast ein Jahr lang am Arsch gehabt, seit er damals den Katalog von French Silk von seiner goldenen Kanzel geschleudert hat. Du mußt dich gefühlt haben, als würde man in aller Öffentlichkeit dein Kind versohlen. Du hast seine engstirnigen Vorwürfe wie eine echte Südstaatendame mit Haltung und Würde ertragen, aber mal ganz ehrlich, bist du tief drinnen nicht froh, daß dieser frömmelnde Hurensohn tot ist?«

Claire starrte über das Wappen auf der Motorhaube hinweg ins Leere. »Ja«, sagte sie ruhig, langsam. »Tief drinnen bin ich froh, daß dieser Hurensohn tot ist.«

»Hmm. Na ja, vielleicht solltest du dir lieber deinen Rat zu Herzen nehmen und dir was ausdenken, was du ihnen erzählen kannst.«

»Ihnen?« Claire fuhr aus ihrer Trance hoch, und Yasmine deutete auf das Geschehen am nächsten Straßenblock. Mehrere Übertragungswagen mit Satellitenschüsseln auf dem Dach parkten auf der Peters Street vor dem Gebäude von French Silk. Reporter und Kameramänner liefen herum.

»Verdammt!« murmelte Claire. »Ich will mit dieser Sache nichts zu tun haben.«

»Reiß dich zusammen, Baby«, mahnte Yasmine. »Du warst eines von Jackson Wildes Lieblingszielen. Ob du willst oder nicht, du steckst bis über beide Ohren drin.«

Kapitel 2

»Sie haben es bei Ihren letzten drei Fällen zu keiner Verurteilung gebracht.«

Cassidy hatte mit diesem Argument gerechnet. Trotzdem tat die Kritik weh. Aber statt zu zeigen, daß er getroffen war, gab er sich selbstbewußt. »Wir wußten von Anfang an, daß die drei Fälle schwach waren, Tony. Jedesmal brauchte der Verteidiger bloß zu sagen: ›Beweisen Sie es.‹ Ich habe mein Bestes versucht, trotz der mageren Beweise, das wissen Sie ganz genau.«

Anthony Crowder faltete die kurzen, haarigen Hände über seiner Weste und lehnte sich in seinem ledernen Schreibtischsessel zurück. »Wir sind sowieso zu früh dran. Die Polizei hat noch keine Verhaftung vorgenommen. Bis dahin können noch Monate vergehen.«

Cassidy schüttelte störrisch den Kopf. »Ich will bei den Ermittlungen dabeisein. Ich will sichergehen, daß ihnen nichts durch die Lappen geht.«

»Dann habe ich den Polizeikommissar am Hals, weil Sie sich in die Arbeit seiner Abteilung einmischen.«

»Ich bin froh, daß Sie ihn erwähnen. Sie sind mit ihm befreundet. Reden Sie mit ihm. Bitten Sie ihn, Howard Glenn auf den Fall Wilde anzusetzen.«

»Diesen schmierigen –«

»Er war als erster am Tatort, und er ist gut. Der Beste.«

»Cassidy...«

»Sie brauchen keine Angst zu haben, daß ich meine Grenzen überschreite. Ich werde mein ganzes diplomatisches Geschick einsetzen.«

»Sie haben kein diplomatisches Geschick«, widersprach der Attorney. »Seit Sie vor fünf Jahren in meine Abteilung gekommen sind, haben Sie ab und zu ordentliche Arbeit geleistet, aber insgesamt sind sie eine echte Landplage.«

Cassidy grinste selbstbewußt und unbeeindruckt von Tony Crowders ruppiger Zurechtweisung. Er wußte, was der Bezirksbevollmächtigte Attorney in Wahrheit von ihm hielt. Inoffiziell war er Crowders Nachfolger. Wenn dessen Amtszeit nächstes Jahr zu Ende ging, wollte er sich zur Ruhe setzen. Crowder spürte in ihm die gleiche Mischung von Ehrgeiz und Mumm, die ihn selbst einst ausgezeichnet und angetrieben hatte.

»Ich habe mehr Fälle für Sie übernommen und gewonnen als jeder andere Anwalt hier«, erklärte Cassidy ohne falsche Bescheidenheit.

»Das weiß ich«, knurrte Crowder. »Sie brauchen mich nicht daran zu erinnern. Aber Sie haben mir auch mehr Ärger gemacht.«

»Man kommt zu nichts, wenn man sich nicht traut, Wellen zu schlagen.«

»*Flutwellen* in Ihrem Fall.«

Cassidy beugte sich vor und fixierte Crowder mit seinem unwiderstehlichen Blick. Seine ruhigen, grauen Augen hatten widerspenstige Zeugen eingeschüchtert, zynische Richter beeindruckt, skeptische Geschworene überzeugt und privat jedes Süßholzgeraspel überflüssig gemacht. »Geben Sie mir den Fall, Tony.«

Bevor Crowder seine Entscheidung aussprechen konnte, steckte seine Sekretärin den Kopf durch die Tür. »Ariel Wilde gibt eine Pressekonferenz. Sie wird live auf allen Kanälen übertragen. Ich dachte, das interessiert Sie vielleicht.« Sie zog sich zurück und machte die Tür wieder zu.

Crowder nahm die Fernbedienung auf seinem Schreibtisch und schaltete den Fernseher an der Wand gegenüber ein.

Das hübsche, bleiche Antlitz der Witwe erschien auf dem Bildschirm. Sie sah zerbrechlich und hilflos aus wie ein Engel auf der Flucht, aber aus ihrer Stimme sprach stählerne Entschlossenheit. »Trotz dieser Tragödie ist der Kreuzzug meines Mannes gegen das Teufelswerk nicht zu Ende.« Dieser Bemerkung folgte ein vielstimmiges *Amen* von den gläubigen Gefolgsleuten, die sich hinter den Reihen der Sicherheitsbeamten, Reporter und Fotografen drängten.

»Satan weiß, daß wir diese Schlacht gewinnen werden. Deshalb muß er zu allen Mitteln greifen. Er setzte diese korrupte Stadt als Werkzeug gegen uns ein. Die Behörden weigerten sich, meinen Mann rund um die Uhr zu beschützen.«

»Ach du Scheiße«, stöhnte Crowder. »Warum muß sie die Stadt dafür verantwortlich machen? Die ganze verdammte Welt schaut zu.«

»Niemand weiß das besser als sie.« Cassidy stand aus seinem Sessel auf, schob die Hände in die Hosentaschen und stellte sich näher an den Fernseher.

Die Witwe ließ rhetorisch geschickt Tränen über ihre elfenbeinblassen Wangen tröpfeln, während sie ihre Rede fortsetzte. »In dieser schönen Stadt gären Sünde und Korruption. Jeder, der über die Bourbon Street geht, kann sehen, wie der Teufel New Orleans im Würgegriff hat. Jackson Wilde war das Gewissen, das dieser Stadt ins Ohr flüsterte, daß sie zum Sündenpfuhl, zur Jauchegrube des Verbrechens und der Unmoral geworden war. Bis auf die wenigen, die hierhergekommen sind, um uns ihre Unterstützung anzubieten und um sein Dahinscheiden zu betrauern, haben die Vertreter dieser Stadt Jackson gehaßt – wegen seiner göttlich inspirierten Ehrlichkeit!« Die Kamera nahm eine düstere Gruppe ins Bild, in der ein Richter, ein Kongreßabgeordneter und ein paar Stadtbeamte standen.

»Mein Mann wurde mit einer Gleichgültigkeit behandelt, die an Feindseligkeit grenzte!« stieß Ariel Wilde aus. »Und diese Gleichgültigkeit hat ihn das Leben gekostet!«

Als das zustimmende Gebrüll aus der Menge sich gelegt hatte, fuhr sie fort: »Denn der Teufel bediente sich eines seiner Dämonen, um seinen erbittertsten Widersacher, Reverend Jackson Wilde, mit einer Kugel durchs Herz zum Schweigen zu bringen. Doch er wird nicht schweigen!« schrie sie mit erhobenen Armen und fäusteschüttelnd. »Mein geliebter Jackson ist jetzt beim Herrn. Er hat seine wohlverdiente Ruhe und seinen Frieden gefunden. Gelobt sei der Herr.«

»Gelobt sei der Herr!« schrie die Herde.

»Doch mein Werk ist nicht vollbracht. Ich werde den Kreuzzug fortsetzen, den Jackson begann. Wir werden den Krieg gegen den Abschaum gewinnen, der unsere Herzen und unsere Gedanken verpesten will! Diese Stimme wird nicht eher schweigen, als bis Amerika von dem Unrat gereinigt ist, der die Theater und Bücherregale füllt, und bis aus den Museen, die wir mit unseren Steuergeldern bezahlen, alle Pornografie verschwunden ist. Wir werden dieses Land zu einem Vorbild für alle anderen Länder der Welt machen, zu einem Land ohne Schmutz, einer Nation, deren Kinder in einer Welt voller Reinheit und Licht aufwachsen.«

Zustimmender Jubel brach los. Die Polizisten hatten Schwierigkeiten, die Menge zurückzuhalten. Die Kamera schwenkte zurück und faßte die ganze chaotische Szene ins Bild. Ariel Wilde wurde, offenbar erschöpft und kurz vor dem Zusammenbruch, von ihrem Stiefsohn am Arm weggeführt. Wildes Gefolge schirmte sie beschützend ab.

Ein paar Nahaufnahmen aus der Menge zeigten tränenüberströmte Gesichter, qualvoll zusammengekniffene Augen, Lippen, die sich in schweigendem Gebet bewegten. Die trauernden Jünger hakten sich ein und begannen Jackson Wildes Erkennungsmelodie zu singen: »*Onward, Christian Soldiers.*«

Mit einer präzisen Handbewegung schaltete Tony Crowder den Fernseher aus. »Verdammte Heuchler. Wenn ihnen soviel an dem Wohlergehen ihrer Kinder liegt, warum sind sie dann nicht zu Hause und erklären ihnen, was richtig und was falsch ist, statt für einen toten Heiligen zu paradieren?« Er seufzte angewidert und machte eine Kopfbewegung zum Fernseher hin. »Wollen Sie sich wirklich in diesen Sumpf wagen, Cassidy?«

»Auf jeden Fall.«

»Unter uns gesagt, es wird einen Riesenzirkus geben, vor allem, wenn die Polizei anfängt, die Verdächtigen zusammenzutreiben.«

»Worunter momentan etwa sechshundert Leute fallen – jeder, der gestern nacht in oder am Fairmont-Hotel war.«

»Ich würde eher von zwei ausgehen – der Witwe und dem Stiefsohn.«

»Die stehen auch auf meiner Liste ganz oben.« Cassidy grinste einnehmend. »Heißt das, ich habe den Fall?«

»Vorübergehend.«

»Kommen Sie, Tony!«

»Vorübergehend«, wiederholte der Alte laut. »Die Sache ist heiß, und sie wird bestimmt noch heißer. Ich mag gar nicht daran denken, was passiert, wenn Sie Ariel Wilde provozieren. Sie wird genauso geliebt und verehrt wie ihr Mann. Sie könnten einen Aufruhr auslösen, wenn Sie sie tatsächlich für den Mord an ihrem Mann verhaften.«

»Es wird bestimmt ein paar Scharmützel geben. Aber darauf bin ich vorbereitet.« Cassidy kehrte zu seinem Sessel zurück und setzte sich. »Man hat mir schon öfters Feuer unter dem Hintern gemacht, Tony. Das stört mich nicht.«

»So ein Quatsch, das stört Sie nicht. Sie leben davon.«

»Ich gewinne gern.« Cassidy schaute seinem Vorgesetzten in die Augen. Sein Grinsen verblaßte, bis seine Lippen zu einem dünnen, festen Strich zusammengeschmolzen waren. »Deshalb will ich diesen Fall, Tony. Ich will Ihnen nichts vormachen. Ich brauche einen Sieg. Und ich brauche ihn dringend.«

Crowder kommentierte die Offenherzigkeit seines Protégés mit einem Nicken. »Es gibt weniger gefährliche Fälle, die ich Ihnen überlassen könnte, wenn es Ihnen nur um einen Sieg geht.«

Cassidy schüttelte den Kopf. »Ich brauche einen *großen* Sieg, und Jackson Wildes Mörder vor Gericht zu bringen, wird der größte Coup in diesem Jahr, wenn nicht in diesem Jahrzehnt.«

»Sie wollen also Schlagzeilen machen«, meinte Crowder stirnrunzelnd.

»Sie kennen mich, deshalb lehne ich es ab, diese Bemerkung

durch eine Antwort aufzuwerten. Seit heute morgen habe ich einen Schnellkurs über Jackson Wilde belegt. Dieser Priester und das, wofür er steht, gefällt mir nicht. Ehrlich gesagt gibt es nichts, worin wir einer Meinung wären. Seine Version des Christentums stimmt nicht mit dem überein, was ich in der Sonntagsschule gelernt habe.«

»Sie waren in der Sonntagsschule?«

Cassidy ignorierte auch diesen Seitenhieb und redete unbeirrt weiter. »Egal, was ich von Wilde halte, er war ein Mensch und hatte ein Recht darauf, in Frieden alt zu werden. Jemand hat ihm dieses Recht verwehrt. Er wurde von jemandem getötet, dem er vertraut hat, und zwar als er nackt und schutzlos war.«

»Woher wissen Sie das?«

»Es gibt keine Hinweise darauf, daß die Türen zur Suite gewaltsam geöffnet wurden. Die Schlösser wurden nicht manipuliert. Also hatte der Täter einen Schlüssel, oder Jackson hat ihn reingelassen. Offenbar lag Jackson im Bett und hat geschlafen oder mit seinem Mörder geredet. Er war ein religiöser Fanatiker, vielleicht der gefährlichste seit Rasputin, aber er hat es nicht verdient, daß jemand ihm kaltblütig eine Kugel durch den Kopf schießt.«

»Und durch Herz und Hoden«, ergänzte Crowder.

Cassidy kniff die Augen zusammen. »Das ist komisch, was? Die Schüsse in den Kopf und ins Herz hätten mehr als ausgereicht. Warum zusätzlich in die Eier?«

»Der Mörder war stinksauer.«

»Mit ihm bekannt und stinksauer. Das riecht nach Mord aus Leidenschaft, nicht wahr? Zum Beispiel aus weiblicher Eifersucht.«

»Sie glauben, seine Frau hat ihn kaltgemacht? Sie glauben, Wilde hat sich wie so mancher aus seiner Branche ein süßes junges Ding angelacht, und Ariel hat Wind davon bekommen?«

»Ich weiß nicht. Ich habe bloß den starken Verdacht, daß er von einer Frau ermordet wurde.«

»Warum das?«

»Nur das gibt Sinn«, sagte Cassidy. »Wenn Sie eine Frau wären und sich an einem Kerl rächen wollten, wohin würden Sie wohl schießen?«

Außer Atem erreichte Claire endlich ihre Wohnung über den Büros von French Silk. Sie hörte, wie sich Yasmine und ihre Mutter in einem anderen Zimmer unterhielten, doch sie huschte unbemerkt über den Gang und ging direkt in ihr Schlafzimmer, wo sie die Tür hinter sich schloß.

Ihr Eintreffen bei French Silk hatte einen Tumult unter den Reportern ausgelöst, die das Gebäude belagerten. Sie hatten Yasmine und sie umschwärmt, sobald sie aus dem Auto gestiegen waren. Claire war versucht gewesen, den Kopf einzuziehen und ins Haus zu rennen, aber sie wußte, daß sie durch eine Flucht das Unvermeidliche nur hinauszögern würde. Die Medien würden erst abziehen, wenn sie eine Erklärung abgegeben hatte. Sie würden ihren Betrieb behindern, ihre Nachbarn belästigen und vielleicht ihre Mutter ängstigen.

Da sie nicht sicher sein konnte, was Yasmine sagen würde, bat Claire sie, ins Haus zu gehen und dafür zu sorgen, daß Mary Catherine nichts von den Vorgängen draußen mitbekam. Nach einem Lächeln für die Kameras tat Yasmine, worum Claire sie gebeten hatte.

Claire wurde mit Fragen bombardiert, die sie kaum verstand. Es war unmöglich, auf alle zu antworten, selbst wenn sie das gewollt hätte. Schließlich hob sie die Hände und bat um Ruhe. Dann sprach sie in die auf sie gerichteten Mikrofone: »Obwohl Reverend Wilde mich zur Sünderin und zu seiner Feindin erklärt hat, bedaure ich seinen Tod außerordentlich. Seine Familie hat mein ganzes Mitgefühl.«

Sie ging auf den Eingang von French Silk zu, aber die lärmenden Journalisten versperrten ihr den Weg.

»Miss Laurent, stimmt es, daß Sie sich trotz wiederholter Einladungen geweigert haben, mit Reverend Wilde zu diskutieren?«

»Das waren keine Einladungen, es waren Herausforderungen. Ich will nur ungestört mein Geschäft führen.«

»Was sagen Sie zu seinen Vorwürfen, Sie –«

»Mehr habe ich nicht zu sagen.«

»Wer hat ihn umgebracht, Miss Laurent?«

Die Frage ließ Claire augenblicklich stehenbleiben. Sie starrte den halb kahlen, ruppigen Reporter an, der die Frage gestellt hatte. Mit leisem Schmunzeln und ohne mit der Wimper zu zucken stellte er sich ihrem Blick. Die anderen verstummten und warteten gespannt auf ihre Antwort.

In diesem Moment begriff Claire, daß ihr Streit mit Jackson Wilde noch nicht ausgestanden war. Er war tot, aber er verfolgte sie noch immer. Im Gegenteil, vielleicht stand ihr das Schlimmste noch bevor. Warum hatte der Reporter sie so unverblümt nach dem Mörder gefragt? Hatte er eine verläßliche Quelle in der Polizeizentrale? Hatte er Gerüchte über mögliche Verdächtige aufgeschnappt?

Obwohl sie sich nichts anmerken ließ, krabbelte die Angst wie mit eisigen Fingerspitzen über ihren Rücken. Trotz der drückenden Hitze und der hohen Luftfeuchtigkeit war ihr eiskalt.

»Verzeihen Sie. Mehr habe ich nicht zu sagen.«

Sie bahnte sich mit Gewalt einen Weg durch die Reporter und blieb nicht stehen, ehe sie in der Sicherheit ihrer Privaträume in der obersten Etage war. Das Erlebnis hatte sie aufgewühlt und verunsichert. Eilig schälte sie sich aus den Kleidern, die ihr am Leib klebten. Im Bad beugte sie sich über das Waschbecken und wusch sich das Gesicht, den Hals, die Brust und die Arme mit kaltem Wasser.

Einigermaßen erfrischt stieg sie in einen lockeren Baumwolloverall, eines der beliebtesten Stücke aus dem Sommerkatalog von French Silk, und band ihr schulterlanges Haar zu einem Pferdeschwanz zusammen. Dann trat sie aus dem Bad und betrachtete düster den massiven Kirschholzschrank an der Wand gegenüber.

Als sie vor drei Jahren das alte Lagerhaus zur Zentrale von French Silk gemacht hatte, hatte sie das Obergeschoß als Privatwohnung ausbauen lassen. Es war die zweite Wohnung in Claires Leben. Zuvor hatte sie im Haus ihrer Großtante Laurel an der Royal Street nahe der Esplanade gelebt.

Nach Tante Laurels Tod waren Claire und Mary Catherine ausgezogen, aber Claire hatte es noch nicht übers Herz gebracht, das Haus ausräumen zu lassen und zu verkaufen.

Der Kirschholzschrank war das einzige Stück, das Claire bei ihrem Umzug mitgenommen hatte. Sie hatte ihn immer bewundert. In seiner Schlichtheit paßte er gut zu der modernen Einrichtung der Wohnung. Sie hatte vom Architekten eigens eine Wand in ihrem Schlafzimmer gefordert, die groß genug war, um das Möbelstück aufzustellen.

Claire ging zum Schrank, machte die Tür auf, ging vor den Schubladen in die Hocke und zog die unterste heraus. Das war nicht ganz einfach, denn sie war bis obenhin mit Ausschnitten aus Zeitungen und Zeitschriften vollgepackt und schwer. Den Datumsangaben nach stammten die Ausschnitte aus den letzten Jahren.

Stundenlang hatte Claire über den Artikeln gebrütet, die Informationen darin verdaut und ihre Reaktion darauf geschult. Sie vernichtete sie nur ungern. Sie zu sammeln, war wie ein faszinierendes Hobby gewesen, das sie im Lauf der Zeit beinahe liebgewonnen hatte.

Aber jetzt mußte sie alles loswerden. Augenblicklich. Es wäre Wahnsinn, die gedruckte Dokumentation über Reverend Jackson Wilde zu behalten.

Die Hotelsuite war vollkommen überlaufen. Manche waren bloß zum Gaffen gekommen; andere wollten wirklich helfen. Alle schienen durch den plötzlichen Verlust ihres Anführers wie vor den Kopf gestoßen, wanderten ziellos durch die Suite, sammelten sich zu kleinen Grüppchen, trennten sich wieder, schüttelten die Köpfe und flüsterten immer wieder unter Tränen: »Ich kann es einfach nicht fassen.«

Nach dem Verhör durch Cassidy hatte man Ariel aus der San-Louis-Suite ausquartiert. Ihre neue Unterkunft war kleiner und weniger luxuriös. Ihre Privatsphäre war eingeschränkt. Das ständige Kommen und Gehen der Trauernden machte sie wahnsinnig. Sie machte Josh ein Zeichen, der augenblicklich zu ihr eilte. Nachdem er kurz mit ihr geflüstert hatte, hob er die Stimme, um alle auf sich aufmerksam zu machen.

»Ariel ist erschöpft. Wir möchten Sie darum bitten, die Suite zu verlassen, damit sie sich ausruhen kann. Wenn wir etwas brauchen sollten, werden wir es Sie wissen lassen.«

Wildes Anhänger zogen ab. Die Leute sahen traurig und verloren aus. Sie warfen der Witwe mitleidige Blicke zu, die sich mit untergeschlagenen Beinen ans Ende des Sofas zurückgezogen hatte. Ihr schwarzes Kleid schien sie langsam zu verschlingen, so als würde sie darin schmelzen.

Sobald Josh die Tür hinter dem letzten Nachzügler zugemacht hatte, setzte sich Ariel auf und schwang die Beine von der Couch. »Gott sei Dank, daß sie endlich weg sind. Und mach das verdammte Ding aus. *Die* hat mir gerade noch gefehlt.« Sie zeigte auf den Fernseher. Der Ton war abgedreht, aber auf dem Bildschirm war eine Frau zu sehen, die einer Horde von Reportern zu entkommen versuchte.

»Wer ist das?« fragte Josh.

»Diese Frau von French Silk. Vor einer Minute haben sie ihren Namen eingeblendet.«

»Das ist also Claire Laurent.« Josh trat zurück, um besser sehen zu können. »Ich habe mich schon gefragt, wie sie wohl aussieht. Sie hat gar keine Hörner und keinen langen Schwanz, wie Daddy den Leuten weismachen wollte. Und sie sieht auch nicht so aus wie eine Metze. Ganz im Gegenteil, würde ich sagen.«

»Wen kümmert es schon, was du sagen würdest.« Ariel ging zum Fernseher und schaltete ihn ab.

»Interessiert dich nicht, was Miss Laurent zu sagen hat?« fragte Josh.

»Nicht im geringsten. Sie wird ihr Fett schon noch abkriegen, aber nicht heute. Alles zu seiner Zeit. Bestell mir was beim Zimmerservice, ja? Ich verhungere fast.« Sie verschwand im Nebenzimmer.

Joshua Wilde, der achtundzwanzigjährige Sohn aus Jackson Wildes erster Ehe, rief den Zimmerservice an und bestellte ein leichtes Mittagessen für seine Stiefmutter und Muffuletta, eine Sandwichspezialität aus New Orleans, an der er Geschmack gefunden hatte.

Während er auf das Essen wartete, stellte er sich ans Fenster und schaute hinunter. Auf der Straße gingen die Leute ihren Geschäften nach, als wäre nichts passiert. Hatten sie es denn nicht gehört? *Jackson Wilde war tot.*

Josh hatte es noch nicht wirklich begriffen, obwohl er den Toten und das Blut gesehen hatte. Er hatte nicht wirklich erwartet, daß die Welt in ihrem Lauf innehielt, aber er hatte das Gefühl, es müßte irgend etwas Bedeutsames geschehen, um den Tod seines Vaters zu kennzeichnen. Nie wieder würde Jackson einen Raum mit seiner knisternden, parasitären Energie füllen, die allen anderen die Lebenskraft aussog. Nie wieder würde Josh seine laut betende oder bösartig ironische Stimme hören und dem kalten Blick seines Vaters ausgesetzt sein, der so oft Enttäuschung oder Abscheu ausgedrückt hatte – und immer Kritik.

Vor sieben Jahren war Joshs Mutter Martha so unauffällig an einem Schlaganfall gestorben, wie sie gelebt hatte. Ihr Leben war so bedeutungslos gewesen, daß bei ihrem Tod das gut geölte Räderwerk der Missionsgesellschaft seines Vaters nicht einmal ins Stocken kam. Als sie starb, war Jackson gerade dabei, ins Kabelfernsehen einzusteigen. Er arbeitete unermüdlich und wie besessen. Gleich nach der Beerdigung seiner Frau war er wieder ins Büro gefahren, um ein paar Stunden zu arbeiten, damit der Tag nicht ganz verloren war.

Diese Taktlosigkeit hatte Josh seinem Vater nie verziehen. Deshalb bereitete es ihm auch keine Gewissensbisse, daß ihm vor Hunger der Magen knurrte, obwohl er erst vor Stunden den blutigen Leichnam seines Vaters gesehen hatte, und daß er seinen Vater mit seiner zweiten Frau betrog. Er nahm an, daß manche Sünden gerechtfertigt waren, auch wenn er auf keine Stelle in der Heiligen Schrift verweisen konnte, die diese Annahme bestätigte.

Ariel war zwei Jahre älter als Josh, doch als sie in ihrem über-
großen T-Shirt aus dem Schlafzimmer trat, sah sie viel jünger
aus als er. Sie hatte ihr langes Haar aus dem Gesicht gekämmt
und mit Haarspangen festgesteckt. Ihre Beine und Füße waren
nackt. »Hast du auch einen Nachtisch bestellt?«

Jackson hatte sie immer mit ihrer Gier nach Süßem geneckt und
ihr jedesmal Vorhaltungen gemacht, wenn sie ihren Genüssen
nachgegeben hatte. »Schokoladentorte«, erklärte ihr Josh.

»Lecker.«

»Ariel?«

»Hmm?«

Er wartete, bis sie sich zu ihm umgedreht hatte. »Erst vor ein
paar Stunden hast du die Leiche deines Mannes entdeckt.«

»Willst du mir den Appetit verderben?«

»Ich glaube schon. Macht dir das gar nichts aus?«

Sie sah ihn schmollend und kampflustig an. »Du weißt, wieviel
ich vorhin geweint habe.«

Josh lachte humorlos. »Du hast auf Knopfdruck weinen können, seit du damals zu meinem Vater gekommen bist und ihn
angefleht hast, für deinen kleinen Bruder zu beten, der lebenslänglich gekriegt hat. Du hast Daddy so weich geklopft, daß du
schon beim nächsten Gottesdienst auf dem Podium gesungen
hast. Ich habe gesehen, wie geschickt du deine Tränen einsetzen
kannst. Andere halten sie vielleicht für echt, aber mir kannst du
nichts vormachen. Du weinst, weil es sich so gehört oder weil
du etwas erreichen willst. Nie, weil du traurig bist. Du bist zu
selbstsüchtig, um jemals traurig zu sein. Du kannst zornig und
verärgert und eifersüchtig sein, aber nicht traurig.«

»Jackson Wilde war ein gemeiner, gehässiger, egoistischer Hurensohn.« Sie blinzelte nicht einmal dabei. »Sein Tod wird mir
nicht den Appetit verderben, denn es tut mir nicht leid, daß er
tot ist. Höchstens, weil es sich auf unseren Kreuzzug auswirken
könnte.«

»Und dagegen hast du dich schon auf der Pressekonferenz ab-
gesichert.«

»Ganz recht, Josh. Ich habe bereits den Grundstein dafür gelegt, daß die Missionsgesellschaft weiterbestehen kann. *Irgend-wer* muß sich ja schließlich Gedanken um unsere Zukunft machen«, fügte sie schnippisch hinzu.

Josh preßte die Spitzen seiner langen, schlanken Musikerfinger an seine Stirn, als würde er unter schrecklichen Kopfschmerzen leiden, und drückte beide Augen zu. »Mein Gott, du bist eiskalt. Immer berechnend und ununterbrochen Pläne schmiedend.«

»Weil mir nie was anderes übrigblieb. Ich war kein reiches Kind wie du, Josh. Du nennst das Gut deiner Großeltern bei Nashville eine Farm«, spottete sie. »Ich bin auf einer richtigen Farm groß geworden. In Schmutz und Mistgestank. Ich habe nicht wie du nur zum Spaß die Pferde gestriegelt. Ob ich wollte oder nicht, ich mußte die Gemüsebeete jäten und Erbsen schälen und das Schwein füttern, damit es bis zum November fett wurde, wenn's ans Schlachten ging.

Ich hatte immer nur ein einziges Paar Schuhe. Die Mädchen in der Schule lachten mich aus, weil ich gebrauchte Sachen trug. Und schon mit zwölf Jahren mußte ich mich Samstag abends gegen besoffene Kerle wehren, die am Sontagmorgen mit frommer Miene in der Kirche hockten. O ja, wir sind jeden Sonntag in die Kirche gegangen, um uns die Predigten anzuhören, in denen Loblieder auf die Armut gesungen wurden. Aber ich habe kein Wort davon geglaubt.«

Sie schüttelte ihr langes, glattes, platinblondes Haar. »Ich bin arm gewesen, Josh. Und Armut tut weh. Sie macht dich gemein. Sie macht dich rücksichtslos. Schließlich bist du so weit, daß du alles tust, um ihr zu entkommen. Deshalb sitzt mein kleiner Bruder für den Rest seines Lebens im Gefängnis. Nachdem sie ihn eingesperrt hatten, wußte ich, daß ich irgendwas Entscheidendes unternehmen mußte, sonst würde ich schlimmer enden als er. Ja, ich habe für deinen Vater geweint. Und wenn er mich darum gebeten hätte, hätte ich ihm auch den Hintern abgewischt oder ihm auf der Stelle einen geblasen.

Er hat mir beigebracht, daß nur Geld zählt. Reich und gemein zu sein ist viel besser, als arm und gemein zu sein. Wenn du arm bist, wanderst du ins Gefängnis, wenn du reich bist, kannst du tun, was dir gefällt, ohne daß dir jemand ans Leder kann. Gut, ich bin berechnend. Und ich werde es mein Leben lang bleiben, weil ich nie wieder arm sein will.«

Sie machte eine Pause, um Luft zu holen. »Versuch mir nicht weiszumachen, daß du um ihn trauerst, Josh. Du hast ihn genauso gehaßt wie ich, wenn nicht mehr.«

Er konnte ihren Blick nicht ertragen. »Ich glaube, meine Gefühle sind ambivalent. Ich empfinde keine Trauer. Aber ich fühle mich auch nicht erleichtert, wie ich erwartet hätte.«

Sie kam zu ihm und legte die Arme um seinen Hals. »Begreifst du nicht, Josh? Wenn wir es geschickt anstellen, kann das unsere Chance sein. Wir können so weitermachen wie zuvor, nur werden wir es viel angenehmer haben, weil er nicht mehr auf uns herumhackt.«

»Glaubst du wirklich, unsere Verehrer werden uns als Paar akzeptieren, Ariel?« Er lächelte milde über ihre Naivität. Oder amüsierte ihn ihre Gier?

»Die Öffentlichkeit wird unsere neue Beziehung billigen, wenn wir den Herrn nur oft genug ins Spiel bringen. Wir könnten behaupten, daß wir gegen unsere romantische Liebe gekämpft haben, weil sie uns unrecht erschien. Aber im Gebet und beim Bibelstudium hat uns Gott überzeugt, daß alles von Anfang an Sein Wille gewesen war. Sie werden es schlucken. Niemand hat was gegen ein Happy-End.« Sie küßte ihn zärtlich und verlockend auf die Lippen, so daß er ihren Atem in seinem Mund spürte. »Ich brauche dich, Josh.«

Er kniff die Augen zu und versuchte heldenhaft, die Lust zu unterdrücken, die sich in seinem Unterleib aufstaute. »Ariel, wir sollten uns eine Weile trennen. Sie werden glauben—«

Sie kam näher, schob ihr Becken gegen seines. »Wer wird was glauben?«

»Die Polizei... dieser Mr. Cassidy aus dem Büro des D. A. Wir stehen bestimmt unter Verdacht.«

»Sei nicht so dumm, Josh. Wir können uns doch gegenseitig ein Alibi geben, hast du das vergessen?«

Ihre Gelassenheit war zum Verrücktwerden, aber die Frustration und der Reiz des Verbotenen erregten ihn. Statt sie zu schütteln, wonach ihm eigentlich zumute war, fuhr er mit den Händen unter ihr T-Shirt, umfaßte ihre Taille und zog sie dann an sich. Seine Lippen preßten sich auf ihre. Er ließ seine Zunge in ihren willigen, feuchten Mund gleiten, während er mit den Handtellern ihre Hüftknochen massierte.

Sein Penis war dick und heiß. Ungeschickt nestelte er sich aus seinen Kleidern. Aber als er gerade seinen Reißverschluß aufgezogen hatte, klopfte es an der Tür.

»Das wird das Essen sein«, seufzte Ariel. Sie gab ihm einen letzten Kuß, strich ihm mit der Hand über den offenen Hosenladen und schwebte aus seinen Armen. »Der Kellner soll es ins Schlafzimmer bringen. Wir essen erst.«

»Cassidy?«

»Am Apparat.« Er jonglierte mit dem Telefonhörer, während er versuchte, mit der Fernbedienung den Fernseher leiser zu stellen und dabei weder das Mortadella-Sandwich noch das Bier fallen zu lassen.

»Hier ist Glenn. Man hat mir offiziell den Fall Wilde übergeben.«

Gut, dachte Cassidy, *Crowder hat sich also durchgesetzt.* Detective Howard Glenn wäre der Hauptverantwortliche und der Verbindungsmann zwischen ihm und dem Morddezernat. Sobald Glenn seine Beamten auf den Fall angesetzt hätte, würde er Cassidy von allen neuen Ermittlungsergebnissen unterrichten.

Er wußte, daß es nicht leicht war, mit Glenn zusammenzuarbeiten. Er war ein Rüpel und in jeder Beziehung schlampig – außer bei der Arbeit. Aber Cassidy war gewillt, im Austausch für Glenns Kompetenz seine Charakterfehler zu übersehen.

»Haben Sie was?« fragte er, nachdem er das fade Sandwich abgelegt hatte.

»Der Laborbericht ist da. Wir gehen ihn gerade durch.«

»Wie sieht's aus?«

»Die Abdrücke sind alle von ihm, von seiner Alten und von dem Zimmermädchen, das sich um die Suite kümmert. Natürlich gibt's daneben ein paar hundert Teilabdrücke von Leuten, die vor ihm in der Suite waren.«

Obwohl Cassidy nichts anderes erwartet hatte, war das entmutigend. »Was ist mit der Waffe?«

»Fehlanzeige. Wer immer in Wildes Suite spazierte und ihn umgelegt hat, hat die Waffe mitgenommen.«

Daß die Tatwaffe fehlte, würde die Lösung dieses Falles und den Gang vors Gericht zu einer echten Herausforderung machen. Zum Glück mochte Cassidy Herausforderungen – je größer, desto lieber.

»Wie schnell können Sie ein paar Telefone anzapfen?« fragte er den Detective.

»Gleich morgen früh. Wen außer der Frau und dem Sohn?«

»Das besprechen wir morgen. Wir bleiben in Verbindung.«

Er legte auf, nahm einen Bissen von seinem Sandwich, einen Schluck von seinem schalen Bier und konzentrierte sich dann wieder auf den Fernseher. Er hatte den Kabelsender angerufen, der *Jackson Wildes Stunde für Gott und Gebet* ausgestrahlt hatte, und um Kopien aller verfügbaren Bänder gebeten. Die Senderleitung hatte die Bänder umgehend an sein Büro liefern lassen. Er hatte sie mit nach Hause genommen, wo er sie ungestört anschauen konnte.

Die Sendungen waren Hochglanzproduktionen. Wilde zog eine Glitzershow ab inklusive weißen Tauben, einem Orchester, einem fünfhundertköpfigen Chor, einer Blattgoldkanzel und Joshuas verspiegeltem Flügel, der an den des verstorbenen Liberace erinnerte.

Die Show lief immer nach dem gleichen Muster ab. Die Sendung wurde mit einer Fanfare eröffnet, die das Jüngste Gericht anzukündigen schien. Der Chor brach in ein Lied aus, die weißen Tauben wurden losgelassen und flatterten auf, und Wilde kam eine geschwungene Treppe herunter, als wäre er eben zu Besuch beim Allmächtigen gewesen, und genau das gab er mit seinen Begrüßungsworten auch zu verstehen.

Ariel, die immer jungfräulich weiß gewandet war und als einzigen Schmuck einen goldenen Ehering und diskrete Perlenohrringe trug – Wilde betonte immer, daß die einzigen Schätze, die sie horteten, geistiger Natur waren –, wurde mit einem Trompetentriller aus dem Hintergrund auf der Bühne begrüßt. Dann bekamen die Zuschauer eine Nahaufnahme von Joshua Wilde zu sehen, der die Einleitung zu Ariels erstem Lied spielte.

Ihre bestenfalls durchschnittliche Stimme wurde von dem Orchester, dem Chor und einem Soundsystem unterstützt, dessen schwindelerregende Kosten sich selbst im Schuldenhaushalt der Regierung bemerkbar gemacht hätten. Ariel bedachte Jackson, Josh, die Zuschauer und den Himmel mit einem seligen Lächeln. Bis zum Ende des Liedes war unausweichlich eine beredte, glänzende Träne aus ihren himmelblauen Augen geflossen.

Cassidy war von Natur aus skeptisch. Es war ihm unverständlich, wie sich ein einigermaßen intelligenter Mensch, und sei er noch so leichtgläubig, von Wildes pompöser Jahrmarktsvorstellung blenden lassen konnte. Seine Predigten entstellten das Evangelium bis zur Unkenntlichkeit. Er predigte viel eifriger über göttliche Rache als über Gnade, über Verdammung als über Liebe, über die Hölle als über den Himmel. Man hörte mehr über Satan als über Christus. Es war leicht nachzuvollziehen, warum ihn die Vertreter der meisten organisierten Kirchen verachteten.

Cassidy begriff außerdem, wie Wilde seine engstirnigen Jünger zu solchem Fanatismus anheizen konnte. Er sagte ihnen bloß, was sie hören wollten: daß sie recht hatten und jeder, der anderer Meinung war, unrecht. Natürlich stand Gott *immer* auf ihrer Seite.

Nachdem er die Bänder mehrmals angeschaut und sich dabei Notizen gemacht hatte, schaltete Cassidy den Apparat aus und ging in sein Schlafzimmer. Eine Bestandsaufnahme seiner sauberen Hemden und Hosen ergab, daß sich der nächste Gang zum Waschsalon noch um ein paar Tage hinausschieben ließ. Während seiner Ehe hatte sich Kris um seine Garderobe gekümmert, genauso wie um das Haus, die Einkäufe und das Essen. Die Auflösung ihrer vierjährigen Ehe war eher auf Apathie als auf Animositäten zurückzuführen. Ihre Liebe zueinander war nicht stark genug gewesen, um dem äußeren Druck standzuhalten. Kris hatte über einen Umzug nicht einmal sprechen wollen, er dagegen hatte nach einem einschneidenden Zwischenfall, der sein ausbalanciertes Leben aus dem Gleichgewicht gebracht hatte, darauf bestanden wegzuziehen.

Als er von einer offenen Stelle bei der Staatsanwaltschaft des Bezirks New Orleans, Louisiana, erfuhr, hatte er am selben Tag seine Bewerbung und seine Scheidung eingereicht. Das letzte, was er von Kris gehört hatte, war, daß sie immer noch in Louisville lebte, glücklich neu verheiratet war und mit dem zweiten Kind schwanger ging.

Er zog sich aus und ging zu Bett, aber er war zu aufgedreht, um schlafen zu können. Zu seiner Überraschung entdeckte er, daß sein Glied halb erigiert war. Es hatte nichts mit der Lust auf eine Frau zu tun. Es war aufgestaute Erregung, die nach einem Ventil suchte. Er war geistig wie physisch aufgeladen.

Während er wach im Bett lag, ging er die Fakten im Fall Wilde durch. Es waren verdammt wenige. Er wußte nur eines mit Sicherheit – es würde ein schwieriger, fieser und schmutziger Fall werden, der Monate, wenn nicht Jahre seines Lebens in Anspruch nehmen würde.

Trotzdem konnte er es kaum erwarten anzufangen. Er hatte die Pressemitteilung über den Mord verfaßt und herausgeben lassen. Damit war aktenkundig, daß er die Ermittlungen leiten und den Fall vor Gericht vertreten würde. Er hatte um eine Chance gebeten und sie bekommen. Jetzt durfte er sie nicht verpatzen. Er mußte Crowder beweisen, daß sein Vertrauen berechtigt war.

So, wie er es sich selbst beweisen mußte.

Kapitel 3

Das Gebäude stand an der North Peters Street, einen Block vor der Kreuzung mit der Dekatur. Es war das letzte in einer Reihe vernarbter Ziegellagerhäuser, die sich in diesem alten Gewerbegebiet des französischen Viertels dem Fortschritt widersetzten. Die meisten der Gebäude, die nahe Jax Brewery eingeschlossen, hatte man ausgeweidet und in modische Einkaufs- und Restaurantzentren verwandelt.

Die Renovierung hatte zu einem disharmonischen Durcheinander von authentischem New Orleans und plattem Kommerz geführt. Die »Oldtimer«, die die mystische Atmosphäre des Vieux Carré bewahren wollten, hielten diese Vermarktung für ein Sakrileg, eine Entweihung dieses einzigartigen Bezirks. Wer hier am Alten festhielt, tat das zäh und trotzig, wie die Fassade von French Silk bewies.

Die alten Ziegel waren weiß gestrichen, doch auf der Gebäudeseite an der Querstraße waren die grausamen Wunden des Alters zu sehen. Nach kreolischem Brauch waren an allen Fenstern glänzende schwarze Läden angebracht. Falsche Balkons aus Schmiedeeisen liefen am ersten und zweiten Stock entlang. Über dem Eingang hing an zwei schwarzen Ketten ein diskretes Schild, auf dem in Schreibschrift der Name des Unternehmens stand.

Cassidy entdeckte schnell, daß auch die Vordertür falsch war und sich der echte Eingang zum Lagerhaus hinter einer schweren Metalltür an der Conti Street befand. Er drückte auf den Knopf und hörte drinnen eine laute Schulglocke läuten. Ein paar Sekunden später ging die Tür auf.

»Was wollen Sie?« Die Frau, die sich ihm in den Weg stellte, war gebaut wie ein Stauer. RALPH war in blauen Buchstaben über einem roten Herz auf ihren Unterarm tätowiert. Über ihrer Oberlippe saßen Schweißtropfen auf den Haarspitzen ihres Damenbartes. Sie paßte in eine Dessous-Fabrik wie ein Footballspieler auf einen Debütantinnenball. Cassidy bekam Mitleid mit Ralph.

»Ich heiße Cassidy. Sind Sie Claire Laurent?«

Sie prustete los wie ein Nebelhorn. »Soll das ein Witz sein?«

»Nein. Ich möchte zu Claire Laurent. Ist sie da?«

Sie musterte ihn mißtrauisch. »Einen Moment.« Sie hielt die Tür mit einem Fuß auf, nahm den Hörer von einem Wandapparat ab und drückte zwei Tasten. »Hier will jemand zu Miss Laurent. Kennedy oder so.«

»Cassidy«, korrigierte er höflich lächelnd.

Sie starrte Cassidy finster an, während sie auf weitere Instruktionen wartete. Schließlich lauschte sie und sagte dann zu ihm: »Miss Laurent will wissen, wegen was.«

»Ich komme vom District Attorney.« Er zog das Lederetui aus seiner Brusttasche und klappte es auf, um ihr seinen Ausweis zu zeigen.

Das trug ihm den nächsten finsteren Blick ein. Sie musterte ihn langsam und argwöhnisch. »Er kommt vom District Attorney.« Kurz darauf legte sie auf. »Hier lang.« Sie schien nicht damit einverstanden, daß ihre Chefin ihn sehen wollte. Sie führte ihn an endlosen Reihen voller Schachteln vorbei, die mit Adressen versehen und zum Versand bereitgemacht wurden.

Große, unter der Decke an den Wänden montierte Ventilatoren rotierten schnell und lautstark, erzeugten aber nur warme, feuchte Luft. Ihre Flügel zerhackten das hereindringende Sonnenlicht wie in einem Stroboskop, was dem Lager eine surrealistische Atmosphäre verlieh.

Cassidy spürte einen Schweißtropfen aus seiner Achsel rollen und verzieh der Frau die verschwitzte Oberlippe. Er zog sein Jackett aus und legte es sich über die Schulter. Dann lockerte er den Krawattenknoten. Das Lagerhaus war klinisch sauber und gut durchorganisiert. Die Arbeiterinnen, denen die Hitze anscheinend nichts ausmachte, schwatzten fröhlich bei der Arbeit.

Sie blieben vor dem Lastenaufzug stehen, und sie zog die schwere Doppeltür auf. »Erster Stock.«

»Danke.«

Die Türen donnerten zu und schlossen ihn in einem Aufzug ein, der größer war als das Bad in seinem Appartement. Auf dem Weg nach oben rollte er sich die Hemdsärmel bis über die Ellbogen hoch.

Er landete in einem Korridor, der quer durch das ganze Gebäude verlief. Weitere Korridore und Büros, aus denen Arbeitsgeräusche zu hören waren, zweigten davon ab. Direkt vor ihm war eine breite Doppeltür. Instinktiv wußte er, daß er Miss Laurent dahinter finden würde.

Tatsächlich führten die Türen in ein exquisit eingerichtetes Büro mit Teppichboden und Klimaanlage sowie einer lächelnden Empfangsdame hinter einem Schreibtisch aus Glas und schwarzlackiertem Metall. »Mr. Cassidy?« fragte sie liebenswürdig.

»Ganz recht.« Ein so feudales Büro hatte er über einem gewöhnlichen Lager nicht erwartet. Er hätte sein Jackett nicht ausziehen und die Krawatte nicht lockern sollen. Aber er hatte keine Zeit, das zu ändern, denn die Empfangsdame führte ihn schon zur nächsten Doppeltür.

»Miss Laurent erwartet Sie bereits.«

Sie öffnete die Tür und trat beiseite. Er ging hinein und wurde schon wieder überrascht. Er hatte ein luxuriöses Büro erwartet, das dem großzügigen Empfangsbereich entsprach. Statt dessen stand er in einem Arbeitsraum – mit der Betonung auf *Raum*. Man hätte Golf hier drin spielen können. Der Raum war so breit wie das ganze Gebäude und halb so tief. Die Fenster boten einen Panoramablick auf den Mississippi. Es gab eine Reihe von Zeichentischen, alle mit den verschiedensten Utensilien beladen, und drei kopflose Kleiderpuppen und Staffeleien und eine Nähmaschine und Stoffmusterbücher ... und eine Frau.

Sie saß auf einem Barhocker, mit einem Stift in der Hand über einen der Zeichentische gebeugt. Als die Tür hinter Cassidy zuging, hob sie den Kopf und schaute ihn durch eine viereckige Schildpattbrille an. »Mr. Cassidy?«

»Miss Laurent?«

Sie setzte die Brille ab, legte sie und den Stift auf den Zeichentisch und kam mit ausgestreckter Hand auf ihn zu. »Ich bin Claire Laurent.«

Ihr Gesicht, ihr Körper, ihr Aussehen entsprachen keineswegs seinen Erwartungen. Einen Moment wurde ihm leicht schwindlig, während er höflich ihre Hand nahm. Wie hatte er sich Claire Laurent vorgestellt? Als Mannweib wie die Pförtnerin? Als hübsches Püppchen wie die Empfangsdame? Sie war keines von beidem. Claire Laurent trug zwar weite, tabakbraune Hosen und eine lockere, taillierte Seidenbluse, aber sie hatte nichts Maskulines an sich, noch wirkte sie schnippisch und zierlich wie die Sekretärin.

Sie war groß, schlank und hatte elegant breite Schultern. Ihre Brüste waren fest, aber deutlich zu erkennen. Ihre Augen hatten die Farbe teuren Whiskeys, und hätte Whiskey sprechen können, dann hätte seine Stimme wie ihre klingen müssen – wie eine Mischung aus Seide und Holzrauch.

»Sie wollen mich sprechen?«

Er ließ ihre Hand los. »Ja.«

»Kann ich Ihnen etwas zu trinken anbieten?«

Sie deutete auf eine Sitzecke, die sich aus einem weichgepolsterten Diwan und einem Couchtisch zwischen zwei Polstersesseln zusammensetzte. In einem der Sessel stand ein Korb, aus dem Häkel- und Strickarbeiten quollen. Auf dem Tisch standen ein paar Kristallkaraffen, in denen sich die Spätnachmittagssonne brach und die Farbenprismen auf die weißgetünchten Wände und den Hartholzboden legten.

»Nein danke. Nichts.«

»Darf ich Ihnen Ihr Jackett abnehmen?« Sie streckte die Hand danach aus.

Er wollte es ihr schon geben, überlegte es sich aber anders.

»Nein danke. Es geht schon. Verzeihen Sie meine lässige Garde-robe, aber da unten ist es wie im Brutkasten.«

Weil sie seinen Erwartungen nicht entsprach, hatte er ein paar Sekunden lang die Kontrolle verloren. Cassidy versuchte im-mer alles unter Kontrolle zu behalten, und irgendwie wollte er es ihr mit der letzten Bemerkung heimzahlen, daß sie ihn darum gebracht hatte.

Ihre Augen flackerten defensiv, aber sie beschloß, nicht darauf einzugehen. »Ja, manchmal kann es unangenehm warm werden. Bitte setzen Sie sich.«

»Danke.«

Er ging zu einem der Sessel, nahm Platz und drapierte das Sakko über sein Knie. Sie setzte sich auf den Diwan gegenüber. Er bemerkte, daß ihr Lippenstift abgegangen war, als hätte sie sich in tiefer Konzentration die breite Unterlippe zwischen die Zähne gezogen. Ihr Haar war von einem hellen Kastanien-braun, das im Sonnenlicht aufflammte. Sie mußte sich mit den Händen oder dem Stift hindurchgefahren sein, denn die Locken und Wellen waren zerzaust.

Schon jetzt wußte er einiges über sie. Erstens war Claire Lau-rent ein Arbeitstier. Sie war weder weiblich affektiert noch eitel. Und sie gehörte zu den Frauen, die ihre Nervosität mit Zuvor-kommenheit zu tarnen versuchten. Nur der Pulsschlag unten an ihrem eleganten, glatten Hals verriet sie.

Von ihrem Hals wanderten seine Augen zu dem Anhänger, der ihr an einer schwarzen Seidenschnur um den Hals hing. Sie folgte seinem Blick und sagte: »Ein Geschenk von meiner Freundin Yasmine.«

»Was ist da drin?« Die kleine Phiole auf ihrem Busen enthielt eine durchsichtige Flüssigkeit. »Ein Liebestrank?«

Er konnte es fast klicken hören, als ihre Blicke sich trafen. Plötzlich wünschte sich Cassidy, er wäre gestern abend nicht mit einem Halbsteifen ins Bett gegangen. Und er wünschte sich, er wäre nicht in offizieller Angelegenheit hier.

Sie zog den Stöpsel aus der Phiole. Am Ende des kurzen Stäb-chens befand sich eine winzige Schlaufe. Sie hob sie an die

Lippen und pustete hindurch. Dutzende winziger irisierender Blasen stiegen auf und schwebten ihr ums Gesicht.

Er lachte, teils weil ihn die Blasen überraschten, teils, um die aufgestaute Energie abzulassen.

»Eine kleine Zerstreuung, um mich von der Arbeit abzulenken«, meinte sie. »Yasmine macht mir öfters solche Geschenke. Sie sagt, ich nehme mich zu ernst.« Lächelnd stöpselte sie die Phiole wieder zu.

»Tun Sie das?«

Sie wich seinem Blick nicht aus. »Was?«

»Sich zu ernst nehmen?«

Er erkannte an ihrer Reaktion, daß er zu weit gegangen war. Ihr Lächeln gefror. Immer noch freundlich, aber mit leiser Ungeduld fragte sie: »Weshalb sind Sie zu mir gekommen, Mr. Cassidy?«

»Wegen Reverend Jackson Wilde.« Er warf ihr den Namen ohne jede Vorrede hin. Wie ein Fehdehandschuh lag er zwischen ihnen. Sie hob ihn nicht auf, sondern schaute Cassidy bloß fragend an. Er sah sich gezwungen, weiter auszuholen. »Ich nehme an, Sie haben von dem Mord an ihm gehört.«

»Natürlich. Haben Sie mich nicht im Fernsehen gesehen?«

Das traf ihn unvorbereitet. »Nein. Wann denn?«

»Am Tag, an dem Reverend Wildes Leichnam gefunden wurde. Das war vorgestern, nicht wahr? Die Reporter wollten ein Statement von mir. Anscheinend war ich ihnen nicht theatralisch genug, denn ich habe es nicht in die Abendnachrichten geschafft.«

»Waren Sie erleichtert oder enttäuscht, daß man Sie rausgenommen hat?«

»Was vermuten Sie?« Das Lächeln war verschwunden.

Cassidy versuchte es anders. »Was wissen Sie über den Mord?«

»Was ich weiß?« wiederholte sie achselzuckend. »Nur was ich in den Zeitungen gelesen und im Fernsehen gesehen habe. Warum?«

»Waren Sie mit Reverend Wilde bekannt?«

»Meinen Sie damit, ob ich ihm jemals begegnet bin? Nein.«

»Niemals?«

»Nein.«

»Aber er kannte Sie.« Sie schwieg, aber sie sah nicht mehr ganz so ruhig, kühl und gefaßt aus wie noch vor wenigen Augenblikken. »Oder nicht, Miss Laurent? Immerhin so gut, daß die Medien Ihre Meinung hören wollten, als man ihn gefunden hatte.«

Sie befeuchte sich die Lippen mit einer zarten, rosa Zunge, die ihn kurzfristig aus dem Konzept brachte. »Reverend Wilde kannte mich dem Namen nach, als Besitzerin von French Silk. Er verdammte mich von der Kanzel aus als Pornografin. Seiner Meinung nach hausiere ich mit ›Schmutz‹.«

»Was empfanden Sie dabei?«

»Was glauben Sie denn?« Plötzlich ließ sie der Erregung, die er hinter der ruhigen Fassade gespürt hatte, freien Lauf. Sie stand auf und ging um den Diwan, so daß er zwischen ihnen stand.

»Ich wette, das hat Ihnen gar nicht gefallen.«

»Da haben Sie völlig recht, Mr. Cassidy. Das hat es nicht. Der Ausdruck ›Schmutz‹ paßt weder auf mein Geschäft noch auf meinen Katalog.«

»Wußten Sie, daß Sie auf Wildes Hitliste standen?«

»Wovon reden Sie?«

Cassidy zog ein Blatt Papier aus der Tasche seines Sakkos, das immer noch über seinen Knien lag. Er schüttelte es auf und hielt es ihr hin, aber sie machte keine Anstalten, es entgegenzunehmen.

»Unter Wildes persönlichen Dingen«, sagte er, »fanden wir diese handgeschriebene Liste von Publikationen. *Playboy*, *Hustler*, lauter Männerhefte. Und mittendrin der Katalog von French Silk.«

Sie starrte das Papier einen Augenblick an und deutete dann wütend darauf. »Ich weiß nichts von dieser Liste. Mein Katalog hat mit diesen Zeitschriften nichts zu tun.«

»Wilde war da offenbar anderer Meinung.«

»Da hat er sich geirrt.«

»Miss Laurent, Ihr Unternehmen sollte verleumdet und unter Druck gesetzt werden. Man wollte Sie zur Geschäftsaufgabe zwingen. Laut dem Datum auf diesem Zettel hat das Wilde wenige Wochen vor seinem Tod geschworen und es mit seinem Blut unterschrieben.«

»Offensichtlich war er verrückt.«

»Er hatte Tausende von ergebenen Gefolgsleuten.«

»Das hatte Adolf Hitler auch. Manche Menschen sind wie Schafe. Man muß ihnen erklären, was sie glauben sollen, weil sie nicht selbst denken können. Wenn man ihnen nur oft genug sagt, was sie hören wollen, dann folgen sie jedem und glauben jede Lüge, die man ihnen vorsetzt. Sie lassen sich das Gehirn waschen. Mir tun diese Leute leid, aber es steht ihnen frei, ihre Wahl selbst zu treffen. Ich will nur die Freiheit, auch meine Wahl zu treffen. Das war das einzige Problem, das ich mit Jackson Wilde hatte. Er wollte jedem seinen Glauben aufzwingen. Wenn ihm mein Katalog nicht gefallen hat, na schön. Aber wer gab ihm das Recht, ihn zu verdammen?«

»Er hätte bestimmt gesagt, Gott.«

»Aber dafür haben wir bloß Wildes Wort, nicht wahr?«

Sie war angespannter als eine Gitarrensaite kurz vor dem Reißen. Ihr Busen wogte, daß die Flüssigkeit in der kleinen Phiole schwappte. In diesem Augenblick erfuhr Cassidy noch etwas über Claire Laurent. Unter dem kühlen, reservierten Äußeren schlug ein leidenschaftliches Herz.

Plötzlich merkte er, daß er stand, obwohl er sich nicht erinnern konnte, aufgestanden zu sein. »Sie hatten ein echtes Problem mit dem Fernsehpriester, nicht wahr, Miss Laurent?«

»Er hatte die Probleme, nicht ich.«

»Er hatte Sie zu seiner Feindin erklärt und geschworen, nicht von Ihnen abzulassen.«

»Das war sein Kreuzzug. Ich habe nicht daran teilgenommen.«

»Bestimmt?«

»Wie meinen Sie das?«

»Hatten Sie beide sich nicht den offenen Krieg erklärt?«

»Nein. Ich habe ihn ignoriert.«

»Wo waren Sie in der Nacht zum achten September?«

Sie fuhr auf. »Verzeihung?«

»Ich glaube, Sie haben mich verstanden.«

»In dieser Nacht wurde Wilde ermordet. Soll das heißen, daß Sie mich verdächtigen?«

»So in etwa.«

»Scheren Sie sich zur Hölle.«

Ihre barsche Antwort elektrisierte immer noch die Atmosphäre, als sich die Doppeltür hinter Cassidy öffnete. Er fuhr herum, halb darauf gefaßt, die stämmige Pförtnerin hereinstürmen zu sehen, die ihn gewaltsam nach draußen befördern sollte.

Die Frau, die hereinkam, sah zu zerbrechlich aus, um einem Schmetterling die Flügel abzuknicken. »Ach du meine Güte!« rief sie aus, als sie Cassidy sah. Sie legte sich die Hand flach auf die Brust und sagte: »Ich wußte gar nicht, daß wir Besuch haben. Claire, meine Liebe, du hättest mir sagen sollen, daß du heute nachmittag jemanden empfängst. Ich hätte mir etwas Passenderes angezogen.«

Claire richtete sich auf, ging zu der Frau und nahm ihren Arm. »Du siehst bezaubernd aus wie immer, Mama. Darf ich dir unseren Gast vorstellen?«

Während sie auf ihn zukamen, wünschte Cassidy bei Gott, er hätte die Situation unter Kontrolle. Er hatte die Kontrolle verloren, als ihn die Amazone unten hereingelassen hatte, und sie seither nicht wiedergefunden. Mit dem Auftauchen der Frau an Claires Seite war sie ihm endgültig entglitten.

»Mama, das ist Mr. Cassidy. Er... er ist in einer geschäftlichen Angelegenheit hier. Mr. Cassidy, meine Mutter, Mary Catherine Laurent.«

»Mrs. Laurent«, sagte er. Sie streckte ihm vorsichtig die Hand entgegen. Er verspürte den idiotischen Impuls, sich zu verbeugen und ihr die Hand zu küssen, denn das schien sie zu erwarten. Statt dessen drückte er vorsichtig ihre Finger und ließ sie dann wieder los.

Weiches braunes Haar wellte sich um ihr glattes, jugendliches Gesicht. Sie sah zu ihm auf und legte den Kopf auf die Seite. »Sie sind Ihrem Vater wie aus dem Gesicht geschnitten, Mr. Cassidy. Ich weiß noch gut, wie er in seiner Ausgehuniform am Kotillon teilnahm. Meine Güte, wir Mädchen lagen ihm zu Füßen.«

Sie legte die Finger an die Wange, als wollte sie verbergen, daß sie rot wurde. »Er wußte, wie gut er aussah, und er brach schamlos unser Herz. Er war ein richtiger Schwerenöter. Das änderte sich erst, als er Ihre Mutter kennenlernte, die eines Sommers aus Biloxi herüberkam. Als er ihr zum erstenmal begegnete, trug sie ein apricotfarbenes Organzakleid und hatte sich eine weiße Kamelie ins Haar gesteckt. Er war hingerissen. Sie gaben ein so reizendes Paar ab. Wenn sie zusammen tanzten, schienen sie Feenstaub aufzuwirbeln.«

Verwirrt und hilfesuchend schaute Cassidy Claire an. Sie lächelte, als würde das, was ihre Mutter sagte, durchaus Sinn ergeben. »Setz dich, Mama. Möchtest du etwas Sherry?«

Cassidy erhaschte eine Duftwolke Rosenparfüm, als sich Mary Catherine auf dem Sessel neben seinem niederließ und sich schicklich den Rock über den Knien zurechtzog.

»Da es bald fünf ist, könnte ich mir einen Sherry erlauben. Mr. Cassidy, Sie trinken doch einen mit, nicht wahr? Es gehört sich nicht, eine Dame allein trinken zu lassen.«

Sherry? Er hatte das Zeug noch nie angerührt und auch nicht die geringste Lust dazu. Er konnte jetzt eher einen oder zwei Fingerbreit Chivas gebrauchen. Aber Mary Catherines fragendem Lächeln konnte nicht einmal ein hartgesottener Staatsanwalt wie er widerstehen. Er betete zu Gott, daß er sie nie in den Zeugenstand rufen mußte. Sie bräuchte nur einmal zu lächeln, und die Geschworenen würden ihr glauben, daß der Mond aus Sahnekäse bestand.

»Gerne«, hörte er sich sagen. Er warf Claire ein Lächeln zu; sie erwiderte es nicht. Ihre Miene stand in frostigem Kontrast zu ihrem warmen Teint, der in der Spätnachmittagssonne noch rosiger wirkte.

»Erzählen Sie mir von der Militärakademie, Mr. Cassidy«,

sagte Mary Catherine. »Ich habe mich so für Ihre Eltern gefreut, als man Sie aufnahm.«

Dank eines Basketball-Stipendiums hatte Cassidy das Junior College seiner Heimatstadt in Kentucky besuchen können, dann hatte er ein Jahr pausiert und währenddessen genug Geld verdient, um sich die Universität leisten zu können. Er war ganz bestimmt kein Kandidat für eine Militärakademie gewesen. Allerdings hatte er sich nach dem Ende des Vietnamkrieges freiwillig zur Army verpflichtet, um die juristische Ausbildung nach dem Studium zu finanzieren.

»Es war genauso, wie ich es mir erhofft hatte«, erklärte er Mary Catherine, wobei er das Sherryglas entgegennahm, das sie aus einer der funkelnden Kristallkaraffen eingeschenkt hatte.

»Claire, möchtest du auch einen?« Mary Catherine hob ihrer Tochter ein Glas entgegen.

»Nein danke, Mama. Ich muß noch arbeiten.«

Mary Catherine schüttelte sorgenvoll den Kopf und sagte zu Cassidy: »Sie arbeitet immerzu. Viel zuviel für eine junge Dame, wenn sie mich fragen. Aber sie ist sehr talentiert.«

»Das sehe ich.« Ihm waren schon vorhin die gerahmten Entwürfe an den Wänden aufgefallen.

Mary Catherines Wangen röteten sich, und sie senkte verlegen den Kopf. »Natürlich bin ich nicht mit allem einverstanden, was Claire jetzt macht. An manchen Sachen ist so wenig dran. Aber wahrscheinlich bin ich zu altmodisch. Man lehrt die jungen Frauen heutzutage nicht mehr, bescheiden zu sein, so wie es in meiner Generation üblich war.« Sie nahm einen Schluck Sherry und sah ihn interessiert an. »Sagen Sie, Mr. Cassidy, hat Ihr Onkel Clive in Alaska jemals Öl gefunden? Petroleum ist ein so unangenehmes und schwieriges Geschäft.«

Bevor er die Frage nach seinem nicht existenten Onkel Clive beantworten konnte, ging die Tür hinter ihnen wieder auf. Diesmal gab es einen Luftzug, als hätte sich jemand von der anderen Seite dagegen geworfen. Er war so verblüfft über die Frau, die hereinkam, daß er unwillkürlich aufsprang und beinahe seinen Sherry verschüttete.

»Gott sei Dank!« rief sie aus, sobald sie Mary Catherine entdeckt hatte. »Ich dachte schon, sie hätte sich wieder rausgeschlichen.«

Die Hinzugekommene war mindestens einen Meter achtzig groß und hatte lange, schlanke Gliedmaßen wie eine Gazelle. Ihr außergewöhnlicher Körper war in einen weißen Frotteekimono gewickelt, der ihr knapp bis zum Schenkel reichte. Um ihren Kopf hatte sie wie einen Turban ein Handtuch gewickelt. Selbst ohne Make-up war ihr Gesicht atemberaubend – weit auseinanderliegende, mandelförmige Augen; eine kleine, gerade Nase; volle Lippen; ein gerader Kiefer mit hervorspringendem Kinn; hohe, deutlich erkennbare Jochbögen. Sie bewegte sich hoheitsvoll wie eine afrikanische Königin, als sie in den Raum kam.

»Entschuldige, Claire. Ich habe Harry früher freigegeben und wollte nur kurz duschen. Als ich wieder rauskam, war Mary Catherine weg. Alle anderen waren schon heimgegangen. Mein Gott, ich dachte, diesmal hätte ich es wirklich verbockt.«

»Es ist alles in Ordnung, Yasmine.«

»Wer ist er?« Sie wandte sich mit unverhohlener Neugier an Cassidy.

Claire stellte sie knapp einander vor. Er schüttelte eine Hand, die genauso lang war wie seine, aber viel schlanker. Selbst aus der Nähe war ihre milchkaffeebraune Haut makellos, fast porenlos. Er entdeckte ein paar Wassertropfen, woraus er schloß, daß sie sich nicht einmal abgetrocknet hatte. Bestimmt hatte sie außer dem Kimono nichts an, aber trotzdem wirkte sie keineswegs verlegen, sondern schenkte ihm ein strahlendweißes Lächeln.

»Es freut mich, Sie kennenzulernen, Mr. Cassidy.«

»Die Freude ist ganz meinerseits. Ich bewundere Ihre Arbeit.«

»Danke.« Sie schaute zu Claire, als erwartete sie eine Klarstellung, und dann wieder auf Cassidy. »Muß ich wissen, wer Sie sind und weshalb Sie hier sind?«

»Nein.«

Kurz herrschte angespannte Stille. Schließlich griff Claire ein. »Yasmine, kannst du Mama wieder nach oben bringen? Sie kann ihren Sherry mitnehmen. Ich komme zum Essen hoch, sobald ich mich von Mr. Cassidy verabschiedet habe.«

Yasmine sah ihre Freundin fragend an, aber Claires Miene blieb ausdruckslos. »Komm, Mary Catherine«, sagte sie. »Claire hat noch zu tun.«

Mary Catherine hatte nichts dagegen einzuwenden. Sie stand auf und streckte Cassidy wieder die Hand hin. Diesmal dachte er, was soll's, und hob den Handrücken an seine Lippen. Sie zierte sich, lächelte und bat ihn, seiner Familie doch bitte ihre Grüße zu übermitteln. Dann schwebte sie, Duftschwaden von Rosenparfüm und Sherry hinter sich herziehend, am Arm der hinreißenden Yasmine aus dem Raum.

Sowie sich die Tür hinter ihnen geschlossen hatte, wandte er sich an Claire. »Ich weiß, wie schwer das sein kann. Mein Vater litt jahrelang an Alzheimer, bevor er starb.«

»Meine Mutter leidet nicht an Alzheimer, Mr. Cassidy. Sie bringt bloß manchmal Vergangenheit und Gegenwart durcheinander. Manchmal hält sie die Leute für jemand anderen, jemanden aus der Zeit davor.«

»Vor was?«

»Bevor sie so wurde, wie sie jetzt ist«, antwortete sie steinern. »Man könnte sagen, sie spinnt, sie hat nicht mehr alle Tassen im Schrank, eine Meise, einen Sprung in der Schüssel. Bestimmt kennen Sie all die grausamen Ausdrücke. Ich kenne sie jedenfalls. Schließlich ist sie seit meiner Kindheit so. Ich bin Ihnen zwar dankbar, daß Sie sie so freundlich behandelt haben, aber ich habe nicht vor, mit Ihnen über ihre Krankheit zu diskutieren. Um genau zu sein, ich werde mit Ihnen über gar nichts mehr diskutieren.«

Sie stand auf und zeigte ihm damit, daß für sie ihr Gespräch zu Ende war. »Ich bin Jackson Wilde nie begegnet, Mr. Cassidy. Wenn Sie hierhergekommen sind, um das zu erfahren, dann wissen Sie es jetzt. Ich bringe Sie hinaus.«

Als sie an ihm vorbeikam, packte er sie am Oberarm und hielt sie zurück. »Sie begreifen es einfach nicht, wie? Oder wenn Sie es begreifen, dann lassen Sie es sich nicht anmerken.«

»Lassen Sie meinen Arm los.«

Der Stoff ihres Ärmels war so weich und nachgiebig, daß er das Gefühl hatte, ihre nackte Haut zu berühren. Seine Knöchel waren in ihre nachgiebige, volle Brust gebettet. Langsam und erschreckend widerwillig löste er seine Finger wieder und ließ sie los.

»Was soll ich ›begreifen‹, Mr. Cassidy?«

»Daß ich nicht zum Plaudern und Sherrytrinken hergekommen bin.«

»Nein?«

»Nein. Ich bin gekommen, um Sie im Zusammenhang mit dem Mord an Jackson Wilde zu vernehmen.«

Sie holte tief und schnell Luft und schauderte unwillkürlich. »Das ist lächerlich.«

»Nicht, wenn man bedenkt, was Sie verloren hätten, wenn er wahr gemacht hätte, was er mit Ihrem Geschäft vorhatte.«

»Es wäre nie soweit gekommen.«

»Vielleicht wollten Sie ganz sichergehen, daß es nicht soweit kommt.«

Sie fuhr sich mit der Hand durchs Haar und zwang sich zur Ruhe.

»Mr. Cassidy, wie ich Ihnen bereits gesagt habe, bin ich Reverend Wilde nie begegnet. Es gab keinen Schriftwechsel zwischen uns. Wir haben auch nicht miteinander telefoniert, mich haben lediglich Angestellte seiner Organisation angerufen und zu einer öffentlichen Diskussion mit ihm aufgefordert, was ich allerdings immer wieder abgelehnt habe. Ich hatte nichts mit ihm zu tun. Und ich habe ihn ganz bestimmt nicht umgebracht.«

»Er war eine Bedrohung für Ihr Unternehmen.«

»Er war ein verblendeter Fanatiker«, widersprach sie wütend. Langsam verlor sie die Fassung. »Glauben Sie im Ernst, daß er das Playboy-Imperium zu Fall gebracht hätte?«

»Ihr Unternehmen ist viel kleiner.«

»Und wenn schon.«

»Außerdem sitzen Sie hier in New Orleans. Vielleicht haben Sie die Gelegenheit genutzt, daß ihn sein Kreuzzug hierhergeführt hat, um ihn endgültig zum Schweigen zu bringen.«

Sie verschränkte selbstbewußt die Arme vor dem Bauch. »Das wäre doch ziemlich kurzsichtig, nicht wahr? Sie mögen mich für fähig halten, einen Mord zu begehen, Mr. Cassidy, aber bitte unterschätzen Sie nie meine Intelligenz.«

»Nein«, antwortete er leise, wobei er ihr tief in die braunen Augen sah. »Das tue ich bestimmt nicht.«

Er starrte sie ein paar Herzschläge zu lange an, denn sein anklagender Blick wurde weicher und verriet schließlich Interesse. Cassidy wurde das ausgesprochen unangenehm. Schließlich brach sie den Blickkontakt. »Offensichtlich haben Sie keine Beweise, die mich mit diesem Verbrechen in Verbindung bringen.«

»Woher wollen Sie das wissen?«

»Weil es keine gibt. Ich war nicht dort.« Sie hob den Kopf. »Sie sind hergekommen, weil Sie sich an jeden Strohhalm klammern. Sie müssen irgend etwas vorweisen. Der Mord ist inzwischen zweiundsiebzig Stunden her, ohne daß Sie oder die Polizei einen Verdächtigen verhaftet hätten. Die Witwe wirft den Behörden vor, faul, inkompetent und gleichgültig zu sein. Sie beziehen Prügel von den Medien, und Wildes Gefolgschaft verlangt ein schnelles und hartes Urteil. Kurz gesagt, Mr. Cassidy, Sie brauchen einen Sündenbock.« Sie holte Luft. »Ich kann mich in Ihre Lage versetzen, aber mein Verständnis geht nicht so weit, daß ich mich beleidigen und meine Privatsphäre verletzen lasse. Bitte gehen Sie jetzt.«

Cassidy beeindruckte, wie knapp und präzise sie die Sache auf den Punkt gebracht hatte. Tatsächlich machte Crowder die heikle Situation nach dem Mord an Wilde langsam nervös. Die Presseberichte über die polizeilichen Ermittlungen wurden mit jedem Artikel kritischer und sarkastischer.

Ariel Wilde und die Anhänger des dahingegangenen Predigers kritisierten zunehmend lautstark alle vom ehrwürdigen Bürgermeister abwärts bis zum letzten Straßenpolizisten. Die Witwe wollte Wildes Leichnam nach Tennessee überführen lassen, um ihn dort zu beerdigen, aber die Polizei gab die Leiche noch nicht frei, weil man hoffte, trotz Elvie Dupuis' gründlicher Autopsie irgendeinen zuvor übersehenen Hinweis zu entdecken. Die Sache war, wie Crowder prophezeit hatte, in eine Schlammschlacht und einen Affenzirkus ausgeartet.

Claire Laurent hatte in jeder Hinsicht recht. Cassidy hatte tatsächlich nichts in der Hand, um zu beweisen, daß sie oder irgend jemand sonst am Tatort gewesen war. Andererseits hatte er, seit er diesen Raum betreten hatte, das Gefühl, daß sie etwas verheimlichte. Sie war außergewöhnlich höflich, aber sein Instinkt sagte ihm, daß sie ihn loswerden wollte.

Als er noch Anwalt gewesen war, hatte ihm derselbe Instinkt verraten, ob sein Klient allen Unschuldsbeteuerungen zum Trotz schuldig war. Es war der sechste Sinn, der ihm sagte, wann ein Zeuge log. Dieser Instinkt hatte ihn nur selten getäuscht. Er vertraute ihm und verließ sich darauf.

Er wußte, daß mehr in Claire Laurent steckte als auf den ersten Blick ersichtlich. Wenn die Augen die Fenster zur Seele sein sollten, dann hatte sie die Fensterläden zugeklappt. Nur gelegentlich erhaschte er einen Blick auf die Frau dahinter. Sie war mehr als nur eine clevere Geschäftsfrau und liebende Tochter, mehr als nur eine Frau mit sexy Haaren und einem Mund, bei dem er froh war, daß nicht jeder seiner Wünsche sofort vollstreckbar war. Einen Teil ihrer selbst verbarg sie sorgfältig. Warum?

Cassidy beschloß weiterzubohren, bis er das herausgefunden hatte. »Ehe ich gehe –«

»Ja, Mr. Cassidy?«

»Würde ich mir gerne Ihren Katalog anschauen.«

Kapitel 4

Die Bitte überraschte Claire. »Warum?«

»Ich wollte ihn am Zeitungsstand kaufen, aber die hatten ihn nicht.«

»Der Katalog wird nicht verkauft. Er wird nur an Kunden versandt.«

»Wieso hat sich Wilde so darüber aufgeregt?«

»Das hätten Sie ihn fragen müssen.«

»Nun, nachdem das nicht mehr möglich ist«, antwortete er trocken, »würde ich mich gern selbst kundig machen.«

Sie hatte geglaubt, daß sie sich keine Sorgen mehr wegen des Mordes zu machen bräuchte, nachdem die Medien ihr Statement bekommen hatten. Sie hatte nicht damit gerechnet, daß sie ein Assistent des D. A. besuchen würde, auch wenn sie sich insgeheim dazu gratulierte, die Situation bis jetzt ganz gut gemeistert zu haben. Jetzt aber wollte sie ihn unbedingt loswerden; sie brauchte Zeit zum Nachdenken. Andererseits wollte sie keinesfalls den Eindruck erwecken, abweisend zu sein oder, genauer gesagt, etwas zu verheimlichen. Schließlich hatte er nur um den Katalog gebeten. Solange seine Fragen nicht zu persönlich wurden, war es wohl ungefährlich, seine Bitte zu erfüllen.

»Aber natürlich, Mr. Cassidy. Setzen Sie sich.« Sie reichte ihm die letzte Vierteljahresausgabe des Katalogs von French Silk. Um ihn nicht nervös anzustarren, schaute sie aus dem Fenster. Ein farbenprächtiger Sonnenuntergang überzog den Himmel. Der Fluß hatte die Farbe von geschmolzenem Kupfer. »Möchten Sie einen Drink?«

»Muß es Sherry sein?« fragte er.

»Wein oder etwas Stärkeres?«

»Scotch, wenn Sie haben.«

»Auf Eis, mit Wasser oder Soda?«

»Auf Eis.«

Sie bereitete seinen Drink zu und schenkte sich ein Glas Rosé-wein ein. Als sie zum Diwan zurückkam, blätterte er im Katalog. Er ließ ihn offen auf den Schoß fallen, blinzelte und warf den Kopf zurück, als hätte er einen Kinnhaken bekommen. Dann atmete er schwer aus. »Puh!«

Claire warf einen Blick auf die kopfstehende Seite und kommentierte sein Urteil: »Wir versuchen, weibliche Fantasien anzusprechen.«

Die Augen fest auf die Hochglanzseiten gerichtet, lächelte er selbstironisch. »Also, ich bin ganz bestimmt nicht weiblich, aber ins Fantasieren komme ich trotzdem. Verzeihen Sie, aber ich konnte einfach nicht übersehen, daß dieses Modell praktisch nackt ist.«

»Sie hat etwas an.«

»Einen...«

»Teddy.«

»Bei dem kaum was der Fantasie überlassen bleibt.«

»Das ist unser Gewerbe, Mr. Cassidy. Wir verkaufen Dessous und Boudoireaccessoires. Unsere Kundinnen sollen sich schön und begehrenswert fühlen, wenn sie unsere Stücke tragen.«

»He, ich bin nicht Jackson Wilde. Vor mir brauchen Sie Ihre Produkte oder Ihre Marketingstrategien nicht zu rechtfertigen. Im Gegenteil, wo kann ich den Katalog abonnieren?«

Als er sie anschaute und grinste, spürte Claire ein eigenartiges Kribbeln im Bauch. Sie flirtete nicht oft, und alles, was über eine nette Bemerkung hinausging, blockte sie ab. Überrascht und verwirrt von ihrer Reaktion auf Cassidys verwegenes Grinsen, nahm sie einen Schluck Wein, um sie zu überspielen.

»Für den Katalog ist Yasmine zuständig«, erläuterte sie. »Natürlich nicht die Abonnements. Die sind Sache eines Telemarketing-Unternehmens. Yasmine legt das Konzept fest und macht das Layout.«

»Und steht Modell.«

Er hielt Claire die aufgeschlagene Seite hin. Auf einer ganzseitigen Anzeige räkelte sich Yasmine auf einem zerwühlten Bett. Das aufgeknöpfte Oberteil enthüllte nur ihr Brustbein. Die Hose saß knapp unter ihrem Nabel. Nichts Anstößiges. Aber ihre feuchten, leicht geteilten Lippen und die hungrigen Tigeraugen machten das Foto zu einer Provokation.

»Sie steigert den Verkauf.«

Er studierte das Foto länger. »Das kann ich mir vorstellen.«

»Außerdem ist sie klug. Sie hat Modell gestanden, um sich die Kunstakademie zu finanzieren«, führte Claire aus. »Auch nachdem sie Karriere als Modell machte, studierte sie weiter. Als wir Partner wurden –«

»Wann und wie kam es dazu?«

»Vor sechs Jahren. Ich hatte ein kleines Geschäft und stellte Damenunterwäsche her, größtenteils Aussteuerware. Ich wollte expandieren, deshalb flog ich mit meinen Entwürfen nach New York, um mir jemanden zu suchen, der sie für mich herstellen und vertreiben würde. Ich hatte keinen Erfolg«, sagte sie bedauernd, als sie sich an all die höflichen, aber entschiedenen Absagen erinnerte, die man ihr auf der Seventh Avenue erteilt hatte.

»Zufällig traf ich Yasmine in einem Vorführraum. Wir unterhielten uns, und sie fragte mich, weshalb ich nach New York gekommen war. Natürlich war ich begeistert und geschmeichelt, als sie mir zu meinen Entwürfen gratulierte. Sie bestellte sich sogar selbst ein paar Sachen. Wir verstanden uns gut und trafen uns ein paarmal zu einem ausgedehnten Lunch. Sie sieht umwerfend aus, keine Frage. Aber sie ist auch eine scharfsinnige Geschäftsfrau, die weiß, daß eine Karriere als Modell nicht von Dauer ist. Und sie begriff, was ich wollte.«

»Und das war?«

»Das *ist,* eine raffinierte Dessouskollektion zu entwerfen und herzustellen, die sich jede Frau leisten kann. Wir bieten Stücke, die anders und aufregend sind und trotzdem bezahlbar bleiben. BHs, Höschen und Slips kann sich jede Frau bei Penney's kaufen. French Silk verkauft Fantasien. Wir haben die Reizwäsche gesellschaftsfähig gemacht.«

»Jackson Wilde hielt sie keineswegs für gesellschaftsfähig.«

»Ich ihn auch nicht.«

Cassidy beglückwünschte sie mit knappem Kopfnicken zu der Antwort. »Zurück zu Yasmine. Wann haben Sie sich zusammengetan?«

»Eine Woche nach unserer ersten Begegnung.«

»So schnell?«

»Ich wußte, daß es klappen würde. Sie suchte nach einer neuen Aufgabe, bei der sie ihr künstlerisches Talent nutzen konnte. Ich brauchte ihr professionelles Know-how. Im Austausch gegen eine Beteiligung am Unternehmen stellte sie mich ein paar Insidern vor, die uns finanzierten. Innerhalb von drei Jahren hatten wir unsere Investoren ausgezahlt. Das Geschäft floriert immer noch.«

»Eine echte Aufsteigerstory.«

»Danke.«

Cassidy blätterte weiter. »Hmm. Sie nehmen auch Männer.«

»Erst seit kurzem. Yasmine hat mir das vorgeschlagen; mir gefiel die Idee, und ich habe ein paar Stücke für Herren entworfen.«

Claire beobachtete, wie seine grauen Augen über die Seiten wanderten. Von Zeit zu Zeit hob er sein Glas an die Lippen. Sein Mund war breit, schmallippig und männlich. Das einzig Weiche daran waren die etwas vollere Unterlippe und das senkrechte Grübchen in seiner linken Wange.

Objektiv betrachtet sah er sehr gut aus. Die grauen Härchen in seinen Koteletten wirkten attraktiv. Sein kastanienbraunes Haar fächerte sich über den Ohren ein bißchen auf. Sein Körper war gut proportioniert und kräftig.

Nachdem er den Katalog Seite für Seite durchgesehen hatte, klappte er ihn zu. »Danke.«

»Gern geschehen. Finden Sie, daß Jackson Wilde recht hatte? Halten Sie das für Schmutz?«

»Unter uns gesagt wirklich nicht. Es ist sinnlich, erotisch, aber nicht pornografisch. Offiziell bin ich neutral.«

Es beruhigte sie zu wissen, daß er sie nicht von vornherein verurteilte. Sie stellte ihr Weinglas auf dem Tisch ab und stand auf. »Nehmen Sie ihn mit. Vielleicht möchten Sie sich ja etwas bestellen.«

Er nahm den Katalog und stand ebenfalls auf. »Wohl kaum. Ich gehöre zu den Typen, die sich strikt auf weiße Baumwoll-wäsche beschränken.«

»Vielleicht können Sie sich ja mit einem Paar seidenen Boxer-shorts anfreunden.«

»Vielleicht. Besitzen Sie eine Waffe?«

So kurz nach dem entwaffnenden Geständnis traf sie die Frage wie ein Schlag vor den Kopf. »Nein, Mr. Cassidy.«

»Haben Sie Zugang zu einer?«

»Nein.«

»Um noch einmal auf meine erste Frage zurückzukommen: Wo waren Sie in der Nacht, in der Jackson Wilde ermordet wurde?«

Sie verkniff sich eine zynische Bemerkung und antwortete ruhig: »Ich glaube, ich habe den Abend zu Hause verbracht.«

»Kann das jemand bezeugen?«

»Muß das jemand bezeugen? Glauben Sie, ich lüge?«

Sie hielt seinem unerträglich langen Blick stand, obwohl sie das Gefühl hatte, darunter zu zerbröckeln.

Schließlich sagte er: »Danke für den Drink.« Er langte nach seinem Jackett, hakte es über den Zeigefinger und warf es sich über die Schulter.

»Bitte.«

Sein Blick fiel auf die Fenster. Es war dämmrig geworden. Von hier aus hatte man freien Blick auf den Fluß. Die Lichter auf dem Damm und der Brücke über den Fluß funkelten im Abendlicht, das von schimmerndem Gold zu dunklem Lila überging. »Großartiger Ausblick.«

»Danke.«

Sie hatte dafür gesorgt, daß der begehrte Blick frei blieb, indem sie das Grundstück zwischen ihrem Gebäude und dem Damm gekauft und einen Parkplatz darauf angelegt hatte. So machte sie Profit und konnte gleichzeitig sicher sein, daß ihr der Blick nicht von einem Hotelhochhaus oder Einkaufszentrum verbaut wurde.

»Ich bringe Sie hinaus.«

Sie ging ihm voran zur Tür, an dem pompösen Empfangstisch vorbei und zum Aufzug. Auf dem Weg nach unten fragte er: »Was ist im dritten Stock?«

»Meine Wohnung.«

»Nicht viele halten an dem Brauch fest, an ihrer Arbeitsstelle zu wohnen.«

»Im Vieux Carré schon.«

»Das sagen Sie wie jemand, der es wissen muß.«

»Ich bin hier geboren und habe immer hier gelebt. Ich bin sogar hier aufs College gegangen; jeden Morgen bin ich mit der Straßenbahn zur Tulane University gefahren.«

»Eine glückliche Kindheit?«

»Sehr.«

»Keine größeren Zwischenfälle oder Krisen?«

»Keine.«

»Nicht einmal wegen Ihrer Mutter?«

Claire zuckte mit den Achseln. »Ich kannte sie nicht anders, deshalb habe ich mich ihrer Krankheit angepaßt.«

»Was ist mit Ihrem Vater?«

»Er starb, als ich noch ein Baby war. Mama hat nie wieder geheiratet. Wir lebten bei ihrer Tante Laurel. Kurz nach ihrem Tod zogen wir hierher.«

»Hmm. Ihre Mutter lebt immer noch bei Ihnen?«

»Ganz recht.«

»Sonst niemand?«

»Yasmine, wenn sie in der Stadt ist.«

»Wer ist Harry?«

»Miss Harriett York, unsere Haushälterin und die Krankenschwester für meine Mutter. Sie übernachtet nie hier, es sei denn, ich bin verreist.«

»Wie oft kommt das vor?«

»Ich fahre zweimal im Jahr nach Europa und in den Orient, um

Stoffe zu kaufen. Außerdem muß ich ein paarmal im Jahr nach New York.«

»Wie oft kommt Yasmine nach New Orleans?«

»Das kommt drauf an.«

»Worauf?«

»Zum Beispiel darauf, wieweit wir mit dem Katalog sind.« Er brauchte nicht zu wissen, daß und weswegen Yasmine in letzter Zeit öfter nach New Orleans kam.

»Weshalb ist Yasmine dieses Mal in New Orleans?«

Claire seufzte resigniert. »Wir arbeiten am nächsten Katalog. Sie hat das Konzept fertig und schon ein Fotostudio ausgesucht. Jetzt entscheiden wir, welche Artikel wir aufnehmen und welche Models wir einsetzen.«

»Was tut sie, wenn sie nicht in New Orleans ist?«

»Sie lebt in New York.«

»Und steht Modell?«

»Bis letztes Jahr hatte sie einen Exklusivvertrag mit einer Kosmetikfirma. Das wurde ihr zu langweilig, deshalb steht sie nur noch für den Katalog von French Silk Modell. Ihre Aufgaben hier und die Verwaltung ihres Vermögens halten sie ganz schön auf Trab.«

Claire war erleichtert, als sie im Erdgeschoß ankamen. Noch nie war ihr die Fahrt so lang, der Lift so eng und bedrückend vorgekommen. Sein Blick war so durchdringend, daß sie sich am liebsten unter einer Decke versteckt hätte.

Er schob die schweren Türen auf. Sie bedankte sich hastig und trat in das höhlenartige Lager. Inzwischen war es ruhig und dunkel hier. Die Ventilatoren in den Fenstern standen still. Das Lager hatte sich wie ein Backofen aufgeheizt und die drückende Nachmittagshitze gespeichert, die inzwischen fast greifbar geworden war.

Nur eine strategisch verteilte Notbeleuchtung war an. Die Lampen warfen Lichtkreise auf den glatten, glänzenden Betonboden. Claire durchschritt eilig die runden Lichtinseln. Sie erinnerten sie an Gefängnisfilme, an blendende Scheinwerfer, die zum Scheitern verurteilte Flüchtlinge verfolgten.

Sie entriegelte die Eingangstür und hielt sie ihrem ungebetenen Gast auf. »Auf Wiedersehen, Mr. Cassidy.«

»Können Sie es gar nicht erwarten, mich loszuwerden, Miss Laurent?«

Claire hätte sich ohrfeigen können, weil sie sich so verraten hatte. Sie suchte verzweifelt nach einer plausiblen Erklärung. »Mama bekommt Medikamente. Sie muß zu festgelegten Zeiten essen. Ich möchte nicht, daß sich meinetwegen das Abendessen verspätet.«

»Sehr geschickt.«

»Was?«

»Diese Erklärung. Ich wäre doch ein echter Fiesling, wenn ich daran zweifeln würde, oder?«

»Es ist die Wahrheit.«

Er grinste, als wüßte er, daß sie log, wollte aber nicht weiterbohren. »Nur noch eine Frage, dann bin ich weg. Versprochen.«

»Also?«

»Hatten Sie jemals Ärger mit der Polizei?«

»Nein!«

»Wurden Sie schon mal verhaftet?«

»Sie sagten eine Frage, Mr. Cassidy. Das ist die zweite.«

»Weigern Sie sich zu antworten?«

Dieser Dreckskerl. Sie beugte sich nur ungern einer Autorität, aber wenn sie nicht antwortete, machte sie alles nur noch komplizierter. »Ich bin noch nie verhaftet worden, aber trotzdem verbitte ich mir die Frage.«

»Ihr Einspruch ist vermerkt«, sagte er reuelos. »Gute Nacht, Miss Laurent. Wir werden uns bald wiedersehen.«

Sie war froh, daß sie im Dunkeln stand und er ihre entsetzte Miene nicht sehen konnte. »Ich habe Ihnen alles gesagt, was ich weiß.«

Er unterzog sie wieder seinem lügenentlarvenden Blick. »Das glaube ich nicht.« Er hatte den Katalog zu einer Röhre gerollt, mit der er sich ironisch zum Abschied an die Stirn tippte. »Noch einmal vielen Dank für den Drink. Ihr Whiskey ist ausgezeichnet.«

Claire schlug ihm die Tür vor der Nase zu, schob eilig die Riegel vor und lehnte sich gegen das kühle Metall. Sie keuchte, als wäre sie meilenweit gerannt. Ihr Herz hämmerte, daß es weh tat. Ihre Haut war mit einem feinen Schweißfilm überzogen, den sie der Hitze zuschrieb ... obwohl sie es besser wußte.

Kapitel 5

Seine Zunge schnellte über ihre harten Brustwarzen und umkreiste sie. Die Liebkosung entlockte ihr heidnisch klingende Laute. »Du bringst mich um, Baby«, keuchte sie. »O Gott, hör nicht auf. Hör nicht auf.« Sie bekam sein Ohrläppchen zwischen ihren starken, weißen Zähnen zu fassen und biß fest zu.

Er ächzte vor Schmerz, aber ihre hemmungslose Hingabe erregte ihn noch mehr. Seine Finger gruben sich tief in ihren festen Hintern, er preßte sie an seine Hüften, versenkte sich tief in sie. Sein Mund umschloß eine erigierte Brustwarze, dann begann er mit aller Kraft zu saugen.

Sie schrie auf und klammerte sich an seinem Haar fest, bäumte sich wie wild über ihm auf, gepackt von orgasmischen Zuckungen. Sekunden später entlud er sich in langen, ekstatischen Salven, stöhnend, angespannt, mit verzerrtem Gesicht.

Yasmines Haut war schweißnaß. Sie schimmerte und glänzte im Schein der Nachttischlampe wie polierte Bronze, nur daß noch nie eine so exquisite Statue wie sie modelliert worden war.

Sie setzte sich über dem schlaffen, erschöpften Leib des Kongreßabgeordneten Alister Petrie auf und schaute ihm ins blutrote Gesicht. »Nicht schlecht, Süßer«, flüsterte sie und hauchte einen verliebten Kuß auf seine Lippen. »Du hast meinen G-Punkt gefunden.«

Er lachte leise und ohne die Augen aufzumachen. »Geh runter, du unersättliche Furie, und bring mir was zu trinken.«

Yasmine erhob sich graziös vom Bett und ging an die Kommode, wo sie vorhin eine Flasche seines Lieblingsbrandys, Eis und zwei Gläser bereitgestellt hatte. Überall auf den Möbeln und auf dem Teppichboden lagen Kleider verstreut. Bis auf zwei riesige goldene Ohrringe, die ihr bei jeder Kopfbewegung über die glatte Schulter strichen, war sie nackt.

Ihr Lieblingsspiel hatte begonnen, sobald sie die Hotelsuite betreten hatten. Bei einem langen, zungenverflechtenden Kuß hatte sie seine Hand unter ihren Rock geführt und zwischen ihre offenen Schenkel gepreßt. »Du weißt, was ich von dir will, Baby. Mach mich verrückt.«

»Meinst du so?« Seine Finger teilten die feuchte Haut und drangen ein bißchen tiefer. »Du kannst froh sein, daß eure Kundinnen eure Sachen tragen«, flüsterte er beim Streicheln. »Was wäre, wenn plötzlich alle ohne Höschen herumlaufen würden?«

»Alle hätten mehr Spaß.«

Sie hatten sich ausgezogen, ohne das Küssen oder das Streicheln zu unterbrechen. Nackt waren sie aufs Bett gefallen, in einem Gewirr schwarzer und weißer Glieder.

Jetzt machte ihm Yasmine einen Drink und betrachtete ihn im Spiegel. Gleich nach dem Lieben gefiel er ihr am besten, wenn seine sonst so ordentlichen sandhellen Haare zerwühlt und seine Lippen weich und entspannt waren. Sie waren fast gleich groß, aber er war ausdauernder, als sein magerer, fester Körper vermuten ließ. Der Schweißfilm auf seiner glatten Brust ließ sie daran denken, was für ein lebhafter Liebhaber er war, und schon spürte sie, wie es zwischen ihren Beinen wieder zu kribbeln begann.

Er stopfte sich die Kissen hinter den Rücken und lehnte sich dagegen. Sie kam mit seinem Drink zum Bett zurück, rührte mit dem Zeigefinger um und strich ihm damit über die Lippen. »Wie schmeckt es?«

Er saugte an ihrem Finger. »Es schmeckt nach dir«, erklärte er rauh. »Und mir. Fantastisch. Perfekt.«

Geschmeichelt lächelnd gab ihm Yasmine den Highball und legte sich wieder zu ihm. Er küßte sie auf die Stirn. »Du machst alles perfekt, Yasmine. Du bist perfekt.«

»Im Ernst?« Sie kuschelte sich an ihn, nahm seine Brustwarze in den Mund und bearbeitete sie mit ihrer Zunge.

»Im Ernst«, stöhnte er.

»Ich wäre auch eine perfekte Ehefrau.«

Er reagierte prompt und abweisend. Er wurde steif, aber nicht vor Erregung. »Verdirb uns nicht den Tag, Yasmine«, bat er leise. »Wir haben so wenig Zeit zusammen. Diese Stunden sind für mich so kostbar. Mach nicht alles kaputt, indem du über etwas sprichst, das uns beide unglücklich macht.«

Sie rollte sich auf den Rücken und starrte an die Decke. »Mich macht es nicht unglücklich, wenn ich mir vorstelle, wie ich Mrs. Alister Petrie werde.«

»Das meine ich nicht. Du weißt, was ich meine.«

»Ich denke immerzu daran. Es ist mein größter Wunsch«, erklärte sie bestimmt. Tränen traten ihr in die Augen und glänzten im weichen Licht.

»Meiner auch, Liebling.« Er stellte den Drink auf dem Nachttisch ab und drehte sich zu ihr. »Du bist so schön.« Seine Hand glitt über ihre Brust. Ihre Brustwarzen waren kaum dunkler als ihre Haut und hochempfindsam. Er senkte den Kopf, küßte eine, erregte sie mit sanftem Lippenzupfen.

»Manchmal habe ich Angst, mich zum Narren zu machen«, flüsterte sie.

»Der Narr bin ich.«

»Hast du wirklich vor, sie jemals zu verlassen?«

»Bald, Yasmine, bald. Bitte vertrau mir, ich warte nur auf den richtigen Augenblick. Das ist nicht so leicht. Wir werden viel Fingerspitzengefühl brauchen, wenn wir niemandem weh tun wollen, vor allem dir nicht.«

Sie hatten sich vor einem Jahr auf einem formellen Empfang in einer afrikanischen Botschaft in Washington, D. C., kennengelernt. Sie hatte ein strahlendes Goldlamékleid getragen und war dem gutaussehenden jungen Kongreßabgeordneten von einem seiner Kollegen vorgestellt worden. Anfangs hatte Alister um Worte gerungen, aber ihr Lachen und ihre Neckereien hatten ihn bald lockerer werden lassen. Sie hatten sich die ganze Zeit über unterhalten und waren irgendwann in der Limousine verschwunden, die man ihr zur Verfügung gestellt hatte, um den Abend in einem Motelbett am Stadtrand zu beenden.

Erst am nächsten Morgen gestand er, Frau und Kinder in New Orleans zu haben. Obwohl Yasmine im Bett bewiesen hatte, wie leidenschaftlich sie war, war er nicht auf ihren ebenso leidenschaftlichen Wutausbruch gefaßt gewesen. Sie hatte getobt, ihn mit den gemeinsten Schimpfwörtern beleidigt und ihm Wodu-Flüche angedroht, die seinen Penis schrumpfen und eintrocknen lassen würden.

Er hatte ihr von seiner unglücklichen Ehe mit einer Frau, die er wegen einer Familienfreundschaft geheiratet hatte, aber nicht liebte, erzählt und ihr beteuert, daß er erst jetzt, seit seiner Begegnung mit Yasmine, wisse, was Liebe ist.

Yasmines Herz war geschmolzen. Sie hatte ihn umarmt, und sie hatten geweint, gelacht, sich wieder geliebt. Seit jenem Morgen hatte sie, wann immer es ihr Terminkalender gestattete, sich ein paar glückselige Stunden in Washington, New York oder New Orleans erschwindelt. Yasmine hatte kein schlechtes Gewissen, weil sie eine Affäre mit einem verheirateten Mann hatte. Ehebruch war für sie keine Sünde. Ihre Liebe zu Alister konnte nicht falsch sein. Seine Ehe war es.

Jetzt flüsterte sie flehentlich: »Ich vermisse dich so sehr, Baby. Ich möchte immer bei dir sein. Ich habe dieses Versteckspiel so satt.«

»Mir geht es genauso, aber ich mache Fortschritte.«

»Wieso?«

»Ich habe Belle gegenüber angedeutet – ganz vorsichtig natürlich –, daß unsere Ehe sie vielleicht nicht ausfüllt. Daß wir vielleicht geheiratet haben, ehe sie eine Gelegenheit hatte, sich selbst zu finden. So in der Art.«

»Wirkt es?«

»Sie wird kühler.«

Yasmines Herz setzte einen Schlag aus, und ein hoffnungsvolles Lächeln huschte über ihr ernstes Gesicht.

»Außerdem schlafen wir seit Monaten nicht mehr miteinander.« Er zog Yasmine an sich und hauchte ihr inbrünstig ins Haar: »Gott sei Dank. Jedesmal, wenn ich bei ihr war, dachte ich nur an dich. Wie du dich anfühlst, wie du riechst, wie du schmeckst. Wie wahnsinnig du mich machst.«

Ihre Münder trafen sich und verschmolzen; neue Begierde flakkerte auf. Yasmine strich mit den Lippen über seine Brust, seinen Bauch, dann nahm sie seinen Penis in den Mund und richtete ihn mit ihrer behenden Zunge zu voller Größe auf. Sie kam wieder hoch, rieb die glänzende Eichel verführerisch über ihre Brustwarzen, schlug ihn mit ihrer schamlosen Sexualität in Bann. Er wurde rot und krampfte die Finger um die Laken. Als er sie endlich nahm, waren beide halb wahnsinnig vor Lust. Beide kamen wie im Fieber zum Höhepunkt.

Alister duschte, während Yasmine auf dem zerwühlten Bett liegenblieb. Sie blieb gern bis zum letzten Moment auf den Laken, in denen sich der Moschusduft von Schweiß und Sex festgesetzt hatte.

Schließlich stand sie widerwillig auf und zog sich an. Bevor er hereingekommen war, hatte sie ihr Höschen ausgezogen und es in ihre große lederne Schultertasche gesteckt. Als sie es jetzt wieder herausholen wollte, schloß sich ihre Hand um etwas Vertrautes.

Ihren Revolver.

Alister tauchte wieder aus dem Bad auf. Er ließ das Handtuch fallen, mit dem er sich abgetrocknet hatte, und hob die Hände. »Warst du nicht mit mir zufrieden?«

Lachend zielte Yasmine auf sein Geschlecht. »Peng, peng!«

Er lachte ebenfalls, sammelte dann seine Kleider zusammen und begann sich anzuziehen. »Wozu zum Teufel brauchst du den?«

»Keine Ahnung.« Er sah sie fragend an. »Ich dachte, ich hätte ihn verloren.«

»Das wäre mir eindeutig lieber. Du solltest jedenfalls nicht damit rumspielen.«

»Wo ich aufgewachsen bin, half einem so ein Ding zu überleben.« Der Revolver lag jetzt flach auf ihrer Hand. »Ich dachte, ich hätte ihn vor einem Flug zwischen hier und New York in den falschen Koffer gesteckt. Ich war sicher, daß er irgendwann wiederauftauchen würde, aber ich hatte keine Ahnung, daß er hier drin war.« Achselzuckend warf sie den Revolver zurück in die Tasche. »Zum Glück hatte Mr. Cassidy keinen Durchsuchungsbefehl.«

»Cassidy? Der stellvertretende D. A.?«

Yasmine stieg in ihr Kleid. »Ach, das habe ich dir noch gar nicht erzählt. Er war heute nachmittag bei Claire.«

»Weshalb?«

»Das glaubst du nie. Wegen Reverend Jackson Wilde.«

Alister zupfte sich die Manschetten zurecht und schaute prüfend in den Spiegel über der Hotelkommode. »Wieso das denn?«

»Er wollte wissen, wo Claire in der Nacht war, als Wilde ermordet wurde.«

Alister drehte sich zu ihr um. »Red keinen Unfug.«

Yasmine zog lachend ihren überdimensionalen Gürtel zu. »Claire hat genauso reagiert. Dieser verrückte Evangelist war schon lebendig eine Plage. Jetzt verfolgt er uns auch noch vom Grab aus.«

»Was für eine Verbindung gibt es zwischen den beiden? Abgesehen von dem, was jeder weiß?«

»Wilde hatte eine ›Hitliste‹, wie Cassidy es nannte. Eine Liste von Zeitschriften, die er vernichten wollte. Der Katalog von French Silk stand auch drauf. Jeder auf dieser Liste hätte ein Motiv, ihn umzubringen, aber da French Silk in New Orleans sitzt, glaubt Cassidy, daß Claire vielleicht... Du kannst es dir vorstellen.

Jedenfalls«, fuhr sie fort, während sie sich die Armreifen überstreifte, »hätte es keinen guten Eindruck gemacht, wenn man mich mit einer Waffe erwischt hätte, nicht wahr? Vor allem, wenn die Staatsanwaltschaft entdeckt hätte, daß ich in dieser Nacht mit dir in New Orleans und nicht in New York war, wie alle glauben. Wenn es soweit käme, würdest du dann für mich einstehen?«

»Damit ist nicht zu spaßen, Yasmine.« Er packte sie an den Schultern. »Ich weiß, welchen Ruf Cassidy hat; er ist ehrgeizig und gewieft und geht jedem an die Kehle. Vielleicht sieht es so aus, als würde er sich an einen Strohhalm klammern, wenn er French Silk mit dem Mord an Wilde in Verbindung bringt, und möglicherweise kommt uns das lächerlich vor, aber du kannst verdammt sicher sein, daß er es ernst meint.«

»Ich mache mir jedenfalls keine Sorgen. Er hat nichts gegen Claire in der Hand. Daß ihr Katalog auf einer idiotischen Liste steht, ist noch lange kein Beweis.«

»Natürlich nicht.«

»Warum machst du dir dann Sorgen?«

»Weil ich nicht will, daß er dir nachschnüffelt.«

»Er hat mich nicht verhört.«

»Das kann noch kommen. Wenn er das tut, dann darfst du mich auf gar keinen Fall als Zeugen nennen. Hör zu, Yasmine«, drängte er, »bis ich mich scheiden lasse, und zwar so, wie ich es für richtig halte, darf absolut niemand von uns erfahren.«

»Ich weiß«, sagte sie mürrisch.

»Du darfst niemandem – *niemandem* – verraten, daß wir uns treffen.«

Sie war froh, daß er das Thema angeschnitten hatte, denn darüber hatte sie schon lange mit ihm reden wollen. »Ich möchte Claire von uns erzählen, Alister. Ich will sie nicht mehr hintergehen und mich von ihr am Flughafen abholen lassen, obwohl ich schon zwölf Stunden in der Stadt bin. Ihr kann ich mich doch anvertrauen. Sie wird niemandem was verraten.«

Er schüttelte eigensinnig den Kopf, noch ehe sie ausgesprochen hatte. »Nein, Yasmine. Du darfst niemandem etwas sagen. Versprich mir das.«

Wütend stieß sie seine Hände von ihren Schultern. Ihre Augen glitzerten gefährlich. »Fürchtest du dich so sehr davor, daß Belle etwas erfahren könnte?«

»Ja, das tue ich. Wenn sie jemals erfährt, warum ich mich von ihr scheiden lassen will, dann wird sie mir jeden Knüppel zwischen die Beine werfen, den sie findet. Und selbst wenn sie begreifen würde, daß ich entschlossen bin und die Sache nicht mehr zu ändern ist, würde sie die Prozeduren ewig in die Länge ziehen.«

Er seufzte und zog Yasmine in seine Arme. »Verstehst du nicht? Warum sollten wir Belle Munition in die Hand geben, mit der sie uns schaden kann? Ich denke nur an dich. Ich möchte nicht, daß du in einen schmutzigen Skandal verwickelt wirst. Niemand würde verstehen, was wirklich zwischen uns ist. Die Leute würden das Schlimmste glauben.«

Sie nahm sein Gesicht zwischen ihre Hände. »Ich liebe dich, Alister. Aber ich bringe dich um, wenn du mich anlügst.«

Er drehte sein Gesicht zur Seite und küßte sie in die Hand. »Ich möchte bei dir sein, mehr als alles auf der Welt. Ich möchte dich heiraten, Kinder mit dir haben, alles.«

Sie küßten sich, bis ihre Zärtlichkeit zu Leidenschaft erblühte. »Nicht jetzt, Yasmine.« Er zog ihre forschende Hand von seiner Hose weg. »Ich bin schon spät dran.«

»Wann sehe ich dich wieder?«

»Ich treffe mich diese Woche ein paarmal mit dem Wahlkomitee«, erklärte er ihr, während er sich umsah, ob er irgendwas im Zimmer vergessen hatte. »Ehe wir uns versehen, ist es November. Das Wochenende über bin ich auf einem Familientreffen in Baton Rouge. Mir graut davor, aber ich muß hin.«

»Werden Belle und die Kinder dort sein?«

»Natürlich.« Er hob ihr gesenktes Kinn und küßte sie noch mal. »Wir wär's mit Sonntag nacht? Hier. Ich lass' mir was einfallen. Nach dem Wochenende werden sie müde sein. Ich kann bestimmt für eine Stunde oder zwei verschwinden.«

»Sonntag nacht«, wiederholte sie und versuchte, glücklich dabei auszusehen. Bis dahin waren es fünf Tage.

»Falls es Probleme gibt, rufe ich dich an.« Sie hatte einen Privatanschluß in ihrem Zimmer in Claires Wohnung; wenn sie nicht da war, ging niemand an den Apparat.

Er hauchte ihr einen Kuß auf den Mund. »Bis Sonntag.« Dann ging er aus dem Zimmer.

Yasmine und Claire kamen gleichzeitig bei French Silk an. Yasmine bezahlte ihr Taxi und kam dann zu Claire an die Tür. »Was machst du so spät draußen?«

Claire schloß die Tür auf und schaltete die Alarmanlage ab. »Das könnte ich dich auch fragen, aber ich kenne die Antwort bereits, nicht wahr?« Nachdem sie die Alarmanlage wieder eingeschaltet hatte, gingen sie durch das Lager zum Aufzug.

»Spar dir den Sarkasmus«, sagte Yasmine. »Wo bist du gewesen?«

»Spazieren. Und ich war nicht sarkastisch.«

»Du gehst um diese Zeit allein spazieren? Du hättest überfallen werden können.«

»Ich kenne jeden morschen Ziegel hier im französischen Viertel. Ich habe keine Angst.«

»Die solltest du aber haben«, ermahnte Yasmine sie, während sie in den Aufzug stiegen. »Wenn du nachts allein durch diese Straßen wanderst, dann legst du es auf einen Überfall an. Du könntest dir wenigstens eine Waffe mitnehmen.«

Claire sah, wie Yasmine sich auf die Schultertasche klopfte. »Eine Waffe? Du hast dir wieder eine gekauft?« Sie hatten über den Revolver gesprochen, als Yasmine ihr von dem Verlust erzählt hatte.

»Das war nicht nötig. Ich hatte ihn gar nicht verloren.«

»Ich wünschte, du hättest es.«

Sie stiegen im zweiten Stock aus dem Aufzug. Claire schaute kurz in Mary Catherines Zimmer und überzeugte sich davon, daß sie im Bett lag. Claire war nur eine halbe Stunde weg gewesen, aber ihre Mutter hatte sich manchmal schon viel schneller aus dem Staub gemacht.

»Alles in Ordnung?« fragte Yasmine, als Claire zu ihr in die Küche kam. »Es wundert mich, daß du sie allein gelassen hast.«

»Ich mußte an die frische Luft. Ich mußte nachdenken. Ich habe gehofft, daß du zurückkommst, aber...«

Yasmine knallte den Apfel, den sie sich aus der Obstschale genommen hatte, auf die Bar. »Okay, das wäre Bemerkung

Nummer zwei. Warum pfählst du mich nicht gleich, statt mit Giftpfeilen auf mich zu schießen? Sag, daß dir meine Affäre nicht gefällt.«

»Deine Affäre gefällt mir nicht.«

Die beiden Frauen schauten sich feindselig an. Yasmine senkte als erste den Blick. Sie ließ sich mit einem gemurmelten »Ach Mist« auf einen Barhocker fallen und begann, mit ihren scharfen Fingernägeln den Apfel zu schälen.

Claire ging zum Kühlschrank und goß sich ein Glas Orangensaft ein, den Harry am Morgen gepreßt hatte. »Es tut mir leid, Yasmine. Ich hatte kein Recht, das zu sagen. Wie komme ich dazu, über dein Privatleben zu urteilen?«

»Weil du meine beste Freundin bist. Du hast das Recht auf eine Meinung.«

»Die ich für mich behalten sollte.«

»Unsere Freundschaft beruht auf Offenheit.«

»Ach ja? Ich habe das auch immer gedacht, aber du bist nicht offen. Du hast mir noch nicht einmal seinen Namen verraten.«

»Wenn ich das könnte, würde ich es tun.«

Claire bemerkte, wie abgespannt das Gesicht und wie rot die Augen ihrer Freundin waren. Claire setzte sich auf den Hocker neben Yasmines, nahm ihr den Apfel aus den rastlosen Händen und umarmte sie.

»Ich war so grob, weil ich mir Sorgen mache, weil es dir fast nur noch schlechtgeht. Deshalb gefällt mir diese Affäre nicht. Du bist unglücklich, Yasmine. Im Idealfall sollte man glücklich sein, wenn man verliebt ist.«

»Es handelt sich nicht um den Idealfall. Im Gegenteil, es ist das Schlimmste, was du dir vorstellen kannst«, antwortete sie mit blassem Lächeln.

»Er ist verheiratet.«

»Bingo.«

Claire hatte genau das befürchtet; es sicher zu wissen, brachte ihr allerdings keine Erleichterung. »Sonst hätte ich mir auch keinen Reim auf die Geheimniskrämerei machen können. Es tut mir leid.«

Claire hatte keinen Zweifel daran, daß Yasmine wirklich und aus tiefstem Herzen litt. Dies war kein kapriziöses romantisches Abenteuer wie so viele ihrer vergangenen Liebschaften.

Etwa vor einem Jahr hatten Yasmines stürmische Romanzen aufgehört, und sie hatte angefangen, für unvorhersehbare Zeitspannen an geheimnisvolle Orte zu verschwinden. Sie wurde verschlossen und geheimniskrämerisch. Sie war ekstatisch oder zu Tode betrübt, und ihre Stimmung kippte schnell und rigoros um. Das hatte sich seither nicht geändert. Abgesehen von ihrem geheimnisvollen Liebhaber sah sie niemanden, soweit Claire wußte. Es war nicht zu leugnen: Ihre Freundin war verliebt, und diese Liebe machte sie schrecklich unglücklich.

»Trifft er sich hier in New Orleans mit dir?« fragte sie vorsichtig.

»Er lebt sogar hier«, antwortete Yasmine.

Das überraschte Claire. »Du hast ihn hier kennengelernt?«

»Nein. Wir haben uns in... äh, im Osten kennengelernt. Es war reiner Zufall, daß wir beide in New Orleans zu tun haben.«

»Ein höchst angenehmer Zufall.« Claire gefiel nicht, was sie dachte – daß dieser Kerl die günstige Gelegenheit erkannt hatte und Yasmines Verbindungen zu seiner Heimatstadt ausnutzte.

»So angenehm auch wieder nicht«, antwortete Yasmine grimmig. »Er hat panische Angst, daß seine Frau etwas von der Sache erfahren könnte, bevor er sich von ihr scheiden läßt.«

»Das hat er vor?«

Yasmine schoß herum. »Jawohl«, antwortete sie schnippisch. »Das hat er vor. Du glaubst doch nicht, daß ich mich auf eine Affäre mit einem verheirateten Mann einlassen würde, wenn er mich nicht wirklich liebt, oder? So bald wie möglich läßt er sich von ihr scheiden und heiratet mich.«

»Yasmine –«

»*Bestimmt*, Claire. Er liebt mich. Das weiß ich.«

»Das tut er bestimmt«, murmelte Claire wenig überzeugt. Wenn er sie so liebte, warum ließ er sie dann so leiden? »Hat er Kinder?«

»Zwei. Einen Jungen, zehn Jahre, und ein Mädchen, sechs. Er ist ganz verrückt nach seinen Kindern. Ich denke oft an sie, Claire. Bitte glaub mir. Ich frage mich, was aus ihnen wird, wenn er sich scheiden läßt. O Gott.«

Sie stützte die Ellbogen auf die Bar und vergrub das Gesicht in den Händen. »Wenn ich daran denke, daß ich eine Familie kaputtmache, wird mir ganz schlecht. Aber er liebt seine Frau nicht. Er hat sie nie geliebt.«

Claires Schweigen mußte ihre Zweifel verraten haben, denn Yasmine hob den Kopf und sah sie an. »Wirklich«, bekräftigte sie. »Er hat es mir gesagt, aber ich habe das schon vorher gewußt. Als ich's zum erstenmal mit ihm gemacht hab', war er so fertig, daß er fast geweint hätte. Und er hat mir gesagt, daß seine Frau lieber sterben würde, als ihn mit dem Mund ›da unten‹ hinzulassen. Ich bin das Beste, was ihm je passiert ist, Claire. Ich wäre eine gute Frau für ihn.«

»Warum macht er dann nicht reinen Tisch? Warum quält er euch beide?«

»Er kann nicht«, erklärte sie mit melancholischem Kopfschütteln. »Die Scheidung wird seiner Karriere gar nicht guttun. Er ist prominent. Und er ist dick mit seinen Schwiegerleuten und ihren Freunden im Geschäft. Mein Gott, das gibt ein Chaos. Er muß sich absichern und den richtigen Moment abwarten. Bis dahin muß ich mich gedulden und darauf warten, daß wir endlich zusammensein werden.«

Claire war weniger optimistisch, wollte sich aber nicht weiter auf eine Diskussion einlassen, weil sie müde war und Yasmine ihr nicht in der richtigen Verfassung dafür schien, so daß sie einen hilfreichen Ratschlag nicht als Bevormundung mißverstanden hätte.

Claire erhob sich von ihrem Barhocker. »Hoffentlich liegst du damit richtig. Reden wir morgen weiter darüber. Ich bin müde. Gute Nacht.«

»Gut. Aber noch was anderes: Dieser Cassidy, hat der eigentlich einen Vornamen?«

»Keine Ahnung.« Claire schaltete auf dem Weg in ihr Schlafzimmer das Licht im Flur aus. Yasmine ließ sich davon nicht aus dem Konzept bringen. Sie folgte Claire wie ein lästiges Hündchen.

»Warst du die ganze Zeit so kühl und herablassend?«

»Ich war gastfreundlich.«

»Hat er gemerkt, daß du ihn anschwindelst?«

Claire blieb augenblicklich stehen und drehte sich auf dem Absatz um. »Was soll das heißen?«

»Du bist verdammt gut im Haarespalten, Claire, aber ich hatte nicht den Eindruck, daß sich Mr. Cassidy so von einer Frau abspeisen läßt.«

»Ich bin überzeugt, daß er mich nicht als Frau gesehen hat. Er war in einer offiziellen Angelegenheit hier.«

»Er ist ziemlich lang geblieben.«

»Er hatte viele Fragen.«

»Hattest du auf jede eine Antwort?«

Wieder sah Claire ihre Freundin durchdringend an. »Nicht auf jede. Er wollte wissen, was ich mit dem Mord an Jackson Wilde zu tun habe, aber da gibt es keine Verbindung.«

»Findest du Cassidy sexy?« fragte Yasmine.

»Ich habe mich nicht für sein Aussehen interessiert.«

»Ich mich schon. Er ist irgendwie düster, aber das macht ihn sexy. Meinst du nicht auch?«

»Keine Ahnung.«

»Ich wette, er fickt mit offenen Augen und zusammengebissenen Zähnen. Mir wird ganz heiß, wenn ich nur dran denke.«

Yasmine versuchte, sie zu provozieren. Claire ließ sich nicht ködern und trat in ihr Schlafzimmer. »Ich dachte, du bist verliebt.«

»Das bin ich auch. Aber ich bin nicht blind und auch nicht tot.«

Durch die geschlossene Tür rief Yasmine: »Und selbst wenn du Mr. Cassidy und jedem anderen Mann weismachen möchtest, du trägst Höschen aus Eis – du bist es auch nicht, Claire Laurent.«

Während Claire darauf wartete, daß sich Yasmines Schritte entfernten, blickte sie in den Spiegel auf der Schranktür. Im Gegensatz zu sonst sah sie erregt, verwirrt und verängstigt aus. Und Mr. Cassidy war schuld daran.

Kapitel 6

Andre Philippi hatte zu Ende gegessen und legte das Besteck ordentlich auf den Tellerrand. Er tupfte sich den Mund mit der gestärkten Leinenserviette ab, faltete sie zusammen und legte sie auf den Tisch. Dann läutete er zum Abräumen nach dem Zimmerkellner. Der Entenbraten war etwas trocken, die Vinaigrette ein kleines bißchen zu sauer gewesen, und der frische, kalte Spargel hatte eine Spur zuviel Estragon abbekommen. Er würde dem Küchenchef eine Aktennotiz schicken.

Als Nachtmanager des Fairmont-Hotels, New Orleans, erwartete Andre Philippi von allen Beschäftigten Höchstleistungen. Unzulänglichkeiten durfte es einfach nicht geben. Unhöflichkeit oder Schlamperei führten zur fristlosen Kündigung. Andre vertrat die Auffassung, daß Hotelgäste wie Ehrengäste in einem Palast behandelt werden sollten.

In der kleinen Toilette neben seinem Büro wusch er sich die Hände mit französischer Seife, gurgelte zum Schutz vor Mundgeruch mit Mundwasser und trocknete sich penibel den bleistiftdünnen Schnurrbart und die Lippen ab. Er strich sich mit den Händen das eingeölte Haar glatt, das er sich hauptsächlich deshalb streng aus der höher werdenden Stirn kämmte, weil es so am ordentlichsten wirkte und er dadurch seine Naturlocken am besten glätten konnte.

Immer darauf bedacht, die Unkosten des Hauses zu senken, schaltete er gewissenhaft das Licht in der Toilette aus und ging zurück in sein Büro. Normalerweise stand jemandem in seiner Position kein eigenes Büro zu, aber Andre war der Dienstälteste im Haus, die Aufsichtsräte eingeschlossen.

Und er war verschwiegen wie ein Grab.

Im Laufe der Jahre waren ihm immer wieder Vergünstigungen gewährt worden, weil seine Vorgesetzten sich auf seine Diskretion verlassen mußten. So hatte er für sich behalten, daß einer eine Vorliebe für junge Knaben hatte und ein anderer heroinabhängig war. Das eigene Büro war nur ein Ausdruck der Anerkennung für Andres Verschwiegenheit.

Andere Dankbarkeitsbezeugungen des Hotelpersonals und von Gästen, die seine besonderen Dienste in Anspruch genommen hatten, sammelten auf mehreren Konten in der Stadt Zinsen und machten Andre zu einem wohlhabenden Mann. Er hatte nur wenig Gelegenheit, für etwas anderes Geld auszugeben als für makellose Kleidung und für die Blumen, die er seiner *maman* aufs Grab legen ließ. Zweimal pro Woche wurden Bouquets, exotisch, wie sie selbst es gewesen war, auf den Friedhof geliefert. Die Blumengestecke waren grundsätzlich kunstvoller als die, die sein Vater ihr geschickt hatte, als Andre noch ein Kind gewesen war. Darauf legte er Wert.

Er war nicht groß, aber seine Haltung verlieh ihm Autorität. Er war nicht eitel, aber pingelig. Er überprüfte sein Aussehen im Spiegel auf der Toilettentür. Er trug nie etwas anderes als einen elegant geschneiderten, tadellos sitzenden dunklen Anzug, ein weißes Hemd und eine konservative Krawatte.

Jemand klopfte an seine Bürotür, und ein junger Mann in der Uniform eines Zimmerkellners kam herein. »Sind Sie fertig?«

»Sie *dürfen abräumen,* ja.« Kritisch musterte er Aussehen und Verhalten des jungen Kellners, der die Hauben wieder auf die Servierplatten setzte und diese auf den Servierwagen stellte.

»Möchten Sie noch etwas, Mr. Philippi?«

»Nein danke.«

»Na dann.«

Andre runzelte die Stirn über die ungewöhnliche Verabschiedung, aber der Kellner hatte gute Arbeit geleistet. Jetzt würde er bestimmt in die Küche zurückgehen und bis zu seinem nächsten Einsatz mit seinen Freunden herumalbern. Andre hatte nicht viele Freunde.

Er hatte die teuersten Privatschulen und die Loyola University besucht. Aber weil er sich nie auf seinen Vater berufen konnte und sein Vater ihn nie erwähnen durfte, war er immer ein Außenseiter geblieben. Es machte ihm nichts aus. Für ihn gab es nur das Hotel. Was außerhalb seiner Mauern vorging, war für ihn kaum von Interesse oder Bedeutung. Er war nicht ehrgeizig. Er schielte nicht auf einen Vorstandsposten. Sein Traum war es, im Fairmont zu sterben. Sein winziges Apartment befand sich in Gehweite des Hotels, aber er war nur ungern dort. Wenn man es ihm erlaubt hätte, hätte er das Fairmont nie verlassen.

Andre hatte nur ein Laster. Jetzt gab er sich ihm hin wie ein Gourmet, der sich einen Likör nach dem Essen gönnt. Er zog die oberste Schublade seines Schreibtisches auf und schaute auf das gerahmte, signierte Foto. Ach, Yasmine. So exquisit. So schön. »Für einen Teufelskerl« hatte sie über die verschnörkelte Unterschrift geschrieben.

Er war mehr als nur ein glühender Verehrer. Seit Jahren betete er sie mit einer Hingabe an, die an Besessenheit grenzte. Es war nichts Sexuelles. Das wäre profan gewesen. Nein, er vergötterte sie wie ein Kunstliebhaber ein unverkäufliches Meisterwerk. Er bewunderte sie und schwärmte für sie, und er wünschte aus tiefstem Herzen, daß sie glücklich wurde – wie er es *maman* gewünscht hatte.

Schließlich schob er die Lade zu, wissend, daß er heute nacht noch öfter Gelegenheit haben würde, das atemberaubende Gesicht anzuschauen, das in Gedanken immer bei ihm war. Jetzt aber war es Zeit für den stündlichen Kontrollgang zum Empfang. Es schien keine Probleme zu geben. Er entdeckte einen Zigarettenstummel auf dem Teppich vor den Aufzügen. Auf ein Fingerschnippen hin eilte ein Page herbei und entfernte ihn. Er zupfte eine welke Rose aus einem Blumengesteck und fragte die heimkehrenden Gäste höflich, ob alles zu ihrer Zufriedenheit sei. Sie versicherten ihm, daß wie immer alles perfekt sei.

Während er die Lobby durchschritt, erinnerte er sich schaudernd an den entsetzlichen Morgen nach dem Mord an Jackson

Wilde. Was für ein gräßlicher Vorfall – und dazu noch in seinem Hotel!

Er war nicht besonders betrübt, daß der Fernsehpriester tot war. Dem Mann war mehr an seinem Wohl als an dem der anderen gelegen gewesen. Hinter seinem Lächeln hatte sich ein häßlicher Charakter verborgen. Er hatte zu laut gelacht, zu schroff gesprochen, die Hände zu fest gedrückt. Andre hatte ihn und seine Familie höflich behandelt, aber mit dem Herzen war er nicht bei der Sache gewesen, denn persönlich war ihm Jackson Wilde zuwider.

Andre grollte ihm noch immer. Der Mord an Wilde hatte ein schlechtes Licht auf das Hotel geworfen. Kein Hotel konnte garantieren, daß so etwas in seinen Räumen nicht geschah, allen Sicherheitsvorkehrungen zum Trotz. Dennoch hatten ein paar ortsansässige Journalisten die Frechheit besessen, das Hotel als mitverantwortlich zu beschuldigen.

Nun, darum kümmerten sich inzwischen die Anwälte. Das fiel nicht mehr in Andres Bereich. Aber ihn schauderte immer noch, wenn er sich an das Chaos erinnerte – wie sich in der ehrwürdigen Lobby Polizisten und Reporter gedrängt und zu Recht entrüstete Gäste belästigt hatten, die man wie Verdächtige verhört hatte. Es war ihm vorgekommen, als wäre eine adlige Witwe unter die Straßenräuber geraten.

Den Behörden mußte doch klar sein, daß jemand von der Straße hereingekommen, mit dem Lift in den siebten Stock gefahren und von Wilde in seine Suite gelassen worden war. Nach dem Mord war der Mörder auf dem gleichen Weg verschwunden, ohne daß jemand auf ihn aufmerksam geworden wäre. Durfte man deshalb alle, die in dieser Nacht im Hotel zu Gast gewesen waren, wie Verdächtige behandeln? Hatte die Polizei das Recht, jedermann zu verdächtigen? Andre glaubte das nicht. Deshalb bereitete es ihm keine Gewissensbisse, die zu beschützen, die unmöglich mit Jackson Wilde Streit gehabt haben konnten.

Routinemäßig hatte die Polizei auch ihn verhört. Niemand schien seine Aussage anzuzweifeln. Bei Mr. Cassidy lag die

Sache jedoch anders. Er war gründlicher und verbissener gewesen als der schmuddelige Detective mit den zwei Vornamen. Cassidy hatte Andre nicht direkt als Lügner bezeichnet, aber der Staatsanwalt schien zu wissen, daß er Informationen zurückhielt.

Cassidy würde jedenfalls mit keiner Taktik etwas aus Andre herauskriegen. Es war seine Maxime, keine Informationen preiszugeben, die einen von ihm respektierten Menschen kompromittieren könnten. Fakten, die nichts mit dem Mord an Reverend Jackson Wilde zu tun hatten, gingen Mr. Cassidy nichts an.

Mr. Cassidy stammte nicht aus New Orleans. Er war der irrigen Meinung, das Gesetz sei absolut, starr und für jeden gültig. Bestimmt glaubte er, daß vor dem Gesetz alle gleich waren. Offenbar kannte er den Ehrenkodex nicht, der in New Orleans herrschte. Auswärtige mochten ihn nicht verstehen und befolgen, Andre dagegen tat beides.

Als Claire in die Küche kam, saß ihre Mutter allein am Frühstückstisch. Sie war angezogen und hatte Make-up aufgelegt. Ein ermutigendes Zeichen. An manchen Tagen schaffte es Mary Catherine nicht einmal aus dem Bett, so gefangen war sie in ihren Depressionen.

»Hmm. Der Kaffee riecht gut, Mama«, bemerkte Claire, während sie sich die Ohrringe anklipste.

»Guten Morgen, Liebling. Hast du gut geschlafen?«

»Ja«, log Claire. Sie rührte Sahne in ihren Kaffee, schaute über die Schulter und lächelte ihre Mutter an. Ihr Lächeln gefror, als sie das vertraute Gesicht auf dem Bildschirm des tragbaren Fernsehers in der Etagere sah. Ein Nachrichtensender war eingestellt.

»Sie sollte nicht so schreien«, bemerkte Mary Catherine. »Es wirkt so vulgär. Eine Dame sollte sich um eine angenehme Stimme bemühen.«

Ariel Wilde war umzingelt von Reportern; alle wollten ihre neuesten und immer heftigeren Attacken auf die Behörden der

Stadt, des Bezirks und des Staates übertragen, die sich immer noch weigerten, den Leichnam ihres Gatten zur Überführung nach Nashville freizugeben.

Claire ließ sich langsam ihrer Mutter gegenüber nieder. Sie achtete eher auf Mary Catherine als auf den Fernseher.

»Mrs. Wilde sollte ihren Mann so schnell wie möglich begraben dürfen«, erklärte Mary Catherine. »Obwohl es nicht leicht ist, mit so unliebenswürdigen Menschen Mitleid zu haben.«

»Warum findest du sie unliebenswürdig, Mama?«

Mary Catherine sah sie verdutzt an. »Aber Claire, hast du vergessen, was dir dieser Prediger für Schwierigkeiten gemacht und welche Gemeinheiten er über dich verbreitet hat? Er war ein abscheulicher Mensch, und seine Frau ist offenbar nicht besser.«

Sie hat einen klaren Tag, dachte Claire. An diesen seltenen Tagen war Mary Catherine vollkommen vernünftig und begriff, was um sie herum vorging. Wenn ihre Augen so leuchteten und ihre Stimme so überzeugend klang, konnte man leicht vergessen, daß sie manchmal anders war.

Die momentane Verfassung ihrer Mutter schien Claire günstig, um sich von einer Sorge zu befreien, die seit Cassidys Besuch auf ihr lastete.

»Mama? Erinnerst du dich noch an Mr. Cassidy, der gestern hier war?«

»Natürlich. Erst vor ein paar Minuten haben sie sein Bild gezeigt und ihn zitiert. Ich wußte gar nicht, daß er so wichtig ist. Er hat den Fall Jackson Wilde übernommen.«

»Ganz recht. Und weil Reverend Wilde mich derart attackiert hatte, wollte Mr. Cassidy mich sprechen. Vielleicht kommt er noch einmal.«

»Ach wie reizend. Er war so nett.«

»Also, er ... er ist nicht immer nett. Es ist seine Aufgabe, den Menschen Fragen zu stellen. Persönliche Fragen über ihr Leben, ihre Herkunft. Er muß in ihrer Vergangenheit wühlen und Sachen aufdecken, die sie lieber geheimhalten würden.« Sie machte eine Pause, um sicherzugehen, daß Mary Catherine verstanden hatte. Mary Catherine schaute sie fragend an. »Falls Mr. Cassidy kommen sollte und uns nach der Zeit mit Tante Laurel fragen würde, was würdest du ihm antworten?«

Mary Catherine war verwirrt. »Wahrscheinlich würde ich ihm erzählen, wie schön es war.«

Claire seufzte erleichtert, nahm die Hand ihrer Mutter und drückte sie. »Das war es, nicht wahr? Es war schön bei Tante Laurel.«

»Ich vermisse sie immer noch. Am Sonntag bringe ich ihr nach der Messe Blumen aufs Grab.« Mary Catherine stand auf und ging zu dem Einbauschreibtisch. »Aber jetzt mußt du mich entschuldigen, Claire. Ich muß eine Einkaufsliste schreiben, ehe Harry kommt. Sie ist so vergeßlich. Wenn ich nicht alles aufschreibe, wird sie nicht einmal die Hälfte mitbringen.«

Claire schaute besorgt zu, wie Mary Catherine ihre Einkaufsliste vervollständigte. Cassidy würde ganz bestimmt wiederkommen, hoffentlich nur nicht heute. Sie freute sich, daß Mary Catherine einen guten Tag hatte, aber es war ihr lieber, wenn Cassidy sich nicht mit ihrer Mutter unterhielt, solange sie so vernünftig über Jackson Wilde und den Mord reden konnte.

Das kalte Wasser war voll aufgedreht, aber trotzdem nur lauwarm. Wahrscheinlich, dachte Cassidy, konnte er froh sein, daß wenigstens ein starker Strahl kam. Das Wasser prasselte auf seinen Nacken und löste teilweise die Verspannungen. Aber nur teilweise.

Schließlich seifte er sich ein, wusch sich die Haare, spülte sich ab und trat aus der Dusche. Inzwischen war der Kaffee durchgelaufen. Er folgte dem Duft nach New-Orleans-Kaffee und Zichorie in seine kleine Küche und genehmigte sich eine Tasse. Der dampfende, bittere Kaffee verpaßte ihm einen kombinierten Schub von Koffein und Optimismus. Vielleicht würde sich ja heute was ergeben.

Er tappte zur Vordertür seines Apartments in Metairie und machte sie auf, um die Zeitung reinzuholen. Er ging wieder in die Küche zurück und wartete kaffeetrinkend darauf, daß sein

Toaster die zwei Weißbrotscheiben ausspuckte. Er schlug die *Times Picayune* auf und registrierte, daß das Thema Wilde auf Seite 4 abgerutscht war. Aber dort stand ein Artikel, der andeutete, daß die Behörden vor einem Rätsel standen. Man sprach von Inkompetenz. Für alle Unwissenden – und angesichts der unzähligen Medienberichte schien es unmöglich, daß es davon noch welche gab – wurde der Tathergang noch einmal entsprechend der Pressemitteilung geschildert, die Cassidy mitentworfen hatte.

Die Reporter zitierten seine Erklärung, daß die vereinten Kräfte von Polizei und Staatsanwaltschaft mehrere erfolgversprechende Spuren verfolgten, was der Wahrheit entsprach, und daß eine Verhaftung unmittelbar bevorstehe, was gelogen war. Sie wußten nicht einmal, wen sie verhaften sollten. Sie hatten nichts in der Hand.

Sein Toast sprang hoch. Er butterte beide Scheiben, bestreute sie mit Zimt und Zucker und biß hinein. Claire Laurent kam ihm in den Sinn. Ihr Mund schmeckte bestimmt wie warme Butter und Zimtzucker.

»Verdammt.« Er stützte sich mit den Händen auf der Küchentheke ab und legte das Kinn auf die Brust. Vor nicht einmal fünf Minuten hatte er geduscht, und jetzt schwitzte er schon wieder. Erregung umwogte sein Geschlecht und rief tatsächlich, was ihn noch mehr frustrierte, eine Reaktion hervor.

Seit seinem Besuch bei French Silk litt er unter Nachtschweiß. Wie bei einer Malaria kamen die Krankheitssymptome Nacht für Nacht. Sie schwächten ihn, machten ihn verrückt und geil. Obwohl ihn der Katalog mit den spärlich in sexy Reizwäsche bekleideten Models anmachte, wußte er, daß er wegen Claire Laurent in diesen fieberhaften Erregungszustand geriet.

Sie war genauso provokativ wie die Ware, mit der sie handelte. Sie ging ihm ständig durch den Kopf, auch wenn er sich nicht mit seinem Fall beschäftigte. Mehr als einmal hatte er sich gefragt, ob diese verdammten Seifenblasen nicht tatsächlich ein Liebeszauber gewesen waren.

»Wie war's gestern nachmittag in dem Wäscheladen?« hatte Crowder ihn bei der morgendlichen Besprechung gefragt.

»Sie meinen bei French Silk?«

»Gibt es noch einen bei diesem Fall?«

»Es ist ein ziemlich großer Betrieb. Ich hatte keine Ahnung, daß das Unternehmen so expandiert.«

»Das Unternehmen ist mir egal. Haben Sie mit dieser Laurent geredet?«

»Ja. Ausgiebig.«

»Und?«

»Sie sagt, sie ist Wilde nie begegnet.«

»Und?«

»Das ist im Grunde alles.«

»Glauben Sie ihr?«

Cassidy hatte selbst nicht ganz verstanden, warum er so ausweichend antwortete. »Sie hat mir keinen Grund gegeben, es nicht zu tun.« Weil Crowder eine genauere Begründung erwartete, erzählte er ihm von Mary Catherine Laurent und dem Mannequin Yasmine.

»Ich kenne sie«, sagte Crowder. »Ich hab' sie mal bei Johnny Carson gesehen. Eine echte Klassefrau.«

»Ja, das ist sie. Miss Laurent, die Mutter, ist psychisch krank.«

»Was Sie nicht sagen. Was hat sie?«

Crowder hatte nach Fakten gefragt. Cassidy hatte keine. Crowder wollte bestimmt nicht hören, daß Cassidy einen Steifen bekam, wenn er nur an Claire Laurent dachte. Kein gutes Zeichen für einen Staatsanwalt, der einen Mordfall klären wollte, von dem seine Karriere abhing. Es war einer jener saftigen, publikumswirksamen Fälle, nach denen sich junge, ehrgeizige Staatsanwälte die Finger leckten. Und es war sein Fall.

Er hatte die einmalige Gelegenheit erhalten, Crowder zu beweisen, daß er die Zügel in die Hand nehmen konnte, nachdem sich der Alte zur Ruhe gesetzt hatte. Er mußte die Wähler überzeugen, daß er der Richtige für einen harten Job war.

Wenn er bei einer Verdächtigen Schweißanfälle bekam und scharf wurde, machte das die Sache nicht einfacher. Claire Laurent *konnte* keinen kaltblütigen Mord begehen. *Dazu behandelt sie ihre Mutter viel zu gut,* versuchte er sich einzureden.

Aber dieses Argument war keinen Cent wert, das wußte Cassidy ganz genau. Er hatte Serienmörder kennengelernt, die auf Kommando weinen konnten, vor allem, wenn ihre Mutter in der Nähe war.

Aber etwas stimmte bei French Silk nicht. Was störte ihn daran? Er rief sich jeden ins Gedächtnis, dem er dort begegnet war: die Pförtnerin, die Empfangsdame, Claire, Mary Catherine, Yasmine. Plötzlich dämmerte es ihm. »Keine Männer.«

Keine Männer. Im Lager hatten nur Frauen gearbeitet. Harry hieß in Wirklichkeit Harriett. War das wichtig? War French Silk ein Beispiel für umgekehrte Diskriminierung? War die Beziehung zwischen Claire und Yasmine mehr als nur freundschaftlich und geschäftlich?

Die Vorstellung hinterließ einen bitteren Nachgeschmack, der sogar den Kaffee und die Zichorie überdeckte. Er kippte den Rest in die Spüle.

Nein, bestimmt nicht. Das hätte er gespürt. Sie hatten wortlos kommuniziert wie Vertraute, aber nicht wie Liebende. Auf jeden Fall war Claire Laurent kein Killer.

Andererseits kam sie ihm vor wie eine Frau, die, wenn sie einen Mann getötet hätte, keine Skrupel hätte, ihm einfach so die Hoden wegzupusten.

Sein Telefon klingelte. »Glenn hier.«

»Guten Morgen.«

Der Detective grunzte, als wäre er anderer Meinung. »Der Chef hat mich angerufen. Er sagt, diese Wilde-Frau – und das Wortspiel paßt – fordert, daß wir den Leichnam rausrücken. Wir müssen ihn freigeben, Cassidy.«

Er fuhr sich mit den Fingern durchs nasse Haar. »Scheiße. Uns bleibt wohl nichts anderes übrig. Aber ich will's noch einmal bei ihr und ihrem Stiefsohn versuchen.«

»Wir haben ihre Aussage schon. Ich habe sie selbst ein dutzendmal verhört. Es sieht schon langsam aus wie Schikane.«

»Ich weiß, aber ich will's trotzdem noch mal versuchen. Ich bin in einer halben Stunde dort.«

Das Gespräch mit Ariel und Joshua Wilde fing schon schlecht an. Sie saßen bereits in Cassidys Büro, als er kam. Die Witwe trug schwarze Seide und sah zerbrechlich, bleich und unbestreitbar unschuldig aus. »Mr. Cassidy, wir fliegen in einer Stunde nach Nashville. Wir möchten unseren Flug nicht verpassen.«

»Es tut mir leid«, sagte er, während er um seinen Schreibtisch ging und sich hinsetzte. »Ich bin im Stau steckengeblieben. Ich werde dafür sorgen, daß Sie rechtzeitig am Flughafen sind, und wenn ich Ihnen eine Polizeieskorte zur Verfügung stellen muß.«

Das schien ihr zu gefallen. Sie lehnte sich zurück. »Danke.«

»Man hat mir unterwegs mitgeteilt, daß der Sarg mit Reverend Wildes Leichnam ebenfalls an Bord des Flugzeugs sein wird.«

Sie tupfte sich mit einem bestickten Taschentuch die Augen. »Jackson wurde vor mehr als einer Woche ermordet. Seinen Mörder haben sie nicht gefaßt, statt dessen haben Sie mich daran gehindert, ihn zu begraben.«

Ihr Stiefsohn legte ihr beruhigend die Hand auf die Schulter. »Es war eine entsetzliche Tortur für uns, Mr. Cassidy. Vor allem für Ariel.«

»Das war es bestimmt.«

»Wir möchten Daddys Leichnam heimbringen, begraben und uns dann erholen. Allerdings werden wir nach New Orleans zurückkehren, sobald der Täter gefaßt ist. Ich möchte ihn persönlich fragen, warum er es getan hat.«

»Das würde ich ihn auch gern fragen.« Cassidy öffnete die Akte, die ihm ein Bürobote vor der Tür überreicht hatte. »Zur Sicherheit möchte ich mit Ihrer Hilfe ein paar Angaben überprüfen.« Er wühlte in den Papieren, damit die Frage gerechtfertigt wirkte. »Sie – also Sie drei und ein paar Anhänger – kamen wann im Hotel an?«

»Zweiundzwanzig Uhr fünf«, antwortete Ariel ungeduldig. »Mr. Cassidy, das haben wir schon tausendmal besprochen.«

»Ich weiß, aber manchmal erinnert sich ein Zeuge bei der wiederholten Schilderung an etwas, das er zuvor vergessen hatte. Bitte verzeihen Sie mir.«

Sie seufzte leidend. »Wir sind um zweiundzwanzig Uhr fünf angekommen. Wir waren hungrig und aßen im Hotel. Das können die Angestellten bestimmt bezeugen.«

»Das haben sie. Ist irgend jemand während des Essens vom Tisch aufgestanden?«

»Ich glaube nicht. Josh, kannst du dich daran erinnern, daß jemand aufgestanden ist?«

»Nein. Warum ist das so wichtig, Mr. Cassidy?«

Es war immer noch nicht klar, wie der Täter in Wildes Suite gelangt war. Cassidy hielt es für möglich, daß jemand aus dem inneren Kreis Zugang zu einem Schlüssel gehabt und Wilde erwartet hatte, als der vom Essen kam. »Ich wollte nur sichergehen.«

»Ich glaube nicht, daß jemand aufgestanden ist, bevor wir fertig waren«, erklärte ihm Ariel. »Wir waren alle zusammen im Lift und stiegen in den verschiedenen Stockwerken aus.«

»Sie beide und Jackson Wilde sind also im siebten Stock aus dem Lift gestiegen?«

»Richtig. Jackson reservierte für uns immer ein ganzes Stockwerk, damit die Familie nicht gestört wurde.«

»Hmm.«

»Ich gab Jackson einen Gutenachtkuß am Lift und ging dann in Joshs Suite, um die Lieder für den nächsten Gottesdienst einzustudieren.«

»Singen Sie immer mit vollem Magen, Mrs. Wilde?«

»Pardon?«

Cassidy lehnte sich im Stuhl zurück, spielte mit einem Bleistift und musterte die beiden eindringlich. »Ich kenne ein paar Sänger. Ich kenne keinen, der nach dem Essen singen würde. Ein voller Magen drückt aufs Zwerchfell, oder nicht?«

»Was hat das damit zu tun?«

»Sie sagten, daß Sie zum Üben in Joshs Suite gegangen sind.«

»Das kann ich erklären«, mischte sich Josh hastig ein. »Wenn Ariel und ich außerhalb des Vortragssaales üben, arbeiten wir nur am Timing, am Rhythmus und so weiter. Sie singt erst beim Soundcheck im Vortragssaal.«

»Aha«, bemerkte Cassidy. »Deshalb hörte Sie in dieser Nacht niemand singen.«

»Im siebten Stock war niemand, vergessen Sie das nicht«, erinnerte ihn Ariel zuckersüß.

»Richtig. Aber die Zimmer über und unter Joshs Suite waren belegt, trotzdem haben die darin wohnenden Gäste niemanden singen oder Klavier spielen gehört.«

»Was wollen Sie damit andeuten, Mr. Cassidy?«

»Daß Sie vielleicht in Joshs Suite gegangen sind, um auf ganz andere Weise zu musizieren.«

Die Witwe sprang auf und funkelte ihn wütend an. »Wie können Sie es wagen!«

»Niemand kann Ihre Version bezeugen, Mrs. Wilde.«

»Niemand kann sie widerlegen.«

»Und ich glaube, genau das wollten Sie auch.«

»Glauben Sie, was Sie wollen.«

»Ich glaube, daß Sie Ihre Affäre nicht beenden wollten und daß einer von Ihnen oder Sie beide sich in dieser Nacht in das Zimmer Ihres Mannes geschlichen und ihn erschossen haben. Sie haben ihn die Nacht über liegenlassen und am Morgen für die Presse und die Öffentlichkeit diese Tränendrüsengeschichte inszeniert.«

Ihre blauen Augen wurden gefährlich schmal. »Sie sind ein Werkzeug des Teufels.«

»Gut möglich«, antwortete Cassidy offenherzig. »Ich habe ihm nie großen Widerstand geleistet.«

»Wollen Sie uns etwa aufgrund dieser fixen Idee verhaften?« fragte Ariel hochmütig.

»Ohne jeden Beweis? Sie wissen genausogut wie ich, Mrs. Wilde, daß ich damit nicht durchkäme.«

»Ganz genau.« Sie drehte sich um und segelte aus der Tür.

Josh blieb sitzen, war aber genauso aufgebracht. »Diese Anklage war unangebracht, Mr. Cassidy. Warum suchen Sie nicht nach dem richtigen Mörder, statt meine Stiefmutter mit haltlosen Anschuldigungen aufzuregen?«

»Hören Sie schon auf, Josh.« Cassidy sprach ihn absichtlich mit dem Vornamen an. »Ich weiß, daß Sie mit ihr bumsen. Mir ist das egal . . . es sei denn, Sie hätten Ihren alten Herrn kaltgestellt, damit Sie weiter mit ihr bumsen können.«

»Hören Sie auf, so zu reden!«

»Dann reden Sie mit mir, verdammt noch mal.« Er schlug mit der Handfläche auf den Schreibtisch.

Nach kurzem, gespanntem Schweigen fragte Josh dumpf: »Was wollen Sie wissen?«

Cassidy zügelte sich, denn er wußte intuitiv, daß Josh einen Rückzieher machen würde, wenn er ihn nicht mit äußerster Vorsicht behandelte. »Versetzen Sie sich in meine Lage, Josh, und ziehen Sie selbst Schlüsse. Ariel ist jung, hübsch und talentiert, und sie liebt ihren jungen, hübschen, talentierten Stiefsohn, der ihre Liebe erwidert. Aber die Sache hat einen Haken. Sie ist verheiratet. Der unerwünschte Ehemann ist ein Motiv, das ich nicht unberücksichtigt lassen kann. Und sie war der einzige Mensch außer Ihrem Vater, der einen Schlüssel zu der Suite besaß.«

»Was ist mit den Zimmermädchen? Dem Hotelpersonal? Einbrecher brauchen keine Schlüssel. Ständig wird in abgeschlossene Hotelzimmer eingebrochen.«

»Jackson wurde von jemand umgebracht, den er so gut kannte, daß es ihn nicht störte, nackt vor ihm auf dem Bett zu liegen.«

»Ariel war es nicht.«

»Waren Sie es?«

Der junge Mann erbleichte. »Mein Vater und ich hatten Meinungsverschiedenheiten, aber deshalb würde ich ihn nicht umbringen.«

»Wußte er, daß Sie eine Affäre mit seiner Frau haben?«

»Ich weiß nicht, wovon Sie reden.«

Die Lehne von Cassidys Ruhesessel schnellte vor und katapultierte ihn fast über den Tisch. »Verarschen Sie mich nicht, Josh. Wußte er es?«

Der Junge wand sich unter Cassidys unnachgiebigem Blick. Schließlich sackten seine Schultern herunter, und er schaute weg. »Nein. Ich glaube nicht.«

Aha. Damit hatte er das Geständnis, daß die beiden ein geheimes Verhältnis hatten. Er ließ sich nicht anmerken, wie sehr ihn das freute. »Halten Sie sich für schlau genug, das vor Ihrem Vater zu verheimlichen, wo ich es schon nach dreißig Sekunden vermutet habe?«

»Dazu brauchten wir nicht besonders schlau zu sein«, antwortete Josh mit freudlosem Lachen. »Er war ein solcher Egomane, er hätte sich gar nicht vorstellen können, daß Ariel mich vorzieht.«

Cassidy schaute ihm in die Augen und glaubte ihm. »Er war ein echter Scheißkerl, wie?«

»Ja, das war er.«

»Haben Sie ihn gehaßt?«

»Manchmal.«

»So sehr, daß Sie ihn umbringen wollten?«

»Manchmal. Aber ich habe es nicht getan. Ich könnte das nicht. Ich hätte nicht die Nerven dazu.«

Cassidy glaubte auch das. Joshua Wilde war nach dem Hebräerkrieger aus dem Alten Testament benannt worden, aber er war eine echte Fehlbesetzung. Zweifellos war Jackson Wilde mit seiner Donnerstimme und seinem Racheengeltemperament zutiefst enttäuscht von seinem sanften, leisen Sohn gewesen. Ein Kind konnte eine Menge Aggressionen gegenüber einem tyrannischen, überkritischen Vater aufstauen. Bessere Eltern als Jackson Wilde waren von ihren überforderten Kindern umgebracht worden. Aber Cassidy traute Josh nicht zu, jemandem eine Kugel durch den Kopf zu jagen.

»Was ist mit Ariel? Überlegen Sie sich die Antwort gut, Josh. Wir können jeden Moment den entscheidenden Beweis finden, irgendwas, das uns bis jetzt entgangen ist. Wenn Sie Ariel decken, machen sie sich zum Mittäter und werden genau wie sie bestraft. Hat sie ihn getötet?«

»Nein.«

»Hätte sie es ohne Ihr Wissen tun können? Haben Sie in dieser Nacht mit ihr geschlafen, Josh?«

Er schlug die Augen nieder und antwortete ohne zu zögern: »Ja.«

»Hat sie irgendwann die Suite verlassen?«

»Nein. Nicht ehe sie endgültig ging, und das war irgendwann in den frühen Morgenstunden.«

Zu spät für den Mord, den Elvie Dupuis auf zwischen null und ein Uhr geschätzt hatte. »Sind Sie sicher?«

»Absolut.«

»*Vermuten* Sie, daß sie ihn getötet hat?«

»Nein.« Er schüttelte so energisch den Kopf, daß ihm ein paar Locken ins Gesicht fielen.

»Was macht sie so sicher?«

Er hob den Kopf und erwiderte Cassidys starren Blick. »Mein Vater war Ariels Fahrkarte zum Ruhm. Ohne ihn ist sie nichts.«

Es war eine Sackgasse. Sie waren eindeutig schuldig. Dummerweise wußte Cassidy nicht, ob sie nur Ehebruch oder eine schwerwiegendere Sünde begangen hatten. Aber selbst wenn sie Wilde kaltgemacht hatten, hatte er keinen Beweis gegen sie in der Hand. »Gute Reise«, wünschte er knapp.

Joshua Wilde war entgeistert. »Heißt das, ich kann gehen?«

»Es sei denn, Sie wollen ein Geständnis ablegen.«

»Ich habe nichts zu gestehen und Ariel ebensowenig. Das schwöre ich, Mr. Cassidy.«

»Sie werden es vielleicht noch schwören müssen – vor Gericht. Bis dahin auf Wiedersehen.«

Cassidy schaute ihm nach und fragte sich, ob er einen Mörder auf die ahnungslose Menschheit losließ. Aber die einzige Gefahr, die von Ariel und Josh ausging, war wohl, daß die beiden die Leute im Namen des Herrn um ihr schwerverdientes Geld brachten.

Verdrossen nahm er das Telefon nach dem ersten schrillen Klingeln ab. »Cassidy.« Es war Crowder, dem das Ergebnis des Verhörs wenig Freude bereitete. »Jedenfalls hab' ich sie laufenlassen«, faßte Cassidy zusammen.

Crowder hatte einiges über die Witwe und den Aufruhr zu sagen, den sie hinterließ. »Sie verduftet unschuldig wie ein Engel und wie eine gottverdammte Märtyrerin nach Nashville, und wir stecken hier bis zum Hals in der Scheiße. Cassidy, sind Sie noch dran?«

»Was? Ach, ja, 'tschuldigung. Scheiße. Genau.«

»Was ist mit Ihnen los?«

Cassidy starrte auf den prallen Ordner, den Howard Glenn gerade in sein Büro getragen und mit triumphierender Gebärde auf seinen Schreibtisch geworfen hatte.

»Ich rufe Sie zurück.« Cassidy legte auf, ohne Crowder eine Antwort zu geben. Er sah zu Glenn auf, der zufrieden grinsend und unrasiert vor seinem Schreibtisch stand.

»Hallo, Cassidy. Vielleicht ist das der Hinweis, auf den wir gewartet haben. Gehen wir.«

Kapitel 7

»Der gehört doch Ihnen, Miss Laurent?«

»Woher haben Sie das?« fragte Claire den unsympathischen Kerl, der ihr breitbeinig und finster wie ein Gladiator gegenüberstand.

»Einer meiner Männer hat ihn ein paar Blocks weiter in einer Mülltonne gefunden. Sie hätten sich doch ausrechnen können, daß wir überall die Mülltonnen durchsuchen, wo jemand wohnt, der was mit Wilde zu tun hatte.«

»Ich hatte nichts mit Wilde zu tun«, widersprach Claire gelassen.

»Und was ist damit?« Er hielt ihr den belastenden Ordner unter die Nase. Sie schlug ihn weg.

»Glenn, überlassen Sie das mir«, mischte sich Cassidy plötzlich ein. Der widerliche Kerl schaute ihn stirnrunzelnd an, trat aber ein paar Schritte zurück. Cassidy wandte sich an Claire. »Ehrlich gesagt, ich hätte Sie für klüger gehalten. Warum haben Sie den Ordner nicht zusammen mit der Mordwaffe in den Fluß geschmissen?«

Sie hatte geglaubt, daß sie sich in ihrem Apartment mit seinen luftigen, hellen Räumen weniger beengt fühlen würde. Aber seit sie Cassidy hereingelassen hatte, rückten die Wände immer näher, um so mehr, da er von diesem Detective begleitet wurde, den sie mit unverhohlenem Mißfallen musterte.

Als sie gesehen hatte, was die beiden mitbrachten, hatte ihr Herz eine Sekunde lang ausgesetzt, und ihre Handflächen waren feucht geworden. Sie fühlte sich in die Enge getrieben und hatte Angst, aber sie war entschlossen, das nicht zu zeigen.

»Raus mit der Sprache, Miss Laurent. Was ist damit?« Detective Glenn knallte den Ordner auf ihre Küchentheke. Dutzende Zeitungsausschnitte rutschten heraus und verteilten sich über die glänzende Marmorplatte.

So ließ sich Claire von einem Vertreter der Staatsgewalt nicht behandeln. Instinktiv wollte sie sich wehren, aber es schien ihr besser, ihm mit Unverfrorenheit zu begegnen.

»Es ist meiner«, gab sie zu. »Da Reverend Wilde ermordet wurde, hielt ich es für unklug, den Ordner zu behalten.«

»»Unklug?«« höhnte Glenn. »Ist das ein anderes Wort für saublöd?«

Claires Augen verengten sich zornig. Sie richtete sich zu voller Größe auf.

Cassidy trat zwischen sie und den Detective. »Entschuldigen Sie uns.« Er schob den Detective zur Tür. Nach kurzem, hitzigem Geflüster warf ihr Glenn einen dreckigen Blick zu, dann verschwand er und zog geräuschvoll die Tür hinter sich zu.

»Danke«, sagte sie zu Cassidy, nachdem er sich wieder umgedreht hatte. »Ich glaube, ich hätte ihn keine Sekunde länger ertragen. Er ist durch und durch widerlich.«

»Ich habe das nicht Ihretwegen getan. Ich habe es meinetwegen getan. Ich habe eine Menge Fragen. Mir war klar, daß Glenn sich die Zähne an Ihnen ausbeißt. Deshalb habe ich ihn gebeten, die Sache mir zu überlassen.«

»Was für Fragen?«

»Was für Fragen! Wir haben belastendes Beweismaterial gegen Sie gefunden, Miss Laurent.«

»Einen Ordner mit Zeitungsausschnitten?« fragte sie spitz. »Das wird kaum reichen, Mr. Cassidy. Ich wollte mir gerade ein Sandwich machen. Möchten Sie auch eins?«

Ohne den Blick von ihr zu wenden, schob Cassidy sein Anzugjackett zurück und stemmte die Hände in die Hüften. Er sah sie an, als versuchte er, schlau aus ihr zu werden. »Sie sind ganz schön cool«, sagte er gepreßt. »Und Sie lügen.«

»Sie haben mich nie gefragt, ob ich einen Ordner über Jackson Wilde angelegt habe.«

»Es überrascht mich, daß Sie nicht so tun, als hätten Sie das da nie gesehen.« Er deutete auf die Ausschnitte auf der Theke.

Claire umrundete die Theke und ging zum Kühlschrank. »Leugnen hätte mich doch erst recht verdächtig gemacht. Möchten Sie Krabbensalat?«

»Gern.«

»Weißbrot oder Vollkorntoast?«

»Jesus«, murmelte er und fuhr sich mit den Fingern durchs Haar. »Ihr Leute im Süden hört wirklich nie auf, gastfreundlich zu sein.«

»Wie kommen Sie darauf?«

»Weil Glenn unten darauf wartet, Sie zu verhaften, und Sie mich fragen, ob ich Vollkorn- oder Weißbrot will.«

»Man wird mich nicht verhaften, Mr. Cassidy, das wissen Sie so gut wie ich.« Nachdem sie alle Zutaten aus dem Kühlschrank genommen hatte, drehte sie ihm den Rücken zu und machte die Sandwichs. Sie hoffte, daß er nicht bemerkte, wie ihre Hände zitterten.

Im Rückblick erschien ihr das Wegwerfen des Ordners wie die Verzweiflungstat eines Menschen, an dessen Händen Blut klebte. Es war dumm gewesen, ihn in eine Mülltonne zu schmeißen. Aber am Tag nach dem Mord hatten sich die Ereignisse so überstürzt, daß sie keinen klaren Gedanken hatte fassen können. Sie hatte die Lage falsch eingeschätzt, und für diese Fehleinschätzung mußte sie nun bezahlen.

Außerdem hatte sie Cassidy unterschätzt und seine erste Vernehmung nicht ernst genug genommen. Seine Fragen waren ihr unangenehm gewesen, deshalb hatte sie nur zurückhaltend geantwortet, aber sie hatte keinen Grund zur Panik gesehen. Der Fund des Ordners änderte alles. Jetzt interessierte ihn nicht mehr nur, wie sie zu Wilde stand. Jetzt verdächtigte er sie, ihn umgebracht zu haben. Er würde sie beobachten und nach einem winzigen Anhaltspunkt suchen. Aber Claire hatte Übung darin, die Obrigkeit an der Nase herumzuführen. Und die erste Lektion lautete, sich niemals einschüchtern zu lassen.

Sie drehte sich zu ihm um. »Sie haben nicht genug Beweise, um mich zu verhaften, Mr. Cassidy. Ich habe ein paar Artikel über Jackson Wilde gesammelt. Das ist etwas anderes, als hätten sie mich mit der Waffe in der Hand erwischt.«

»Die Waffe ist inzwischen im Golf«, antwortete er und pickte eine Olive von dem Teller, den sie ihm reichte. »Von der Strömung weggeschwemmt worden.«

»Höchstwahrscheinlich.« Da die Theke mit Zeitungsausschnitten übersät war, machte sie eine Kopfbewegung zu dem Glastisch im Eßzimmer hin. »Tee oder Limonade?«

»Tee.«

»Zucker?«

»Nichts.«

Nachdem sie mit minzebesprenkeltem Eistee in zwei Gläsern zurückgekommen war, setzte sie sich ihm gegenüber. Er nahm eine Hälfte seines Sandwichs und biß eine Ecke ab. »Ein paar von diesen Ausschnitten sind mehrere Jahre alt.«

»Mein Interesse ist mehrere Jahre alt.«

»Sie interessieren sich für Religion?«

»Nein, Mr. Cassidy«, antwortete sie bescheiden lächelnd. »Ich bin katholisch getauft, aber ich habe mich nie in der Kirche engagiert. Und ich habe ganz bestimmt nichts für charismatische Fernsehpriester übrig. Ich habe mich mit Wilde beschäftigt, weil ich ihn für einen der gefährlichsten Männer Amerikas hielt.«

»Deshalb hielten Sie es für Ihre Bürgerpflicht, ihn umzunieten?«

»Wollen sie meine Erklärung hören oder nicht?« fauchte sie ihn an.

Er bat sie mit einer Geste, fortzufahren.

»Sie sind sehr unhöflich, Mr. Cassidy.«

»Ich weiß.«

Ihre Blicke trafen sich und verharrten sekundenlang. Claire wollte keinen Rückzieher machen, deshalb begann sie zu reden. »Im Gegensatz zu vielen anderen Fernsehpredigern wollte Wilde die Menschen nicht nur um ihr Geld bringen, sondern um etwas viel Wertvolleres – die Rechte, die ihnen im Ersten

Verfassungszusatz gewährt werden. Etwa zu der Zeit, als French Silks erster Katalog herauskam, begann er mit seinem Kreuzzug gegen alles, was er für Pornografie hielt. Von Anfang an machte mir seine Kampagne angst.«

»Weil er mit seinem Einfluß Ihrem Unternehmen schaden konnte?«

»Nein, weil ich befürchtete, daß ich irgendwann meine Arbeit verteidigen müßte, und wie sich herausgestellt hat, habe ich recht behalten. Der Katalog von French Silk hat nichts mit Kinderpornografie und Sadoheften zu tun, aber er wurde in einem Atemzug mit beidem genannt und verdammt. Reverend Wilde führte einen Feldzug gegen die Pressefreiheit.«

»Es gibt keine Freiheit à la carte, Miss Laurent. Sie hat immer etwas mit Verantwortung zu tun.«

»Da bin ich Ihrer Meinung.« Sie legte ihr Sandwich ab und beugte sich ein bißchen vor. »Mir wird übel, wenn ich daran denke, wie Männer, Frauen und Kinder aus Profitgier ausgebeutet werden, aber dieses Verbrechen läßt sich nicht aus der Welt schaffen, indem man alles Erotische aus den Museen und Buchhandlungen verbannt.

Zensur ist eine Sache des Verstandes, des Herzens und des Gewissens. Wenn sie Pornos ablehnen, geben Sie Ihre sieben Dollars anderswo aus. Wenn Sie gegen eine Fernsehshow sind, schalten Sie um und kaufen die Produkte nicht, für die darin geworben wird. Aber Sie geben denen, die anderer Meinung sind, die Gelegenheit anzusehen, was ihnen gefällt.

Keiner Regierung, keinem Komitee sogenannter Experten und keinem Prediger steht es zu, darüber zu bestimmen, was die Menschen – *erwachsene Menschen* – sehen oder nicht sehen dürfen.

Ich habe diesen Krieg nicht gewollt, Mr. Cassidy. Wenn es nach mir gegangen wäre, hätte ich nichts damit zu tun gehabt. Ich wurde hineingezogen, als Wilde von der Kanzel aus gegen mich zu wettern begann. Ich habe seine Angriffe so gut wie möglich ignoriert und seine ständigen Einladungen zu einer Fernsehdebatte ausgeschlagen, aber irgendwann hätte ich mich ihm wohl stellen müssen.«

»Deshalb haben Sie mit diesen Ausschnitten Munition gegen ihn gesammelt.«

»Ganz genau. Dieser Ordner beweist lediglich, daß ich mich genau mit meinem Gegner befaßt habe, um für die entscheidende Schlacht gewappnet zu sein.«

»Warum haben Sie mir die Ausschnitte nicht schon bei meinem ersten Besuch gezeigt und mir alles erklärt?«

»Ich hatte sie schon weggeworfen.«

»Sie hätten sie erwähnen können.«

»Das hätte ich, ja. Aber man macht Ihnen im Rathaus Druck, endlich einen Verdächtigen zu verhaften. Wildes Gefolgsleute fordern, daß jemand vor Gericht gestellt wird. Ich wollte nicht den Sündenbock für Sie abgeben, nicht einmal vorübergehend. Selbst wenn Sie mich nur zum Verhör aufs Präsidium gebracht hätten, hätte das meinem Unternehmen und meiner Familie schaden können.«

»Das kann es immer noch.«

»Sie würden Ihre Zeit verschwenden. Ich habe Ihnen alles gesagt, was ich weiß.«

Er musterte sie aufmerksam. »Also haben Sie das Datum, an dem Wilde in New Orleans eintreffen wollte, rein zufällig unterstrichen?«

Wieder wurde ihr warm, und ihre Wangen röteten sich. »Ich erinnere mich, das unterstrichen zu haben. Ich kann Ihnen nicht erklären, warum. Ich hatte gerade einen Rotstift in der Hand, als ich den Artikel las«, erklärte sie achselzuckend. »Es war ein Reflex.«

Er hatte schnell gegessen und wischte sich nun mit der Serviette den Mund ab und legte sie neben den Teller. »Oberflächlich klingt das alles ganz vernünftig. Es klingt fast zu vernünftig, Miss Laurent. So als hätten Sie einstudiert, was Sie sagen müssen, falls der Ordner wiederauftauchen sollte.«

»Möchten Sie einen Kaffee zu Ihren Fantasien?«

Seine Lippen verzogen sich zu einem halben Lächeln. »Nein danke.« Sie trug die Teller zurück in die Küche. »Ich dachte, das würde Harry für Sie machen«, meinte er nebenbei, wobei er ihr bis zu der Theke folgte, die die beiden Räume trennte.

»Normalerweise tut sie das auch. Sie ist heute nachmittag mit Mama ausgegangen.«

»Wie praktisch.«

»Wie meinen Sie das? Was haben die Spaziergänge meiner Mutter mit Ihnen zu tun?«

»Sie könnte bezeugen, wo Sie in der Nacht waren, in der Jackson Wilde ermordet wurde.«

Claire blieb die Luft weg. »Ich werde nicht zulassen, daß meine Mutter verhört wird, Mr. Cassidy. Merken Sie sich das, und sparen Sie sich die Zeit und die Mühe. Mama würde sich nicht einmal daran erinnern, was heute morgen war, von dem, was vor mehreren Wochen passiert ist, ganz zu schweigen. Sie könnte Ihnen bestimmt keine glaubwürdige Antwort geben. Sie würden sie nur noch mehr verwirren, wenn Sie versuchen sollten, sie festzunageln und zu einer Antwort zu zwingen. Und das lasse ich nicht zu.«

»Sie können nicht erwarten, daß wir uns mit Ihrer dürftigen Antwort auf diese alles entscheidende Frage begnügen.«

»Ihnen bleibt nichts anderes übrig«, antwortete sie schaudernd, da er den Detective wieder erwähnt hatte. »Sie haben nichts als mein Wort. Ich war in dieser Nacht zu Hause.«

»Sie sind kein einziges Mal rausgegangen?«

Das harte Glitzern in seinen Augen ließ sie zögern. Nervös strich sie sich den Pony aus der Stirn. »Vielleicht. Aber wenn, dann nur kurz, weil ich Mama nicht lange allein lassen kann, vor allem nicht bei Nacht. Ganz ehrlich, Mr. Cassidy, ich weiß es nicht mehr. Es war eine ganz normale Nacht für mich.«

Er sah sie lange an und fragte dann: »Wo ist Yasmine?«

»Sie ist gestern nach New York zurückgeflogen.«

»Sind Sie und Yasmine ein Paar?«

Sie starrte ihn entgeistert an, mit offenem Mund und großen Augen. »Wie kommen Sie denn darauf?«

»Sind Sie ein Paar?« Als sie zu lachen begann, verdüsterte sich sein Gesicht. »Wilde hat auch die Angst vor Homosexuellen geschürt. Die Schwulen waren gar nicht gut auf ihn zu sprechen.«

»Ich verstehe. Sie meinen, er könnte in zweierlei Hinsicht mein Feind gewesen sein?« fragte sie amüsiert. »Ganz ehrlich, ich lache nicht über Sie, Mr. Cassidy. Ich stelle mir nur vor, wie Yasmine auf Ihre Frage reagiert hätte. Lesen sie keine Boulevardzeitungen? Sie hatte ganze Heerscharen von männlichen Geliebten, und sie hat ihren Ruf als Femme fatale eifrig kultiviert.«

»Es könnte Pose sein.«

»Ihr bräche das Herz, wenn sie das hören würde. Selbst wenn Sie mich für eine Lesbe hielten, wie konnten Sie jemals daran zweifeln, daß Yasmine heterosexuell ist?«

»Weil dieser Schuppen ein bißchen komisch ist, deshalb.«

»Schuppen?«

»Ihr Unternehmen.«

»Inwiefern?« fragte Claire. Sie war wirklich neugierig.

»Ich war zweimal hier und bin keinem Mann begegnet. Ich kenne Berufskiller, die vor der Amazone an Ihrer Pforte die Flucht ergreifen würden. Alle Angestellten, die mir begegnet sind, waren Frauen, von den Packerinnen angefangen bis zu den Gabelstaplerfahrerinnen. Was haben Sie gegen Männer?«

»Nichts.«

»Sind Sie verheiratet?«

»Nein.«

»Waren Sie es?«

»Nein.«

»Verlobt?«

Sie zögerte. »Nein.«

Er hob den Zeigefinger, als wollte er ihre Lüge damit aufspießen. »Versuchen Sie's noch mal.«

Claire spürte, wie ihr Zorn aufflammte. »Haben Sie mich ausgeschnüffelt, Mr. Cassidy?«

»Das ist mein Beruf. Erzählen Sie mir von Ihrer Beziehung zu David Allen.«

»Sie Mistkerl! Haben Sie ihn belästigt?«

»Das brauchte ich nicht, aber ich werde es tun, wenn Sie nicht anfangen zu reden.«

Claire kochte innerlich, aber er hatte gewonnen. »Das ist schon lange her«, antwortete sie kurz. »Es war vor French Silk. Er wollte mich heiraten.«

»Was ist passiert?«

Sie wollte ihm schon sagen, daß ihn das nichts anging, überlegte es sich aber anders. Jede Feindseligkeit ihrerseits würde die Sache nur verschlimmern.

»David erwartete von mir, daß ich Mama in ein Heim gebe«, sagte sie leise. Sie senkte den Blick. »Das kam für mich nicht in Frage. Er stellte mir ein Ultimatum, deshalb gab ich ihm seinen Verlobungsring zurück.«

»Sie haben ihn weniger geliebt als Ihre Mutter?«

»Offenbar.«

»Und seitdem keine größeren Affären?«

»Wissen Sie das nicht?«

»Noch nicht. Ich kann weiterbohren, Sie können mir aber auch die Mühe und sich die Peinlichkeit ersparen und es mir einfach verraten.«

»Hat mein Privatleben etwas mit Ihren Ermittlungen zu tun?«

»Vielleicht. Das muß sich noch herausstellen.« Er setzte sich auf einen Barhocker und verschränkte die Arme.

Nachdem sie deutlich gemacht hatte, wie wenig ihr dieses Thema zusagte, meinte sie: »Seit der Sache mit David gab es ein paar kleinere Abenteuer, aber nichts Ernsthaftes. Zufrieden?«

»Fürs erste.« Er wandte den Blick ab und beschäftigte sich kurz mit den Ausschnitten auf der Theke. »Wo ist Ihr Vater, Miss Laurent?«

Claire verlagerte ihr Gewicht auf den anderen Fuß. »Das habe ich Ihnen doch schon gesagt. Er starb, kurz nachdem ich geboren wurde.«

»Sie erinnern sich nicht an ihn?«

»Nein. Ich war noch zu klein.«

»Woran ist er gestorben?«

»An einem Herzinfarkt, glaube ich.«

Er fixierte sie, rutschte von seinem Barhocker und kam auf sie zu, bis sie den Kopf in den Nacken legen mußte, um ihm in die bohrenden Augen sehen zu können.

»Sie lügen schon wieder. Auf Ihrer Geburtsurkunde ist ein großes, dickes Fragezeichen, wo der Name Ihres Vaters stehen sollte.«

»Sie Schwein.« Sie holte aus, um ihn zu ohrfeigen, aber er fing wenige Zentimeter vor seiner Wange ihre Hand am Handgelenk ab. Vor Zorn und Frustration stiegen ihr Tränen in die Augen. »Sie haben kein Recht, in meinem Privatleben herumzuwühlen.«

»Eine Leiche mit drei Einschüssen gibt mir jedes Recht.«

Claire befreite ihre Hand aus seinem Griff, verschränkte die Arme vor der Brust und umklammerte ihre Ellbogen. »Also, was haben Sie bei Ihren widerlichen, kleinen Nachforschungen ans Tageslicht gebracht, Mr. Cassidy?«

»Die Laurents, Ihre Großeltern, gehörten zur obersten Gesellschaftsschicht in New Orleans. Eine alteingesessene Familie mit Bergen von altem Geld. Sie hüteten ihr einziges Kind, Mary Catherine, wie einen Augapfel. Sie ging in die feinsten Schulen am Ort und wurde dazu erzogen, ihren Platz in der Gesellschaft einzunehmen.

Aber nach einem Kotillon wurde sie von einem reichen jungen Gentleman verführt. Sie wurde schwanger. Als sie das merkte, erzählte sie ihren Eltern davon, aber sie weigerte sich, den Namen des Vaters zu nennen. Zu ihrem Leidwesen sollte er sich nie zu dem Kind bekennen, das sie gebar. Ihre Eltern taten, was sie für angemessen hielten – sie enterbten und verstießen ihre Tochter. Nur ihre Tante Laurel, die unverheiratete Schwester ihres Vaters, nahm sie auf.

Der Skandal machte seine Runde in der Gesellschaft und forderte seinen Tribut von der Familie. Im Verlauf von zwei Jahren starben Mary Catherines Eltern; manche sagen, vor Scham. Vor seinem Tode änderte ihr Vater sein Testament und hinterließ sein beträchtliches Vermögen der Kirche.«

»Von der meine Mutter ebenfalls wie eine Aussätzige behandelt

108

wurde, allem Gerede von Liebe, Gnade und Verzeihen zum Trotz«, ergänzte Claire.

»Immerhin hat man der illegitimen Tochter anscheinend gestattet, die Sonntagsschule zu besuchen.«

»Nein, Mr. Cassidy. Tante Laurel hat mich gelehrt, eine Christin zu sein. Sie war eine verschrobene alte Jungfer. Die meisten glaubten, sie sei zu nichts nütze. Aber sie liebte meine Mutter und mich bedingungslos. Während Mama ihre Anfälle hatte, tröstete mich Tante Laurel, wenn es ein Gewitter gab; sie pflegte mich, wenn ich krank war, und half mir bei allen Nöten und Kümmernissen der Kindheit. Niemand hat für mich das Christentum so verkörpert wie sie. Sie lebte so, wie Jesus es gepredigt hatte. Sie machte keine großen Worte. Sie handelte.«

»Aber die Geschichte Ihrer Mutter habe ich korrekt wiedergegeben?«

»Äußerst. Cousin Charles hat gründliche Arbeit geleistet.«

»Woher wissen Sie, daß ich meine Informationen von ihm habe?«

»Weil er der letzte Verwandte aus dieser Linie der Laurents ist.«

»Hat Ihre Mutter Ihnen nie verraten, wer Ihr Vater ist?«

»Nein.«

»Und er hat sich nie an Sie gewandt, nicht einmal heimlich?«

»Nein. Bestimmt hatte er Angst vor den Konsequenzen. Er gehörte zur gleichen gesellschaftlichen Schicht und fühlte sich offenbar darin wohl. Er sah, was meiner Mutter widerfuhr, und wollte nicht dasselbe erleben. Eigentlich kann ich ihm keinen Vorwurf machen.«

»So ein Quatsch.«

»Verzeihung?«

»Sie wären kein Mensch, wenn Sie ihm keine Schuld geben würden.«

Claire machte einen Schritt zurück. Sie fühlte sich wie ein Käfer, den man mit der Nadel an die Wand gespießt hatte. »Worauf wollen Sie hinaus, Mr. Cassidy?«

»Wer Wilde umgebracht hat, hatte was gegen Männer.«

»Das haben Sie herausgefunden? Wie beeindruckend.«

»Es braucht Sie nicht zu beeindrucken. Offensichtlich war es eine Affekthandlung. Es wurde einmal zu oft geschossen.«

»Sie spielen auf den Schuß in den Unterleib an.«

»Woher wissen Sie das?«

»Es stand in allen Zeitungen, daß man Wilde in die Hoden geschossen hat.« Sie warf das Haar zurück und funkelte ihn trotzig an. »Und nachdem ich nicht im Ehebett gezeugt wurde und vielen Frauen Arbeit gebe, haben Sie die brillante Schlußfolgerung gezogen, daß ich auf Jackson Wilde geschossen habe.«

»Werden Sie nicht polemisch.«

»Dann machen Sie sich nicht lächerlich.« Sie wurde lauter. »Ich gebe ja zu, daß ich alles ablehne, wofür dieser Mensch stand. Es gibt wirklich nichts, worin wir einer Meinung gewesen wären. Na und? Das ging vielen so.«

»Stimmt. Aber es gibt nur wenige, die so von ihm angegriffen wurden, und deshalb steht Ihr Name auf der Liste der Verdächtigen ziemlich weit oben.«

»Sie vergeuden Ihre Zeit.«

»Das glaube ich nicht. Ich habe Sie schon bei zu vielen Lügen erwischt.« Er drehte ihr den Rücken zu und ging zur Tür. Dort angelangt, ergriff er mit der rechten Hand den Türknauf.

Claire wußte, daß er sie provozierte, aber sie konnte sich nicht beherrschen. Sie eilte zu ihm und erklärte herausfordernd: »Sie bluffen.«

Blitzschnell schoß er herum. »Sie haben mir erzählt, daß Sie Jackson Wilde nie begegnet sind.« Er hob die freie Hand, packte sie an den Haaren und zog ihren Kopf zurück. Sein Gesicht war dicht bei ihrem, er sprach leise und schnell, eindringlich und beschwörend.

»Sie haben in der Mordnacht keinen ›ruhigen Abend zu Hause‹ verbracht. Ich habe mir von der Kabelfernsehgesellschaft, die Wildes New-Orleans-Kreuzzug dokumentieren sollte, alle Videobänder schicken lassen. Auf einem der Videos war sein letz-

ter Gottesdienst zu sehen. Er war von Anfang bis Ende aufgezeichnet.

Als Wilde am Ende seiner Predigt seine Zuhörer zu sich einlud,
strömten die Menschen von allen Rängen des Superdomes ans
Podium. Ganz vorne war eine junge Frau, die ihm die Hand gab
und sich kurz mit ihm unterhielt.«

Er starrte sie an, als wollte er sich ihr Gesicht in sein Gedächtnis
einprägen. Dann ließ er ihre Haare los, öffnete die Tür und
sagte im Hinausgehen: »Das waren Sie, Claire.«

Als das Telefon klingelte, fuhr Andre Philippi schuldbewußt
auf und knallte die Schreibtischschublade zu. Das Läuten erinnerte ihn daran, daß er das Foto seiner Angebeteten während
der Arbeitszeit betrachtete.

Er nahm ab und meldete sich knapp und geschäftsmäßig. »Wie
kann ich Ihnen helfen?«

»*Bonsoir*, Andre.«

»*Bonsoir*«, antwortete er freundlicher. Er wußte sofort, wer ihn
anrief, trotz der leisen, gedämpft klingenden Stimme. »Wie geht's?«

»Ich bin immer noch ganz durcheinander wegen der Sache von
vorletzter Woche.«

Andres kleiner Mund verzog sich mitleidig. »Eine furchtbare
Nacht.«

»Ich wollte mich nur noch einmal für die Diskretion bedanken.«

»Aber das ist doch nicht nötig. Ich fühle mich der Polizei gegenüber zu nichts verpflichtet.«

»Alles andere ist geklärt?«

»Keine Angst. Es gibt keine Unterlagen darüber, wer sonst noch
in dieser Nacht hier war.«

»Hat jemand ... wegen dieser Sache gefragt?«

»Die Polizei«, antwortete Andre angewidert. »Und ein Mann
namens Cassidy.«

»Cassidy war da?«

»Zweimal. Aber keine Angst. Ich habe so knapp wie möglich auf
seine Fragen geantwortet.«

»Wurde mein Name genannt?«

»Nein! Und *naturellement* habe ich ihn nicht erwähnt.«

»Nein, bestimmt nicht«, bestätigte die Stimme. »Es ist nur so ... also, es braucht niemand zu wissen, daß ich da war.«

»Ich verstehe.«

»Diskretion ist mir viel wert.«

»Das ist das größte Kompliment, das man mir machen kann. *Merci*.«

»Ich habe noch eine Bitte, Andre.«

»Es ist mir eine Ehre.«

»Wenn Cassidy oder sonst jemand nach mir fragt, möchte ich es möglichst bald erfahren.«

»*Certainement*. Augenblicklich. Aber ich bin überzeugt, daß alle Befürchtungen unbegründet sind.«

Fast unhörbar antwortete die Stimme: »Hoffentlich.«

Kapitel 8

Die Männer im Vorstand von Jackson Wildes Missionsgesellschaft hörten Ariel Wilde aufmerksam zu. Sie taten das aus Rücksicht auf die erst kürzlich Verwitwete, aus Hochachtung vor dem Mann, der tags zuvor beerdigt worden war, und aus Furcht, daß ein höchst lukratives Unternehmen nach dem Abgang seines Chefs in sich zusammenbrechen könnte.

Ariel saß am Kopf des langen Tisches im Konferenzraum, der sich im obersten Geschoß des Missionsgebäudes in Nashville befand. In ihrer schwarzen Kleidung wirkte sie dünn, blaß und so schwach, als könnte sie kaum die zerbrechliche Porzellantasse mit farblosem Kräutertee an die kalkweißen Lippen heben. Ihre feucht schimmernden Augen, die erheblich zu ihrem Aufstieg zur Schutzheiligen der Hoffnungslosen beigetragen hatten, lagen tief in ihren Höhlen, umgeben von dunklen Schatten, die von Schlaflosigkeit und Verzweiflung kündeten.

Niemand außer Ariel wußte, daß sich diese Trauerränder mit Wasser und Seife abwaschen ließen.

Sie stellte die Tasse wieder auf der Untertasse ab. Das leise Klappern von Porzellan auf Porzellan war das einzige Geräusch im Raum. Die indirekte Beleuchtung, die dunkle Täfelung und die weichen Teppiche schufen eine gedämpfte Atmosphäre ähnlich jener in dem Bestattungsunternehmen, in dem Jackson Wildes versiegelter Sarg zwei Tage lang aufgebahrt worden war. Am Konferenztisch wartete man mit angehaltenem Atem darauf, daß die Witwe zu sprechen begann, voller Mitleid und ängstlich darauf bedacht, sich seine Befürchtungen nicht anmerken zu lassen.

»Gentlemen, zunächst möchte ich jedem einzelnen unter Ihnen, allen gemeinsam und ganz besonders Josh dafür danken, daß Sie mir in diesen dunklen, schweren Tagen nach Jacksons Tod beigestanden haben. Sie machen ihm alle Ehre. Sie haben mir geholfen, als wäre...« Überwältigt von ihren Gefühlen tupfte sie sich die Augen und ließ die Tränen für sich sprechen.

Nachdem sie die Fassung wiedergefunden hatte, fuhr sie fort: »Als Jackson noch unter uns war, erwartete er von Ihnen, daß Sie sich hundertprozentig für ihn und für Ihre Arbeit im Dienst des Herrn einsetzen. Sie haben das auch nach seinem Ableben getan. Ich weiß, daß ich für ihn spreche, wenn ich Ihnen sage, daß ich stolz auf Sie bin.«

Sie lächelte einen nach dem anderen an und nahm noch einen Schluck Tee, bevor sie auf das eigentliche Thema zu sprechen kam.

»Niemand von uns konnte Jackson tragisches Hinscheiden vorhersehen. Dieser Schlag traf uns vollkommen unvorbereitet. Wer hätte auch ahnen sollen, daß ein Wahnsinniger Gottes wirksamsten Herold verstummen läßt?«

Ein paar gemurmelte Amen waren zu hören.

»Der Teufel hofft, daß wir aufgeben und uns zurückziehen und unter der Last unserer Trauer zusammenbrechen. Er glaubt, daß er uns alle zum Schweigen gebracht hat, indem er Jackson zum Schweigen gebracht hat.« Sie machte die einstudierte rhetorische Pause. »Aber der Teufel hat uns unterschätzt. Wir werden uns nicht einschüchtern und zum Verstummen bringen lassen. Die Missionsarbeit Jackson Wildes wird fortgesetzt werden!«

Ein Dutzend dunkel bewesteter Leiber entspannte sich. Der Druck wich wie Dampf aus einem Wasserkessel. Seufzer der Erleichterung waren zu ahnen oder gar zu hören.

Ariel konnte sich ein Siegeslächeln kaum verkneifen. Jetzt hatte sie sie in der Hand. Sie hielten sich vielleicht für Männer Gottes. Bestimmt glaubten ein paar von ihnen tatsächlich an ihre Mission. Aber vor allem waren sie Männer und hatten Schwächen wie jeder Abkömmling Adams. Sie hatten um ihre Zukunft gefürchtet und um ein Wunder gebetet. Sie hatte ihnen eins geschenkt.

Natürlich gab es immer mindestens einen Skeptiker.

»Wie denn, Ariel?« fragte der ungläubige Thomas. »Ich meine, wie sollen wir ohne Jackson weitermachen? Wer soll denn predigen?«

»Ich.«

Alle starrten sie entgeistert und voller Zweifel an. Sie schüttelte knapp den Kopf, so daß ihr das platinblonde Haar über die Schultern wehte. Es war eine Geste, die Entschlossenheit und Zuversicht ausdrückte.

»Ich – das heißt wir ... wir dachten daran, uns einen neuen Prediger zu suchen.«

»Dann haben Sie eben falsch gedacht«, antwortete sie honigsüß. »Deshalb habe ich Sie zusammengerufen. Damit ich Ihnen allen meine Pläne erklären kann, ohne mich unnötig zu wiederholen.«

Sie faltete ihre Hände über der Tischkante. Plötzlich wirkte sie keineswegs mehr zerbrechlich, sondern unglaublich vital.

»Unsere Anhänger werden wissen wollen, was ich nach Jacksons Tod empfinde. Er starb vollkommen unerwartet und eines gewaltsamen Todes. Das gibt Material für mindestens ein Dutzend Predigten. Und wer eignet sich besser dazu, diese Predigten zu halten, als seine Witwe?«

Die Vorstandsmitglieder schauten einander verblüfft und sprachlos an.

»Bruder Williams hat Jacksons Predigten geschrieben. Von nun an wird er meine schreiben«, erklärte sie und nickte dem Mann zu, der zwischen den anderen links von ihr am Tisch saß.

Er räusperte sich betreten, sagte aber nichts.

»Wir werden den Mord an Jackson allmählich aus unseren Predigten nehmen und uns anderen Themen zuwenden. Wir werden Jacksons Kampagne gegen die Pornografie fortsetzen, die inzwischen zum Markenzeichen unserer Missionsgesellschaft geworden ist. Ich werde weiterhin singen, und Josh wird weiterhin Klavier spielen. Ab und zu werden wir Gastprediger einladen, aber schließlich schalten die Menschen Woche für Woche den Fernseher ein, um Jackson und mich zu sehen, nicht wahr? Er ist von uns gegangen. Ich bin noch da. Und wenn Sie glauben, daß nur er feurig predigen kann, dann warten Sie, bis Sie mich gehört haben.«

Ihre Offenheit war ihnen peinlich, aber niemand wagte, ihr zu widersprechen. Sie wollte klarstellen, daß von diesem Augenblick an sie allein das Sagen hatte. Wo zuvor Jacksons Wort Gesetz gewesen war, war es jetzt ihres.

»Bruder Raye?«

Er sprang auf. »Ja, Ma'am?«

»Sie haben den Cincinnati-Kreuzzug abgesagt. Warum?«

»Also, ähm, ich ... ich dachte ... nachdem Jackson ...«

»Treffen Sie nie wieder eine solche Entscheidung, ohne mich zu konsultieren. Legen Sie die Termine wieder fest. Wir werden den Kreuzzug wie geplant durchführen.«

»Aber bis dahin sind es nur noch zwei Wochen, Ariel. Sie brauchen Zeit –«

»Legen Sie sie wieder fest«, wiederholte sie eisig.

Bruder Raye sah sich gehetzt am Tisch um, verzweifelt nach Unterstützung suchend. Aber er fand keine. Alle schwiegen mit gesenkten Blicken.

Schließlich sagte Bruder Raye: »Ich werde die Termine sofort wieder festlegen, Ariel. Wenn Sie sich dazu in der Lage fühlen.«

»Bis wir dorthin kommen, werde ich das sein. Im Moment fühle ich mich allerdings erschöpft.« Sie stand auf. Die anderen folgten ihrem Beispiel, unsicher und langsam wie ausgezählte Boxer, die sich erst mühsam wieder zurechtfinden mußten.

»Josh wird für mich sprechen und umgekehrt«, verkündete sie auf dem Weg zur Tür. »Allerdings ist es mir lieber, wenn alle Fragen und Probleme mit mir persönlich besprochen werden. Je eher ich Jacksons Aufgaben übernehme, desto besser. Wenn jemand von Ihnen damit Probleme hat ...«

Sie zog die Tür auf und deutete mit einer Kopfbewegung an, daß jeder gehen konnte, der nicht nach ihren Regeln spielen wollte. Niemand rührte sich. Einer nach dem anderen hielt den Atem an, als sie ihn ansah. Schließlich deutete sie ihr Schweigen als Einverständnis.

Ein Engelslächeln breitete sich über ihr blasses Gesicht. »Ich freue mich so, daß Sie alle an Bord bleiben. Genau das hätte Jackson sich gewünscht und von Ihnen erwartet. Und, wie sich von selbst versteht, das ist auch Gottes Wille.«

Sie lächelte strahlend und streckte dann ihre Hand nach Josh aus. Pflichtbewußt eilte er zu ihr und geleitete sie aus dem Konferenzraum.

»Was für ein Auftritt«, meinte Josh, als sie aus dem Gebäude kamen.

»Auftritt?« Ariel ließ sich in die Limousine sinken, die am Straßenrand wartete.

»Wir fahren heim«, erklärte Josh dem Chauffeur, bevor er die Trennscheibe hochfahren ließ. Er lehnte sich in die tiefen Polster und starrte durch die getönten Fenster, um seinen Zorn zu zügeln, bevor er seine Stiefmutter ansprach.

Schließlich drehte er sich zu ihr um. »Du hättest mit mir darüber sprechen können.«

»Du klingst wütend, Josh. Weshalb bist du wütend?«

»Spar dir das Theater, Ariel. Und hör auf, mit den Wimpern zu klimpern wie eine gottverdammte Kokotte auf einem Cocktailempfang. Ich kauf' dir den Unschuldsengel nicht ab. Hast du das immer noch nicht begriffen?«

Sie kniff pikiert die Lippen zusammen. »Du bist nur wütend, weil ich meine Pläne nicht vorher mit dir besprochen habe.«

»Bist du eigentlich größenwahnsinng geworden, Ariel?« Er blickte sie fassungslos an. »Glaubst du wirklich, daß du und ich die Missionsgesellschaft führen können?«

»Ich weiß, daß *ich* es kann.«

»Ach, ich verstehe. Und aus Barmherzigkeit läßt du mich daran teilhaben.«

»Leg mir keine Worte in den Mund.«

»Warum sollte ich?« fuhr Josh sie an. »Um Worte bist du doch nie verlegen. Aber weißt du auch, was sie bedeuten?«

Das ärgerte sie. Ihre mangelhafte Schulbildung war ihr wunder Punkt. »Traust du mir nicht zu, die Organisation zusammenzuhalten?«

»Nein. Obwohl ich glaube, daß du dich selbst davon überzeugt hast.« Er sah sie prüfend an. »Dich kann nichts aufhalten, nicht wahr? Nicht einmal Vaters Tod.«

»Josh, Jackson ist tot, daran ist nichts zu ändern. Wir haben ihn beerdigt.«

»Mit mehr Trara und Pomp als bei einer Krönung.«

»Die Medien sind gekommen, oder etwa nicht?«

»Haben wir dazu den Chor und das Orchester und diese dämlichen auffliegenden Tauben gebraucht?«

»Der Vizepräsident der Vereinigten Staaten war da!« brüllte sie ihn an. »Bist du zu blöd, um zu begreifen, was das einbringt?«

»Ihm bringt es ungefähr eine Million Stimmen.«

»Und uns anderthalb Minuten in den Hauptnachrichten. Und zwar weltweit, Josh.« Jetzt war sie wirklich aufgebracht. »Bist du oder ist irgendeiner von den Kerlen im Vorstand wirklich so beschränkt, daß er glaubt, ich würde diese Riesenpublicity verschenken? Ich werde Jacksons Tod bis zum letzten Tropfen melken. Er ist wie ein Geschenk. Ich habe ihn schließlich nicht gewollt.«

Er schaute wieder aus dem Fenster und murmelte: »Wirklich nicht?«

»Was?«

Er antwortete nicht.

»Josh!«

Störrisch schaute er weg. Sie zwickte ihn in den Arm. »Verdammt!« schrie er auf und drehte sich wieder zu ihr um.

»Was hast du gerade gesagt?«

»Ich habe mich nur gerade laut gefragt, ob du seinen Tod nicht gewollt hast.«

Ihre blauen Augen starrten ihn eisig an. »Mein Gott, du wirst immer selbstgerechter.«

»Wenigstens einer von uns sollte ein Gewissen haben.«

»Und du bist so verdammt von dir überzeugt. Du glaubst also, ich wäre Jackson losgeworden, damit ich dich haben kann?« fragte sie zornig.

»Nicht mich. Aber vielleicht deine eigene Fernsehshow.« Er beugte sich vor und flüsterte: »Was ist passiert, als du damals aus meiner Suite verschwunden bist, Ariel?«

In ihren Augen flackerte etwas auf. »Wir hatten ausgemacht, nie darüber zu sprechen.«

»Falsch. Du hast darauf bestanden, daß ich nie darüber spreche.«

»Weil niemand weiß, was die Polizei daraus machen würde.«

»Ganz genau«, stimmte er leise zu.

»Es war nicht der Rede wert«, meinte sie wegwerfend und wischte einen imaginären Fussel von ihrem schwarzen Kleid.

»Das dachte ich zuerst auch. Jetzt bin ich nicht mehr so sicher. Du hast gesagt, du bist in dein Zimmer gegangen, um ein paar Noten zu holen.«

»Und?«

»Wir haben gar nicht geprobt und deshalb gar keine Noten gebraucht.«

»Ich wollte sie für später.«

»Du bist mit leeren Händen zurückgekommen.«

»Ich hab' sie nicht gefunden.«

»Du warst fünfzehn Minuten weg.«

»Ich habe überall gesucht, und ich wollte keinen Lärm machen, weil Jackson eingeschlafen war.«

»Oder tot. Du hattest Zeit genug, ihn umzubringen. Ich glaube, Cassidy würde diese Viertelstunde sehr interessieren.«

»Wenn du ihm davon erzählst, machst du dich selbst verdächtig.«

Josh wollte sich nicht aus dem Konzept bringen lassen und fuhr fort, als hätte sie nichts gesagt. »Du hattest jedenfalls ein Motiv. Daddy war nicht nur ein Tyrann, er war dir auch im Weg. Er stand an der Spitze, nicht du. Du wolltest nicht länger auf dem Rücksitz bleiben; du wolltest ans Steuer. Du wolltest die ganze Organisation. Außerdem hattest du es satt, daß er ständig über deine mittelmäßige Stimme, dein Gewicht, über alles mögliche meckerte. Deshalb hast du ihn umgebracht und mich als Alibi genommen.«

»Hör zu, du Scheißkerl. Manchmal hab' ich ihn so gehaßt, daß ich ihn am liebsten ohne zu zögern umgebracht hätte. Aber er war auch das Beste, was mir jemals passiert ist. Wenn Jackson nicht gewesen wäre, dann würd' ich mich immer noch abstrampeln, mich von Lastwagenfahrern in den Hintern kneifen und mir für ein mickriges Trinkgeld in den Ausschnitt gucken lassen. Ich wär' irgendeine Tussi und nicht eine von den berühmtesten Frauen Amerikas, die Karten und Blumen vom Präsidenten kriegt.

Nein, ich hab' ihn nicht umgebracht. Aber ich werd' ihm garantiert nicht nachweinen oder eine Gelegenheit verschenken, die sich mir bietet. Ich werde wie eine Löwin um alles kämpfen, was ich jetzt hab'.«

Die Limousine bog auf die geschwungene Auffahrt, die zum Haus führte. Jackson hatte gewußt, daß die meisten Menschen etwas gegen allzu protzigen Reichtum hatten. Sein Haus entsprach dem eines erfolgreichen Angestellten, doch es war kein Palast. Josh war es zuwider. Es war zwar groß und bequem, aber es hatte nichts von der ruhigen Eleganz jenes Heims, das seine Mutter ihnen bereitet hatte.

»Ich weiß, daß du was anderes mit deinem Leben anfangen wolltest, Josh«, sagte Ariel. »Jackson war dagegen. Natürlich hat er seinen Kopf durchgesetzt, und deswegen bist du noch immer wütend auf ihn.«

»Du hast doch keine Ahnung, wovon du redest«, sagte er. »Das war lange, bevor du gekommen bist.«

»Aber ich habe davon gehört, von dir und Jackson. Ihr habt bis aufs Messer darüber gestritten, ob du Konzertpianist werden oder bei der Missionsgesellschaft einsteigen sollst. Die Missionsarbeit hat dich reich und berühmt gemacht, Josh. Sie bringt dir tausendmal mehr ein, als wenn du weiter dieses klassische Zeugs gespielt hättest. Vergiß das nicht.« Der Chauffeur kam um den Wagen und öffnete ihr den Schlag. »Ich würde mich für dich freuen, wenn du bei der Missionsgesellschaft bleibst. Aber wenn du gehst, wird das für mich nichts ändern.«

Sie hatte schon einen Fuß auf das Pflaster gestellt, als sie sich noch einmal umdrehte. »Gutaussehende Klavierspieler gibt's wie Sand am Meer, Josh. Und Liebhaber auch.«

Als er das Fairmont-Hotel betrat, war Cassidy nervös, gereizt und naß. Er hatte einen Häuserblock entfernt geparkt und durch eine Sintflut laufen müssen. Auf dem Weg zur Bar zog er den Trenchcoat aus und schüttelte die Tropfen ab, dann fuhr er sich mit den Fingern durch das nasse Haar.

Er hatte den Regen so satt. Seit Tagen wurde New Orleans überflutet. Das Wetter war auch in Nashville nicht besser gewesen, wo er auf Jackson Wildes Beerdigung gewesen war.

»Nur einen Kaffee, bitte«, sagte er der Bedienung, die seine Bestellung aufnehmen wollte.

»Norma' oder Nawlins?« fragte sie in breitem Dialekt.

»New Orleans. Schwarz.« Am liebsten hätte er sich das Koffein injiziert; er schlief nachts sowieso kaum mehr, also wozu aufpassen? Er schaute auf die Uhr. Noch zwölf Minuten, bis Andre Philippi zur Arbeit kam. Aus gutunterrichteten Kreisen wußte Cassidy, daß man die Uhr nach dem Nachtmanager stellen konnte.

Inzwischen trank er das kochendheiße Gebräu, das ihm die Bedienung gebracht hatte. Endlich hatte er eine Spur. Das hoffte er wenigstens. Er mußte endlich etwas vorweisen können. Crowder wurde ungeduldig. Um ein Haar hätte er Cassidy nicht nach Nashville fliegen lassen. »Wie kommen Sie darauf, daß Sie den Mörder da oben finden können, wenn Sie ihn hier nicht finden? Ich kann die Ausgaben nicht rechtfertigen. Soll doch das NOPD jemand hinschicken.«

»Glenn gibt selbst zu, daß er nicht gut mit Leuten umgehen kann. Vor allem nicht mit solchen Leuten. Lassen Sie mich hochfliegen, Tony. Vielleicht schnapp' ich ein paar Schwingungen auf.«

Er hatte Crowder gepiesackt, bis er schließlich den Flug nach

Nashville in der Tasche hatte. »Ich glaube trotzdem, diese Reise ist für die Katz.«

»Vielleicht, aber hier trete ich auf der Stelle.«

»Vergessen Sie nicht, daß Sie auf Staatskosten reisen«, hatte ihm Crowder beim Hinausgehen noch nachgerufen.

Leider hatte Crowder recht behalten. Die Reise war reine Zeitverschwendung gewesen. Tausende hatten dem Begräbnis des Predigers beigewohnt. Es hatte eine Atmosphäre wie beim Karneval geherrscht. Neugierige, trauernde Jünger und Medien aus aller Welt hatten einen Blick auf den in rot-weiß-blaues Flaggentuch gehüllten und blumenüberhäuften Sarg werfen wollen.

Cassidys Referenzen hatten ihm einen Platz in der Nähe des inneren Kreises eingebracht, der aus Wildes Partnern und Vertrauten bestand. Wenn einer unter ihnen der Mörder war, dann war er oder sie ein ausgezeichneter Schauspieler, denn alle schauten so trostlos drein, als hätten sie das letzte Rettungsboot verpaßt. Keiner wirkte fröhlich oder auch nur erleichtert. Außerdem – was für ein Motiv hätte jemand innerhalb der Organisation gehabt, Wilde umzulegen? Er war ihnen nur von Nutzen gewesen, solange er im Fernsehen gepredigt, seine Kreuzzüge geführt und die Liebesgaben eingestrichen hatte. Jackson Wilde war ein Unternehmen. Noch der letzte Ministrant erntete Vergünstigungen. Glenns Nachforschungen hatten ergeben, daß Wilde Loyalität großzügig entlohnte.

Ernsthaft verdächtig waren nur Ariel und Joshua. Josh war so gefaßt gewesen, daß es schon an Katatonie grenzte. Ohne zu blinzeln, hatte er auf den Sarg gestarrt. Es war unmöglich zu sagen, ob ihn die ganze Sache zutiefst verstörte, vollkommen gleichgültig ließ oder langweilte.

Die Witwe hatte ebenso fromm wie bemitleidenswert ausgesehen. Jedem, der mit ihr sprach, hatte sie Gottes Segen gewünscht. Sie bat die Menschen zu beten. Cassidy kam sie vor wie ein Schmetterling mit stählernem Rückgrat. Unter der engelsgleichen Hülle steckte eine kalte, harte Frau, der ein Mord zuzutrauen war. Aber er hatte keinen Beweis gegen sie in der

Hand. Er konnte ihr die Affäre mit ihrem Stiefsohn nicht nachweisen, und allem Anschein nach hatte sie ihren Mann geliebt und trauerte um ihn.

Vielleicht war die Hauptverdächtige gar nicht auf der Beerdigung. Nach seinem letzten Gespräch mit Claire Laurent hatte er lange mit Detective Glenn über sie gesprochen. Fest stand eines: Sie war eine Lügnerin.

Glenn sprang allerdings immer noch nicht so richtig auf sie an. »Sie ist eine kaltschnäuzige, hochnäsige Ziege, aber ich glaube nicht, daß sie eine Mörderin ist. Ich tippe immer noch auf die Frau und den Sohn. Wir wissen, daß sie dort waren. Von ihr wissen wir das nicht.«

Vielleicht würde das Beweismaterial, das der Detective heute nachmittag angeschleppt hatte, ihn dazu veranlassen, seine Meinung über die Eigentümerin von French Silk zu ändern. »Dieser kleine Mistkerl drüben im Hotel hat uns angelogen«, hatte er Cassidy erklärt.

»Sieht so aus. Soll ich das übernehmen?« Er brannte darauf.

»Meinetwegen. Am Ende erwürge ich den kleinen Scheißer noch, wenn ich ihn in die Finger kriege. Trau keinem Kerl mit einer Blume im Knopfloch.«

Ohne eine Sekunde zu verlieren, war Cassidy zum Fairmont gerast, um Andre Philippi abzufangen.

Cassidy erspähte Andre Philippi, als dieser auf die Empfangstheke zuging. Er warf ein paar Scheine für den Kaffee auf den Tisch, nahm seinen Trenchcoat und durchquerte mit langen, zielsicheren Schritten die Lobby.

Andre freute sich nicht, ihn zu sehen. Sein Gesicht verzog sich abweisend. »Was ist denn, Mr. Cassidy? Ich habe nicht viel Zeit.«

»Das tut mir leid, aber mir geht es nicht anders.«

»Sie können morgen anrufen und einen Termin vereinbaren.«

»Nein, ich muß sofort mit Ihnen sprechen. Es wird nur kurz dauern. Gibt es hier irgendwo einen Kassettenrecorder?«

»Einen Kassettenrecorder?« Andre beobachtete ihn mißtrauisch. »In meinem Büro. Warum?«

»Darf ich?«

Cassidy wartete die Antwort nicht ab. Er ging los und verließ sich darauf, daß ihm der Kleine folgte, was der auch eilends tat. Im Büro ging Cassidy ohne zu zögern zu dem Gerät, schaltete es an und legte die Kassette ein. »Das ist zutiefst ungehörig, Mr. Cassidy. Wenn Sie mit mir sprechen wollen –«

Andre verstummte, als er ein Klingeln auf dem Band hörte. Er hörte sich selbst antworten, dann den Anfang eines Gesprächs, das mit den Worten begann: »*Bonsoir*, Andre.«

Ja, er kannte die Stimme. Und offenbar erinnerte er sich auch an das Gespräch. Cassidy sah, wie er in seinem makellosen schwarzen Anzug erschlaffte. Schweißtropfen traten ihm auf die glänzende Stirn. Seine zusammengekniffenen Lippen lockerten sich. Er bewegte sich rückwärts auf den Tisch zu und tastete nach der Ecke, bevor er auf die Kante sank.

»*Mon dieu*«, flüsterte er, während das Band weiterlief. Er zog ein Taschentuch aus seiner Hosentasche und tupfte sich damit die Stirn ab. »Bitte, bitte, Mr. Cassidy, schalten Sie das ab.«

Er schaltete es nicht ab, aber er drehte den Ton leiser. Er hatte mit einer Reaktion gerechnet, allerdings nicht mit einer so dramatischen. Offenbar hatte er mehr in der Hand, als er geglaubt hatte. Am liebsten hätte er den Mann am Kragen gepackt und alle Antworten aus ihm herausgeschüttelt. Es war nicht leicht, gelassen zu bleiben.

»Warum haben Sie mir nichts davon erzählt, Andre? Ich gebe Ihnen noch einmal Gelegenheit, mir alles zu erklären.«

Andre fuhr sich mit der Zunge über die Lippen und zupfte nervös an dem Monogramm in seinem Taschentuch. Er hätte nicht betrübter aussehen können, wenn er gerade in den Todestrakt geschickt worden wäre. »Weiß sie, daß Sie das haben?«

Cassidys Herz trommelte. Er war kurz davor zu erfahren, wer die Frau auf dem Band war. Philippi ging davon aus, daß er wußte, wer sie war. *Verpatz es nicht!* Cassidy zuckte teilnahmslos mit den Achseln. »Es ist ihre Stimme, nicht wahr?«

»O Gott. Oje«, stöhnte Andre und sank noch weiter in sich zusammen. »Arme, arme Claire.«

Fast eine Stunde dauerte Claires Ferngespräch mit Yasmine schon. Yasmine war deprimiert. Claire vermutete, daß sie mehr als nur ein paar Drinks intus hatte.

»Er hat's immer so eilig«, jammerte sie.

Selbstsüchtig wünschte Claire, Yasmine hätte ihre Affäre für sich behalten. Seit der Nacht, in der sie Claire davon erzählt hatte, drehten sich ihre Gespräche größtenteils um ihren Geliebten und um Yasmines unglückselige Beziehung.

»Er teilt seine Zeit zwischen seiner Familie und dir auf, Yasmine. Du hast ihn nicht für dich alleine. Das ist so, wenn man sich mit einem verheirateten Mann einläßt. Du mußt das akzeptieren oder die Beziehung beenden.«

»Ich akzeptiere es ja. Ich finde nur ... also, am Anfang war die Zeit mit ihm zusammen viel enspannter.«

»Jetzt heißt es nur noch husch, husch ins Bett – und dann tschüß.«

Claire war sicher, daß dieser Hieb ihre reizbare Freundin verärgern würde. Statt dessen hörte sie ihr kehliges Lachen, das einen an Raubkatzen im Dschungel denken ließ. »Wohl kaum. Vergangenes Wochenende hat er mich so rangenommen...«

»Dann weiß ich nicht, worüber du dich beklagst.«

Yasmines Stimme klang gepreßt und nach Tränen. Claire hatte ihre Freundin noch nie weinen sehen, nicht einmal, nachdem die Kosmetikfirma sie durch eine anderes Mannequin ersetzt hatte. Damit hatten Yasmines finanzielle Probleme angefangen. Yasmine ahnte nicht, daß Claire von ihren Schwierigkeiten wußte. Claire hatte mit dem Gedanken gespielt, das Thema anzusprechen und ihr Unterstützung in Form eines Darlehens anzubieten. Aber sie kannte Yasmines Temperament und Stolz gut genug, um davon Abstand zu nehmen. Sie hoffte, daß Yasmine aus eigenem Antrieb zu ihr kommen würde, bevor es zu einer Katastrophe kam.

»Manchmal frage ich mich, ob er mich bloß deshalb will«, bekannte Yasmine kleinlaut. »Du weißt schon, wegen der Bettgeschichten.«

Claire hielt es für klüger, nichts zu sagen.

»Ich weiß, daß es nicht so ist«, beteuerte Yasmine eilig. »An unserer Beziehung ist viel mehr als nur Sex. Aber die beschissenen Umstände regen mich so auf.«

»Was ist passiert?«

»Er war diese Woche geschäftlich in Washington und hat mir versprochen, zwei Tage in New York anzuhängen. Aber seine Geschäfte haben länger gedauert, als er vermutet hat. Wir waren nur einen Tag zusammen.

Als er heute nachmittag wieder wegwollte, habe ich das Gefühl gehabt, das bringt mich um, Claire. Ich habe was gemacht, was ich besser gelassen hätte. Ich habe ihn angebettelt, nicht zu fahren. Er ist wütend geworden. Jetzt kann ich ihn nicht einmal anrufen und mich entschuldigen. Ich muß warten, bis er mich anruft.«

An ihrem Zeichentisch stützte Claire die Stirn in die Hand und massierte sich die Schläfen. Sie war besorgt und wütend zugleich. Alles, was man sich von dieser Affäre erhoffen konnte, war ein gebrochenes Herz. Yasmine hätte klug genug sein sollen, das einzusehen. Es war höchste Zeit, den Schaden zu begrenzen und sich nicht länger zum Narren zu machen. Aber das würde Yasmine genausowenig hören wollen wie jeden anderen unerbetenen Rat.

»Es tut mir leid, Yasmine«, meinte Claire aufrichtig. »Ich weiß, wie sehr du leidest, und das tut mir weh. Ich möchte, daß du glücklich bist. Ich wünschte, ich könnte irgendwas für dich tun.«

»Das tust du schon. Du hörst mir zu.« Sie schniefte. »So, jetzt reicht's. Ich habe mich mit Leon zusammengesetzt und den Fahrplan für die Aufnahmen nächste Woche ausgearbeitet. Hast du was zum Schreiben?«

Claire legte sich Block und Stift zurecht. »Okay. Oh, warte«, unterbrach sie ungeduldig, als sie ein Piepen im Lautsprecher hörte. »Da ist jemand in der anderen Leitung. Einen Augenblick.« Sie drückte auf den Knopf und meldete sich. Sekunden später schaltete sie wieder um zu Yasmine. »Ich muß weg. Es ist wegen Mama.«

Yasmine wußte, daß sie das Gespräch nicht hinauszögern durfte. »Morgen«, sagte sie schnell und legte auf.

Claire rannte aus ihrem Büro und hastete die Treppe hinauf, statt auf den Aufzug zu warten. Kaum eine Minute später rannte sie die zwei Etagen zum Erdgeschoß hinunter. Während sie durch das dunkle Lager lief, zwängte sie die Arme durch die Ärmel eines schwarzglänzenden Regenmantels und setzte sich den dazugehörenden Hut auf.

Sobald die Riegel zurückgeschoben und das Arlarmsystem ausgeschaltet waren, riß sie die Tür auf – und wäre um ein Haar in Cassidy gerannt.

Mit gesenktem Kopf und klatschnassem Haar stand er im strömenden Regen. Der Kragen seines Trenchcoats war hochgeklappt, die Schultern waren zusammengezogen. Er hatte gerade die Hand nach der Klingel ausgestreckt. Es war schwer zu sagen, wer von beiden überraschter war, als sie voreinander standen.

»Was wollen Sie?« fragte Claire.

»Ich muß Sie sprechen.«

»Nicht jetzt.« Sie stellte die Alarmanlage ein, zog die Tür zu und verschloß sie. Sie lief an Cassidy vorbei und durch den Regen auf die Rückseite des Gebäudes zu. Seine Hand umklammerte ihren Oberarm und zwang sie, stehenzubleiben. »Lassen sie mich los«, schrie sie und versuchte sich zu befreien. »Ich muß weg.«

»Wohin?«

»Etwas erledigen.«

»Jetzt?«

»*Jetzt.*«

»Ich fahre Sie.«

»Nein!«

»Wohin wollen Sie?«

»Bitte, lassen Sie mich in Ruhe. Lassen Sie mich gehen.«

»Keinesfalls. Nicht ohne eine Erklärung.«

Ein Blitz ließ sein markantes, entschlossenes Gesicht aufleuchten. Mit einem Nein würde er sich nicht abfinden, und sie verloren unnötig Zeit. »Also gut, Sie können mich fahren.«

Ohne den Griff um ihren Arm zu lockern, zog er sie zurück. Sein Sedan parkte im Halteverbot am Straßenrand. Er öffnete ihr die Autotür, und als sie auf dem Beifahrersitz saß, lief er um die Kühlerhaube und stieg ein. Regen tropfte ihm von der Nase und vom Kinn, als er den Motor anließ. »Wohin?«

»Zum Hotel Pontchartrain.«

Kapitel 9

»Es ist auf der St. Charles Avenue«, erklärte sie ihm.

»Ich weiß, wo es ist«, sagte er. »Warum in aller Welt haben Sie's so eilig, dorthin zu kommen?«

»Bitte, Mr. Cassidy, können Sie losfahren?«

Ohne weiteren Kommentar steuerte er den Wagen vom Randstein weg und auf die Conti Street. Das französische Viertel war ruhig. Die wenigen Fußgänger, die unterwegs waren, kämpften mit ihren Schirmen um Platz auf den schmalen Gehwegen. Die Neonschilder, die für exotische Drinks und Aperitifs, Nackttänzerinnen und Jazz warben, verschwammen im Regen.

Als Cassidy an einer Kreuzung stehenblieb und ein paar Autos vorbeiließ, drehte er den Kopf und schaute Claire an. Sie spürte seinen Blick wie das Streicheln einer Hand auf der Wange, und ihr fiel wieder ein, wie sich seine Faust um ihre Haare geschlossen hatte. Sie hatte nicht damit gerechnet, daß er sie berühren würde, und so schon gar nicht.

Das hatte sie am allermeisten verblüfft – mehr, als daß er sie mit ihrem Vornamen angesprochen hatte, mehr, als daß er von ihrem Besuch bei Jackson Wildes letztem Kreuzzug wußte. Fast eine Woche war inzwischen vergangen. Wilde war in Tennessee begraben worden. Claire hatte seitdem weder von der Polizei noch der Staatsanwaltschaft gehört und gehofft, daß Cassidy seine Ermittlungen in eine andere Richtung gelenkt hatte. Offensichtlich war das mehr, als sie sich erhoffen durfte.

Nachdem sie ihm ohnehin nicht entkommen konnte, drehte sie den Kopf und erwiderte seinen Blick. »Danke, daß Sie mich hinbringen.«

»Danken Sie mir nicht. Sie werden dafür bezahlen.«

»Ach so. Männer tun nie etwas für eine Frau, ohne etwas dafür zu verlangen, nicht wahr? Keinen Gefallen ohne Gegenleistung.«

»Bilden Sie sich darauf nichts ein, Miss Laurent.«

»Das tue ich nicht. Sind nicht alle Männer der Auffassung, daß um zwei Uhr morgens jede Frau schön ist?«

»Umgekehrter Sexismus. Sie haben eine sehr schlechte Meinung von den Männern.«

»Das haben Sie schon vor unserem letzten Treffen bemerkt. Können wir das Thema nicht endlich abhaken?«

»Passen Sie auf«, erklärte er wütend, »ich will von Ihnen nichts weiter als ehrliche Antworten.«

»Das sollte nicht zu schwierig sein. Was wollen Sie wissen?«

»Warum Sie mich angelogen haben. Nein, Moment. Das muß ich genauer ausführen, nicht wahr? Ich möchte wissen, warum Sie mir erzählt haben, Sie hätten Jackson Wilde nie getroffen. Sie haben sogar mit ihm gesprochen und ihm die Hand gegeben.«

»Wahrscheinlich hätte ich Ihnen das erzählen sollen«, gab sie zerknirscht zu. »Aber es war nicht wichtig. Es war vollkommen unwichtig!« bekräftigte sie, als er sie mißtrauisch ansah. »Ich wollte meinem Gegenspieler von Angesicht zu Angesicht gegenüberstehen. Das war alles.«

»Das bezweifle ich stark. Wenn das alles gewesen wäre, hätten Sie nicht zu lügen brauchen.«

»Ich habe es Ihnen nicht erzählt, weil es mir peinlich war. Vielleicht war das dumm und kindisch, aber ich freute mich darüber, daß ich Wilde reingelegt hatte. Ich kannte ihn, aber er kannte mich nicht. Er glaubte, er hätte meine Seele gerettet. Ich habe mir ausgemalt, wie er sich wohl vorkommen würde, wenn er wüßte, daß er eine ›Pornografin‹ in seiner Herde willkommen hieß.«

»Okay. Das kaufe ich Ihnen ab.«

»Gut.«

»Aber da ist noch etwas.«

»Noch etwas?«

»Sie haben auch gelogen, als Sie gesagt haben, Sie wären in dieser Nacht nicht im Fairmont gewesen.«

Claire wollte das schon abstreiten, aber ein Blick in sein Gesicht hielt sie davon ab. Er schien davon überzeugt, daß er sie in der Falle hatte. Bis sie wußte, woran sie war, war es sicherer zu schweigen.

Bei der nächsten Lücke im Verkehr fuhr er über die Kreuzung und bog nach links in Richtung Canal Street ab. Mit der linken Hand steuerte er, mit der rechten zog er etwas aus der Brusttasche seines Trenchcoats. Er schob eine Kassette in das Kassettendeck und stellte die Lautstärke ein.

Claire schlug das Herz im Hals, als sie ihre Stimme hörte. »*Bonsoir*, Andre.« Sie starrte nach vorne durch die regennasse Windschutzscheibe. Während sie die Canal Street runterfuhren, hörte sie die Aufzeichnung des Telefonats, das sie vor kurzem mit Andre Philippi geführt hatte.

Als es zu Ende war, ließ Cassidy die Kassette auswerfen und steckte sie wieder in seine Tasche. Er konzentrierte sich darauf, den Lee Circle zu umrunden, und fuhr dann auf der St. Charles Avenue weiter. »Ich wußte gar nicht, daß Sie Französisch sprechen.«

»Fließend.«

»Das hat mich durcheinandergebracht. Ich habe Ihre Stimme nicht erkannt. Nicht, bis Ihr alter Kumpel Andre sie für mich identifizierte.«

»Andre würde niemals jemanden verraten.«

»Er dachte, ich wüßte schon, daß Sie es sind.«

»Mit anderen Worten, Sie haben ihn reingelegt.« Cassidy gab das achselzuckend zu. »Warum haben Sie sein Telefon angezapft?«

»Ich wußte, daß er etwas verheimlicht, und wollte wissen, was. So was passiert dauernd.«

»Das ist keine Entschuldigung. Es ist ein grober Eingriff in die Privatsphäre. Weiß Andre, daß Sie ihn reingelegt haben?«

»Ich habe ihn nicht reingelegt. Er hat sich selbst reingelegt.«

Claire seufzte. Sie wußte, wie unangenehm ihm das sein mußte. »Der arme Andre.«

»Genau das hat er auch über Sie gesagt. Arme Claire. Sie beide haben wirklich ein reizendes Verhältnis. Sie denken ständig aneinander und sorgen immer füreinander. Wie nett, daß Sie beide gemeinsam in den Knast wandern. Vielleicht können wir arrangieren, daß Sie in Nachbarzellen kommen.«

Sie sah ihn scharf aus dem Augenwinkel an, worauf er heftig mit dem Kopf nickte. »Halleluja! Endlich nehmen Sie mich ernst. Auf Mord zweiten Grades steht in Louisiana lebenslänglich. Wie fühlen Sie sich jetzt als Hauptverdächtige?«

Von Drohungen hatte sich Claire Louise Laurent noch nie einschüchtern lassen; sie machten sie nur entschlossener. »Beweisen Sie, daß ich einen Mord begangen habe, Mr. Cassidy. Beweisen Sie es.«

Er hielt ihrem Blick gefährlich lange stand. Claire wandte den Blick ab, als sie vor dem Hotel angekommen waren. »Lassen Sie mich nur schnell aussteigen. In einer Minute bin ich wieder da.«

»Nein. Wir gehen zusammen.«

Er schaltete die Warnblinkanlage ein und stieg aus. Nachdem er Claire beim Aussteigen geholfen hatte, liefen sie unter das Vordach, das sich über den Bürgersteig spannte. Der Türsteher tippte sich an die Mütze, als er Claire sah.

»Abend, Miss Laurent.«

»Hallo, Gregory.«

»Schreckliches Wetter heute. Aber machen Sie sich keine Sorgen. Sie ist hergekommen, bevor es richtig angefangen hat zu regnen.«

Claire ging Cassidy voran in das berühmte Hotel, wo die Suiten nach den Prominenten benannt waren, die darin gewohnt hatten. Die kleine Lobby wirkte elegant und mit ihren antiken Möbeln und Orientteppichen sehr europäisch. Sie besaß Charme und wirkte gastfreundlich wie eine Südstaatenvilla.

Mary Catherine Laurent saß an der Wand, in einem gestreiften Lehnstuhl mit vergoldeten Schwänen als Armlehnen. Ihr be-

drucktes Voilekleid war mit nicht ganz getrockneten Wasser-
flecken betupft. Die Krempe ihres rosafarbenen Strohhuts hing
vollgesogen herab. Sie trug schneeweiße Handschuhe, hatte die
Hände im Schoß gefaltet, die Beine zusammengepreßt und die
Füße flach auf den Boden gestellt. Sie sah aus wie ein junges
Mädchen, das auf dem Weg zur Konfirmation von einem
Schauer überrascht wurde. Zu ihren Füßen stand ein Koffer.

Eine Angestellte mit strengem Haarknoten und Hornbrille
hatte Dienst. Sie kam hinter dem Empfangstisch am Ende der
Lobby hervor. »Ich habe gleich angerufen, als sie kam, Miss
Laurent.«

»Vielen Dank.« Claire setzte ihren Regenhut ab und ging vor
ihrer Mutter in die Hocke. »Hallo, Mama. Ich bin es,
Claire.«

»Er wird gleich kommen.« Mary Catherines Stimme klang
dünn und wie aus weiter Ferne. Ihre Augen schauten in eine
andere Zeit und auf etwas, das außer ihr niemand sah. »Er hat
gesagt, ich soll ihn heute nachmittag hier treffen.«

Claire nahm ihrer Mutter den traurigen Strohhut ab und strich
ihr das nasse Haar aus dem Gesicht. »Vielleicht hast du dich im
Tag geirrt, Mama.«

»Nein, das glaube ich nicht. Ich habe die Tage bestimmt nicht
verwechselt. Er hat gesagt, daß er mich heute von hier abholt.«

Verwirrt und desorientiert hob sie eine behandschuhte Hand
und preßte sie sich auf die Brust. »Ich fühle mich nicht besonders.«

Claire schaute Cassidy an. »Können Sie ihr bitte ein Glas Wasser holen?«

Fassungslos starrte er auf die beiden Frauen. Aus seinem
Trenchcoat tröpfelte Wasser auf den Boden. Auf Claires Bitte
hin fragte er die wartende Nachtportierin nach einem Glas Wasser.

»Mama.« Vorsichtig legte Claire ihre Hand auf Mary
Catherines Knie. »Ich glaube nicht, daß er heute kommt. Vielleicht morgen. Warum kommst du nicht mit mir heim und

wartest dort auf ihn, hm? Hier. Mr. Cassidy hat dir ein Glas Wasser gebracht.«

Sie schloß Mary Catherines Finger um das Glas. Mary Catherine hob es an ihre Lippen und nippte daran. Dann schaute sie zu Cassidy auf und lächelte. »Das war sehr freundlich, Mr. Cassidy. Vielen Dank.«

»Bitte sehr.«

Sie bemerkte seinen nassen Mantel. »Oh, es regnet draußen. Ist es denn zu glauben? Es war so heiß, als ich hereingekommen bin. Vielleicht sollte ich doch lieber heimgehen.« Sie reichte ihm ihre Hand. Er nahm sie, half ihr aus dem Stuhl und blickte fragend zu Claire.

»Wenn Sie weiterfahren möchten, kann ich Mama und mir ein Taxi rufen«, schlug sie vor.

»Ich bringe Sie heim.«

Sie nickte und brachte das Glas zurück an die Empfangstheke. »Ich bin Ihnen sehr dankbar. Sie waren äußerst verständnisvoll.«

»Keine Ursache, Miss Laurent. Sie macht nie Schwierigkeiten. Es ist bloß so traurig.«

»Ja, das ist es.« Claire legte ihrer Mutter einen Arm um die Schulter und führte sie zur Tür, die der Türsteher schon aufhielt. »Vergessen Sie den Koffer nicht, Miss Laurent«, mahnte er freundlich.

»Ich hole ihn«, erbot sich Cassidy.

Ohne die Donnerschläge und grellen Blitze wahrzunehmen, wartete Mary Catherine neben ihrer Tochter unter dem Vordach, bis Cassidy den Koffer im Kofferraum verstaut hatte. Claire half ihrer Mutter auf den Rücksitz und schnallte sie an.

Auf der Rückfahrt redete niemand außer Mary Catherine. Sie sagte: »Ich war sicher, daß wir uns heute treffen wollten. Im Hotel Pontchartrain.«

Claire legte den Kopf zur Seite und kniff die Augen zusammen. Sie spürte unangenehm intensiv, wie gierig Cassidy alles aufsog, was um ihn herum passierte. Als sie bei French Silk angekommen waren, trug er den Koffer hoch, während Claire Mary Catherine ins Haus und in den dritten Stock führte.

Sobald sie in den Wohnräumen waren, brachte sie Mary Catherine in ihr Schlafzimmer. »Ich bin gleich wieder da, wenn Sie warten möchten«, sagte sie über die Schulter zu ihm.

»Ich werde warten.«

Sie half Mary Catherine beim Ausziehen und hängte die altmodischen Kleider in den Schrank zurück. Nachdem sie ihrer Mutter ihre Medizin gegeben hatte, brachte sie sie ins Bett.

»Gute Nacht, Mama. Schlaf gut.«

»Ich muß die Tage verwechselt haben. Bestimmt kommt er morgen«, flüsterte sie. Mit einem bezaubernden, zufriedenen Lächeln schloß sie die Augen.

Claire bückte sich und küßte ihre Mutter auf die kühle, faltenlose Wange. »Ja, Mama. Morgen.« Sie schaltete das Licht aus, ging raus und schloß leise die Tür.

Sie war erschöpft. Ihre Schultern schmerzten, so verspannt waren sie. Der Weg vom Schlafzimmer ihrer Mutter zum großen, offenen Wohnbereich schien endlos.

Sie sah Cassidy nicht sofort, als sie das Zimmer betrat. Bei dem Gedanken, daß er es sich vielleicht anders überlegt hatte und gegangen war, fühlte sie sich augenblicklich erleichtert – und zugleich zutiefst enttäuscht.

Obwohl sie es Yasmine und sich selbst nicht eingestand, fand sie Cassidy attraktiv. Aber da war noch etwas anderes ... seine Verbissenheit, seine Zähigkeit, seine Entschlossenheit? Sie fürchtete ihn, aber er hatte ihre Mutter ungewöhnlich freundlich und einfühlsam behandelt. Ihre Gefühle Cassidy gegenüber waren zwiespältig.

Sie entdeckte ihn im Halbdunkel vor dem Sideboard; er war in Hemdsärmeln. Eigenartig intim hing sein Trenchcoat neben ihrem Regenmantel und dem Hut am Garderobenständer. Als er sich umdrehte, sah Claire, daß sein Haar immer noch naß war und er zwei Schwenker mit Remy Martin in der Hand hielt. Er kam zu ihr in die Mitte des Zimmers und reichte ihr einen.

»Vielen Dank, Mr. Cassidy.«

»Es ist Ihr Cognac.«

»Trotzdem vielen Dank.«

Claire war froh, daß er kein Licht gemacht hatte. Noch kam genug Tageslicht durch die Fensterfront. Gelegentlich wurden die aufgeblähten Wolken von einem Blitz angestrahlt, hinter dem der ganze Himmel wie das Negativ eines Fotos aussah. Aber das Gewitter war schon abgeflaut und in starken, aber keineswegs bedrohlichen Regen übergegangen. Silberne Bäche flossen über die Fenster, quirlige Wasserläufe, deren zitternde Schatten über sie hinwegliefen, als sie auf die Fenster zuging. Der Fluß war nur als dunkles Band zu erkennen, eingerahmt von den Lampen auf dem Damm zu beiden Seiten. Eine leere Barke tuckerte flußaufwärts.

Claire ging zum Fenster und trank langsam von ihrem Cognac. Cassidy gesellte sich zu ihr, und nachdem sie eine Weile schweigend nach draußen geblickt hatten, fragte Cassidy: »Was ist in der Mordnacht passiert?«

»Sie waren da. Sie haben es gesehen.«

»Aber ich weiß trotzdem nicht, was passiert ist. Sie ist ausgeflippt, stimmt's?«

»Ja. Sie ist ausgeflippt.«

»Ich habe das nicht so gemeint –«

»Ich weiß.«

»Wie oft flippt... Wie oft ist sie so?«

»Verschieden. Manchmal kommen die Anfälle langsam. Manchmal aus heiterem Himmel. Manchmal ist sie bei klarem Verstand. An anderen Tagen, wie damals, als Sie ihr zum erstenmal begegnet sind, wirkt sie verwirrt und senil.« Ihre Stimme wurde schroff. »Und manchmal, so wie heute, lebt sie in einer ganz anderen Welt.«

»Was löst die Anfälle aus?«

»Ich weiß es nicht.«

»Was sagen die Ärzte dazu?«

»Daß sie es auch nicht wissen. Sie hat diese Anfälle, seit ich denken kann, und sie werden schwerer und häufiger, je älter sie wird. Anfangs waren es nur schwere Depressionen. Mama zog sich in ihr Zimmer zurück und weinte tagelang, ohne ihr Bett zu verlassen oder etwas zu essen. Tante Laurel und ich pflegten sie dann.«

»Man hätte sie gleich zu Anfang behandeln müssen.« Claire versteifte sich und drehte sich wütend zu ihm um. »Das war eine Feststellung, keine Kritik«, sagte er.

Claire musterte ihn kurz. Als sie überzeugt war, daß er es ehrlich meinte, entspannte sie sich wieder. »Inzwischen weiß ich auch, daß sie sofort in Behandlung gehört hätte. Eine so tiefe Depression ist nicht normal. Aber ich war noch ein Kind. Und Tante Laurel hatte zwar ein gutes Herz, aber sie wußte nichts von psychischen Krankheiten. Sie erkannte die Anfälle nicht einmal als Krankheit. Mama war eine junge Frau, die von ihrem Geliebten im Stich gelassen worden war. Ihre Familie hatte sie verstoßen und enterbt. Tante Laurel hielt ihre Krankheit für ganz normalen Kummer.«

»Kummer, der sich nicht legte.«

Claire nickte. »Während ihrer Anfälle läuft Mama manchmal weg, so wie heute abend.

Ich vermute, daß mein Vater ihr vorgeschlagen hat, mit ihm durchzubrennen, ehe er sie verließ. Anscheinend hat er kalte Füße bekommen und sie versetzt. Mama stellt sich immer vor, daß er sie am vereinbarten Treffpunkt abholt. Heute hat sie bestimmt den Bus bis zur Trambahn genommen und ist dann über die St. Charles bis zum Pontchartrain gefahren.«

»Wartet sie immer dort auf ihn?«

»Nein. Die Treffpunkte wechseln. Sie weiß nie genau, wo oder wann sie ihren jungen Mann erwarten soll. Aber statt ihn dafür verantwortlich zu machen, gibt sie sich selbst die Schuld und glaubt, daß sie ihn nicht richtig verstanden hat.«

Claire drehte sich vom Fenster weg und sah Cassidy an. »In der Nacht, in der Jackson Wilde ermordet wurde, schlich Mama aus dem Haus und ging ins Fairmont. Andre rief mich an und sagte mir, daß sie in der Hotellobby auf ihren Beau warten würde, also ging ich sie holen. Deshalb war ich dort. Nachdem ich erfahren hatte, was passiert war, bat ich Andre, nichts von meinem Besuch zu verraten. Weil die Sache nichts mit Wilde zu tun hatte, war er bereit, mich zu decken. Bestimmt haben Sie und Ihre Kollegen heiße Ohren gekriegt, als Sie unser Gespräch belauscht haben, aber Sie haben es falsch interpretiert.«

Sie umschloß die Schale des Schwenkers mit beiden Händen und leerte ihn. Cassidy nahm ihr das Glas ab und stellte es auf das Sideboard. »Wäre es nicht leichter für alle Beteiligten, wenn Sie Ihre Mutter in ein Heim geben würden?« fragte er.

Diese Fragte hatte Claire kommen sehen. Hundertmal war sie ihr im Laufe der Jahre gestellt worden. Die Antwort blieb immer gleich. »Bestimmt wäre das einfacher. Aber wäre es auch das beste?«

»Ich sehe, daß Sie eine feste Meinung zu diesem Thema haben.«

Erregt begann sie vor den Fenstern auf und ab zu gehen. »Solange ich denken kann, haben Mediziner, Sozialbeamte und Polizisten mich zwingen wollen, sie einzuliefern.«

»Und davor hat man versucht, Sie wegzubringen.«

Claire blieb augenblicklich stehen und drehte sich um. »Sie können es einfach nicht lassen, nicht wahr, Mr. Cassidy?«

»Nein, das kann ich nicht. Das gehört zu meinem Job.«

»Ein mieser Job.«

»Manchmal«, gab er zu. »Warum waren Sie nicht offen zu mir und haben von Ihren Konflikten mit den Behörden gesprochen, statt mir Herzchen-und-Blümchen-Geschichten aus Ihrer Kindheit vorzusetzen?«

»Weil mir die Erinnerung immer noch weh tut. Ich habe immer noch Alpträume deswegen. Ich träume, daß mich die Sozialarbeiter aus Tante Laurels Haus schleifen, obwohl ich mich wehre, Mama ist verwirrt und aufgeregt. Ich will nicht fort.«

»Den Akten zufolge hat ihnen die kleine Claire Louise Laurent ganz schön zu schaffen gemacht. Ich kann's mir vorstellen.«

»Zeitweise ging alles wunderbar«, erklärte sie. »Dann bekam Mama einen Anfall und machte sie wieder auf uns aufmerksam.«

»Was war mit Ihrer Großtante? Sie haben sie als liebevoll und fürsorglich beschrieben.«

»Das war sie, aber die Experten« – sie sprach das Wort voller Verachtung aus – »waren anderer Meinung. Sie war ein bißchen komisch und paßte deshalb nicht in ihre Schablone des perfekten Erziehungsberechtigten. Sie holten mich und brachten mich weg. Dreimal kam ich in ein Waisenhaus. Ich lief immer wieder weg, bis sie es satt hatten und mich nach Hause ließen.

Als ich zwölf war, verschwand Mama einmal für mehrere Tage. Schließlich stöberten wir sie in einem schmierigen Hotel auf, aber inzwischen war die Polizei schon eingeschaltet. Die Sozialbehörde erfuhr davon und kam mich holen. Ich lebte in einer ungesunden Umgebung, behaupteten sie. Ich bräuchte Ordnung und Stabilität.

Ich schwor, daß ich weglaufen würde, wohin sie mich auch brächten, daß ich immer wieder weglaufen würde und mich nicht von meiner Mutter trennen ließe. Wahrscheinlich haben sie mir schließlich geglaubt, denn sie kamen nie wieder.«

Ihre aufgestauten Gefühle brachen jetzt über Cassidy herein. »Ich pfeife darauf, was in den Akten über mich steht. Ich hab' ihnen die Hölle heiß gemacht, jawohl. Und ich würde es auch heute tun, wenn uns jemand zu trennen versuchte. Ich gehöre zu ihr. Ich genieße das Privileg, mich um sie kümmern zu dürfen.

Als sie schwanger wurde, hätte sie es sich leichtmachen können – so wie es damals unter den Reichen üblich war. Sie hätte ein Jahr lang nach Europa reisen und mich zur Adoption freigeben können. Tante Laurel meinte, meine Großeltern hätten sie dazu gedrängt. Oder sie hätte über den Fluß nach Algiers fahren und dort abtreiben lassen können. Das wäre noch einfacher gewesen. Niemand hätte etwas erfahren, nicht einmal ihre Eltern. Statt dessen entschloß sie sich, mich auszutragen und mich zu behalten, obwohl sie dafür ihr Erbe und ihr bisheriges Leben aufgeben mußte.«

»Sie haben ein bewundernswertes Verantwortungsgefühl.«

»Ich fühle mich nicht für sie verantwortlich. Ich liebe sie.«

»Schließen Sie sie deshalb nicht irgendwo ein, wo sie nicht wegschleichen kann?«

»Ganz genau. Sie braucht keine Riegel, sie braucht Liebe, Geduld und Verständnis. Außerdem wäre das grausam und unmenschlich. Ich werde nicht zulassen, daß man sie wie ein Tier behandelt.«

»Ihr könnte etwas bei ihren nächtlichen Spaziergängen zustoßen, Claire.«

Sie sank auf die Polsterlehne eines weichen, weißen Sofas. »Glauben Sie, das weiß ich nicht? Ich schließe sie nicht ein, aber ich versuche nach besten Kräften, sie vom Herumwandern abzuhalten. Yasmine hilft mir dabei. Und Harry. Aber sie ist gewitzt wie ein junges Mädchen, das durchbrennen will. Manchmal entwischt sie uns trotzdem – so wie heute nacht, als ich glaubte, sie sei in ihrem Bett.«

Lange blieb sie ruhig. Der ferne Donner unterstrich die Stille, statt sie zu durchbrechen. Claire legte die Arme vor die Brust und schaute auf. Cassidy betrachtete sie mit diesem verdammten durchdringenden Blick. Sein Starren war ihr aus mehreren Gründen unangenehm. Sie fragte sich, ob er sich der Stille und der Dunkelheit ebenso bewußt war wie sie.

»Warum komme ich mir bei Ihnen immer wie unter dem Vergrößerungsglas vor?« fragte sie trotzig.

»Weil Sie das herausfordern.«

»So seltsam bin ich doch auch nicht, oder?«

»Sie sind ein Rätsel.«

»Mein Leben ist ein offenes Buch.«

»Wohl kaum, Claire. Ich mußte Ihnen jede kleine Information aus der Nase ziehen. Sie haben mich jedesmal von neuem angelogen.«

»Ich bin in dieser Nacht ins Fairmont gegangen, um meine Mutter zu holen«, wiederholte sie müde. »Es gab keinen Grund, Ihnen das zu erzählen.«

»Sie haben mich mit Ihrer Kindheit angelogen. Sie wollten mir weismachen, sie wäre wunderschön gewesen.«

»Wer ist denn schon durch und durch ehrlich, wenn es um seine Kindheit geht?«

»Und Sie haben mich angelogen, als Sie sagten, Sie seien nie verhaftet worden.«

Sie ließ den Kopf sinken und stieß ein bitteres Lachen aus. »Sie waren wirklich gründlich, was?«

»Als wir uns zum erstenmal begegnet sind, haben Sie mir geraten, Sie nicht zu unterschätzen. Sie sollten mich auch nicht unterschätzen.« Er legte ihr einen Finger unters Kinn und hob ihr Gesicht an. »Erzählen Sie mir davon, Claire.«

»Warum? Sie wissen doch sowieso alles. Ich habe einen Polizisten angegriffen.«

»Die Anklage wurde fallengelassen.«

»Ich war erst vierzehn.«

»Was war passiert?«

»Steht das nicht in den Akten?«

»Ich möchte es von Ihnen hören.«

Sie atmete tief ein. »Eine Schulfreundin war bei mir geblieben.«

»Sie hatten sie versteckt. Sie war von zu Hause fortgelaufen.«

»Ja«, bestätigte sie knapp. »Ich habe sie versteckt. Als die Polizisten sie heimbringen wollten, wurde sie hysterisch. Einer versuchte, ihr Handschellen anzulegen. Ich habe alles versucht, um ihn daran zu hindern.«

»Warum haben Sie sie versteckt? Selbst als man Ihnen mit dem Gefängnis drohte, haben Sie der Polizei nicht verraten, warum sie bei Ihnen untergekrochen war.«

»Ich habe ihr mein Wort gegeben, daß ich es niemand sagen würde. Aber es ist schon Jahre her, und sie...« Sie machte eine Geste, die bedeutete, daß das inzwischen unwichtig war. »Ihr Stiefvater hat sie mißhandelt. Sie wurde jede Nacht vergewaltigt und manchmal gefoltert. Ihre Mutter hat weggeschaut und so getan, als würde sie nichts merken.«

Cassidy murmelte einen Fluch und fuhr sich mit der Hand über die Wange.

»Schließlich hielt sie es nicht mehr aus. Sie konnte sich niemandem anvertrauen. Sie hatte Angst, daß man ihr nicht glauben würde, wenn sie es den Nonnen oder dem Priester erzählte. Und sie fürchtete sich vor der Strafe zu Hause. Als sie mir davon erzählte, bot ich ihr an, sie so lange zu verstecken, wie sie wollte.«

Claire starrte einen Moment in den Raum und erinnerte sich daran, wie wütend sie gewesen war, weil ihre Versuche so fruchtlos gewesen waren. »Zwei Wochen, nachdem man sie heimgebracht hatte, lief sie wieder weg. Sie muß aus der Stadt verschwunden sein. Niemand hat jemals wieder von ihr gehört.«

»Sie hätten sich einen Eintrag im Polizeiregister sparen können, wenn Sie erzählt hätten, was passiert war.«

»Was hätte das genützt?« fragte sie aufgebracht. »Ihr Stiefvater war Millionär. Selbst wenn jemand ihr geglaubt hätte, wäre die Sache doch nur unter den Teppich gekehrt und sie zurückgeschickt worden. Außerdem hatte ich ihr versprochen, daß ich es niemandem verrate.« Sie schüttelte den Kopf. »Die Konsequenzen, die ich tragen mußte, waren kaum mit dem zu vergleichen, was sie durchgemacht hat, Mr. Cassidy.«

»Erzählen Sie mir von Andre Philippi.«

Sie sah ihn wütend an. »Was wollen Sie wissen?«

»Sie waren beide auf der Sacred Heart Academy.«

»Von der siebten bis zur zwölften Klasse«, bestätigte Claire. »Superiorin ist Schwester Anne Elizabeth. Sie war es wenigstens, als Andre und ich auf der Schule waren.« Sie legte den Kopf zur Seite, so daß ihr Haar über ihre Schulter strich. »Ist es ein Verbrechen, daß wir in eine Klasse gingen?«

»Erzählen Sie mir von ihm«, sagte er, ohne auf ihre Spitze einzugehen. »Er ist ein komischer kleiner Kerl.«

Augenblicklich verwandelte sich ihre Miene. Alles Heitere, Flirtende war daraus verschwunden. Selbst ihre Stimme klang härter. »Wahrscheinlich halten athletische Machos wie Sie Andre für ›komisch‹.«

»Ich habe das nicht herablassend gemeint.«

»Reden Sie keinen Stuß.«

»Ist er schwul?«

»Ist das von Bedeutung?«

»Das weiß ich noch nicht. Ist er es?«

»Nein. Um ehrlich zu sein, er ist in Yasmine vernarrt.«

»Aber er hat kein intimes Verhältnis mit einem Mann oder einer Frau?«

»Nicht daß ich wüßte. Er lebt allein.«

»Ich weiß.«

»Natürlich.«

»Ich habe eine Akte über ihn«, sagte er. »Was ist mit Andres Eltern? Woher stammt er? Das konnte ich nicht herausfinden.«

»Andres Mutter war eine Terzeronin. Sie war eine außergewöhnlich schöne Frau, ungefähr so wie Yasmine. Obwohl sie intelligent war, hatte sie keinen Schulabschluß. Statt dessen übte sie sich in den Fertigkeiten, die sie für ihren Beruf brauchte.«

»Und das war?«

»Gesellschafterin. Sie lernte die Techniken von ihrer Mutter. Mit fünfzehn hatte sie ihren ersten Freier.«

»Sie war eine Nutte?«

Das Wort beleidigte Claire, und sie machte keinen Hehl daraus. »Eine Nutte steht an Straßenecken und macht Passanten an. Es gibt da einen Unterschied. Andres Mutter hatte Verhältnisse mit Gentlemen, die oft über Jahre andauerten. Im Gegenzug ließ sie sich aushalten.«

»Waren diese ›Gentlemen‹ weiß?«

»Größtenteils.«

»Und einer von ihnen war Andres Vater.«

»Ganz recht. Er war ein prominenter Geschäftsmann, der das Kind nicht anerkennen konnte, aber sich dafür verantwortlich fühlte.«

»Wissen Sie, wer es war?«

»Andre weiß es, aber er hat mir nie seine Identität offenbart.«

»Und selbst wenn Sie es wüßten, würden Sie es mir nicht sagen.«

»Nein. Das würde ich nicht.«

Cassidy bedachte das einen Moment. »Weil sein Vater so betucht war, konnte Andre auf die besten Schulen gehen.«

»Ja, aber er war ein Außenseiter. Die anderen Kinder hänselten ihn wegen seiner *maman* und machten sich über ihn lustig. Ich war auch ein Einzelgänger, schließlich kam ich ebenfalls aus keiner normalen Familie. Es war nur natürlich, daß Andre und ich Freunde wurden.

Seine Mutter liebte ihn genauso abgöttisch wie er sie. So wie sie von ihrer Mutter unterrichtet worden war, brachte sie Andre alles über das Essen und den Wein, über Etikette und Kleidung bei und lehrte ihn, bei Juwelen, Stoffen oder antiken Möbeln Qualität von Schrott zu unterscheiden.

Bevor Andres Vater ihr ein Haus überließ, nahm sie Andre immer mit zu den Treffen mit ihren Gentlemen. Er wartete in den Lobbys der Luxushotels auf sie, wo bis Anfang der sechziger Jahre keine Farbigen geduldet wurden.

Vielleicht begann er die Hotels aufgrund dieses Privilegs zu lieben. Für ihn waren sie edler und heiliger als Kathedralen, denn schließlich durfte nicht jeder in sie hinein. Dort war er an einem Ort, der anderen Kindern nicht zugänglich war. Er träumte immer davon, ein Hotel zu führen.« Wie von weit her fügte sie hinzu: »Ich bin so froh, daß sein Traum wahr geworden ist.«

»Was ist mit seiner Mutter?« fragte Cassidy. »Hat sie immer noch Kunden?«

»Nein. Mr. Cassidy. Sie hat sich die Arme mit einer Rasierklinge aufgeschnitten. Andre fand sie, als er eines Nachmittags von der Schule nach Hause kam.«

»Jesus.«

»Wer keinen Leichengestank verträgt, sollte die Vergangenheit ruhen lassen.«

Er sah sie wütend an. »Glauben Sie, mir macht das Spaß?«

»Wenn nicht, warum wollen Sie dann unbedingt bei jedem die dunkelsten Seiten ans Licht zerren?«

»Das gehört zu den weniger erfreulichen Dingen bei meiner Arbeit, Claire. Trotzdem bleibt es meine Arbeit.«

»Beantworten Sie mir eine Frage«, meinte sie plötzlich.

»Welche?«

»Sollten sie mich Claire nennen?«

Sie starrten einander lange an. Spannung hing in der Luft. Endlich wandte er sein Gesicht ab. »Nein, eigentlich nicht.«

»Warum tun Sie es dann?«

Langsam drehte er sich wieder ihr zu. Seine Augen schienen sie abzutasten; sie spürte sie überall auf ihrem Körper. »Sie sind vielleicht eine Lügnerin, Claire, Aber Sie sind nicht dumm.« Seine Stimme war rauh. »Sie wissen, warum ich das tue.«

Sie hielt seinem Blick stand, bis der Druck in ihrer Brust nicht mehr auszuhalten war. Nur eines wäre noch schlimmer gewesen: ihn nicht mehr anzusehen. Dazu konnte sie sich einfach nicht durchringen. Sie fühlte sich unwiderstehlich zu ihm hingezogen.

Sie verharrten so still, daß sie unwillkürlich zusammenzuckte, als er sich schließlich bewegte. Aber er hob nur die Hand, um sich den Nacken zu massieren, so als wäre er verspannt.

»Zurück zu Andre. Er rief Sie damals an und sagte Ihnen, daß Ihre Mutter im Fairmont war.«

Sie nickte. Sie konnte kaum sprechen. Ihr Herz pochte immer noch wie wild.

»Sie fuhren sie abholen.«

»Ja.«

»Allein?«

»Ja. Mit meinem Wagen.«

»Wann war das?«

»Ich weiß nicht mehr.«

»Claire.«

»Ich weiß es nicht mehr«, erwiderte sie mit ungeduldigem Kopfschütteln. »Es war nach dem Kreuzzug, denn wie Sie wissen, war ich dort.«

Er zügelte seine Wut, obwohl ihm das sichtlich schwerfiel.

»Ungefähr.«

»Vielleicht Mitternacht. Keinesfalls später.«

»Wie kam Mary Catherine dorthin, ohne daß Sie davon wußten?«

»Ich habe Ihnen doch gesagt, daß sie sehr gerissen sein kann. Sie ging nach unten, sperrte auf und schaltete die Alarmanlage aus, bevor sie die Tür öffnete.«

»Während eines Anfalls kann sie so klar denken? So logisch?«

Claire wich seinem Blick aus. »Manchmal.«

»Also fuhren Sie zum Fairmont.«

»Ich parkte im Halteverbot auf der anderen Straßenseite. Ich wußte, daß es nur einen Augenblick dauern würde, und so war es auch. Ich lief zu Andres Büro, er übergab mir Mutter, und wir gingen hinaus. Alles in allem habe ich wahrscheinlich nicht länger als zwei Minuten gebraucht.«

»Hat Sie sonst jemand gesehen? Jemand vom Hotelpersonal?«

»Ich weiß nicht. Sie können sie ja fragen.«

»Verlassen Sie sich drauf.« Er schob die Hände in die Taschen und starrte durch die regennassen Fenster. Obwohl Claire gerade auf kleinem Feuer geröstet wurde, fiel ihr auf, daß er ein sehr maskulines Profil hatte und von den nassen Haaren bis zu den Schuhspitzen durch und durch männlich aussah. »Sie haben Wilde in dieser Nacht im Superdome gesehen. Später waren Sie in dem Hotel, in dem er ermordet wurde. Und Sie haben versucht, das zu verheimlichen.«

»Wie oft muß ich Ihnen das noch erklären? Ich wollte nicht, daß über meine Mutter geklatscht und spekuliert wird. Ist das so schwer zu begreifen?«

»Sie waren die ganze Zeit über im Bereich der Hotellobby?«

»Ja.«

»Sie waren in keinem anderen Stockwerk, in keinem anderen Bereich des Hotels?«

»Nein.«

»Haben Sie den Lift benutzt?«

»Nein.«

Er drehte sich um und stützte die Arme auf die Polsterlehne. Dann beugte er sich vor und fragte: »Warum zum Teufel haben Sie mir das nicht früher erzählt? Wenn es so verdammt unwichtig war, warum haben Sie mich dann angelogen?«

»Weil Sie versucht haben, mir etwas anzuhängen. Mein Name stand auf Wildes Hitliste, und Sie hielten das anscheinend für wichtig. Sie hatten einen Aktenordner mit Zeitungsausschnitten über ihn, den ich dummerweise loszuwerden versucht hatte. Das waren schon zwei Treffer. Ich habe befürchtet, daß Sie die falschen Schlüsse ziehen.«

»*Sind* sie falsch, Claire? Sie waren nur im Fairmont, um Ihre Mutter anzuholen?«

»Genau wie heute abend.«

»Und während Sie dort waren, hat Sie Ihr alter Kumpel nicht in Wildes Suite gelassen?«

»Wäre Wilde nackt auf seinem Bett liegengeblieben, während er mit mir, einer vollkommen Fremden redet?«

»Woher wissen Sie, daß er nackt auf dem Bett lag?«

»Weil seit einem Monat täglich in der Zeitung steht, daß man ihn nackt im Bett gefunden hat. Außerdem – glauben Sie, ich hätte jemanden wie Andre mit so was belastet, wenn ich wirklich entschlossen gewesen wäre, Jackson Wilde zu töten?«

»Verdammt, das weiß ich doch nicht!« brüllte er. Dann schaute er ihr in die Augen. »Das paßt alles so verdammt gut zusammen. Sie hatten ein Motiv. Sie hatten eine Gelegenheit. Sie kennen sogar jemanden im Hotel, der Ihnen behilflich sein konnte, Claire. Sie müssen zugeben, daß Sie verdächtig sind.«

»Warum ziehen Sie dann so ein Gesicht? Das haben Sie doch die ganze Zeit gewollt. Ich dachte, Sie würden sich freuen, wenn Sie endlich einen Verdächtigen hätten. Was paßt Ihnen nicht?«

Langsam und bedächtig legte er ihr die Hände auf die Schulter und zog sie hoch, bis sie vor ihm stand. »Was mir nicht paßt? Ich glaube, ich habe den Mörder gefunden.« Er fuhr mit den Fingern unter ihr Haar und umfaßte ihren Kopf. »Aber ich wollte nicht, daß Sie es sind.«

Dann lagen plötzlich seine Lippen auf ihren. Bevor sich Claire vom ersten Schrecken erholen konnte, hatte er den Kuß tiefer werden lassen. Ungewollt entkam ihr ein kleiner Laut, als er mit der Zunge ihre Lippen teilte. Seine Zunge fühlte sich männlich und kräftig an, und sie schmeckte leicht nach Cognac. Er war zornig und erregt; sein Kuß war herrisch und duldete keinen Widerstand, allerdings war sie im ersten Moment ohnehin zu verblüfft, um welchen zu leisten, und Sekunden später schon zu gefangen in seinem Kuß, um das noch zu wollen.

Er hob den Kopf nur kurz, bevor er sie wieder küßte und die

Hände auf ihre Taille legte, um sie an sich zu ziehen. Er war erigiert. Begierde erblühte in ihrem Unterleib wie eine Frühlingsblume. Widerstandslos ließ sie sich an ihn drücken.

»O Gott«, murmelte er, dann barg er sein Gesicht an ihrem Hals. Geschickt öffnete er die Knöpfe an ihrer Brust. Er löste den Verschluß ihres Büstenhalters und glitt mit beiden Händen an die losen Körbchen. Einen Augenblick schwebten seine Hände über ihrer Haut, dann liebkosten sie das weiche Fleisch.

Sein Kuß wurde wilder, hungriger. Claire klammerte sich mit beiden Händen an seinem Hemd fest, denn wenn sie losgelassen hätte, wäre sie nach hinten gefallen, nicht nur, weil er sich so besitzergreifend über sie beugte, sondern auch, weil ihr von seinem Kuß und seiner Berührung schwindlig wurde.

Seine Lippen verschmolzen mit ihren, seine Zunge tauchte immer wieder in ihren Mund, als würde sie dort nach den Antworten suchen, die er forderte. Sie standen in Flammen, setzten sich gegenseitig in Brand. Ihre Brüste glühten unter seinen Händen, reckten sich ihm hungrig, gierig entgegen.

Die Intensität des Gefühls war beängstigend. Claires hemmungslose Reaktion erschreckte sie. Sie spürte, wie ihr die Kontrolle entglitt, so als würde trockener Zunder in Brand gesetzt. Bald wäre sie ihm ganz und gar ausgeliefert, und etwas Schlimmeres konnte sie sich nicht vorstellen. Ihr ganzes Leben hatten irgendwelche Beamten versucht ihr einzureden, was das Beste für sie war. Sie war darauf geschult, sich gegen sie zu wehren.

»Stopp!« Sie drehte den Kopf zur Seite und schubste seine Hände weg. »So kriegen Sie bestimmt kein Geständnis aus mir heraus.«

Er ließ sie augenblicklich los und trat zurück. Hilflos ballte er die Fäuste. Sein Atem ging schwer, seine Stimme klang heiser und gehetzt. »Sie wissen verdammt gut, daß ich Sie nicht deshalb geküßt habe.«

»Nein?« gab sie zornig zurück.

Er drehte sich um, ging zum Garderobenständer und zerrte

seinen Trenchcoat herunter und riß die Tür auf. Aus dem Gang strömte Licht herein und umfloß seine Silhouette.

Sekundenlang starrten sie einander im Halbdunkel an, dann trat er aus der Tür und knallte sie hinter sich zu.

Claire brach auf dem Sofa zusammen. Sie schlug die Hände vors Gesicht und jammerte so reuevoll, daß Schwester Anne Elizabeth stolz auf sie gewesen wäre: »O Gott, nein. Nein.«

Willig und voller Hingabe hatte sie den Mann geküßt, der sie lebenslänglich hinter Gitter bringen konnte und das wahrscheinlich auch tun würde.

Kapitel 10

Ariel wickelte ein Mini-Snickers aus und stopfte es sich in den Mund. Ihre Zähne knackten den Schokoladeüberzug, zermahlten die Erdnüsse, versanken in Karamel und Nougat. Sie schwelgte in dem Zusammenspiel verschiedener Aromen, als der Riegel langsam schmolz und ihr auf der Zunge zerging. Erst nachdem sie soviel Genuß wie möglich daraus gezogen hatte, lutschte sie das klebrige Karamel von den Zähnen.

Der Kaffeetisch vor dem Diwan war übersät mit Schokoladepapierchen. Als sie noch ein Kind gewesen war, hatte das Familienbudget keine Süßigkeiten erlaubt; Ariel hatte von Glück reden können, wenn sie alle paar Wochen ein Stück von einer Zuckerstange abbekam. In den letzten Jahren hatte sie das Versäumte nachgeholt; und sie konnte nicht genug bekommen.

Sie räkelte sich, nur um zu sehen, zu hören und zu spüren, wie der Seidenpyjama über ihre Beine raschelte. Der Spiegel an der Wand gegenüber zeigte eine Frau im Luxus, umgeben von schönen Dingen, die allesamt ihr gehörten. Das gefiel Ariel. Am liebsten hätte sie laut losgejubelt.

In ihrem Elternhaus hatte es fließend Wasser gegeben, aber darin hatte sich der Komfort auch schon erschöpft. Es war ein durch und durch häßliches Gebäude mit großen, spartanisch und billig eingerichteten Zimmern gewesen. Sie schauderte angewidert, wenn sie nur daran dachte. Nie hatte sie Freunde eingeladen, so hatte sie sich für das alte, windschiefe, häßliche Bauernhaus ihrer Eltern geschämt. Außerdem hatte sie sich für die Menschen geschämt, die darin wohnten. Ihr Bruder, dieser Satansbraten, hatte alle Welt terrorisiert. Ihre Eltern waren ihr immer alt vorgekommen, auch wenn ihr inzwischen klar war, daß die harte Arbeit sie vorzeitig hatte altern lassen.

Sie wünschte, sie könnte ihre Erinnerungen an die Armut endgültig begraben. Aber jedesmal, wenn sie sich ganz im Einklang mit der Gegenwart fühlte, tauchten diese Bilder aus der Vergangenheit auf, um sie zu quälen. Sie riefen ihr ins Gedächtnis, wer sie gewesen war, bevor sie sich dem Reverend Jackson Wilde zu Füßen geworfen hatte.

Die Tage der Armut sind für immer vorbei, schwor sie und ließ ihren Blick durch das Wohnzimmer schweifen. Kunstobjekte füllten jede Nische, jedes Bord. Die meisten stammten von Jacksons Gefolgsleuten. Er hatte immer wieder vorgeschlagen, einige der Dinge wegzugeben, aber Ariel hatte sich von keinem einzigen Stück trennen wollen, so voll das Haus auch wurde. Und wenn sie zusätzliche Regale benötigte oder die Sachen auf dem Dachboden und unter dem Bett verstauen mußte, sie würde alles behalten, was sie bekam. Besitz war für Ariel gleichbedeutend mit Sicherheit. Sie würde ihn nie wieder hergeben. Unter dieser Beteuerung wickelte sie das nächste Snickers aus und verzehrte es mit hedonistischem Genuß.

Als Josh mit einer Tasse Kaffee und der Zeitung hereinkam, fielen ihm die Papierchen sofort auf. »Ist das dein Frühstück?«

»Und wenn?«

»Nicht gerade Müsli, was?« Er sank in einen Sessel, stellte die Tasse ab und faltete die Zeitung auf. »Ein Wunder. Wir stehen nicht mehr auf der ersten Seite.«

Sie brauchte ihm nur zuzusehen, und schon gerann ihr die Schokolade im Magen. In letzter Zeit war Josh so unterhaltsam wie vierzig Jahre Pest. Sie schliefen immer noch jede Nacht miteinander. Er war begabt und eifrig und besaß künstlerisches Einfühlungsvermögen. Seine Finger spielten auf ihrem Körper wie auf einem Klavier, voller Kraft und Sensibilität.

Aber sie hatte ebensoviel Befriedigung daraus gezogen, Jackson zu hintergehen. Seit die Heimlichtuerei und das schlechte Gewissen der Affäre keine zusätzliche Würze mehr verliehen, war sie fade geworden. Selbst nach einem Orgasmus hungerte sie nach mehr.

Trotzdem konnte sie sich ihre Rastlosigkeit und Unzufriedenheit nicht erklären.

Der Cincinnati-Kreuzzug war überaus erfolgreich gewesen. Zwei TV-Shows waren aufgezeichnet worden und bereit zur Ausstrahlung. Während der Aufzeichnungen war der Saal zum Bersten voll gewesen.

Ariel hatte gesungen. Josh hatte gespielt. Mehrere Gläubige hatten Zeugnis abgelegt, was Jackson Wilde und seine Missionsgesellschaft ihnen bedeuteten. Dann war Ariel auf das Podium gestiegen und hatte ihre herzzerreißende Predigt begonnen. Tagelang hatte sie dafür geprobt. Mühsam hatte sie jedes Schluchzen, jede Geste einstudiert und vor dem Spiegel eingeübt. Die Zeit und die Mühe hatten sich gelohnt. Noch ehe sie fertig gesprochen hatte, waren alle Augen feucht und die Opferteller übervoll gewesen.

Dieselben Leute, die noch vor Wochen bezweifelt hatten, daß sie die Gesellschaft ohne Jacksons strenge Hand führen könnte, hatten sie überschwenglich beglückwünscht. Sie hatte ihre Zweifel widerlegt. Sie war genauso charismatisch und überzeugend wie ihr verstorbener Ehemann. Die Menschen hatten sich zu Hunderten um sie geschart und jedes ihrer Worte wie ein Juwel bewundert. Sie hatte die Welt in der Tasche.

Warum also war sie so unzufrieden?

Es war immer noch nicht genug. Sie hatte Hunderttausende von Anhängern, aber warum nicht Millionen? Ruckartig setzte sie sich auf. »Das finde ich nicht.«

Josh ließ eine Ecke seiner Zeitung sinken. »Pardon?«

»Ich finde es nicht so wahnsinnig toll, daß wir keine Schlagzeilen mehr machen.« Sie schwang die Beine vom Diwan und begann, im Zimmer umherzulaufen. Nervös räumte sie herum, strich verdrückte Kissen glatt, rückte Kristallvasen zurecht und positionierte Porzellanschäferinnen neu.

»Also, wenn es dich glücklich macht, auf Seite fünfzehn ist unsere Anzeige.«

Er hielt ihr die Zeitung hin, damit sie die Anzeige sehen konnte. Oben stand, in dem markanten Schrifttyp der Missionsgesellschaft, der Titel der Fernsehsendung. Darunter war eine Zeichnung zu sehen, die sie mit einem Mikrofon vor dem Mund und tränenüberströmten Wangen darstellte. Unten standen Sendedatum und -zeit.

Kritisch studierte Ariel die Anzeige. »*Jackson Wildes Stunde für Gott und Gebet*«, las sie vor. »Jackson Wilde ist tot. Warum haben wir den Titel der Sendung nicht geändert?«

»Wie denn?«

»Warum heißt es nicht *Ariel Wildes Stunde für Gott und Gebet*?«

»Warum nicht *Die Stunde für Gott und Gebet*?«

»Weil das zu simpel ist. Außerdem brauchen die Menschen ein Identifikationsobjekt.«

»Dich, nehme ich an.«

»Warum nicht? Schließlich rede ich jetzt die meiste Zeit.«

Josh nahm einen Schluck Kaffee und beobachtete sie dabei über den dünnen Rand seiner Tasse hinweg. »Du kannst die verdammte Show nennen, wie du willst, Ariel. Mir ist das schnurzegal.«

»Das merkt man.«

Er warf die Zeitung beiseite und stand wütend auf. »Was zum Teufel soll das heißen?«

»Das heißt, wenn es mich nicht gäbe, dann wäre die ganze Organisation nach seinem Tod zusammengebrochen. Du hast nicht einmal Mumm genug, um ein Pfadfinderfähnlein zu führen, von einer Organisation wie unserer ganz zu schweigen. Du kannst von Glück reden, daß du mich hast. Sonst dürftest du im Zelt durchs Land tingeln.«

»Wahrscheinlich wäre ich dabei glücklicher. Wenigstens käme ich mir dann nicht wie ein Aasgeier vor, der von einer Leiche lebt.«

Eine sorgfältig nachgezogene Braue hob sich. »Wenn du so unglücklich bist, kannst du ja gehen.«

Josh funkelte sie wütend an, aber genau wie sie erwartet hatte, zog er den Schwanz ein. Er ging ans Klavier, schlug ein paar Akkorde an und begann dann ein klassisches Stück zu spielen, mit jener Verve und Courage, die ihm in heiklen Situationen fehlten.

Als er sich einigermaßen abreagiert hatte, sah er zu ihr auf, spielte aber weiter. »Weißt du, was wirklich traurig ist? Du merkst gar nicht, was für eine Witzfigur du bist.«

»Witzfigur?« wiederholte sie wütend. »Wer findet das?«

»Alle in der Organisation. Du bist so von dir selbst geblendet, daß du es gar nicht merkst. Die Leute lachen hinter deinem Rücken über dich. Warum, glaubst du, sind schon zwei Mitglieder aus dem Vorstand zurückgetreten?«

»Weil sie es nicht ertragen konnten, daß eine Frau die Hosen anhat. Ich wurde ihrem männlichen Ego zu gefährlich. Wen kümmert's? Wir brauchen sie nicht.«

»Diese Organisation, die du angeblich so hervorragend zusammenhältst, Ariel, bricht langsam auseinander. Aber du bist zu eingebildet, um das zu sehen.« Er spielte ein Stück und dann das nächste. »Wahrscheinlich sitzt Daddy irgendwo da oben im Himmel und lacht über uns.«

»Dir ist wohl die Birne aufgeweicht.«

Er grinste sie wissend an. »Du fürchtest dich immer noch vor ihm, wie, Ariel?«

»Du bist derjenige, der sich fürchtet.«

»Ich gebe es zu«, sagte er. »Du nicht.«

»Ich fürchte mich vor nichts und niemandem.«

»Er hat dich immer noch unter seiner Knute.«

»Quatsch.«

»Warum frißt du dann wie ein Holzfäller, nur um alles wieder auszukotzen?« Er beendete das Stück mit einem Fortissimo, das seine Frage unterstrich.

Ariel wurde unsicher. »Ich weiß nicht, wovon du sprichst.«

»O doch, das weißt du. Du machst das schon seit Monaten. Sobald du gegessen hast, verschwindest du auf der Toilette. Du schlägst dir den Bauch mit Schokolade voll und zwingst dich dann zum Erbrechen. Das ist eine Krankheit. Man nennt das Bulimie.«

Sie verdrehte die Augen. »Wer bist du, der Gesundheitsminister? Also gut, ich achte auf mein Gewicht. Vor der Fernsehkamera sieht man immer zehn Kilo schwerer aus. Ich will nicht wie ein weißer Wal aussehen, wenn ich diese dämliche Treppe runterkomme.«

Seine Hand schnellte hoch, umfaßte ihr schmales Handgelenk und drehte es um, damit sie sehen konnte, wie weit seine Finger es umschlossen. »Du zählst nicht einfach Kalorien, Ariel. Du stopfst dich voll und übergibst dich dann.«

Sie riß sich los. »Na und? Jackson hat ständig an meinem Gewicht rumgemäkelt. Ich mußte mir was einfallen lassen, um es zu halten.«

»Hast du ihn wirklich nicht durchschaut?« fragte Josh mit traurigem Lächeln. »Er verstand es meisterhaft, von den Schwächen anderer zu zehren. Auf diese Weise hat er Macht über sie ausgeübt. Er hat ständig angedeutet, daß meine Mutter dumm sei, bis sie ihm schließlich geglaubt hat. Jahrelang traute sie sich nicht, ihre Meinung zu sagen, weil sie Angst hatte, daß er sich über sie lustig machen würde.

Du weißt, womit er mir zugesetzt hat. Er hat mich immer wieder wissen lassen, daß mir das musikalische Talent fehlte, das ich mir so wünschte. Bei jeder sich bietenden Gelegenheit hat er mir erklärt, daß mein Können gerade dazu ausreiche, mittelmäßige Gospels zu spielen.

Bei dir war es das Gewicht. Er wußte, daß du Probleme damit hast, und das nutzte er aus, um dich zu unterdrücken. Er war schlau wie Satan, Ariel. Er war so subtil, daß man nicht einmal merkte, wie er einen piesackte, bis irgendwann das Selbstwertgefühl vollkommen im Eimer war.

Du hättest ihn einfach ignorieren sollen, wenn er dich mit deinem ›Babyspeck‹ und deiner Näscherei aufgezogen hat. Du warst immer schlank. Inzwischen bist du schon fast magersüchtig. Außerdem ist er, wie du eben richtig bemerkt hast, tot. Er kann nicht mehr auf dir rumhacken.«

»Nein, das hast du jetzt übernommen.«

Josh schüttelte resigniert den Kopf. »Du verstehst mich nicht,

Ariel. Ich will dich nicht kritisieren. Ich mache mir Sorgen um deine Gesundheit.«

»Ich sorge mich wegen was ganz anderem. Seit wir aus Cincinnati zurück sind, stecken wir hier in Nashville fest – aus den Augen, aus dem Sinn. Höchste Zeit, daß wir ein bißchen Wirbel machen und wieder in die Schlagzeilen kommen. Wir sollten den Cops in New Orleans klarmachen, daß Jackson Wildes Witwe und Sohn den kaltblütigen Mord an ihrem geliebten Mann und Vater nicht vergessen haben.«

»Bist du sicher, daß es gut ist, sie daran zu erinnern?«

Sie schenkte ihm einen eisigen Blick. »Jackson hatte Legionen von Feinden.« Sie legte die Zeigefinger gegeneinander und tippte sich damit an die Lippen. »Und eine seiner Feindinnen sitzt in New Orleans.«

»Was hat das zu bedeuten?«

Cassidy hatte schlechte Laune. Das Gespräch mit Howard Glenn trug nicht dazu bei, sie zu bessern. Am Tag, nachdem er mit Claire Mary Catherine aus dem Pontchartrain abgeholt hatte, hatte Cassidy Glenn alles berichtet. Alles, außer dem Kuß.

»Sie hat also nicht abgestritten, daß das ihre Stimme auf dem Band ist?« hatte Glenn gefragt.

»Nein, weil sie einen guten Grund hatte, in dieser Nacht ins Fairmont zu kommen.«

»Sie wollte den Priester umnieten.«

»Oder ihre Mutter abholen, wie sie behauptet.« Glenn war skeptisch geblieben. »Schauen Sie, Glenn, diese Sache gestern nacht war bestimmt nicht inszeniert. Mary Catherine Laurent ist tatsächlich psychisch krank, und Cl… Miss Laurent beschützt sie wie eine Bärenmama ihr Junges.«

Er hatte ihn über Claires Beziehung zu Andre Philippi aufgeklärt. »Sie kennen sich schon aus ihrer Kinderzeit. Es ist also verständlich, daß er gelogen hat, um sie zu schützen. Das ist alles.«

»Je tiefer wir graben, desto interessanter wird's.«

»Aber wir müssen vorsichtig graben.«

»Das heißt?«

»Man kriegt nichts aus einer Frau wie Claire Laurent heraus, wenn man nach Camel riecht und mit Flüchen um sich schmeißt. Ich halte es für besser, wenn Sie sie mir überlassen.«

»Ach ja?«

»Sie findet Sie unangenehm.«

Glenn hatte sich bequemer in den Sessel gelümmelt und die Fußknöchel übereinandergeschlagen. »Und was hält sie von Ihnen, Cassidy?«

»Was wollen Sie damit andeuten?« hatte er ihn angefahren und seinen Stift auf den Tisch geknallt.

Glenn hatte abwehrend die Hände gehoben. »Nichts, gar nichts. Mir ist bloß aufgefallen, wie hübsch sie ist. Und Sie sehen auch nicht gerade aus wie ein Troll. Also, alles in allem –«

»Alles in allem«, hatte ihn Cassidy ärgerlich unterbrochen, »werde ich Jackson Wildes Mörder verfolgen, wer es auch ist.«

»Dann gibt es ja gar keinen Grund, sich aufzuregen, oder?«

Von da an waren ihre Gespräche strikt dienstlich geblieben. Cassidy hatte sich über sich selbst geärgert, weil er Glenns Köder so gierig geschluckt hatte. Er hätte sich besser beherrscht, wenn sein Gewissen nicht so empfindlich auf Glenns Andeutungen reagiert hätte, und er war sicher, daß der Detective das wußte.

Heute morgen veranstaltete Glenn Ratespiele. Er war in Cassidys Büro geschlendert und hatte ein paar Computerausdrucke auf seinen Schreibtisch fallen lassen. Tausende Namen standen auf den Bögen; einige waren mit rotem Marker umringt. Cassidy pickte sich irgendeinen davon heraus. »Wer ist dieser Darby Moss?«

»Ein einprägsamer Name, nicht wahr?« fragte Glenn rhetorisch. »Vor Jahren, als ich noch Streifenpolizist war, habe ich ihn einmal verhaftet. Er hatte 'ne Nutte durch die Mangel gedreht.

Sie mußte ins Krankenhaus. Moss ließ diesen miesen kleinen Ganovenanwalt aus Dallas einfliegen, von da kommt er nämlich. Die Anklage wurde fallengelassen. Ich war stinkwütend. Als ich seinen Namen auf der Spenderliste für Wildes Gesellschaft gesehen hab', sind bei mir alle Alarmglocken losgegangen. Ich war übers Wochenende in Dallas. Darby geht's glänzend. Er besitzt drei Pornoläden.«

Cassidy zog die Brauen zusammen. »Was Sie nicht sagen.«

»Jawohl. Richtige Wichsschuppen. Es gibt keine Perversion, zu der er nicht das passende Heftchen hat, außerdem Dildos, aufblasbare Puppen und so'n Kram. Komisch, wie? Als ich zurückkam, hab' ich die Namen in den Computer eingegeben, und über alle habe ich was erfahren. Auf die eine oder andere Weise leben sie alle von dem Zeug, gegen das Wilde so gewettert hat.«

»Was sagt uns das? Daß er die Flamme kleiner gedreht hat, sobald sie ordentlich abgedrückt haben?«

»Sieht so aus. Und das ist nicht alles.« Er überflog die Bögen, bis sein Finger auf einem weiteren rot umrandeten Namen landete. »Hier.«

»Gloria Jean Reynolds?«

Glenn zog schmunzelnd einen Zettel aus der Brusttasche seines schmuddeligen weißen Hemdes und reichte ihn Cassidy. Cassidy las schweigend den Namen und sah Glenn dann fragend an, der vielsagend die Achseln hob.

Das Telefon auf dem Schreibtisch klingelte. Cassidy nahm beim zweiten Läuten ab. »Cassidy.«

»Mr. Cassidy, hier ist Claire Laurent.«

Augenblicklich krampfte sich etwas in ihm zusammen. Mit ihrer weichen, rauchigen Stimme hatte er am allerwenigsten gerechnet. Sie ging ihm ständig im Kopf herum, aber die Fantasien, die sich um sie drehten, hatten wenig mit der Aufklärung des Mordes zu tun.

»Hallo«, sagte er mit gespielter Gleichgültigkeit.

»Wie schnell können Sie herkommen?«

Die Frage kam vollkommen überraschend. Wollte sie gestehen?

»Zu French Silk? Was ist los?«

»Das sehen Sie dann schon. Bitte beeilen Sie sich.«

Sie legte auf, ohne noch etwas zu sagen. Er nahm den Hörer vom Ohr und schaute ihn verdutzt an.

»Wer war das?« fragte Glenn und zündete sich dabei eine Zigarette an.

»Claire Laurent.«

Glenn kniff die Augen zusammen und schaute Cassidy durch eine Rauchwolke hindurch an. »Ohne Scheiß?«

»Ohne Scheiß. Ich erzähle es Ihnen später.«

Ohne sich weiter um den Detective zu kümmern, zog Cassidy sein Anzugjackett über, eilte aus dem Büro und rannte los, um den Aufzug noch zu erwischen. Er schalt sich für seine Hast, rechtfertigte sie aber wieder, indem er sich an ihre Stimme erinnerte. Sie hatte tief und rauchig wie immer geklungen, und doch hatte er etwas anderes aus ihr gehört. Wut? Angst? Dringlichkeit?

Wenige Sekunden später war er im Auto und fluchend unterwegs zum französischen Viertel.

Wie Claire prophezeit hatte, entdeckte er den Grund für ihren Anruf, bevor er French Silk erreicht hatte. Eine Mahnwache von mindestens zweihundert Menschen hatte vor ihrem Gebäude Stellung bezogen. Er brauchte nur ein paar Schilder zu lesen, um zu wissen, wer die Demonstration organisiert hatte.

»Verdammt.« Er parkte im Halteverbot und drängelte sich durch die Neugierigen, bis er einen Polizisten erreichte. »Cassidy, Büro des D. A.«, sagte er und ließ das Lederetui aufklappen. »Warum lösen Sie die Demonstration nicht auf?«

»Sie ist genehmigt.«

»Von wem?«

»Richter Harris.«

Cassidy stöhnte leise. Harris war ultrakonservativ und ein echter Fan von Jackson Wilde. Wenigstens hatte er sich als solcher ausgegeben, um Wählerstimmen zu scheffeln.

Der Cop deutete auf ein Schild, das ein Großmütterchen hochhielt. »Ist der Katalog wirklich so heiß? Vielleicht sollte ich meiner Alten einen besorgen. Wir könnten ein bißchen frischen Wind im Bett brauchen, wissen Sie?«

Das interessierte Cassidy weniger. »Wie lange geht das schon so?«

»Vielleicht eine Stunde. Solange sie friedlich bleiben, lassen wir sie demonstrieren. Ich wünschte nur, sie würden zwischendurch mal was anderes singen.«

Seit Cassidy angekommen war, hatten die Demonstranten dreimal den Refrain von »Onward, Christian Soldiers« gesungen. Geschickt nutzten sie die Anwesenheit der Medien, die zahlreich erschienen waren. Alle örtlichen Fernsehsender waren mit Minicams und aufgeregten Reportern vertreten. Ein Kameramann mit einer 35-mm-Kamera war auf eine Straßenlaterne geklettert, um freien Blick zu haben.

Cassidy bahnte sich wütend einen Weg durch Wildes paradierende Anhänger und ging auf die Seitentür von French Silk zu. Er drückte auf die Klingel.

»Ich hab' gesagt, ihr sollt euch von der verdammten Tür wegscheren!«

»Hier ist Cassidy aus dem Büro des D. A. Miss Laurent hat mich angerufen.«

Dieselbe Frau wie damals zog die Tür auf und baute sich wie ein wütender Stier vor ihm auf. Ihre Augen waren zu feindseligen Schlitzen in dem breiten, rot angelaufenen Gesicht zusammengezogen. »Schon gut«, hörte er Claire hinter der tätowierten Amazone sagen.

Sie gab den Weg frei. »Danke«, preßte er heraus und trat ein. Sie grunzte und knallte die Tür hinter ihm zu.

Claire sah wunderschön aus, aber nicht so kühl und gefaßt wie gewöhnlich. Von ihrer üblichen Reserviertheit war nichts zu spüren. Ihre whiskeyfarbenen Augen sprühten vor Zorn. Ihre Wangen waren rot. Sie war unverkennbar wütend, aber das zerzauste Haar und die unordentliche Kleidung machten sie aufregender und verführerischer denn je.

»Tun Sie etwas, Mr. Cassidy«, verlangte sie. »Irgendwas. Aber schaffen Sie mir diese Leute vom Hals.«

»Ich fürchte, ich kann nichts tun. Sie haben eine Genehmigung. Sie werden die Sache durchstehen müssen.«

Sie wies mit ihrer Hand zur Tür. »Aber indem sie ihre Rechte ausüben, verletzen sie meine Privatsphäre.«

»Beruhigen Sie sich. Eine Demonstration wird Ihrem Unternehmen nicht ernsthaft schaden.«

»Mir geht es nicht um mein Unternehmen«, widersprach sie aufgebracht. »Haben Sie die Kameras nicht gesehen? Für uns ist das kostenlose Werbung. Aber sie gefährden das Bienville House, das Hotel gegenüber. Die Lieferanten kommen nicht mehr durch. Der Koch bekommt bald einen Schlaganfall. Die Gäste beschweren sich. Und der Manager, mit dem ich seit Jahren befreundet bin, hat mich schon zweimal angerufen und zu Recht gefordert, daß ich diesem Wahnsinn ein Ende mache. Außerdem habe ich Angst um meine Angestellten. Als die Frühschicht vorhin gehen wollte, wurden die Leute angepöbelt und ausgepfiffen. Deshalb habe ich Sie angerufen. Ich möchte nicht, daß meinen Angestellten etwas passiert.«

»Es tut mir leid, Claire. Das haben Sie Ariel Wilde zu verdanken.«

»Ariel Wilde und *Ihnen*.«

»Mir?« wiederholte er verdattert. »Wie zum Teufel können Sie mir die Schuld dafür geben?«

»Man hat noch nie gegen mich demonstriert, Mr. Cassidy.«

»Hören Sie, mir gefällt das ebensowenig.« Er beugte sich vor und sah ihr aus nächster Nähe in die Augen. »Ariel Wilde will das NOPD und meine Abteilung als einen Haufen Trottel hinstellen. Die Leute sollen nicht vergessen, daß wir den Mord an ihrem Mann immer noch nicht aufgeklärt haben. Sie braucht ein bißchen Publicity und will sie sich auf diese Weise verschaffen.«

»Meinetwegen kann sie soviel Publicity kriegen, wie sie will. Aber ich will mit der Sache nichts zu tun haben.«

»Tja, Pech für Sie, daß Sie schon soviel damit zu tun haben.«

»Nur weil Sie ständig hier herumschleichen!« schrie Claire ihn an.

»Nein, weil Sie mich von Anfang an angelogen haben.«

»Nur um mich, meine Freunde und meine Familie vor Ihrer Schnüffelei zu schützen.«

»Ich tue nur meine Arbeit.«

»Wirklich?«

Darauf wußte er nichts zu sagen; in seiner Arbeitsbeschreibung stand nichts davon, daß er Verdächtige beim Verhör küssen sollte. Plötzlich schien auch ihr das wieder einzufallen. Hastig machte sie einen Schritt zurück. Ihre Stimme klang gepreßt. »Lassen Sie mich endlich in Ruhe, Mr. Cassidy, und nehmen Sie diese Menschen mit.«

Sie deutete auf die Tür, aber bevor sie ausgeredet hatte, kam ein Ziegel durch das Fenster direkt über ihnen geflogen. Das Glas zerplatzte. Cassidy riß Claire in seine Arme und warf sich mit ihr hinter einen Turm von Versandkartons. Er preßte sie an seine Brust und hielt schützend die Hand über ihren Kopf. Die Arbeiterinnen flohen in alle Richtungen und versuchten dem herabregnenden Glas zu entkommen, das auf dem Betonboden in winzige Splitter zerstob.

Als das Klirren aufgehört hatte, ließ Cassidy sie wieder los. »Ist alles in Ordnung?« Er strich ihr das Haar aus dem Gesicht und suchte die zarte Haut nach Schnitten und Kratzern ab.

»Ja.«

»Bestimmt?«

»Ja. Mir ist nichts passiert. Ist jemand verletzt?« Langsam tauchten die Angestellten aus ihrer Deckung auf.

»Alles okay, Miss Laurent.«

Als sich Claire wieder zu Cassidy umdrehte, stockte ihr der Atem. »Sie haben sich geschnitten.« Sie hob die Hand und berührte seine Wange. Als sie ihre Finger wieder wegnahm, waren sie blutverschmiert. Er zog ein Taschentuch aus der Hosentasche und wischte ihr damit die Finger ab, bevor er es auf seine Wange drückte. Um sie herum lagen, glitzernd wie Diamanten, staubfeine Glassplitter. Er bückte sich und hob den Ziegel auf, der den Schaden angerichtet hatte. Jemand hatte mit Leuchtstift DRECKIGES SATANSWEIB darauf geschrieben.

»So«, erklärte Claire, nachdem sie die krakeligen Worte gelesen hatte. »Jetzt reicht's.« Sie marschierte zur Tür, und die Scherben unter ihren Schuhen knirschten.

»Nicht, Claire!«

Ohne auf ihn zu hören, zog sie die Tür auf, trat auf den Gehweg und marschierte zu einem Polizisten. Sie zupfte ihn am Ärmel, um ihn auf sich aufmerksam zu machen.

»Ich dachte, Sie sollten dafür sorgen, daß diese Demonstration friedlich verläuft.«

»Der Ziegel kam wie aus heiterem Himmel. Es tut mir leid, Madam.«

»Meine Angestellten hätten verletzt werden können.«

»Die Genehmigung bezieht sich nicht aufs Steinewerfen«, bemerkte Cassidy.

Der Polizist erkannte ihn. »Hey, Sie sind doch Cassidy, nicht wahr?«

»Ganz recht. Und ich vertrete District Attorney Crowder. Die Genehmigung ist hiermit gegenstandslos. Lösen Sie die Versammlung auf. Rufen Sie Verstärkung, falls notwendig, aber lassen Sie augenblicklich den Bürgersteig räumen.«

»Ich weiß nicht«, zweifelte der Cop. Die Demonstranten hatten jetzt die Hände gefaltet und beteten. Cassidy dankte ihnen dafür. Solange sie den Kopf gesenkt und die Augen geschlossen hielten, würden sie Claire nicht bemerken. »Richter Harris –«

»Richter Harris kann mich mal mit seiner Genehmigung«, erklärte Cassidy leise und rauh. »Wenn ihm das nicht gefällt, kann er sich ja später beim D. A. beschweren. Aber jetzt bringen Sie die Leute weg, ehe noch mehr passiert.«

»Wenn jemand verletzt wird«, ergänzte Claire, »dann kriegen Sie es mit Mrs. Wilde und mit mir zu tun.«

Der Cop rang sich schließlich zu einer Entscheidung durch und ging zu dem Mann, der das laute und anhaltende Gebet leitete.

»Verzeihen Sie, Sir. Sie haben sich nicht an die Demonstrationsbedingungen gehalten. Sie müssen die Versammlung auflösen.«

Der Anführer, der sich offenbar gern reden hörte, wollte sich nicht den Mund verbieten lassen. In Jesus' Namen begann er lauthals zu protestieren. Es kam zu einer Drängelei.

Cassidy fluchte. »Das habe ich befürchtet. Gehen Sie rein, Claire.«

»Diese Menschen sind meinetwegen hier. Ich werde die Sache klären.«

»Klären? Sind Sie übergeschnappt?«

»Die Leute täuschen sich in mir. Wenn ich ihnen erkläre–«

»Einem Mob können Sie nichts erklären.« Er mußte die Stimme heben, um sich über dem Gebrüll verständlich zu machen. Eine Prügelei schien sich anzubahnen.

»Da ist sie!« brüllte jemand in der Menge.

»Da ist sie!«

»Dirne! Pornografin!«

»Meine Damen und Herren, bitte.« Claire hob die Hände, um die Menschen zu beruhigen, aber deren Beleidigungen wurden nur noch ausfallender. Die Kameramänner trampelten sich beinahe gegenseitig nieder, um ihr Bild und ihre Stimme auf Videoband zu bekommen.

»Gehen Sie rein!« Cassidy versuchte sie wegzuziehen, aber sie sträubte sich.

»Claire Laurent ist eine Hure!«

»French Silk ist Teufelswerk!«

»Nieder mit dem Schmutz!«

Cassidy mußte sich vorbeugen, um zu verstehen, was Claire zu ihm sagte. »Sie sollen mich ja nur einmal anhören.«

»Verdammt noch mal, jetzt ist keine Zeit zum Predigen.«

Die Menge drängte gegen die Polizisten, die eilig den Bürgersteig abgesperrt hatten. Zornige, haßerfüllte Stimmen erhoben sich. Wut verzerrte die Gesichter. Schilder wurden wie Knüppel geschwungen. Es fehlte nur ein Funken, um das Pulverfaß zur Explosion zu bringen.

Erst Mary Catherine Laurents Auftritt entschärfte die Lage.

Elegant gekleidet und frisiert, so als würde sie auf einer Gartenparty erscheinen, schob sie einen Servierwagen durch die Tür von French Silk. Er war vollgepackt mit Plastikbechern, in denen eine rote Flüssigkeit schwappte. Eine große, magere Frau in weißer Uniform folgte mit einem Tablett voller Kekse.

Claire bemerkte Cassidys verwirrten Blick. »*Nicht*, Mama!« Claire versuchte, sich ihr in den Weg zu stellen, doch Mary Catherine schob den zierlichen Servierwagen entschlossen auf die drängelnde, feindselige Menge zu.

»Es tut mir leid, Claire«, bemerkte Harriet York, als sie mit dem Kekstablett an ihr vorbeikam. »Sie hat darauf bestanden und wurde so wütend, als ich ihr das auszureden versuchte, daß ich dachte –«

»Ich verstehe«, fiel ihr Claire ins Wort. Sie eilte zu Mary Catherine und legte ihr eine Hand auf den Unterarm. »Mama, geh lieber wieder hinein. Das hier ist keine Party.«

Mary Catherine sah ihre Tochter mit großen Augen an. »Aber natürlich nicht, Claire Louise. Red keinen Unsinn. Diese Leute sind wegen Reverend Jackson Wilde hier, nicht wahr?«

»Ja, Mama. Das sind sie.«

»Ich habe ihn oft genug predigen hören. Ich weiß, daß er sich schämen würde, wenn er wüßte, wie sich seine Anhänger aufführen. Ich glaube, das sollte man ihnen wieder ins Gedächtnis rufen. Reverend Wilde hat von seiner Kanzel aus viele häßliche Dinge über dich gesagt, aber er hat auch gepredigt, daß man seine Feinde lieben soll. Gewalt hätte er niemals gutgeheißen.«

Und dann marschierte sie geradewegs auf den Anführer der Demonstration zu. Die Leute um ihn herum verstummten, und die Stille breitete sich aus. Mary Catherine schenkte dem Mann ein Lächeln, das einen Nazi-Offizier entwaffnet hätte. »Ich habe noch niemanden kennengelernt, der etwas gegen Kekse und Punch hätte. Sir?«

Sie nahm einen Plastikbecher vom Servierwagen und reichte ihn dem Mann. Diese freundliche Geste einer so harmlosen Frau zurückzuweisen, hätte Wildes Organisation in schlechtes Licht gerückt, das war dem Mann offenbar klar. Er war sich der auf ihn gerichteten Videokameras bewußt und nahm mürrisch den Punchbecher entgegen.

»Danke.«

»Sie sind mein Gast. Harry, bitte reichen Sie die Kekse herum. Wer möchte noch Punch?«

Cassidy schüttelte ungläubig den Kopf. Nacheinander wurden die Schilder eingeholt, und langsam löste sich die Menge auf.

»So jemanden bräuchte man bei der UNO.«

Claire schlängelte sich an ihm vorbei und ging zu ihrer Mutter.

»Danke, Mama. Das war sehr nett von dir. Aber jetzt solltest du mit Harry nach oben gehen.«

»Ich habe gern geholfen. Sie haben solchen Lärm gemacht.«

Claire küßte ihre Mutter auf die Wange und machte Harry ein Zeichen, sie wieder ins Haus zu bringen. Eine Angestellte holte den Servierwagen. Claire bat ein paar Arbeiterinnen, die leeren Plastikbecher und die Servietten einzusammeln und die Glassplitter wegzufegen, die auf den Gehsteig gefallen waren.

»Bitte gehen Sie wieder an die Arbeit, wenn Sie hier fertig sind«, erklärte Claire. »Wir sollten versuchen, die verlorene Zeit einzuarbeiten. Mr. Cassidy, Sie bluten immer noch. Vielleicht kommen Sie am besten mit hinauf, damit ich Ihre Wunde verarzten kann.«

Während sie im Lift hochfuhren, fragte sie: »Tut es weh?«

»Nein.«

»Würden Sie zugeben, wenn es weh tut?«

»Und damit mein Image als – wie war das – ›athletischer Macho‹ ruinieren?«

Sie lächelte bitter. Er lächelte zurück. Sie schauten einander an, bis der Aufzug im zweiten Stock anhielt. Sie traten in das Apartment, wo Mary Catherine mit Harry Ginrommé spielte.

Sie schaute von ihrem Blatt auf. »Sind sie weg?«

»Ja, Mama.«

»Alles ist wieder normal«, pflichtete Cassidy bei. »Vielen Dank. Aber ich wünschte, Sie hätten sich nicht solcher Gefahr ausgesetzt. Die Polizei hatte alles unter Kontrolle.«

»Manchmal erreicht man mehr, wenn man die Sache selbst in die Hand nimmt.«

»Kommen Sie, Mr. Cassidy«, sagte Claire, wobei sie ihn weiterzog. »Ihr Hemd wird blutig.«

»Gin«, hörte er Mary Catherine sagen, während er Claire in ein geräumiges Schlafzimmer folgte. Es war monochromatisch in Weiß- und Elfenbeintönen eingerichtet. Bis auf einen Massivholzschrank an der Wand waren alle Möbel modern. Um die Nachmittagssonne abzuhalten, waren Lamellenjalousien heruntergelassen worden, die Streifen über das breite Bett legten. Unwillkürlich fragte er sich, wie viele Männer wohl darin mit ihr geschlafen hatten. Sie hatte erklärt, daß sie nach der Auflösung ihrer Verlobung nur ein paar tiefergehende Beziehungen gehabt hatte, aber vielleicht war das auch nur eine ihrer vielen Lügen.

»Hier herein«, sagte sie über die Schulter, damit er ihr in das Bad neben dem Zimmer folgte. Es sah aus wie aus einem Film der dreißiger Jahre. Die Wände waren verspiegelt. Die im Boden eingelassene Wanne war einen Meter breit und doppelt so lang.

So grandios das Bad auch aussah, es wurde benutzt, und zwar von einem echten Menschen – einer echten *Frau*. Ein apricotfarbener Slip hing an einem Porzellanhaken innen an der Tür. Auf der breiten Marmorkommode stand ein Sortiment verschiedener Parfümflakons. Ein flauschig weicher Lammwollpuffer lag neben der dazugehörigen gläsernen Puderdose, deren silberner Deckel aufgeklappt war. Eine Perlenkette ergoß sich aus einer mit Satin ausgeschlagenen Schmuckschatulle. Zwei Kosmetikpinsel, ein Lippenstift und ein Paar goldene Ohrringe lagen herum. Ebenso das Seifenblasenhalsband.

Alles war bezeichnend für Claire Laurent. Schönheit. Klasse. Eleganz. Sinnlichkeit. Soviel Weiblichkeit bezauberte Cassidy. Er wollte alles berühren und untersuchen wie ein Kind im Spielzeugladen.

»Ich glaube, ich habe noch etwas Jod.« Sie drückte auf eine Fuge in der Spiegelwand und löste damit einen Sprungfedermechanismus aus. Hinter der aufschwingenden Spiegelkachel kam ein Medizinschränkchen zum Vorschein. »Setzen Sie sich.«

Ihm standen ein Hocker mit Samtkissen, die Kommode oder das Bidet zur Auswahl. Der Hocker sah nicht so aus, als würde er sein Gewicht aushalten. Das Bidet kam nicht in Frage. Er setzte sich auf die Kommode.

Claire kam mit einem schneeweißen Waschlappen, den sie unter dem goldenen Wasserhahn naß gemacht hatte, auf ihn zu. »Nicht den«, sagte er mit einer schnellen Kopfdrehung. »Das Blut kriegen Sie nie wieder raus.«

Sie schaute ihn befremdet an. »Dinge sind ersetzbar, Mr. Cassidy. Menschen nicht.«

Der Schnitt verlief über den Wangenknochen. Er zuckte zusammen, als sie den kalten, nassen Lappen darauf drückte. »Warum vergessen Sie nicht einfach das ›Mister‹? Nennen Sie mich Cassidy.«

»Haben Sie keinen Vornamen?«

»Doch. Robert.«

»Ein anständiger Name.« Sie betupfte den Schnitt mit dem Lappen, den sie ins Waschbecken warf, dann holte sie ein Wattebällchen aus einem Glasbehälter und durchtränkte es mit Jod. »Es wird brennen.«

Er biß die Zähne zusammen, als sie damit über den Schnitt strich, aber das Gefühl war nicht allzu unangenehm. »Zu keltisch.«

»Und ›Cassidy‹ ist das nicht?«

»Ich wollte nicht, daß man mich Bob oder Bobby nennt. Seit der High School ist es bei Cassidy geblieben.«

Sie warf den Wattebausch weg und nahm ein Pflaster aus einer Metallschachtel im Medizinschrank. Er beobachtete ihre Hände, während sie die Plastikverpackung und die Schutzfolien entfernte, aber als sie das Pflaster auf die Wunde preßte, sah er ihr direkt in die Augen.

Ihr Atem strich über sein Gesicht. Er glaubte, das Parfüm zu riechen, das zwischen ihren Brüsten aufstieg – Brüsten, die er berührt hatte. Ihre Bluse öffnete sich ein bißchen, als sie sich vorbeugte, und es kostete ihn alle Selbstbeherrschung, nicht hinzusehen.

»So. Das müßte reichen.« Sie berührte seine Wange; ihre Fingerspitzen waren kühl. Dann drehte sie sich um und räumte die Sachen weg, die sie aus dem Medizinschrank genommen hatte.

Das war verrückt. Das war Wahnsinn. Er versaute alles, wenn er sich nicht beherrschte, aber, Jesus ...

Er beugte sich vor und legte die Hände auf ihre Taille, so daß sie sich umdrehte. »Claire?«

Scheinbar widerstrebend blickte sie ihn an. »Ich will nicht darüber sprechen«, sagte sie mit dieser rauchigen Stimme, die er jede Nacht im Traum hörte.

»Verstehen Sie mich nicht falsch, Claire. Es gehört nicht zu meinem Standardprogramm, weibliche Verdächtige beim Verhör zu küssen.«

»Nicht?«

»Nein. Ich glaube, Sie wissen das.«

Sein Blick wanderte über ihr elegantes Gesicht, den glatten Hals, diese verlockenden Brüste, ihre schmale Taille und die weichen Hüften. Instinktiv fuhr seine Hand von ihrer Taille auf den Bauch. Es war keine intime Geste. Nicht wirklich. Wahrscheinlich befanden sich drei Schichten Stoff zwischen ihrer Haut und seiner Hand. Aber in der absoluten Stille dieses so privaten Raumes wirkte sie intim.

Das Gefühl, etwas Falsches zu tun, erstickte ihn beinahe.

Sie war seine Hauptverdächtige. Es war sein Job, Kriminelle zu verfolgen und vor Gericht zu bringen. Seine Karriere hing von diesem Fall ab. Danach war er entweder Favorit für das Amt des District Attorneys, oder er klebte für immer auf seinem Posten als Stellvertreter.

Er senkte die Hände. Claire wich so weit wie möglich zurück.

»Sie sollten mich nicht mehr so berühren. Das könnte Sie Ihren Fall kosten. Denn wenn ich jemals angeklagt werden sollte, Cassidy, dann würde ich dafür sorgen, daß alle Welt von Ihrem Interessenkonflikt erfährt.«

»Und ich würde alles abstreiten«, erklärte er ohne zu zögern. »Ihr Wort stünde gegen meines, Claire. Es gibt keine Zeugen.«

»Genau wie im Fall Wilde. Ich kann nicht beweisen, daß Sie mich geküßt haben. Und Sie können nicht beweisen, daß ich Jackson Wilde ermordet habe. Warum einigen wir uns nicht auf ein Unentschieden und vergessen die ganze Sache, ehe mein Leben noch weiter aus den Fugen gerät?«

Sie drehte sich um und ging aus dem Raum. Er folgte ihr ins Schlafzimmer, wo sie schon fast an der Tür war, als er eine Frage stellte: »Warum haben Sie an Jackson Wildes Organisation gespendet?«

Sie blieb wie angewurzelt stehen. Langsam drehte sie sich um; sie war blaß geworden und fuhr sich nervös mit der Zunge über die Lippen. »Woher wissen Sie das?«

Cassidy starrte sie an und spürte, wie sich seine Hoffnungen in nichts auflösten. »Ich habe es nicht gewußt«, sagte er ruhig. »Ich habe geraten.«

Claire sank auf einem gepolsterten Stuhl nieder. Nach einem Moment sah sie ihn zornig an. »Sehr geschickt.«

»Sparen Sie sich das Lügen. Wir haben die Akten. Früher oder später wäre Ihr Name sowieso aufgetaucht, mit allen Daten. Also sagen Sie die Wahrheit, okay? Wieviel haben Sie ihm gegeben und warum, um Gottes willen?«

»Vor ungefähr sechs Monaten habe ich einen Scheck über fünfzig Dollar eingesandt.«

»Warum?«

»Ich hatte mir seine Sendung angeschaut. Jedem, der mindestens fünfzig Dollar spendete, wurden dafür drei Bücher mit Gebeten, Andachten, Anekdoten versprochen. Sie wurden als Leinenbände mit Goldprägung und so weiter präsentiert. Ich habe gehofft, daß die Bücher nicht genauso waren wie angeboten, denn dann hätte ich ihn wegen Betrugs anzeigen können.«

»Wie waren die Bücher?«

»Genau wie angeboten.« Sie stand aus dem Sessel auf und ging zu den Einbauregalen, um kurz darauf mit drei Büchern zurückzukommen, die sie Cassidy überreichte. »Er war zu klug, um seine Versprechen nicht zu halten. Wenigstens solange es um etwas Greifbares wie Bücher ging.« Sie breitete die Arme aus. »Das war alles. Ich schwöre es. Es war ein Test, und er hat ihn bestanden. Ich hatte das vergessen.«

Cassidy entdeckte nichts in ihrer Miene oder ihrem Blick, was auf eine Lüge hindeutete. Er wollte ihr so gern glauben. Aber da war noch etwas. Er sagte: »Gloria Jean Reynolds.«

Claire reagierte prompt; sie wirkte gleichermaßen verwirrt und erstaunt. »Was ist mit ihr?«

»Sie hat ebenfalls gespendet. Und zwar erheblich mehr als Sie. Tausend Dollar.«

»Was?« fragte sie atemlos. »Yasmine hat Jackson Wildes Missionsgesellschaft tausend Dollar gespendet? Warum?«

»Das möchte ich auch gern wissen.«

Kapitel 11

Als es an die Tür des Kongreßabgeordneten Alister Petrie klopfte, warf er wütend den Stift hin und zog die Stirn in Falten. Er hatte ausdrücklich darum gebeten, nicht gestört zu werden.

»Verzeihen Sie, Herr Kongreßabgeordneter«, sagte seine Sekretärin eilig, sobald sie den Kopf durch die Tür gesteckt hatte. »Da möchte Sie jemand sehen. Ich weiß, daß ich keine Anrufe durchstellen soll, aber ich war der Meinung, daß in diesem Fall eine Ausnahme angebracht wäre.«

Sie war normalerweise so verhuscht und schüchtern, daß ihn ihre Aufregung sofort aufmerken ließ. Ihr faltiges Gesicht war gerötet, und ihre farblosen Augen glänzten ungewöhnlich. Wer auch immer ihn so unerwartet am Dienstagnachmittag besuchte, mußte verdammt wichtig sein.

Er stand auf und rückte seine Krawatte zurecht. »Ich verlasse mich auf Ihre Diskretion, Miss Baines. Wenn Sie meinen, ich sollte den Besuch empfangen, dann führen Sie ihn herein.«

Sie verschwand aus seinem Blickfeld. Alister machte sich beinahe in die Hosen, als Yasmine in der offenen Tür erschien. Wie ein Idiot warf er einen schuldbewußten Blick auf das Bild von Belle und den Kindern, das in Silber gerahmt auf seinem Schreibtisch stand.

Zum Glück war Miss Baines, die hinter Yasmine hereingestolpert kam, zu aufgeregt, um sein schlechtes Gewissen zu bemerken. Sie sprudelte los, wie überrascht sie gewesen sei, als das berühmte Mannequin – seit Jahren ihr Lieblingsmannequin – ins Büro gekommen war und um ein Gespräch mit dem Kongreßabgeordneten Petrie gebeten hatte.

Sobald sich Alister von dem ersten Schrecken erholt hatte, setzte er jenes Lächeln auf, mit dem er Kongreßabgeordneter geworden war. »Es ist mir eine Ehre, Miss...«

»Einfach Yasmine, Herr Kongreßabgeordneter. Es ist auch mir eine seltene Ehre, Sie zu sehen.«

Es klang wie eine herzliche Begrüßung, aber in Alisters Ohren gellte ihr Hintersinn, vor allem wegen der Betonung, die Yasmine auf *selten* und *sehen* gelegt hatte. Ihre außergewöhnlichen Augen glitzerten schadenfroh, als er hinter dem Tisch hervorkam und auf sie zuging. Wenn er sich dabei ein bißchen ruppig bewegte, dann interpretierte Miss Baines das hoffentlich als Nervosität und nicht als Ärger über eine Geliebte, die ihm einen Streich spielen wollte.

Yasmine trug ein weißes Kleid aus weißem, enganliegendem Stoff, unter dem sich ihr Körper genau abzeichnete. Der V-Ausschnitt über ihrem Busen war angefüllt mit verschiedenen Goldketten. Die Armreifen, ihr Markenzeichen, klimperten an beiden Handgelenken. Goldkugeln, groß wie Golfbälle, baumelten an ihren Ohren. Ein leopardengemustertes und tischdeckengroßes Tuch lag über einer Schulter und reichte vorn wie hinten über den Saum ihres Rocks.

Sie sah fantastisch aus, und sie wußte das. Kühl und unnahbar wie eine Tempelpriesterin blieb sie stehen und wartete darauf, daß er zu ihr kam, was er auch tat, mit ausgestreckter Hand, wie ein reuiger Sünder. Dieses Weibsstück.

Er drückte ihre Hand. Dank ihrer hohen Absätze war sie ein paar Zentimeter größer als er. Es mißfiel ihm, daß er zu ihr aufsehen mußte, auch wenn der Größenunterschied kaum merkbar war.

»Ich würde mir gern damit schmeicheln, daß Sie mir einen Freundschaftsbesuch abstatten wollen.«

Sie lachte und warf ihre ebenholzschwarze Mähne zurück. »Ich habe letzte Woche eine Ihrer Wahlkampfansprachen gehört. Mir hat gefallen, was Sie gesagt haben, deshalb möchte ich Ihren Wahlkampf unterstützen. Wir brauchen mehr Männer wie Sie im Kongreß.«

»Danke. Ich bin ... sprachlos«, stammelte er und setzte für die immer noch glotzende Sekretärin ein entwaffnendes Grinsen auf.

»Darf ich?« Ohne eine Erlaubnis abzuwarten, stolzierte Yasmine zu der kastanienbraunen Ledersitzgruppe, die ihm Belle zum letzten Geburtstag geschenkt hatte.

»Natürlich, Yasmine, setzen Sie sich. Würden Sie uns bitte entschuldigen, Miss Baines?«

»Selbstverständlich. Möchten Sie etwas zu trinken? Kaffee? Tee?«

»Nein danke«, antwortete Yasmine mit blendendem Lächeln. »Aber fragen Sie doch bitte meine Begleiter, ob sie etwas wollen.« Sie ließ den dünnen Riemen der Krokodillederhandtasche von ihrer Schulter gleiten und legte sie in ihren Schoß.

»Begleiter?« fragte Alister dünn. Mein Gott, was für ein Alptraum. Wie viele Menschen wußten, daß sie hier war? Hatte sie eine Parade über die Pennsylvania Avenue veranstaltet?

»Leibwächter, so wie sie aussehen«, flüsterte Miss Baines. »Bestimmt muß sie die beiden überallhin mitnehmen.«

Yasmine lächelte nur milde und ließ die Frau ihre eigenen dramatischen Schlüsse ziehen. Die Sekretärin lächelte hektisch, verschwand und zog die Tür hinter sich zu.

Alister stemmte die Fäuste in die Hüften. Am liebsten hätte er Yasmine in das makellose Gesicht geschlagen, als er auf sie zukam. »Was soll diese Scheiße?« Er sprach leise, aber seine wutverzerrte Miene verriet, wie aufgebracht er war.

Noch nie hatte er im Straßenjargon mit ihr gesprochen, höchstens beim Liebesspiel. Aber in der Gegend, in der sie aufgewachsen war, redeten alle so, deshalb ließ sie sich davon nicht beeindrucken. Sie schoß aus dem Stuhl hoch, ließ die Handtasche auf den Boden plumpsen. Das Tuch glitt ihr von der Schulter und segelte ebenfalls zu Boden.

»Was ist denn, Süßer?« höhnte sie. »Freust du dich gar nicht, mich zu sehen?«

»Hast du komplett den Verstand verloren? Willst du mich ruinieren? Wer hat dich reinkommen sehen? Mein Gott, hat etwa die Presse Wind davon bekommen?« Er zog sich die Hände übers Gesicht, während wie auf einer Höllenrutsche immer neue Horrorvisionen an seinem geistigen Auge vorbeizogen. »Was willst du hier?«

»Meine Wahlkampfspende leisten.« Sie knöpfte die Manschetten an ihren Ärmeln auf und schälte sich, bevor er begriff, was sie da tat, das Oberteil ihres Kleides von den Schultern. Es sank ihr auf die Hüfte, wo es von dem breiten Gürtel gehalten wurde. Lächelnd zog sie langsam die Arme aus den Ärmeln.

Sein Zorn wandelte sich zu Lust. Seine Augen hefteten sich auf die vorstehenden, festen Brüste. Die dunklen, steifen Brustwarzen reckten sich ihm arrogant entgegen.

»Ich habe dich so vermißt, Süßer«, schnurrte sie, dann zog sie langsam den Rock über ihre Schenkel hoch.

Mit klopfendem Herzen, pumpenden Lungen, schwitzenden Handflächen und immer mehr Blut in den Lenden verfolgte Alister die langsame Aufwärtsbewegung ihres Rocksaumes. Auf halbem Wege endeten ihre Strümpfe, die von den Klipsen eines Hüfthalters gehalten wurden. Er stöhnte unwillkürlich, als sie das kleine Spitzendreieck freilegte, das nur unvollkommen ihren Venushügel und das dichte Lockengeflecht darauf verhüllte.

»Christus«, krächzte er. Schweiß trat ihm auf die Stirn und lief ihm übers Gesicht. »Wenn jetzt jemand reinkommt –«

»Niemand wird kommen. Nicht einmal der Präsident käme an Hans und Franz da draußen vorbei. Ich hab' ihnen gesagt, daß niemand, absolut niemand durch diese Tür darf.«

Wie festgemauert stand er vor ihr, während sie die Daumen unter den Gummi ihres Höschens hakte und es über ihre Beine zog. Nachdem sie aus dem winzigen Etwas gestiegen war, ließ sie es um ihren Zeigefinger kreisen. »Setz dich lieber, Süßer. Du siehst blaß aus.«

Sie stubste ihn auf die Brust, er kippte nach hinten und landete auf dem Ledersofa – einem Geschenk seiner Frau. Doch daran dachte er nicht. Er dachte an nichts außer dem donnernden Pulsieren in seinem Penis. Er streckte die Hände nach ihr aus.

»Nicht so schnell.« Sie hatte die Hände in die Hüften gestemmt und sich mit leicht gespreizten Beinen vor ihm aufgebaut. »Warum hast du dich nicht blicken lassen, du mieser Dreckskerl?«

»Yasmine, sei doch vernünftig«, schnaufte er. »Kannst du dir vorstellen, wie mein Terminkalender aussieht? Ich bin im Wahlkampf, Herrgott noch mal.«

»An der Seite deiner lächelnden Frau?«

»Was soll ich denn machen – sie zu Hause lassen?«

»Ja!« zischte sie wütend.

»Würde das nicht jeden, und vor allem sie, mißtrauisch machen? Denk doch mal nach.« Er streckte wieder die Arme nach ihr aus, und diesmal ließ sie zu, daß sich seine Hände um ihr Hinterteil schlossen. »Glaubst du, für mich war diese Trennung leicht? Mein Gott, du bist wahnsinnig, hierherzukommen, aber du kannst dir gar nicht vorstellen, wie froh ich bin, dich zu sehen.«

»Zuerst hast du nicht besonders froh ausgesehen«, widersprach sie ihm. »Ich dachte, du kriegst gleich einen Schlag.«

»Ich war erschrocken, verblüfft. Das ist so gefährlich, aber ... Ah, mein Gott, ich liebe deinen Geruch.« Er beugte sich vor und vergrub sein Gesicht zwischen ihren Schenkeln, leckte, knabberte, küßte sie wie wahnsinnig durch den weichen Stoff ihres Kleides hindurch.

Yasmine preßte seinen Kopf zwischen ihre langen, schlanken Hände. »Süßer, mir ging's so mies. Ich konnte nicht essen. Konnte nicht schlafen. Ich habe gebetet, daß du mich anrufst.«

»Das wäre zu gefährlich gewesen.« Er hob seinen Kopf an ihre Brüste und nahm eine Brustwarze in den Mund.

»Ja«, stöhnte sie. »Fester, Baby, fester.«

Er nahm eine Brust in jede Hand, drückte sie und sog währenddessen an der Brustwarze, bis ihm der Kiefer weh tat. Sie saß rittlings auf seinem Schoß und fummelte an seinen Kleidern herum, bis sein steifer Penis zwischen ihre Hände glitt.

Er schob seine Hände unter ihren Rock, packte sie an der Hüfte und zog sie auf sein Geschlecht. Sie riß die Knöpfe an seinem monogrammverzierten Hemd auf und senkte dann ihre langen Nägel in seine Brust. Er grunzte vor Leidenschaft und Schmerz, rieb mit seinem Kinn über ihre erigierten Brustwarzen und brachte sie mit seinen Bartstoppeln zum Brennen.

Sie ritt in vollem Galopp, drückte seinen Penis und zog an ihm wie eine feste, feuchte Faust, wie ein Mund. Durch den Nebel der Leidenschaft hindurch hörte er das Telefon im Vorzimmer klingeln und seine Sekretärin antworten: »Büro des Kongreß-abgeordneten Petrie. Es tut mir leid, aber der Kongreßabgeord-nete ist momentan beschäftigt.«

Alister mußte beinahe lachen, während Yasmine mit der Hüfte erst vor, dann zurück rollte und ihre Brust in seinen Mund stopfte. *Ich bin momentan damit beschäftigt, mich mit meiner Geliebten um den Verstand zu vögeln,* dachte er. Würde das nicht die Fundamente des Kapitols erschüttern? Würde das seine Wählerschaft nicht schockieren? Würde das seine Feinde nicht zum Jubeln bringen?

Sie kam vor ihm. Die Arme fest um seinen Kopf geschlungen, flüsterte sie ihm in erotischem Singsang ins Ohr: »O – Süßer – o – Baby – o – Gott – o – ja – o – Scheiße«, während sie ihn mit jeder Woge fester und tiefer packte. Er kam weniger wortgewal-tig, aber genauso stürmisch.

Als sie sich aufsetzte, glänzte ihr Leib schweißnaß, und die Goldketten um ihren Hals verstärkten das Schimmern. Ihre Tigeraugen glühten noch. Sie war so verdammt gut, daß ihm die Luft wegblieb ... soviel davon noch übrig war.

»Ich liebe dich, du Mistkerl.«

Er lachte leise und zuckte kurz zusammen, als er aus ihr glitt und merkte, was für eine Sauerei sie veranstaltet hatten. »Ich liebe dich auch.« Ihm fiel wieder ein, daß nur eine Tür zwischen ihr und seiner Vernichtung stand, und er fragte sich besorgt, wie lange sie wohl gebraucht hatten. Trotzdem konnte er sie nicht wegschicken, ohne sie ein bißchen zu trösten.

»Wenn ich nicht anrufe, dann tue ich das nur deinetwegen. Das mußt du mir glauben, Yasmine. Ständig sind Leute um mich herum. Ich kann kaum aufs Klo gehen, ohne daß mir jemand nachläuft. Wenn ich hier bin, arbeite ich Tag und Nacht. Und in New Orleans ist es noch schwieriger, dich zu treffen.«

Sie umfaßte sein Gesicht, zog seinen Mund an ihren und gab ihm einen langen, feuchten Kuß. »Ich verstehe dich. Wirklich. Aber ich war so einsam. Können wir heute nacht zusammenbleiben?«

Er war hin- und hergerissen. Vielleicht war es klüger, ihr ihren Willen zu lassen. Andererseits war das Risiko, erwischt zu werden, in Washington besonders groß. »Das geht wirklich nicht. Ich fliege um fünf Uhr heute nachmittag. Heute abend findet in New Orleans eine Wahlkampfveranstaltung statt, die ich keinesfalls verpassen darf.«

»Welchen Flug nimmst du? Ich fliege auch. Wir könnten uns danach treffen.«

Verdammt! Die Sache wurde tückisch. »Das geht auch nicht, Yasmine. Ich brauche Tage, um ein Treffen mit dir zu arrangieren. Du weißt das.« Sie sah wütend und enttäuscht und mißtrauisch aus. Eilig umarmte er sie und küßte sie noch einmal. »Mein Gott, ich wünschte, es ginge. Ende der Woche komme ich nach New York. Gib mir ein paar Tage, um alles zu arrangieren.«

»Versprochen?«

»Versprochen.«

Sie zog sich das Kleid zurecht und legte das Tuch wieder über ihre Schulter. Alisters Hemd war überall verknittert; er konnte nur hoffen, daß man das unter dem Anzugjackett nicht bemerkte. Auch sein Schoß klebte unangenehm, aber das war nicht zu ändern.

Yasmine zog einen Scheck aus ihrer Handtasche und legte ihn auf seinen Schreibtisch. »Ich hoffe, diese Spende bringt mich nicht in Schwierigkeiten.«

»Schwierigkeiten?« Er zog seine Krawatte gerade.

»Hmm. Eine andere macht mir Ärger. Weißt du noch, wie ich dir erzählt habe, daß ich Jackson Wilde unter meinem echten Namen gespendet habe?«

»Ja. Du hattest geglaubt, ein Bestechungsversuch könnte sich vielleicht auszahlen.«

»Er hat sich nicht ausgezahlt. Ich habe tausend Dollar verloren, die zu verlieren ich mir nicht leisten konnte. Mein Begleitbrief kam mit einer handschriftlichen Notiz zurück: ›So nicht.‹ Ich habe nie herausgekriegt, ob Wilde oder einer seiner Handlanger das geschrieben hat, aber offenbar war er nicht auf Bestechungsgelder aus.«

»Oder es war nicht genug.«

»Richtig. Jedenfalls hat der stellvertretende D. A. Cassidy davon Wind gekriegt. Er hat mich in New York angerufen. Ich habe zugegeben, daß ich Wilde bestechen wollte, damit er Claire und mich in Ruhe läßt. Er wollte den Brief sehen, aber den habe ich weggeschmissen, sobald ich ihn gelesen hatte. Das ist noch nicht alles. Ohne daß ich davon wußte, hatte auch Claire Wilde Geld geschickt. Sie hat mir die Hölle heiß gemacht, weil ich ihr nichts von meiner Spende erzählt hab’. Also hab’ ich den Spieß umgedreht und sie daran erinnert, daß sie mir auch nichts von ihrer erzählt hatte. Wir haben uns ziemlich gestritten.«

»Was ist so schlimm daran?«

»Daß uns Cassidy unsere Erklärungen nicht abnimmt und mehr aus der Sache macht.«

»Die Zeitungen schreiben, daß er versucht, aus dem Nichts einen Fall zu konstruieren. Mach dir seinetwegen keine Sorgen.«

»Das tue ich auch nicht. Das geht alles vorbei.« Sie sah ihn aus dem Augenwinkel an und zwinkerte. »Außerdem hab’ ich ein verdammt gutes Alibi für die Nacht, in der der Priester umgebracht wurde, weißt du noch?«

»Richtig. Du warst in New York.«

»Falsch, ich hab’ mit dir Neunundsechzig gespielt.« Lachend zog sie seine Schreibtischschublade auf und ließ ihr Höschen hineinfallen. »Ein kleines Souvenir von mir, Kongreßabgeordneter.«

»Ich brauche keine Souvenirs, um mich an dich zu erinnern.«

Nicht umsonst war er Politiker. Er wußte, wann er das Feuer schüren mußte und wie stark. Scheinbar innig zog er sie an sich. Sie umarmten und küßten sich noch einmal. Er versuchte, seinen Kuß nicht ungeduldig wirken zu lassen und den Schmerz in ihrem nicht zu bemerken.

Schließlich ging sie. Mit einer Hand auf dem Türknopf drehte sie sich noch einmal um. »Alister, wenn ich jemals rausfinde, daß du mich anlügst, dann werde ich stinksauer.«

»Ich dich anlügen?« Er nahm ihre Hand und rieb damit über seine Hose. Leise sagte er: »In manchen Dingen kann ein Mann nicht lügen.«

Ausnahmsweise ließ sie die Gelegenheit, ihn zu liebkosen, ungenutzt. Als er ihre Hand losließ, sank sie lustlos herab. »Ich wollte dich nur warnen, Süßer«, sagte sie. »Ich mach' dir keine Szene. Aber ich räche mich.«

In ihrem heiseren tiefen Tonfall schwang etwas, das ihm angst machte. Bevor er die Tür öffnete, setzte er für seine Sekretärin wieder ein strahlendes Lächeln auf. Er gab Yasmine die Hand. Er dankte ihr überschwenglich für ihre finanzielle Unterstützung, obwohl sie gar nicht in seinem Staat wohnte. Sie verschwand, flankiert von zwei riesigen Bodybuildern, die wie Würste aus ihren billigen schwarzen Anzügen quollen.

»Also, mir bleibt die Spucke weg«, brach es aus Miss Baines heraus, die eine Hand auf die knochige Brust gelegt hatte. »Können Sie das glauben?«

»Nein, kann ich nicht.«

»Und sie ist so nett. Man könnte ja erwarten, daß jemand so Berühmtes wie sie eingebildet wäre, aber sie ist ganz natürlich.«

»Hmm. Machen wir uns wieder an die Arbeit, Miss Baines. Bitte stellen Sie keinen Anruf durch, es sei denn, es ist meine Frau.«

»Oh, die hat schon angerufen, während Yasmine da war.«

Vor Schreck wurde ihm schlecht. »Ich rufe sie sofort zurück.«

»Das brauchen Sie nicht. Sie hat nur angerufen, um sich Ihre

Ankunftszeit durchgeben zu lassen. Sie sagte, sie würde Sie vom Flughafen abholen.«

»Ach, sehr gut.« Er drehte sich zu seinem Büro um, machte aber noch einmal kehrt, als wäre ihm eben ein Gedanke gekommen. »Haben Sie ihr von Yasmines Besuch erzählt?«

»Nein, das habe ich nicht.«

»Ich werde es ihr heute abend sagen. Ich habe Belle über sie reden hören. Sie sagt immer, sie wäre auch gern so dünn.« Kichernd zupfte er sich am Ohrläppchen, was, wie er wußte, jungenhaft und gewinnend zugleich aussah. »Frauen wollen immer so dünn sein wie Mannequins. Ich verstehe wirklich nicht, warum. Das ist doch unattraktiv. Ach, übrigens, sie hat mir einen Scheck über fünfhundert Dollar dagelassen. Jeder Penny zählt natürlich, aber ich finde, wir brauchen das trotzdem nicht an die große Glocke zu hängen. Wahrscheinlich nur ein Publicity-Gag.«

Er verschwand in seinem Büro und schloß die Tür; hoffentlich hatte er Miss Baines den richtigen Eindruck vermittelt – daß er Yasmines Besuch und Spende als ungewöhnlichen Akt einer verschrobenen Prominenten abtat.

Sobald er wieder hinter seinem Schreibtisch saß, zog er die Schublade auf, holte das Höschen heraus und zerknüllte das Spitzengewebe in der Faust. Das war zuviel. Die Angelegenheit wuchs sich zu einem Problem aus, das gelöst werden mußte. Aber wie?

Yasmine hatte ihm schon mehr Ärger gemacht als all seine anderen Geliebten zusammen. Bis jetzt waren seine außerehelichen Affären die Mühe allemal wert gewesen. Ihre verschleierten Drohungen machten ihm zwar nicht wirklich angst, aber wer konnte schon vorhersagen, was eine impulsive Frau wie sie alles anstellen würde? Bis zu einem gewissen Grad mußte er ihre Drohungen ernst nehmen.

Wenn sie wollte, konnte sie ihm das Leben zur Hölle machen. Sie hatte Verbindungen zu den Medien und war prominent genug, um ihm jede Chance auf eine Wiederwahl zu versauen. Sie konnte seine Familie zerstören. Verdammt, ihm gefiel sein Leben, wie es war. Er hatte keine Lust, etwas daran zu ändern.

»Scheiße«, fluchte er und fuhr sich mit den Fingern durchs Haar. Diesmal sah er keinen Ausweg.

Ihm blieb nur eines: Er mußte Schluß machen. Er würde eine Klassemuschi opfern, doch auf der anderen Seite standen sein Leben und seine Karriere auf dem Spiel. Er stopfte sich Yasmines Unterhose in die Sakkotasche, um sie später loszuwerden. Bei der nächstmöglichen Gelegenheit würde er ihr eröffnen, daß ihre Liaison zu Ende war.

Kapitel 12

Claire paßte gerade ein Muster an eine der Schneiderpuppen in ihrem Studio an, als das Telefon klingelte.

»Claire, schalt CNN ein. Schnell.« Es war Yasmine. Sie hatten tagelang nicht miteinander gesprochen, seit Claire Yasmine ihre großzügige Spende für Jackson Wildes Missionsgesellschaft vorgeworfen hatte.

»Was ist denn?«

»Das wirst du gleich sehen, und du wirst fluchen. Schnell, sonst verpaßt du es.« Sie legte auf.

Verwirrt schaltete Claire den tragbaren Fernseher ein. Ariel Wilde erschien auf dem Bildschirm und gab einem Interviewer gerade zu, die Demonstration vor French Silk angezettelt zu haben.

»Unsere Gegner würden gern glauben, daß wir nach Jacksons Tod unseren Kampf gegen die Pornografie aufgegeben haben. Aber da täuschen sie sich. Unter meiner Führung wird unsere Organisation noch härter gegen alles Obszöne vorgehen.«

Der Reporter fragte: »Warum haben Sie sich ausgerechnet den Katalog von French Silk ausgesucht? Es gibt andere, viel pornografischere Publikationen.«

Ariel lächelte zuckersüß. »Die Verleger dieser Publikationen machen kein Hehl aus ihrer Verdorbenheit. Sie versuchen sich nicht zu verstecken. Ich verabscheue zwar ihre Produkte, aber ich muß ihnen ihre Aufrichtigkeit zugute halten, die Miss Laurent völlig abgeht. Es ist bezeichnend, daß Miss Laurents Unternehmen in New Orleans sitzt.«

Der Interviewer schluckte den Köder. »Inwiefern bezeichnend?«

Ariel tat, als müßte sie überlegen. »Ich möchte mich nicht weiter dazu äußern. Mein Rechtsanwalt hat mir geraten, mich nicht über dieses Thema auszulassen. Dennoch möchte ich daran erinnern, daß eine der prominentesten Feindinnen meines Mannes in der Stadt lebt, in der er ermordet wurde.«

Claire sah rot. Sie schnaufte so laut, daß es im ganzen Zimmer zu hören war. Plötzlich fand sie sich vor dem Fernseher wieder, obwohl sie sich nicht daran erinnern konnte, aufgestanden zu sein.

»Wollen Sie damit andeuten, daß Miss Laurent etwas mit dem Mord an Ihrem Mann zu tun hat?« fragte der Reporter.

»Sie wurde von der Staatsanwaltschaft verhört«, erwiderte Ariel ausweichend.

»Aufgrund welcher Hinweise?«

»Das weiß ich nicht. Ich bin überzeugt, daß ihre Vergangenheit dazu Anlaß gab.«

Der Reporter schaute sie begriffsstutzig an.

»Claire Laurent«, führte sie aus, »ist die uneheliche Tochter einer geistig verwirrten Frau.« Sie senkte den Blick und setzte eine besorgte Miene auf. »Als Kind fehlte ihr die lenkende Hand; ist es da ein Wunder, daß ihr Leben und selbst ihre Arbeit von Leidenschaft geprägt ist? Darüber sollte man nachdenken. Offensichtlich hat sie Talent. Warum verschwendet sie ihre Kreativität, indem sie ordinäre Wäsche entwirft und auf so vulgäre Weise dafür wirbt? Und warum sollte sie sich sonst eine Frau als Geschäftspartnerin wählen, die seit Jahren mit ihrem unmoralischen Lebenswandel prahlt?«

»Sie meinen damit Yasmine, das Mannequin?«

»Ja. Diese drei Frauen – Miss Laurent, ihre Mutter und Yasmine – haben einen derart verdorbenen moralischen Charakter, daß sich die Staatsanwaltschaft bestimmt die gleiche Frage stellte wie ich: Haben sie wirklich nichts weiter verbrochen, als ein Schmierblatt zu veröffentlichen?«

Claire schaltete den Apparat aus. Wenn sie noch ein Wort hörte, würde sie explodieren. Vor Wut dröhnte ihr das Blut im Kopf. Es pulsierte in ihren Ohren und trübte ihr den Blick.

Ariel Wilde verspritzte reines Gift. Wie konnte sie es wagen, so etwas in einer landesweit übertragenen Sendung zu sagen? Bis jetzt hatte Claire ihre beißende Kritik am Katalog von French Silk ignoriert, aber diesmal wurde sie persönlich angegriffen. Ariel hatte Mary Catherine und Yasmine verleumdet und ihr quasi einen Mord untergeschoben. Wie lange durfte sie dem noch tatenlos zusehen? Es war höchste Zeit, etwas zu unternehmen.

Auf und ab gehend dachte sie nach und kam zu dem unliebsamen Schluß, nun nicht mehr an einer öffentlichen Erklärung vorbeizukommen. Als sie sich so weit beruhigt hatte, daß sie wieder sprechen konnte, ging sie zum Telefon und wählte.

»Newsroom.«

»Hier ist Claire Laurent.«

Zuerst einmal hatte sie eine lokale Fernsehstation angerufen. Ihr Name hatte oft genug in der Zeitung gestanden, um sofort erkannt zu werden. »Ja, Ma'am. Was kann ich für Sie tun?«

»Wie erreiche ich am besten CNN?«

»Wir arbeiten manchmal mit ihnen zusammen. Ich kann mich mit ihnen in Verbindung setzen.«

»Wenn sie an meiner Erwiderung auf das Interview mit Ariel Wilde interessiert sind, sollen sie mir einen Reporter schikken.«

»Ja, Ma'am. Ich bin überzeugt, es wird Sie gleich jemand anrufen.«

»Ich warte.«

Claire legte auf. So verhielt sie sich nur ungern. Aber auf ihre Privatsphäre legte sie großen Wert, auch zum Schutze ihrer Mutter und ihrer Angestellten. Sie genoß es im Gegensatz zu Yasmine nicht, im Rampenlicht zu stehen.

Claire mißfiel es, vor die Öffentlichkeit treten zu müssen, und sie fürchtete sich davor. Bis zu ihrem Interview mußte sie sich Antworten zurechtlegen, mit denen sie Ariel Wildes Behauptungen zurückweisen konnte, ohne ihre Geheimnisse lüften zu müssen.

In der Nacht darauf lag sie im Bett und sah sich die Aufzeichnung ihres Interviews mit dem Reporter von CNN an, als das Telefon neben dem Bett klingelte. Widerstrebend hob sie den Hörer, sagte aber nichts. »Claire, sind Sie dran?«

»Cassidy?«

»Warum melden Sie sich nicht?«

»Weil ich jedesmal, wenn ich heute abend ans Telefon gehe, beschimpft werde.«

»Wildes Leute?«

»Garantiert. Die meisten brüllen eine Beleidigung in den Hörer und legen gleich wieder auf.«

»Ich vermute, Ariel kocht vor Wut. Erst ging diese Demonstration nach hinten los. Sie ist zwar damit ins Fernsehen gekommen, aber dank Mary Catherine haben ihre Leute ausgesehen wie Wegelagerer. Und heute haben Sie ihr die Meinung gesagt. Ich habe Ihren Auftritt vorhin gesehen.«

»Es war kein Auftritt.«

»Im übertragenen Sinn«, schränkte er ein. »Sie haben sich gut ausgedrückt.«

»Ich habe es genauso gemeint, wie ich es gesagt habe. Wenn Ariel Wilde oder irgend jemand aus ihrer Organisation noch einmal meine Mutter oder Yasmine angreift, werde ich eine Flut von Klagen anstrengen, die die Organisation in ein finanzielles Chaos stürzen.«

»Sie waren sehr überzeugend.«

»Danke.«

»Aber Sie haben nicht ihren Andeutungen widersprochen, daß Sie in den Mord an ihrem Mann verwickelt sind.« Er wartete auf eine Antwort, aber Claire schwieg trotzig. Schließlich sagte er: »Wenn Sie wollen, kann ich ein paar Fäden ziehen und Ihre Nummer ändern lassen.«

»Nein danke. Die Anrufe sind lästig, aber die Leute werden schnell die Lust daran verlieren.«

»Warum schalten Sie nicht Ihren Anrufbeantworter ein?«

»Aus Prinzip. Wenn ich hier bin, gehe ich ans Telefon. Ich lasse mir von denen nicht in mein Leben pfuschen.«

Einen Augenblick schwieg er, dann fragte er: »Hat es noch mehr Demonstrationen vor Ihrer Tür gegeben?«

»Nein.« Zum ersten Mal seit vierundzwanzig Stunden lächelte sie. »Ich glaube, das hat Mama ihnen ausgetrieben.«

»Da wir von Ihrer Mutter sprechen – ist Harry noch da?«

»Sie bleibt über Nacht. Warum?«

»Das sage ich Ihnen, wenn ich da bin. Kommen Sie runter.«

»Cassidy, ich liege schon im Bett. Ich bin müde.«

Aber er hatte schon aufgelegt. Sie knallte den Hörer auf die Gabel. Wenn er sie sehen wollte, hätte er etwas für den nächsten Tag ausmachen können. Sie sollte ihn unten stehen und klingeln lassen.

Statt dessen schwang sie die Beine über die Bettkante und ging ins Bad. Es sah aus wie immer, und doch wußte sie, daß sie es nie wieder betreten würde, ohne daran zu denken, wie er zerzaust und mit blutigem Hemd darin gestanden hatte. Sein verwegenes, wildes Aussehen hatte ihre weiblichen Instinkte angesprochen, genauso wie es jetzt die Erinnerung an seine Hand auf ihrer Taille tat.

Sie zog Jeans und einen weißen Baumwollpullover an; er sollte nicht glauben, daß sie sich extra für ihn fein machte. Dann nahm sie den Lift ins Erdgeschoß. Er klingelte, als sie an der Tür war.

»Sie kommen gerade im richtigen Moment«, sagte sie beim Öffnen.

»Eine meiner Stärken.«

Auch er hatte sich nicht fein gemacht. Bis jetzt hatte sie ihn immer nur im Anzug gesehen. Heute nacht trug er Jeans, ein Freizeithemd, eine abgetragene Levi's-Jacke und Joggingschuhe. »Weswegen wollten Sie mich sehen?«

»Kommen Sie raus.«

»Warum?«

»Hier draußen kann ich klarer denken.« Sie schaute ihn verblüfft an. »Da drinnen hat's zuviel Atmosphäre«, erklärte er schroff.

»Sie sehen zornig aus«, bemerkte sie.

»So könnte man es nennen.« Er blieb stehen und schaute sie an. »Diese Spendensache –«

»Das habe ich doch erklärt.«

»Yeah. Yasmine auch. Aber mir kommt das nicht plausibel vor.«

»Das ist Ihre Sache.«

»Einstweilen«, antwortete er knapp. »Wann, haben Sie gesagt, sind Sie in der Mordnacht ins Fairmont gegangen und haben Ihre Mutter abgeholt?«

Der unvermittelte Themenwechsel warf Claire aus der Bahn. »Ich ... ich sagte doch, daß ich das nicht mehr genau weiß. Gegen Mitternacht, schätze ich.«

»Warum haben Sie so lang gebraucht?«

»Pardon?«

»Andre Philippi sagt, er hat Sie gegen elf angerufen. Um diese Zeit braucht man ungefähr fünf Minuten von hier zum Fairmont. Ich weiß das, weil ich die Strecke heute nacht abgefahren bin. Sie haben mehr als eine Stunde dazu gebraucht. Warum?«

»Cassidy, ich sagte doch, ich war *gegen* Mitternacht da. Vielleicht war es auch elf oder halb zwölf. Ich weiß das wirklich nicht mehr.«

»Sie lügen!« Er schlug mit der Faust in die andere Hand. Claire machte einen Schritt zurück. »Sie sind erst kurz vor Mitternacht zum Fairmont gefahren, weil Sie bis dahin gar nicht mit Andre gesprochen hatten. Als er um elf anrief, hat er nur den Anrufbeantworter erwischt, nicht wahr? Er hat eine Nachricht hinterlassen, damit Sie gleich wußten, wo Mary Catherine war, wenn Sie heimkamen und bemerkten, daß sie fort war.«

Claires Herz hämmerte. »Das kann ich erklären.«

»Sparen Sie sich die Mühe. Ich habe Ihre Lügen satt. Ich habe recht, nicht wahr?« Er packte sie am Arm und riß sie zu sich her. »Nicht wahr?«

Die Berührung seines festen, starken Körpers irritierte sie kurz, aber ihr mißfiel sein arrogantes Benehmen, und sie befreite sich aus seinem Griff.

»Ja, Sie haben recht«, schleuderte sie ihm entgegen. »Ich schaue immer in Mamas Zimmer, wenn ich heimkomme. Ihr Bett war leer und der Koffer fort, deshalb wußte ich gleich, was los war. Ich wollte schon raus und sie suchen, als ich den Anrufbeantworter blinken sah. Ich habe Andre sofort zurückgerufen. Er sagte, er hätte Mama in der Lobby des Fairmont gesehen, sie in sein Büro gebracht und ihr einen Sherry gegeben. Sie war verwirrt und desorientiert, als ich ankam, wie so oft, wenn ihre Anfälle nachlassen. Ich habe sie nach Hause gefahren und ins Bett gebracht. Das ist die Wahrheit.«

»Oh, ich glaube Ihnen, Claire«, sagte er. »Ich will bloß wissen, wo zum Teufel Sie in der Zeit zwischen dem Ende der Predigt und Mitternacht gesteckt haben. Waren Sie vielleicht zweimal im Fairmont? Einmal, um Wilde umzulegen, und dann, um Ihre Mutter abzuholen?«

Sie schwieg.

»Man könnte einen Tanker durch die Lücke in Ihrem Alibi steuern.« Er wurde lauter.

»Ich war spazieren.«

Offensichtlich hatte er eine geschicktere Lüge erwartet. Auf eine so schlichte Erklärung war er nicht gefaßt.

»*Spazieren?*«

»Ganz recht. Lange. Allein. Durch das Viertel.«

»Mitten in der Nacht?« fragte er skeptisch.

»Das mache ich oft. Fragen Sie Yasmine. Sie schimpft mich ständig aus deswegen.«

»Yasmine würde jede Lüge decken, die Sie sich ausdenken.«

»Es ist keine Lüge. Es ist die Wahrheit.«

»Warum wollten Sie ausgerechnet in dieser Nacht spazierengehen?«

»Ich war aufgeregt.«

»Ein Mord ist etwas Aufregendes.«

Sie machte auf dem Absatz kehrt und stolzierte zurück zur Eingangstür von French Silk. »Das brauche ich mir nicht bieten zu lassen.«

»Von wegen.« Sein Arm schoß vor, erwischte sie am Ärmel und

riß sie wieder herum. »Ich bin stinkwütend über Sie, Miss Laurent. Eigentlich sollte ich Sie auf der Stelle aufs Revier bringen, Ihnen die Fingerabdrücke abnehmen und einen Haftbefehl auf Ihren Namen ausstellen lassen. Ich glaube nicht, daß Ihnen kotzgrüner Drillich steht, Claire. Und die Unterwäsche kommt dort auch nicht von French Silk.«

Angstschauer durchliefen sie. Nichts fürchtete sie so sehr, wie eingesperrt zu werden. Sie hatte weniger Angst vor dem Eingeschlossensein als vor dem Verlust der Freiheit.

Cassidys Gesicht war steinern vor Wut. Eine Haarlocke fiel ihm in die Stirn. Seine leuchtenden Augen schienen sie aufzuspießen. Zum ersten Mal hatte Claire wirklich Angst vor ihm. Vielleicht würde er tatsächlich die Geduld mit ihr verlieren und seine Drohung wahr machen. Sie mußte reden, und zwar schnell, weil sie nicht einmal eine Nacht, eine Minute im Gefängnis überstehen würde.

»Ich bin nach der Predigt heimgekommen und –«

»Wann?«

Nervös fuhr sie sich mit den Fingern durchs Haar. »Ich schwöre Ihnen, ich weiß es nicht mehr. Kurz nach zehn, denke ich.«

»Damit kann ich leben. Der Gottesdienst war um einundzwanzig Uhr zwanzig zu Ende. Wenn Sie sich danach durch den Verkehr um den Superdome kämpfen mußten, dann waren Sie etwa gegen zehn hier.«

»Harry war bei Mama geblieben. Als ich reinkam, schickte ich sie heim, später habe ich das bereut. Ich kam nicht zur Ruhe, konnte nicht schlafen. Ich versuchte zu arbeiten, aber ich mußte ständig an Jackson Wilde denken.«

»Warum?«

»Ich hatte ihn im Fernsehen gesehen, aber das war etwas ganz anderes, als ihm persönlich zu begegnen. Er war ein dynamischer Redner. Er strahlte unglaubliche Macht aus und schlug seine Zuhörer vollkommen in Bann. Ich stimme zwar in keinem Punkt mit ihm überein, aber mich beeindruckte das Charisma, mit dem er predigte. Die Leute um mich herum waren wie verzaubert. Bis zu dieser Nacht hatte ich nicht wirklich begriffen, wie stark sein Einfluß war. Ich bekam Angst, daß er tatsächlich in der Lage sein könnte, French Silk zu vernichten. Als ich ans Podium ging und ihm in die Augen schaute, kam ich mir vor wie David, der Goliath gegenübertritt.«

Beschwörend schaute sie Cassidy an. »Sie müssen begreifen, was mir mein Geschäft bedeutet; nur dann können Sie sich vorstellen, wie ich mich in dieser Nacht gefühlt habe. Ich kann das nur als Panik bezeichnen. Alles, wofür ich so schwer gearbeitet habe, wurde von einer überwältigenden Macht bedroht. In meiner Vision sah ich alles, was ich so mühsam aufgebaut hatte, zusammenbrechen.«

Cassidy sagte leise: »Ich verstehe das, Claire. Besser, als Sie glauben.« Dann fixierte er sie wieder. »Hatten Sie solche Panik, daß Sie sich in seine Hotelsuite schlichen und ihn erschossen?«

Sie schaute weg. »Ich habe doch gesagt, daß ich spazieren war.«

»Und das soll ich Ihnen glauben?«

»Es stimmt aber! Mir wurde plötzlich alles zu eng. Ich kam mir vor wie in einem Backofen. Ich konnte nicht klar denken. Jackson Wildes Worte klangen mir immer noch in den Ohren. Ich mußte an die frische Luft.« Plötzlich sah sie ihn wieder an. »Kommen Sie.«

»Wohin?«

»Wir gehen die Strecke ab, die ich damals gegangen bin. Ich zeige Ihnen ganz genau, wohin ich gegangen bin. Ich werde versuchen, genauso schnell zu gehen, dann können Sie sehen, warum ich Andres Anruf verpaßt habe.«

Er zog die Stirn in Falten und dachte darüber nach. »Okay. Wohin?«

Seine Hand lag unter ihrem Ellbogen, als sie vom Randstein trat und die Straße überquerte. Die meisten Gebäude auf dieser Seite der Conti Street standen leer. Die zurückgesetzten, finster aussehenden Eingänge lagen in tiefem Schatten. Fenster und Türen waren mit Maschendraht überzogen.

»Haben Sie keine Angst, wenn Sie hier nachts herumspazieren, Claire?«

»Kein bißchen.« Sie schaute zu ihm auf. »Sie etwa?«

»Allerdings«, murmelte er mit einem gehetzten Blick über die Schulter. Sie lachte und steuerte ihn um ein Loch im Bürgersteig herum. »Wie ich sehe, kennen Sie hier jedes Schlagloch.«

»Stimmt. Ich habe schon als Kind auf diesen Gehwegen gespielt.« Sie zeigte auf einen Bonbonladen mit rosa Markisen. »Dort gibt es die besten Pralinen. Manchmal haben sie uns Kindern die kaputten geschenkt, die sie nicht mehr verkaufen konnten. An der nächsten Ecke rechts.«

Schweigend passierten sie das große graue Gebäude, in dem früher der Oberste Gerichtshof von Louisiana residiert hatte. Sie bogen nach rechts in die Royal Street, wo sie vor einem Antiquitätengeschäft anhielt. »Ich bin damals stehengeblieben und habe mir das Fenster angeschaut. Es gab da eine Brosche aus Markasit und Smaragden...«

»Marka wie?«

»Hier. In der dritten Reihe von oben, die zweite von links. Sehen Sie?«

»Hmm. Hübsch.«

»Das fand ich auch. Ich wollte noch mal wiederkommen und sie mir genauer ansehen, aber ich hatte einfach keine Gelegenheit dazu.« Sie blieb kurz stehen, besah sich die ausgestellten perlenbestickten Täschchen, die oxidierten Silberservices, den Nachlaßschmuck, dann ging sie weiter.

Auf der anderen Straßenseite kamen zwei Polizisten aus der Polizeiwache des französischen Viertels. Sie nickten höflich. Einer sprach Claire auf französisch an. Sein Partner sagte: »Abend, Miss Laurent.« Der erste musterte Cassidy von Kopf bis Fuß, aber falls ihn der Streifenpolizist erkannt hatte, so sagte er es nicht.

Sie kamen am berühmten Restaurant Brennan's vorbei. Claire merkte, daß Cassidy sie aufmerksam beobachtete. Den Spieß umdrehend, begann sie, ihn auszuforschen. »Sie sind ledig, nicht wahr, Cassidy?«

»Sieht man das?«

»Nein. Aber die wenigsten Ehefrauen wären mit Ihren Arbeitszeiten einverstanden.« Sie ließ es sich nicht anmerken, aber sie war froh, daß sie nicht auch noch einen verheirateten Mann geküßt hatte.

»Ich war verheiratet«, erklärte er ihr. »Ich hab's vermasselt.«

»Bereuen Sie's?«

Er zuckte mit den Achseln. »Eigentlich nicht. So war es am besten für uns beide. Wahrscheinlich könnte man sagen, ich war mit meiner Karriere verheiratet. Ungefähr so wie Sie.« Er schwieg und gab ihr damit die Möglichkeit, ihm zu widersprechen.

Statt dessen stellte sie die nächste Frage. »Kinder?«

»Nein. Wir sind nicht dazu gekommen. Schätze, auch das war so am besten. Ich hätte meinen Kindern keine Scheidung zumuten wollen.« Er blieb vor einem Schaufenster stehen und schaute durch die einbruchssicheren Fenster. »Ein Waffengeschäft. Wie praktisch.«

»Haben Sie nicht mehr auf dem Kasten, Cassidy?«

»Wenn ich es recht bedenke, dann sind Sie zu klug, um sich gleich um die Ecke eine Waffe zu kaufen, noch dazu, wo Sie hier jeder kennt.«

Sie sah ihn forschend an. »Sie haben das überprüft, nicht wahr?«

»Ja.«

Sie gingen weiter die stille, fast menschenleere Nobelgeschäftsstraße entlang und bogen vor dem Royal Café auf die St. Peter Street ab. Claire wies auf die doppelten Balkons. »Für mich ist es das schönste im ganzen Viertel.«

Der Jackson Square war schon geschlossen, aber die ihn umgebenden Läden und Restaurants hatten noch auf. »Hier wollte ich einen Cappucino trinken«, erklärte Claire Cassidy vor einer kleinen, intimen Bar, die versteckt unter den historischen Pontalba-Apartments lag. An zwei Tischen draußen saßen Pärchen, die nur Augen füreinander hatten und vom Rest der Welt nichts mitbekamen. »Aber ich konnte frische Beignets riechen, deshalb...«

Sie deutete auf das Café du Monde. Am Straßenrand warteten sie auf eine Lücke im Verkehr. Ein einsamer Saxophonist spielte für Almosen, die ihm die Passanten in den auf dem Pflaster liegenden Hut warfen. Der Kutscher einer Touristenkalesche und ein Straßenporträtist, der seine Staffelei schon zusammengepackt hatte, ereiferten sich in aller Freundschaft über die Footballsaison.

»Ich finde, der Künstler hat recht«, bemerkte Claire. »Die Saints müssen ihre Angriffsreihe verstärken, wenn sie dieses Jahr in die Playoffs kommen wollen.«

»Sie haben die beiden verstanden?« fragte Cassidy.

»Sie nicht?« Die müde Mähre, die vor der Kutsche angeschirrt war, trug einen großen Srohhut mit knallrosa Plastikgeranien auf der Krempe. Claire streichelte ihr im Vorübergehen die Nase.

»Kein Wort. Nach meinem Umzug hierher bin ich mir fast ein Jahr lang wie im Ausland vorgekommen. Es dauerte eine Weile, bis sich meine Ohren an den Dialekt gewöhnt hatten. Manchmal hab' ich immer noch Schwierigkeiten.«

»Sie haben keine Schwierigkeiten, mich zu verstehen.«

»Sie, Claire, kann ich am allerwenigsten verstehen.«

Sie wies auf einen Tisch auf der Terrasse vor dem Café du Monde. Sie nahmen dran Platz, und ein Ober mit langer weißer Schürze kam auf sie zu, die Hände in einer Willkommensgeste ausgestreckt.

»Miss Laurent, *bonsoir*. Wie schön, Sie zu sehen.«

»*Merci*«, antwortete sie, während er ihr die Hand küßte.

»Und das ist?« Er sah fragend auf Cassidy.

Sie stellte ihn Claude, dem Ober, vor. »Einmal Beignets bitte, Claude. Und zwei Café au lait.«

»Sehr wohl«, bestätigte er und verschwand in Richtung Küche.

»Offensichtlich kommen Sie öfter her«, stellte Cassidy fest.

»Es ist fast immer voller Touristen, aber Mama gefällt es trotzdem, deshalb komme ich mindestens einmal pro Woche mit ihr hierher.«

Claude brachte ihre Bestellung. Der Hefegeruch der Krapfen, gepaart mit dem Kaffeearoma, ließ Claire das Wasser im Mund zusammenlaufen. Sie griff zu und leckte sich ungezwungen den Puderzucker von den Fingern. Als sie Cassidy ansah, mußte sie über den Puderzuckerring um seinen Mund lachen und reichte ihm eine Papierserviette aus dem Spender auf dem Tisch.

Sie verdrückten die Beignets, teilten sich das dritte und nippten dann schweigend an dem heißen Milchkaffee. Claire genoß es, einfach nur dazusitzen und New Orleans von seiner schönsten Seite zu genießen. Viel zu schnell wurde Cassidy wieder amtlich.

»Wie lange«, begann er, »waren Sie damals hier?«

»Vielleicht eine halbe Stunde, würde ich sagen.«

Er zog eine Braue hoch. »So lange?«

»Wir sind hier im Vieux Carré, Cassidy, hier lebt man langsamer. Wenn Sie die Canal Street überqueren, sollten Sie die amerikanische Hektik hinter sich lassen und Ihr Leben genießen. Ich habe mir eine zweite Portion Beignets versagt, aber ich habe zwei Tassen Café au lait getrunken und für jede mindestens zehn Minuten gebraucht.«

Auf ihre Bitte hin ersetzte Claude ihre leeren Tassen durch zwei volle. Claire schaute in den Dampf, der von ihrer Tasse aufstieg, und sagte: »Mir ging in dieser Nacht viel durch den Kopf. Mir machte nicht nur Jackson Wilde zu schaffen.«

»Was noch?«

»Mama. Ich weiß nicht, wer sich um sie kümmern soll, wenn mir etwas zustößt. Wenn ich zum Beispiel ins Gefängnis müßte.« Sie sah ihn eindringlich an und schaute dann wieder in den Kaffee, den sie in der dicken, weißen Tasse kreisen ließ. »Und ich machte mir Gedanken über den neuen Katalog. Ich versuche, den neuesten immer ein bißchen besser als den letzten zu machen, und ich habe Angst, daß mir irgendwann die Ideen ausgehen.«

»Eine Angst, die unter kreativen Menschen weit verbreitet ist.«

»Wahrscheinlich. Und ich machte mir Sorgen um Yasmine.«

»Warum?«

»Das ist vertraulich.« Ihr Blick warnte ihn davor, weiterzubohren und sie damit zum Verrat an ihrer Freundin zu provozieren, aber er unterließ es.

»Ein ordentlicher Spaziergang.« Er lehnte sich in seinem Stuhl zurück und streckte die langen Beine aus. Die alten Jeans saßen gut, umschmiegten sein Geschlecht und spannten sich über seinen Schenkeln. Claire versuchte, sich auf das zu konzentrieren, was er sagte. »Ich nehme an, wenn ich fragen würde, dann würde Claude bestimmt beim Grab seiner seligen Mutter schwören, daß Sie in der Mordnacht mindestens eine halbe Stunde hier waren.«

»Glauben Sie, ich lüge, Cassidy?«

»Nein. Ich glaube, Sie haben mich heute abend herumgeführt, um mir zu zeigen, wie bekannt und angesehen Sie hier sind und was mir bevorsteht, wenn ich versuche, Sie hinter Gitter zu bringen. Sie kennen sogar die Cops im Viertel. Ein guter Verteidiger würde all diese Leute als Zeugen heranziehen, und selbst wenn sie nicht beschwören könnten, daß Sie in dieser Nacht durchs französische Viertel spaziert sind, so könnten sie zumindest auch nicht das Gegenteil bezeugen.«

»Würden Sie das tun, wenn Sie mein Verteidiger wären?«

»Ja. Wenn der Staatsanwalt kein unwiderlegbares Beweisstück vorweisen könnte, dann würde ich Sie zur Heiligen hochstilisieren und die Geschworenen mit nebensächlichen Fakten zuschütten.«

»Sie kennen alle Winkelzüge, wie ich sehe.«

Seine Lippen wurden schmal, die Miene grimmig. »*Alle.*«

»Sie glauben immer noch, daß ich den Mord begangen habe, nicht wahr?«

Mit einem Seufzen wandte Cassidy den Blick ab und tat, als würde er sich auf die Statue Andrew Jacksons über dem sich aufbäumenden Pferd konzentrieren, die hinter den geschlossenen Parkgittern auf der anderen Straßenseite zu sehen war. Dann stützte er die Unterarme auf den kleinen runden Tisch und beugte sich vor. »Ich sage Ihnen, was ich glaube. Ich glaube, Sie haben diesen Mord lange geplant – von dem Augenblick an, als Sie lasen, daß Reverend Wilde auf seinem Kreuzzug nach New Orleans kommt.

Sie haben sich einen .38er Revolver gekauft, geliehen oder gestohlen. Sie sind zu der Veranstaltung gegangen, um dem Mann gegenüberzutreten, den Sie umbringen wollten. Inzwischen kenne ich Sie gut genug, um zu wissen, daß Sie anständig genug für so was wären. Wahrscheinlich glauben Sie, das würde den Mord zu etwas Ehrenvollem machen, so wie Ihre Vorfahren, die sich mit großem Trara zum Duell vor der Stadt trafen.

Jedenfalls sind Sie heimgefahren und haben Harry nach Hause geschickt. Das war riskant und hat sich schließlich nicht ausgezahlt, aber damals haben Sie geglaubt, auf diese Weise könnte sie bezeugen, daß Sie in jener Nacht um zehn Uhr nach Hause kamen. Sie sind ins Fairmont gegangen, wo Ihr Komplize Andre Ihnen Zutritt zu Wildes Hotelsuite verschafft hat. Sie haben Wilde erschossen, wahrscheinlich im Schlaf. Dann sind Sie wieder nach Hause gefahren.

Aber das Schicksal spielte Ihnen einen Streich. Mary Catherine hatte sich aus dem Staub gemacht. Sie sind heimgekommen, haben entdeckt, daß sie fort war und mußten, ironischerweise, noch einmal ins Fairmont, um sie abzuholen. Ich wette, das hat Ihnen gar nicht gefallen, so kurz nach der Tat noch mal an den Tatort zu müssen.«

»Nichts davon ist passiert. Sehen Sie nicht, wie viele Löcher Ihre Theorie hat?«

»Natürlich. Sie ist löchrig wie ein Sieb. Nur deshalb sitzen sie noch nicht im Knast.«

Es dauerte einen Moment, bis sich Claire von dieser Bemerkung erholt hatte. Sie fragte: »Wie hätte ich in seine Suite kommen sollen?«

»Ganz einfach. Andre hat Ihnen den Schlüssel gegeben. Während Wilde zu Abend aß, haben Sie sich dort versteckt. Wahrscheinlich haben Sie in einem Schrank auf ihn gewartet. Er kam rein, duschte und ging ins Bett. Sie haben gewartet, bis er eingeschlafen war, dann haben Sie ihn erledigt.«

Claire schüttelte den Kopf. »Ihr Szenario beruht auf einem grundlegenden Fehler, Cassidy. Ich würde niemals einen Freund in einen Mord verwickeln.«

»Vielleicht haben Sie ihn ohne sein Wissen benutzt.«

»Indem ich den Schlüssel am Empfang klaute?«

»Nein, indem Sie sich mit dem Hotel vertraut machten und sich dort versteckten. Als das Zimmermädchen in Wildes Suite ging, um das Bett zu machen, sind Sie hinter ihr durch die Tür geschlüpft.«

»Sehr fantasievoll.«

Seine Augen tasteten ihr Gesicht ab. »Jawohl, Claire. Fantasievoll wie Sie.«

Sie nahm einen Schluck kalten Kaffee; so gut wie möglich unterdrückte sie das Zittern ihrer Hand, um sich ihre Nervosität nicht anmerken zu lassen. »Woher sollte ich wissen, daß Wilde allein in seine Suite kommen würde? Oder hätte ich nötigenfalls auch Mrs. Wilde getötet?«

»Das hat mir auch zu schaffen gemacht. Bis Josh und Ariel Wilde mir erzählten, daß sie jede Nacht ›probten‹. Vielleicht hat Andre Ihnen das verraten. Sie haben einfach darauf gebaut, daß Jackson allein zu Bett gehen würde.«

»Wilde gefielen meine Kataloge nicht, deshalb wetterte er von der Kanzel aus gegen mich. Mir gefielen seine Predigten nicht, deshalb habe ich ihn umgebracht. Kurz gesagt halten sie mich für noch intoleranter und radikaler als Jackson Wilde. Sie stellen mich auf eine Ebene mit den Verrückten, die bei mir anrufen und mir Morddrohungen an den Kopf werfen.«

Cassidy reagierte, als hätte sie ihm eins übergebraten. »Sie haben Morddrohungen bekommen? Davon haben Sie mir nichts gesagt.«

Das hatte sie auch nicht vorgehabt. Sie hätte sich die Zunge abbeißen können. »Telefonische Morddrohungen kann man nicht ernst nehmen.«

Er schien anderer Meinung zu sein. Seine Augen suchten die Umgebung ab, als könnte irgendwo im Schatten ein Attentäter lauern. »Wir sind seit mindestens einer halben Stunde da«, sagte er im Aufstehen. »Gehen wir.« Er rückte ihr den Stuhl zurück, ging dann zum Bürgersteig und blieb erst stehen, als er merkte, daß sie ihm nicht gefolgt war. »Was ist denn?« rief er über die Schulter zurück.

»Ich habe noch einen Abstecher gemacht, bevor ich damals nach Hause ging. Da entlang«, sagte sie mit einer Kopfbewegung zum Fluß hin.

Er kam zu ihr zurück. »Gehen Sie vor.« Sie gingen an dem Militärdenkmal vorbei, hinter dem der gepflasterte Deichweg, Moonwalk genannt, verlief. Unter ihnen schwappten leise die Flußwellen gegen die Kiesel, obwohl im Augenblick kein Verkehr auf dem Wasser war. Die Lichter vom gegenüberliegenden Ufer funkelten im Wasser, das leicht nach Salz, Petroleum und Schlamm roch. Eine feuchte Brise ging; Claire genoß das Gefühl auf ihrem Gesicht und in ihren Haaren. Sie war warm und sanft, so wie alles Gute am Süden.

Der Moonwalk war beliebt bei den Touristen mit ihren Kameras, bei den Bettlern, Huren, Betrunkenen und Liebenden. In dieser Nacht genossen nur wenige den Ausblick. Als sie an einem schmusenden Paar auf einer Parkbank vorbeikamen, verzerrte sich Cassidys Miene vor Zorn. »Warum helfen Sie mir nicht und gestehen?«

»Selbst wenn ich es nicht getan habe?«

»Dann bitte nicht. Von der Sorte haben wir schon genug. Es haben schon vier Spinner angerufen und Wildes Tod auf ihre Kappe genommen.«

»Sie sind ein echter Kavalier.«

»Diese vier sind chronische Selbstbezichtiger«, verteidigte er sich. »Wir überprüfen sie routinemäßig, aber keiner von ihnen war in der Mordnacht in der Nähe des Fairmont.« In stillem Einverständnis blieben sie stehen und schauten auf den Fluß. Nach einer Weile drehte er sich zu ihr um. Ohne jede Vorrede erklärte er: »Im Gericht gibt es eine Sachbearbeiterin. Vorgestern nacht hat sie mich nach Hause eingeladen – auf eine Portion Spaghetti und eine Runde Sex.«

Er sah sie aufmerksam an, wartete auf eine Reaktion. Nach

einer langen Pause sagte sie: »Jedenfalls nimmt sie kein Blatt vor den Mund.«

»Also, das mit dem Sex hat sie nur angedeutet.«

»Ich verstehe. Sind Sie hingegangen?«

»Ja.«

»Ach. Und wie war's?«

»Großartig. Wir hatten Muschel-Tomaten-Soße.«

Erst war sie verdattert, dann begriff sie, daß er witzig sein wollte. Sie versuchte zu lachen, merkte aber, daß sie es nicht komisch fand, wenn er mit anderen Frauen schlief.

»Die Spaghetti waren sensationell«, sagte er. »Der Sex war so lala.«

»Wie enttäuschend für Sie«, bemerkte Claire zynisch.

Er zuckte mit den Achseln. »Und ein paar Nächte davor habe ich mit meiner Nachbarin geschlafen. Eine Mordsrammelei, aber ich weiß immer noch nicht, wie sie heißt.«

Claire verlor die Beherrschung. »Wollen Sie mich mit Ihren sexuellen Heldentaten beeindrucken? Ich bin kein Priester. Sie brauchen mir nichts zu beichten.«

»Ich dachte nur, das würde Sie vielleicht interessieren.«

»Nun, es interessiert mich nicht. Warum sollte es?«

Er zog sie unvermittelt an sich und nahm ihren Kopf zwischen beide Hände. »Weil wir beide bis zum Hals in der Scheiße stecken; das wissen Sie so gut wie ich.«

Dann küßte er sie.

Kapitel 13

Claire zu küssen war besser, als mit einem Dutzend anderer Frauen zu schlafen. Ihr Mund war warm und süß und weich; am liebsten hätte er sie noch tausend Jahre mit seiner Zunge liebkost. Aber das ging nicht, deshalb ließ er sie los und trat einen Schritt zurück.

Ihr Atem ging ein bißchen schwerer, ihre Lippen glänzten feucht und standen offen, aber ansonsten wirkte sie vollkommen gefaßt. Sie beherrschte es meisterhaft, ihre Gefühle zu verstecken. Bestimmt hatte sie diese Fähigkeit entwickelt, weil sie so früh erwachsen werden mußte. In einem Alter, in dem die meisten Mädchen noch mit Puppen gespielt und Teepartys für ihre Teddys und imaginären Freunde gegeben hatten, hatte sie bereits Erwachsenenprobleme lösen und Erwachsenenentscheidungen treffen müssen.

Aber, verdammt noch mal, er hatte sich mehr an Reaktion erhofft als dieses wortlose Anstarren. Er hatte mit zwei Geliebten geprotzt und sie dann geküßt. Warum beschimpfte sie ihn nicht, ohrfeigte ihn oder versuchte, ihm die Augen auszukratzen?

Er hatte aus demselben Grund mit der Angestellten geschlafen, aus dem er sich auch bis zur Nachbartür durchgeschlagen hatte – um seinen sexuellen Frust abzubauen. Beidesmal war er bei dem Versuch, Claire zu vergessen, gescheitert. Die Sachbearbeiterin hatte es so eilig gehabt, sich ihm hinzugeben, daß er beinahe Mitleid bekommen hatte, aber er hatte sie nicht halb so sexy gefunden wie seine Fantasien von einer unbekleideten, willigen Claire. Er hatte eine zufriedenstellende Leistung erbracht, aber nur physisch. In Gedanken war er woanders gewesen.

Jetzt ärgerte ihn Claires unterkühlte Reaktion. Er war in den letzten Tagen durch die Hölle gegangen. Höchste Zeit, andere an seinem Elend teilhaben zu lassen. »Haben Sie hier die Waffe weggeschmissen?«

»Wie?«

Sie hatten länger geschwiegen, deshalb traf sie die Frage vollkommen unvorbereitet. »Sie haben mich verstanden. Sind Sie vom Fairmont aus hierhergegangen, um die Waffe in den Fluß zu schmeißen?«

»Ich habe nie eine Waffe besessen.«

»Das beantwortet meine Frage nicht, Claire.« Er wurde lauter. »Sie haben eine Menge Freunde, und jeder davon hätte Ihnen einen Revolver besorgen können.«

»Niemand hat mir einen besorgt. Ich weiß ja nicht mal, wie man schießt.«

»Man braucht kein Scharfschütze zu sein, um einem Mann die Eier wegzupusten.«

Sie legte die Arme vor die Brust und umklammerte die Ellbogen. »Es wird langsam kühl. Können wir gehen?«

Sie und die Situation trieben ihn noch zum Wahnsinn. Trotzdem zog er seinen Blazer aus und breitete ihn ihr über die Schultern. Seine Hände glitten unter ihr Haar, zogen es unter dem Kragen hervor und verharrten dann. Er legte die Daumen unter ihr Kinn und drückte ihr Gesicht hoch.

»Was haben Sie dann gemacht, falls Sie damals überhaupt hier waren, Claire?«

»Ich habe auf einer Bank gesessen und auf den Fluß geschaut.«

»Auf einer Bank gesessen und auf den Fluß geschaut.«

»Ganz recht.«

Cassidy hätte alles gegeben, was er besaß oder je besitzen würde, um zu erfahren, was hinter den ruhigen, braunen Augen vor sich ging. Aber es blieb ihm verborgen. Und bis er es wußte, spielte er jedesmal mit dem Feuer, wenn er in ihre Nähe kam. »Gehen wir.«

Schweigend kehrten sie zum Gebäude von French Silk zurück.

Als sie an der Tür standen, packte er sie an der Schulter. »Claire, ich rate Ihnen dringend, sich einen Anwalt zu suchen.«

»Sind Sie so dicht davor, mich zu verhaften?«

»Äußerst dicht. Ihre Geschichte strotzt vor Zufällen. Wenn Sie nicht rundheraus lügen, dann verheimlichen Sie zumindest etwas. Vielleicht versuchen Sie jemanden zu decken. Das weiß ich nicht. Aber Sie sind nicht ehrlich zu mir. Ich weiß, daß Sie alles auf eine Karte setzen, aber Mord verjährt nicht. Solange dieser Fall nicht gelöst ist, werde ich weiterbohren. Früher oder später fördere ich das Steinchen zutage, das das Mosaik vervollständigt.« Er hielt inne, gab ihr reichlich Gelegenheit, ihm zu widersprechen. Zu seiner Enttäuschung schwieg sie. »Nehmen Sie sich einen Anwalt, Claire.«

Sie starrte einen Augenblick ins Leere, bevor sie ihn ansah. Sie wirkte entschlossen. »Nein, das werde ich nicht tun. Ich habe einen Geschäftsanwalt, der sich um die Verträge von French Silk kümmert, und einen Steuerberater. Beide wurden notwendig, als die Firma expandierte, aber schon damals habe ich nur äußerst ungern einem Fremden die Kontrolle über etwas überlassen, das mir gehört.«

Sie atmete tief durch. »Ich werde mein Leben keinem Fremden anvertrauen. Ich glaube, mein Instinkt sagt mir besser als jeder andere, was gut oder schlecht für mich ist. Als ich noch ein Kind war, erzählten mir Sozialarbeiter und Richter, sogenannte Experten, daß es am besten für mich wäre, wenn ich von den Menschen getrennt würde, die ich liebe. Entweder haben diese Leute dummes Zeug geredet, oder sie waren gewissenlose Lügner. Ich traue dem System nicht, Cassidy.« Sie schüttelte seinen Blazer ab und stieß ihn ihm entgegen. »Danke für den Rat, aber ich werde mir keinen Anwalt nehmen.«

»Wie Sie wollen«, meinte er ungeduldig. »Aber damit machen Sie einen großen Fehler.«

»Wenigstens ist es *mein* Fehler.«

»Und bleiben Sie in der Stadt.«

»Übermorgen fahre ich nach Mississippi.« Das traf ihn wie ein Blitz aus heiterem Himmel. »Wieso zum Teufel das denn?«

»Wir machen dort Aufnahmen für den Frühjahrskatalog.«

»Sagen Sie ab. Oder verschieben Sie es.«

»Kommt gar nicht in Frage. Der Termin steht seit Wochen fest. Die Leute sind bestellt. Yasmine kann die Sache nicht abblasen. Außerdem müssen wir die Aufnahmen vor dem Herbst machen, solange das Laub noch grün ist. In einer Herbstlandschaft kann man keine Fotos für einen Frühjahrskatalog machen.«

»Interessant, aber die Justiz nimmt keine Rücksicht auf Fototermine.«

»Und ich lasse meinen Terminkalender nicht von der Justiz bestimmen. Sie haben keine Wahl. Solange Sie mich nicht verhaften, müssen Sie mich fahren lassen.«

Ihm waren die Hände gebunden. Das wußte sie so gut wie er. Ohne einen Beweis, auf dem sich eine Anklage aufbauen ließ, konnte er sie ebensowenig verhaften wie Ariel und Josh Wilde.

Da sie sein Dilemma ahnte, lächelte sie. »Gute Nacht, Cassidy.«

»Verdammt, Ihnen macht das wohl Spaß, wie?« Seine Hand schoß vor, packte ihren Kiefer, die Finger bohrten sich in ihre Wangen. »Hören Sie zu.« Sein Gesicht war dicht vor ihrem. »Bis jetzt habe ich mich zurückgehalten. Ich habe Ihnen meine Zweifel zugute gehalten. Das wird sich ändern, haben wir uns verstanden?« Er kam noch näher, und seine Stimme wurde zu einem Knurren. »Gut, ich will mit Ihnen schlafen, aber lassen Sie sich nicht davon täuschen. Jackson Wildes Mörder zu kriegen und vor Gericht zu bringen, ist mir wichtiger als alles andere. Es wäre ein Fehler, das zu vergessen, Claire. Vielleicht betrachten Sie das hier als Spiel, aber in Zukunft werde ich mich an keine Regeln mehr halten.«

Sie befreite ihr Kinn aus seinem Griff und schubste ihn weg. »Danke für die Beignets und den Café au lait, Mr. Cassidy. Ich hätte selbst zahlen sollen.«

Sie schlüpfte durch die Tür und knallte sie ihm vor der Nase zu. Er fluchte laut, als er hörte, wie die Riegel vorgeschoben wurden.

Ungeduldig ließ Ariel die Zeitschrift fallen. Es war spät, und sie war nervös. Der Mann in New Orleans hatte versprochen, sie heute noch anzurufen, auch wenn es spät wurde. Inzwischen war es lange nach Mitternacht.

Unten spielte Josh schon seit Stunden Klavier. Diese gräßliche klassische Musik. Sie konnte einfach keine Melodie darin entdecken. Ein Stück klang wie das andere. Es gab nicht einmal Texte, wozu das Ganze also? Sie begriff einfach nicht, wie jemand so darin aufgehen konnte. Aber wenn Josh klassische Musik spielte, dann vergaß er alles andere – essen, schlafen, selbst Sex.

Nicht, daß ihr der Sex fehlte. Sie war mit wichtigeren Dingen beschäftigt. Die Demonstration hatte in einem Fiasko geendet. Sie hatte gehofft, ihre Leute würden wie Kreuzritter auf einer göttlich inspirierten Mission wirken. Statt dessen hatte diese alte, verrückte Hexe von French Silk sie gemein und dumm aussehen lassen. Die Medien hatten ausgiebig darüber berichtet, aber mit unterschwelliger Ironie. Niemand durfte sich über Ariel Wilde lustig machen!

Um ihre Glaubwürdigkeit wiederherzustellen, hatte sie das Interview bei CNN arrangieren lassen, das selbst vor ihrem kritischen Auge außerordentlich gut verlaufen war.

Aber heute war Claire Laurent bei CNN aufgetreten und hatte mit ihrem honigsüßen Dialekt losgelegt, der den Interviewer zu bezaubern schien – wie wahrscheinlich fast alle Zuschauer. Sie hatte klar und offen geantwortet, ohne schroff dabei zu wirken. Sie hatte Ariels Vorwürfe als Hirngespinste abgetan, aber keinen Zweifel daran gelassen, daß sie vor Gericht gehen würde, sollten sie wiederholt werden.

Zweimal hatte sie Jackson Wildes Missionsgesellschaft als einen Haufen fanatischer Trottel hingestellt. Das ließ sich Ariel nicht bieten. Wer so kühl und kontrolliert war wie Claire Laurent, mußte etwas zu verbergen haben.

Darum hatte Ariel jemand angeheuert, der ihre Nemesis im Auge behalten und täglich Bericht erstatten sollte. Als das Telefon auf dem Nachttisch klingelte, stürzte sie zum Apparat. Es war der Anruf, auf den sie gewartet hatte.

»Wir sind schon beim ersten Versuch auf eine Goldader gestoßen«, verkündete der Mann am Telefon vergnügt. »Sie steht
immer noch unter Verdacht, auch wenn sie das im Fernsehen
bestritten hat. Cassidy war heute abend wieder bei ihr.«
Ariel sank gegen den Kissenstapel in ihrem Rücken. »Wirklich?
Wie lange hat er sie verhört?«
Sie haben einen ausgedehnten Spaziergang durchs französische
Viertel gemacht.«
Je mehr sie über Claire Laurents jüngste Begegnung mit dem
gutaussehenden, jungen Staatsanwalt erfuhr, desto schneller
drehten sich die Rädchen in ihrem Gehirn. Sie war so damit
beschäftigt, alle Informationen zu verarbeiten, daß ihr um ein
Haar das wertvollste Nugget entgangen wäre. »Verzeihung«,
unterbrach sie ihren Gesprächspartner. »Was haben Sie gerade
gesagt? Sie haben was?«
»Ganz recht, Mrs. Wilde. Sie haben richtig gehört. Sie haben
sich geküßt.«
Eifrig hörte sich Ariel die restliche Schilderung an, ohne noch
einmal zu unterbrechen. »Danke«, sagte sie, als er fertig war.
»Halten Sie mich weiterhin auf dem laufenden. Ich will alles
wissen. Vergessen Sie nicht, Sie sind Augen und Ohren für
mich.« Fast hätte sie etwas vergessen: »Gott segne Sie; ich
werde für Sie beten.«
Josh schlenderte ins Zimmer, als sie auflegte. »Wer ruft um diese
Zeit noch an?« Er zog sich das T-Shirt über den Kopf und
begann sich auszuziehen.
»Der Kerl in New Orleans, der die Demonstration vor French
Silk organisiert hat.«
»Was für ein Debakel«, murmelte er, während er sich, erst auf
einem Bein stehend, dann auf dem anderen, die Schuhe von den
Füßen streifte.
Ariel wußte nicht, was das Wort *Debakel* bedeutete, aber sein
Tonfall gefiel ihr nicht, deshalb nahm sie seine Kritik persön-
lich. »Woher hätten wir denn wissen sollen, daß Claire Laurents
verrückte Mutter sich ganz allein mit einem Haufen wütender
Demonstranten anlegt?«

Kichernd kroch Josh neben ihr ins Bett. »Du hast dir ein Feuerwerk gewünscht und Limo und Kekse gekriegt.«

»Das ist nicht witzig.« Sie schob den Arm weg, den er quer über ihren Bauch gelegt hatte. Dann warf sie die Decke zurück, stieg aus dem Bett und zündete sich eine Zigarette an. Seit Jackson ihr es nicht mehr verbieten konnte, hatte sie sich das Rauchen wieder angewöhnt.

»Ich will, daß wir morgen auf Tour gehen und eine Reihe von Städten abklappern, wo wir je einen Gottesdienst halten.« Ihr Gehirn arbeitete fieberhaft. »Ganz besondere Gottesdienste. Wir nennen sie ›Notgebete für die Ergreifung und Verurteilung des Mörders von Jackson Wilde‹.«

Mit einem Stöhnen legte sich Josh den Arm über die Stirn und schloß die Augen. »Ariel, so etwas braucht Zeit. Wir müssen Hallen mieten –«

»Und wenn wir die Gottesdienste auf einem Footballfeld abhalten müssen«, fuhr sie ihn an. »Ich will, daß viele Leute kommen, und ich will, daß du niedergedrückt und traurig aussiehst.«

»Du wirst mir deinen Lidschatten borgen müssen.«

»Scher dich zum Teufel.«

Sie kam wieder ins Bett und wehrte Josh ab, als er sie zum Liebesspiel bewegen wollte. Zu aufgedreht, um schlafen zu können, ging Ariel im Geist alles durch, was sie über Claire Laurent wußte. Eine Klassebraut, dachte sie zähneknirschend. Groß. Von Natur aus schlank. Gut gekleidet. Klassisches Gesicht. Genau die Frau, die Ariel gerne gewesen wäre.

Claire Laurent machte lange Spaziergänge durchs französische Viertel, begleitet vom stellvertretenden D. A. Cassidy, der für Ariel nur Mißtrauen und kaum verhohlene Verachtung übrig hatte. Er hatte Claire Laurent geküßt! Wie dumm, wie dumm. Durch diesen Fehltritt eröffneten sich ihr so viele Möglichkeiten, daß Ariel ganz aufgeregt und fast für ihren Neid entschädigt wurde.

Die großkotzige Schlampe hatte ihn um den Finger gewickelt. So einfach war das. Glaubte er etwa, daß Claire Laurent zu vornehm war, um einen Mord begehen zu können? *Falsch gedacht, Mr. Cassidy.*

Wie man es auch drehte und wendete, er hatte seine Pflichten vernachlässigt. Morgen früh würde sie, noch bevor sie auf einer Pressekonferenz das neueste Vorhaben von *Ariel Wildes Stunde für Gott und Gebet* verkündete, einen äußerst wichtigen Anruf machen.

Man hatte Cassidy vorgewarnt, daß der Chef auf dem Kriegspfad war, deshalb kam Tony Crowders grimmiger Befehl, in seinem Büro zu erscheinen, nicht überraschend. »Er erwartet Sie bereits, Cassidy«, erklärte ihm die Sekretärin mitleidig. »Gehen sie gleich rein.«

Cassidy gab sich locker. »Morgen, Tony. Sie wollten mich sehen?« Crowder starrte ihn wütend hinter dem Schreibtisch hervor an. Cassidy setzte sich und legte einen Fußknöchel auf sein anderes Knie. »Es trifft sich, daß Sie mich heute morgen hergebeten haben. Ich habe etwas mit Ihnen zu besprechen.«

»Ich ziehe Sie vom Mordfall Wilde ab.«

»Was?« Cassidys Fuß kam so heftig auf dem Boden auf, daß Crowders Kaffeetasse auf der Untertasse hüpfte.

»Sie haben es gehört. Sie sind draußen. Nance wird den Fall übernehmen.«

»Das können Sie nicht machen.«

»Ich kann. Das heißt, ich werde es tun, sobald unser Gespräch beendet ist. Und das ist es.«

»Kommt gar nicht in Frage.« Cassidy sprang aus seinem Sessel auf. »Wieso tun Sie das?«

»Das werde ich Ihnen sagen«, donnerte Crowder. »Alle Welt macht mir inzwischen die Hölle heiß. Der Bürgermeister. Der P. C. Die Richter. Vor allem dieser verkniffene Harris. Die Kongreßabgeordneten. Selbst dieser schwachsinnige Gouverneur mußte seine Klappe aufreißen. Mir steht Jackson Wilde bis unter die Schädeldecke, er hängt mir zum Hals raus. Ich will, daß dieser Fall abgeschlossen wird, und bis jetzt haben Sie das nicht geschafft.«

»Ich versuche es.«

»Bei Claire Laurent?«

Cassidy bemerkte das Glitzern in den Augen seines Vorgesetzten und wurde vorsichtig. Unbehagen schlich sich in seine Wut.

»Unter anderem.«

»Was genau ›versuchen‹ Sie bei Claire Laurent?«

»Ich habe das Gefühl, das ist eine Fangfrage.«

Crowder ließ Cassidy nicht aus den Augen, während er nach seiner Kaffeetasse griff und einen Schluck nahm. »Ich habe heute morgen einen Anruf gekriegt. Von Ariel Wilde.«

»Okay, jetzt wird mir einiges klar.« Insgeheim atmete Cassidy auf. »Sie hat Sie daran erinnert, daß wir den Mörder ihres Mannes immer noch nicht geschnappt haben, deshalb haben Sie's für nötig gehalten, mir in den Hintern zu treten. Ist es das?«

»Zum Teil. Nicht ganz.«

»Nämlich?«

»Haben Sie gestern abend Claire Laurent auf einen romantischen Mondscheinspaziergang durchs französische Viertel ausgeführt?«

Obwohl Cassidy das Herz bis in die Kniekehlen sank, blieb seine Miene ausdruckslos. »Ich war bei French Silk, um Miss Laurent mit ein paar Informationen zu konfrontieren, die ich aus anderen Quellen gewonnen habe.« Er erzählte von den Anrufen und den Lücken im Zeitablauf. »Miss Laurent behauptete, daß sie einen Spaziergang gemacht hätte, um wieder zur Ruhe zu kommen, nachdem sie Wilde auf dem Kreuzzug begegnet war. Sie machte mir den Vorschlag, den Weg nachzugehen.«

»Eingeschlossen eine Pause im Café du Monde?«

»Ja.«

»Und einen Abstecher zum Moonwalk?«

»Ja.«

»Wo sie wahrscheinlich die Mordwaffe verschwinden ließ.«

»Das habe ich auch gesagt«, verteidigte sich Cassidy.«

Und was hat sie geantwortet?«

»Sie behauptet, sie hätte noch nie eine Waffe besessen und wüßte nicht einmal, wie man damit schießt.«

»Man braucht nicht besonders gut schießen zu können, um einem Mann aus nächster Nähe die Eier wegzuschießen.«

»Auch das habe ich angedeutet«, bestätigte Cassidy lachend. »Finden Sie das komisch?«

»Nein. Ich mußte nur lachen, weil mir aufgefallen ist, wie ähnlich wir uns sind.«

»Ach ja? Ich habe mich nie mit einer Verdächtigen eingelassen.«

Cassidy schaute Crowder in die Augen. »Ich auch nicht.« Er erwiderte Crowders unnachgiebigen Blick.

»Ariels Spion sieht das anders.«

»Spion? Wovon zum Teufel reden Sie?«

»Unsere liebe Mrs. Wilde hat einen ihrer Laufburschen auf Claire Laurent angesetzt, der alles Belastende oder Verdächtige an sie weitergibt. Bis jetzt hat sie nichts Verdächtiges getan, abgesehen von einem Rendezvous –«

»Es war kein Rendezvous.«

»– mit dem Mann, der möglicherweise vor Gericht die Anklage gegen sie vertreten muß. Ich werde diese Möglichkeit ausschließen, indem ich Sie von dem Fall abziehe.«

»Das können Sie nicht!« entfuhr es Cassidy. »Ich habe Ihnen doch erklärt, wie es zu dem Spaziergang kam.«

»Sparen Sie sich die Haarspalterei, Cassidy. Ariel Wildes Mann hat gründlich gearbeitet. Er hat ihr jeden Ihrer Schritte geschildert, und sie hat mir die Details weitererzählt. Sie haben Claire Laurent Ihre Jacke gegeben. Sie haben sie umarmt. Sie haben sie geküßt. Oder etwa nicht?«

Cassidy nickte betreten.

Crowder richtete sich auf und schlug mit der Faust auf den Tisch. »Was zum Teufel haben Sie sich denn dabei gedacht?«

»Ich habe versucht, ihre Abwehr zu untergraben, weil ich das Teilchen finden wollte, das in ihrer Geschichte fehlt.«

»Sie sind also überzeugt, daß etwas fehlt?«

»Ich bin fast sicher. Ich weiß nicht, ob sie lügt, um sich selbst oder jemand anderen zu schützen, aber sie sagt nicht die ganze Wahrheit. Leider reicht mein Gefühl nicht aus, um sie zu verhaften.«

»Leider?« Der D. A. fixierte ihn mit seinen scharfen, alles wahrnehmenden Augen. »Wollen Sie mir etwa weismachen, Sie finden die Frau nicht attraktiv?«

»Nein.« Cassidy sah ihm ins Gesicht. »Ich finde sie sogar äußerst attraktiv.«

Crowder ließ sich wieder in seinen Sessel sinken und fuhr sich mit der Hand durch das dünn gewordene Haar. »Warum habe ich nicht auf meine Mutter gehört und bin Zahnarzt geworden?« Dann knurrte er: »Wenigstens haben Sie mich nicht angelogen. Ich wäre Ihnen sowieso auf die Schliche gekommen. Es kursieren schon Gerüchte über Sie.«

»Was für Gerüchte?«

»Daß Sie sich zu Miss Laurent hingezogen fühlen. Glenn hat sich beim P. C. darüber beschwert. Und der kam deswegen zu mir.«

»Jesus!« schnaubte Cassidy wütend. »Glenn hat kein Recht–«

»Verdammt noch mal, natürlich hat er das Recht. Es ist schließlich auch sein Fall, oder haben Sie das vergessen? Er hat keine Lust, ihn von einem Staatsanwalt versauen zu lassen, der mit dem Kopf in den Wolken schwebt.« Er schüttelte den Kopf. »Ich tue das nicht gern, Junge. Aber Sie lassen mir keine andere Wahl. Ich muß Sie von dem Fall abziehen.«

»Tun Sie es nicht, Tony. Ich brauche diesen Fall. Ich bringe den Täter vor Gericht, und ich sorge dafür, daß er verurteilt wird. Meine Karriere hängt davon ab. Ich werde mir diese Chance nicht entgehen lassen. Um keinen Preis der Welt.«

»Nicht einmal für eine Frau, die Ihnen gefällt?«

»Vor allem nicht dafür.«

Crowder musterte ihn. »Das klingt, als meinen Sie es ernst.«

»Das tue ich.« Cassidy fragte sich, ob es an der Zeit war, etwas anzusprechen, über das er bisher eisern geschwiegen hatte. Gestern nacht hatte er Claire erklärt, daß er von nun an auf Sieg spielen würde. Jetzt mußte er Crowder davon überzeugen. »Sie haben sich bestimmt gefragt, warum ich aus dem Verteidigerstand zur Anklage gewechselt habe, als ich hierherkam, Tony.«

»Ich fand es eigenartig, daß Sie eine lukrative Kanzlei für das Gehalt aufgegeben haben, das Sie hier kriegen. Aber nachdem ich Ihre Gewinn-und-Verlust-Listen durchgesehen hatte, war ich einfach nur froh, daß Sie zu mir gekommen sind. Wie kommen Sie darauf?«

Cassidy begann, Crowders Büro abzuschreiten. »Wie Sie sagen, hatte ich eine gutgehende Kanzlei. Ich hatte eine ganze Reihe von Streitfällen gewonnen, manche vor Gericht, manche im Vergleich. Ich hatte Klienten genug, und ich begann mich in meinem Ruhm zu sonnen. Ich war verdammt selbstsicher.«

»Ich kenne die Sorte.«

Cassidy quittierte Crowders Kommentar mit einem grimmigen Nicken. »Ein gewisser Klient bat mich, ihn zu verteidigen. Ein Gewohnheitstäter mit einer langen Vorstrafenliste. Er war wegen Raubüberfall im Gefängnis gewesen, aber vorzeitig entlassen worden. Nachdem er ein paar Wochen auf Ehrenwort draußen war, rief er mich an. Er sagte, man hätte mich empfohlen und gehört, ich hätte vor nichts Angst. Er war überzeugt, daß ich ihn raushauen könnte.«

Er stockte, schloß einen Augenblick die Augen und fuhr fort: »Das Schlimme daran war, Tony, daß ich genauso überzeugt davon war. Ich übernahm den Fall. Diesmal stand er wegen sexueller Nötigung vor Gericht, obwohl die Frau entkommen war, ehe er sie vergewaltigen konnte.«

Er blieb stehen und starrte aus dem Fenster. »Das Opfer war Anfang Zwanzig, hübsch, gut gebaut«, begann er leise. »Mein Klient hatte ihr aufgelauert, als sie abends aus dem Büro kam. Ich hatte nichts in der Hand. Man hatte ihn im wahrsten Sinn des Wortes mit runtergelassener Hose erwischt, nur einen halben Block vom Tatort entfernt. Der Staatsanwalt lehnte jeden Vergleich ab. Er wollte den Kerl einbuchten. Es kam zur Verhandlung. Ich konnte mich einzig und allein auf mein Schauspieltalent verlassen, aber darin war ich damals ein wahrer Künstler.« Er ballte eine Faust, so fest er konnte.

»Ich habe alle Register gezogen. Als ich mit dem Mädchen fertig war, waren die Geschworenen überzeugt, daß sie ein

Flittchen war und Miniröcke trug und ihre männlichen Kollegen anmachte. Ich weiß noch, wie froh ich war, daß sie einen großen Busen hatte, weil das meine *Verteidigung* untermauerte. Ich sorgte dafür, daß die Jury den Busen nicht übersah. Mein Gott.«

Er rieb sich die Augen im Versuch, das verstörende Bild der schluchzenden jungen Frau loszuwerden, die er im Zeugenstand zum zweiten Mal ausgezogen und vergewaltigt hatte. »Ich habe sie gedemütigt, ihren Ruf ruiniert und sie zu einer Nymphomanin gemacht, die an den Falschen geraten ist und mehr gekriegt hat, als sie haben wollte. Die Geschworenen fielen auf mein Theater rein und sprachen den Schweinehund frei.«

»Sie haben Ihren Job gemacht«, bemerkte Tony.

»Das entschuldigt nichts.«

»Viele Juristen würden Ihnen auf die Schulter klopfen und Sie um den Erfolg beneiden.«

»Erfolg? Indem ich die Jury beeinflußt und meine Rolle als Verteidiger mißbraucht habe?«

»Sie haben sich hinreißen lassen«, beschwichtigte Tony. »Wie lange ist das her, fünf Jahre oder mehr? Lassen Sie's gut sein, Cassidy. Verzeihen Sie sich diesen einen Fehler.«

»Vielleicht könnte ich das, wenn das alles wäre.«

»O Gott.« Crowder ließ sich zurücksinken und rechnete mit dem Schlimmsten.

»Zwei Wochen nach dem Freispruch lockte mein Klient eine Elfjährige vom Schulhof und fuhr mit ihr an eine verlassene Stelle im Stadtpark; dort mißhandelte er sie, vergewaltigte sie und erwürgte sie mit ihrem Trainings-BH. Und das sind nur die Verbrechen, für die es eine Bezeichnung gibt. Was er noch mit ihr gemacht hat, war – ist – unaussprechlich.«

Crowder wartete ein paar Sekunden in angespannter Stille. »Danach haben Sie Ihre Kanzlei geschlossen.«

Cassidy wandte sich vom Fenster ab und seinem Vorgesetzten zu. »Ich habe das Büro geschlossen, alles aufgegeben, meine Frau von der Last befreit, mit mir verheiratet zu sein, und die Stadt verlassen. Damals bin ich hierhergekommen.«

»Wo Sie verdammt gute Arbeit geleistet haben. Sie sind eine echte Bereicherung für uns.«

Cassidy zuckte die Achseln. Er bezweifelte, jemals das Gefühl, versagt zu haben, loszuwerden. Kein gewonnener Fall konnte den Tod des kleinen Mädchens aufwiegen.

»Ich werde meine Pflichten nie wieder vernachlässigen, Tony. Ich werde mir keinen Psychopathen mehr durch die Finger schlüpfen lassen und keinen Mörder oder Vergewaltiger mehr auf die Menschen loslassen, die immer noch ein vollkommen unberechtigtes Vertrauen in uns und die Justiz setzen.«

»Das Vertrauen ist nicht immer unberechtigt. Ab und zu schnappen wir auch einen Bösewicht.«

Cassidy legte seine ganze Überzeugungskraft in seinen Blick. »Ich werde Sie nicht enttäuschen, Tony, weil ich mich selbst nicht enttäuschen darf. Ich schwöre Ihnen, daß ich Wildes Mörder kriege, ganz gleich, wer es ist.«

Tony kaute auf seiner Unterlippe. »Also gut, ich gebe Ihnen noch ein paar Wochen«, erklärte er ungeduldig. »Aber denken Sie daran – ihr Kopf liegt auf dem Richtblock, und der Henker hat schon ausgeholt.«

»Ich habe verstanden.« Nachdem die Angelegenheit geklärt war, sah Cassidy keinen Grund, noch länger zu bleiben. Überschwengliche Dankbarkeitsbezeugungen wären ihnen beiden nur unangenehm gewesen.

Er ging zur Tür, aber Crowder pfiff ihn zurück. »Cassidy, eine Frage noch. Falls Sie tatsächlich die beweiskräftige Verbindung zwischen Claire Laurent und dem Mord finden, werden Sie dann die Anklage vertreten, selbst wenn Sie Miss Laurent damit lebenslänglich hinter Gitter bringen würden?«

Cassidy prüfte sich gewissenhaft, aber die Antwort stand bereits fest: »Auf jeden Fall. Ich hätte nicht die geringsten Skrupel.«

Als er das Büro verließ, schwor er sich, das Versprechen zu halten, das er Claire, Tony und sich selbst gegeben hatte. Auf gar keinen Fall würde er sich von persönlichen Interessen davon abhalten lassen, seine Pflicht zu tun.

Er verließ das Gebäude der Staatsanwaltschaft und verschwand auf der anderen Straßenseite in der Polizeizentrale. Howard Glenn saß hinter einem abgewetzten, überquellenden Schreibtisch, hatte die Lehne zurückgekippt und einen Telefonhörer zwischen Ohr und Schulter geklemmt. Cassidy blieb vor dem Schreibtisch stehen und bohrte seinen Blick in Glenn.

»Wir sprechen später weiter«, sagte Glenn in den Hörer und legte auf.

Cassidy sagte: »Wenn Sie noch mal was an mir auszusetzen haben, dann petzen Sie nicht. Kommen Sie damit zu mir. Von Mann zu Mann. Ich würde es bei Ihnen nicht anders machen.«

»Ich dachte, mein Vorgesetzter –«

»Sie haben sich geirrt«, unterbrach ihn Cassidy knapp. »Ich habe meine Gefühle, meinen Schwanz und diese Situation unter Kontrolle, und es stinkt mir, daß Sie es für nötig gehalten haben, mir eins auf die Pfoten geben zu lassen. Machen Sie das nicht noch mal. Wenn Sie Probleme mit mir haben, dann raus mit der Sprache.«

Glenn ließ seine Zigarette von einem Mundwinkel zum anderen wandern, wobei er den stellvertretenden D. A. vorsichtig abschätzte. »Keine Probleme.«

»Gut.« Cassidy schaute auf die Uhr. »Es ist fast Mittag. Nach dem Lunch erwarte ich Sie in meinem Büro, dann besprechen wir, wie wir weiter vorgehen.«

Kapitel 14

Alle Glocken der St.-Louis-Kathedrale läuteten, als Braut und Bräutigam unter einem Regen von Reis und guten Wünschen der Freunde und Familien aus der Kirchentür traten. Brautjungfern in grellrosa Kleidern wetteiferten kreischend um den Hochzeitsstrauß. Die Braut hielt inne, um sich von der tränenüberströmten Mutter zu verabschieden, dann hob der strahlende Bräutigam, der die schier endlosen Glückwünsche nicht abwarten wollte, die Braut in die Arme und trug sie zu der wartenden, überlangen weißen Limousine.

Hinter dem Eisenzaun, der den Jackson Square direkt vor der Kathedrale umgab, stand Yasmine und beobachtete die romantische Szene mit einer explosiven Mischung aus Neid und Zynismus. Am Morgen hatte sie in der Klatschspalte gelesen, daß der Kongreßabgeordnete Alister Petrie gemeinsam mit seiner Frau der Trauung am Spätnachmittag beiwohnen würde. Yasmine, die in der Nacht zuvor in New Orleans angekommen war, war von French Silk zur Kathedrale spaziert und hatte hinter dem Zaun Posten bezogen, in der Hoffnung, einen Blick auf ihren abtrünnigen Geliebten werfen zu können.

Obwohl sie ihm mitgeteilt hatte, daß sie da war, hatte er nichts von sich hören lassen. Sie hatte erwartet, daß er einen amourösen Abend arrangieren würde, ehe sie zu den Aufnahmearbeiten nach Mississippi fahren mußte.

»Bestimmt war er mit den Vorbereitungen für die Hochzeit beschäftigt«, murmelte sie zornig, während sie die Prozession gutgekleideter Gäste beobachtete, die durch die hohen, schmalen Kathedralentüren traten.

Doch als sie ihn erspähte, verflog ihr Zorn, und ihr Herz schien vor Liebe und Sehnsucht fast zu zerspringen. Er sah aus wie die Verkörperung des Amerikanischen Traums: ein gutaussehender, charmanter, erfolgreicher Mann ... mit einer bezaubernden Frau an seiner Seite. Yasmine hatte Belle Petrie bisher nur auf Fotos gesehen. Alisters Frau war schmächtig und blond, blaß und auf aristokratische Weise hübsch – und längst nicht so fade, wie Yasmine bislang geglaubt hatte.

Als sie Belle und Alister zusammen sah, schoß Yasmine vor Neid das Blut ins Gesicht und ihr ganzer Kopf dröhnte.

Alister bewegte sich durch die Menge, schüttelte Hände, lächelte und wirkte keineswegs so unglücklich, wie er zu sein behauptete. Ganz im Gegenteil, er wirkte zufrieden wie ein Mann, der die Welt am Wickel hatte. Auch Belle schien es an nichts zu fehlen, schon gar nicht an ehelichem Glück.

Yasmine konnte kaum an sich halten. Ihr erster Impuls war es, loszustürzen und den Mann niederzustrecken, der sie so verzweifelt und eifersüchtig hatte werden lassen, daß sie ihm sogar nachspionierte. Wie schockiert wären die feierlich gekleideten, juwelenbehängten Hochzeitsgäste, wenn sie Alister Petrie, ihren Ehrengast, als verlogenen Ehebrecher bloßstellen würde!

Aber sie konnte ihm keine Szene machen, ohne selbst wie eine eifersüchtige Närrin auszusehen, und dazu war sie nicht bereit. Daher klammerte sie sich verzweifelt an ihren Stolz.

Irgendwie fühlte sie sich entschädigt, als er sie entdeckte. Er war so fassungslos, daß es schon komisch wirkte. Sein Lächeln verflog, und er wurde blaß.

Yasmine ging am Zaun entlang, den Blick starr auf seine entsetzten Augen gerichtet. Als sie durch das Tor trat, sah er aus, als wollte er gleich davonlaufen. Es bereitete ihr ein perverses Vergnügen, direkt auf ihn zuzugehen. Seine Zunge schoß heraus und fuhr über seine Lippen. Sie kam ihm so nahe, daß sie die Schweißperlen auf seiner Stirn sehen konnte. Kurz vor ihm änderte sie die Richtung und ging an ihm vorbei und schlug den Weg zu French Silk ein.

Claire und Mary Catherine saßen beim Dinner, als sie in die

Wohnung kam. Claire entschuldigte sich dafür, nicht auf Yasmine gewartet zu haben. »Wir haben noch soviel zu tun, bevor wir morgen fahren. Ich wollte das Dinner aus dem Kopf haben.«

»Kein Problem. Ich bin nicht hungrig.« Yasmine ging ohne stehenzubleiben weiter, bis sie an ihrer Zimmertür angelangt war. Sie schloß sie demonstrativ hinter sich, damit Claire nicht auf die Idee kam, ihr nachzulaufen.

In der Abgeschiedenheit ihres Zimmers stiegen ihr die Tränen in die Augen, die sie so lange unterdrückt hatte. Während der nächsten anderthalb Stunden wechselten sich rotglühender Zorn und nachtschwarze Verzweiflung ab. Sie malte sich aus, wie sie Alister vor den Augen seiner Frau langsam und qualvoll tötete, nur um im nächsten Moment davon zu träumen, wie sie ihn liebte, bis alles andere vergessen war.

Erschöpft lag sie auf dem Bett, den Arm über die Augen gelegt. Jemand klopfte leise an die Tür. »Ich will nicht reden, Claire«, rief sie.

»Ich wollte dich nicht stören, aber es ist etwas für dich abgegeben worden.«

»Was?« Sie nahm den Arm runter und setzte sich auf. »Für mich?«

»Ja.«

Barfuß tappte Yasmine an die Tür und öffnete sie einen Spaltbreit. Claire reichte ihr eine lange, dünne, flache Schachtel. Ohne auf Claires mitleidigen Blick einzugehen, nahm sie die Schachtel, dankte ihr und schloß die Tür wieder. Die Schachtel enthielt eine einzelne Sterlingrose in grünem Seidenpapier. Eine perfekte, makellose Blüte aus rauchgrauen bis blauvioletten Blättern. Die Geste war so schön, daß ihr fast das Herz zersprang. Sie preßte die Blume an ihre Brust und warf sich wieder vor Liebeskummer weinend auf das Bett.

Ein paar Minuten später klingelte das Telefon. Sie rollte sich zum Nachttisch und nahm ab. »Ich habe sie eben bekommen«, sagte sie. Ohne daß er ein Wort gesagt hätte, wußte sie, wer der Anrufer war.

»Liebling.«

Der Klang seiner Stimme löste eine neue Tränenflut aus. »Ich dachte, du wärst böse auf mich.«

»Das war ich zuerst auch«, gab er zu. »Aber ich kann dir keinen Vorwurf daraus machen, daß du mir nachspionierst, Yasmine. Ich habe mich wie ein Schwein benommen. Doch der Wahlkampf fordert meine ganze Zeit und Kraft. Ich habe dich vernachlässigt, aber es ging nicht anders... ich meine, es tut mir leid. Hab Geduld mit mir, Liebling. Wenn die Wahl vorbei ist, sieht alles anders aus. Das verspreche ich dir.«

»Du und Belle, ihr seht so glücklich zusammen aus, Alister.« Langsam wickelte sie die Telefonschnur um den Finger. Seine Entschuldigung klang aufrichtig, aber ihr ging nicht aus dem Kopf, wie zufrieden er und Belle gewirkt hatten, als sie Hand in Hand vor der Kirche gestanden waren.

»Sie ist wahrscheinlich wirklich glücklich«, sagte er. »Sie ist nicht so leidenschaftlich wie ich, wie *wir*. Ich glaube, es stört sie gar nicht, daß ich nicht mehr mit ihr schlafe. Sie wollte immer nur einen erfolgreichen Mann und schöne Kinder. Und das hat sie bekommen. Echte Leidenschaft kennt sie nicht. Mein Gott«, stöhnte er, »man kann euch wirklich nicht miteinander vergleichen, Yasmine. Glaub mir.«

»Nein, das kann man nicht. Sie ist deine Frau, ich nicht.«

»Ich wohne mit ihr zusammen«, erwiderte er abfällig. »Mein Herz gehört ihr nicht. Ich wäre so gerne bei dir.«

»Wir treffen uns«, schlug sie eifrig vor.

»Das geht nicht. Diese Scheißhochzeit dauert noch den ganzen Abend. Nach dem Empfang gibt es eine große Party, und danach eine Feier im kleinen Kreis. Ich darf diese Leute nicht vor den Kopf stoßen. Sie haben ungeheuren Einfluß. Drei Viertel des Geldes in Louisiana sind heute abend hier versammelt. Ich habe mich nur kurz weggeschlichen, um dir die Rose zu schicken und dich anzurufen.«

»Ich fahre morgen, Alister.« Sie versuchte, das Zittern in ihrer Stimme zu unterdrücken. »Dann bin ich über eine Woche in Mississippi.«

Nach kurzem Nachdenken sagte er: »Donnerstag nacht. Kannst du einen Abstecher nach New Orleans machen?«

»Ja. Mit dem Auto sind es nur zwei Stunden von Rosesharon. Es wird eine lange Nacht werden, aber ich muß dich einfach sehen.«

»Also Donnerstag.«

Nachdem alles geplant war, erklärte Yasmine atemlos: »Ich kann es kaum erwarten.«

»Ich auch nicht, aber jetzt muß ich los. Belle wird mich langsam vermissen. Das hier ist angeblich nur ein kurzes Geschäftsgespräch.«

»Ich liebe dich, Alister.«

»Oh, da kommt sie schon. Sie winkt mich zu sich. Bis nächsten Donnerstag.«

Ohne sich zu verabschieden, hängte er auf. Mutlos legte Yasmine den Hörer auf die Gabel. Lange saß sie reglos auf der Bettkante und starrte verzweifelt ins Leere. Noch nie in ihrem Leben hatte sie sich so verloren gefühlt. Nicht einmal die Rose freute sie noch. Sie hatte sie so fest an ihre Brust gedrückt, daß sie schon zu welken begann.

Schließlich brachte sie die Kraft auf, sich an die Kommode zu stellen und ihr Spiegelbild anzustarren. Teilnahmslos musterte sie ihr Gesicht, dann fragte sie: »Warum zum Teufel tust du dir das an, du blöde Kuh?«

Es war ungerecht. Alister war auf einer Party, lachte, trank Champagner und tanzte, umgeben von Menschen, die ihn für einen Wahnsinnskerl hielten. Und sie war hier: Yasmine, die Göttin der Laufstege und Zeitschriften, hockte allein in ihrem Zimmer und weinte. »Was stimmt nicht mit diesem Gesicht?« fragte sie ihr Spiegelbild.

Männer waren Schweine. Alle Männer. Angefangen von ihrem Vater, der ihre Mutter verlassen hatte, als Yasmine noch in den Windeln lag, bis zu ihrem derzeitigen Geliebten waren sie erbärmliche, dreckige, schmierige Hurenböcke, die sich fast nie für ihre Taten zu rechtfertigen brauchten. Fast nie mußten sie die Zeche zahlen.

Natürlich gab es Ausnahmen. Alle heiligen Zeiten bekam einer, was er verdiente. So wie Jackson Wilde.

Claire räumte den Tisch ab, als sie Mary Catherine aufschreien hörte. Sie ließ den Schwamm in die Spüle fallen und rannte aus der Küche ins Wohnzimmer. Mary Catherine saß in einem Sessel und las die Abendausgabe der *Times Picayune*. Ihr Gesicht war leichenblaß. Ihre Hände zitterten.

»Mama!« rief Claire erschrocken. »Was ist denn?« Sie lief zu Mary Catherine und fing die Zeitung auf, die ihrer Mutter aus den reglosen Händen rutschte. »Mein Gott«, flüsterte Claire, nachdem sie die ersten Absätze des Leitartikels gelesen hatte. Dann ließ sie sich auf die Armlehne des Sessels sinken, in dem ihre Mutter saß.

»Glaubt Mr. Cassidy, daß du Reverend Wilde umgebracht hast, Claire?«

»Er tut nur seine Pflicht, Mama.«

»Hat er dich geküßt?«

»Was macht das für einen Unterschied?« fragte Claire bitter. »In der Zeitung steht, daß er es getan hat.«

Mary Catherine schlug die Hände vors Gesicht. »Das ist alles meine Schuld. Du mußt für meine Sünden büßen. Wenn ich nicht gesündigt hätte –«

»Schluß damit, Mama!« Claire zerrte ihrer Mutter die Hände vom verweinten Gesicht. »Du warst jung. Du warst verliebt und hast ihm vertraut. Du hast nicht gesündigt. Man hat sich gegen dich versündigt.«

»Aber in der Zeitung steht, deine Erziehung sei schuld daran, daß du den Staatsanwalt betören würdest, damit er dich in Ruhe läßt. Ach Claire, es tut mir so leid. Ich wollte doch nicht, daß man dich für das verurteilt, was ich getan habe.«

»Das hier«, erklärte Claire und deutete auf die Zeitung, »ist das Werk einer gemeinen, bösen, haßerfüllten Frau. Ariel Wilde versucht, mich schlechtzumachen, um von sich selbst abzulenken. Mrs. Wilde kennt weder dich noch mich. Was kümmert es uns, was sie von uns denkt? Soll sie doch glauben, was sie will.«

»Aber die Leute, Mr. Cassidy …« Ihre Miene verriet, wie sehr sie sich quälte. Leise und gepreßt flüsterte sie: »Wenn er mich nur geholt hätte, wie er versprochen hatte. Ich war da, pünktlich und mit all meinen Sachen. Ich bin ganz sicher, daß wir uns an dem Tag treffen wollten. Aber er kam nicht, und –«

»Hör zu, Mama.« Claire kniete hastig vor dem Sessel nieder und nahm Mary Catherines Hände. »Mir kommt gerade eine wunderbare Idee. Warum fährst du nicht morgen mit uns nach Mississippi?«

»Mississippi?«

»Ja. Wir machen Urlaub. Würde es dir nicht gefallen, ein paar Tage zu verreisen?« Mary Catherines verängstigte Miene entspannte sich. Claire hakte nach: »Harry kann mitkommen und dir Gesellschaft leisten, während ich arbeite. Bitte komm mit. Ich hätte dich so gern dabei.«

Geschmeichelt und schüchtern legte sich Mary Catherine die Hand auf den Hals wie ein Mauerblümchen, das gerade zum Tanz aufgefordert worden war. »Also, Claire Louise, wenn du mich wirklich brauchst …«

»Das tue ich, Mama.« Claire stand auf und half Mary Catherine aus dem Sessel. Die Zeitung schubste sie außer Sichtweite. »Such dir schon mal aus, was du mitnehmen willst. Ich rufe Harry an, damit sie heute nacht hier schläft. Wir fahren gleich morgen früh. Ich habe einen Kleinbus gemietet, Platz haben wir also genug. Wir frühstücken irgendwo unterwegs. Ach, ich freue mich schon so! Wir sind schon ewig nicht mehr zusammen verreist.«

»Ja, ewig«, bestätigte Mary Catherine, bevor sie aus dem Zimmer schwebte. »Ich nehme das neue Cocktailkleid mit.«

»Unbedingt. Das Blau steht dir so gut.«

Sobald Mary Catherine in ihr Zimmer verschwunden war, hob Claire die Abendzeitung auf und las den reißerischen Artikel. Er enthielt keinerlei Fakten, erweckte aber auf geschickte Weise beim Leser den Eindruck, daß Claire Laurent, Verlegerin des skandalösen Katalogs von French Silk, ein Flittchen war, das den Staatsanwalt verführen wollte, um einer Mordanklage zu entgehen.

Claire versuchte, Cassidy telefonisch zu erreichen, aber ohne Erfolg. Nachdem der erste Zorn verraucht war, kam sie zu dem Schluß, daß es vielleicht besser war, nicht mit ihm zu sprechen. Ihm war der Artikel bestimmt genauso unangenehm. Es war besser, wenn jeder allein reagierte, denn handelten sie gemeinsam, gäben sie Ariels Andeutungen nur neue Nahrung.

Sie rief Harriet York an, informierte sie über die Änderung ihres Planes und telefonierte dann nach Rosesharon, um sicherzustellen, daß noch ein Zimmer frei war. Sobald Harry eingetroffen war, bat Claire sie, Mary Catherine beim Packen zu helfen, während sie selbst nach unten in ihr Arbeitszimmer ging, um ein Ferngespräch zu führen. Sie erwischte ihren Geschäftsanwalt in New York. Er wollte gerade zum Essen ausgehen, hörte ihr aber trotzdem geduldig zu, während sie ihm den Zeitungsartikel vorlas.

»Ich habe sie davor gewarnt, mich noch mal anzugreifen«, erklärte ihm Claire, als sie zu Ende gelesen hatte. »Aber sie schmeißt mir den Fehdehandschuh ins Gesicht. Als wollte sie, daß ich sie verklage.«

»Genau das macht mir Sorgen«, erwiderte der Anwalt. »Sie will den Streit mit Ihnen so lange wie möglich hinziehen und die Publicity nutzen. Sie hat dabei nichts zu verlieren. Sie dagegen verabscheuen jede Publicity. Wenn Sie Ihr Leben nicht noch weiter durchleuchten lassen wollen –«

»Natürlich nicht.«

»Dann würde ich Ihnen raten, sie zu ignorieren.«

»Verdammt!« fauchte sie. »Ich weiß, daß Sie recht haben, aber ich kneife nicht gern. Was nutzt ein Ultimatum, wenn es nicht in die Tat umgesetzt wird?«

»Ihnen geht es wie den Prominenten, die Boulevardzeitungen wegen irgendwelcher halbwahren Geschichten verklagen. Ein Prozeß erregt nur noch mehr Aufsehen. Sie können dabei nicht gewinnen. Wenn Sie nicht wollen, daß Ihre schmutzige Wäsche in aller Öffentlichkeit gewaschen wird, sind Ihnen die Hände gebunden.«

»Aber ich kann doch nicht zulassen, daß sie solche Sachen über mich und meine Familie verbreitet!«

»Sie müssen sich entscheiden, Claire. Wenn Sie auch nur andeuten, daß die Medien Ihrer Meinung nach nicht alles drucken dürfen, dann müssen Sie auf einen Gegenschlag gefaßt sein. Ariel Wilde könnte behaupten, daß Sie nur für die Pressefreiheit eintreten, solange Sie einen Vorteil daraus ziehen.«

Claire seufzte. »Daran habe ich noch gar nicht gedacht.«

»Es würde mich nicht überraschen, wenn sie genau das beabsichtigt«, erklärte der Anwalt weiter. »Sie würde Ihnen nur zu gern Ihre Äußerungen zum Thema Zensur um die Ohren hauen.«

Sie besprachen die Sache noch ein paar Minuten, dann sagte Claire: »Es scheint mir tatsächlich am besten zu sein, sie weiterhin zu ignorieren.«

»Das würde ich Ihnen auch raten. Sie ist eine Plage, aber sie kann Ihnen nichts anhaben.«

»Ich mache mir nicht meinetwegen Sorgen. Es ist mir egal, was Ariel Wilde oder irgend jemand sonst über mich verbreitet. Mir geht es um Mama. Wenn jemand sie verleumdet, dann schlage ich zurück. Außer ihr und Yasmine habe ich keine Familie. Wenn wir nicht zusammenhalten, wer dann?«

»Das weiß ich. Deshalb hat mich diese andere Sache auch so irritiert.«

»Was für eine andere Sache?«

Und dann kamen die wirklich schlechten Neuigkeiten.

Die beiden Mrs. Montheiths sahen sich zum Verwechseln ähnlich. Graces Haar war ein kleines bißchen dunkler als das von Agnes, aber ansonsten unterschieden sich die beiden drallen Frauen kaum. Sie waren Schwägerinnen, erklärten sie Claire, als sie sich in der Pension Rosesharon anmeldete.

»Unsere Männer waren Brüder«, erzählte Agnes. »Sie starben beide innerhalb weniger Monate.«

»Und anstatt uns darum zu streiten, wer was im Haus erben sollte, haben wir beschlossen, uns zusammenzutun«, führte Grace aus.

»Wir kochen beide liebend gern. Da war es doch nur vernünftig, daß wir unser Hobby zum Beruf gemacht haben.«

»Aber das Haus eignete sich nicht für einen Pensionsbetrieb.«

»Deshalb haben wir einen Teil des Grundstücks verkauft und vom Erlös eine Fachkraft bezahlt, die das Haus vom Speicher bis zum Keller umgestaltet hat.«

»Diese Fachkraft hat gute Arbeit geleistet«, bekannte Claire, nachdem sie sich im geräumigen Foyer umgesehen hatte. Das Haus war zu einer echten Südstaatenvilla herausgeputzt worden.

Während sie Claires Kreditkarte durch den Automaten zog, erklärte Agnes: »Sie können gleich auf Ihre Zimmer. In der Küche gibt es immer Saft, kalte Getränke, Obst und Kekse, falls jemand das Essen verpaßt. Frühstück wird zwischen sieben und halb neun serviert, aber auch danach steht eine Thermoskanne mit Kaffee auf der Anrichte im Speiseraum. Zum Lunch servieren wir ein kaltes Büffet. Tee und kleine Sandwichs können Sie zwischen halb vier und fünf Uhr bekommen. Die Bar öffnet um fünf, aber abgesehen von dem Wein zum Abendessen müssen alle Alkoholika extra bezahlt werden. Man muß sich die Drinks selber mixen, und wir verlassen uns darauf, daß unsere Gäste über ihren Verbrauch selbst Buch führen. Das Dinner wird pünktlich um halb acht serviert.«

Claire mochte die beiden und hoffte, daß niemand aus der Crew ihre Gastfreundschaft und Offenherzigkeit ausnützen würde. »Wir werden versuchen, uns an die Zeiten zu halten«, antwortete sie. »Ich wäre Ihnen aber sehr verbunden, wenn Sie flexibel reagieren könnten, falls wir uns etwas verspäten.«

»Natürlich, meine Liebe. Sie sind unsere ersten ›geschäftlichen Gäste‹. Wir sind schrecklich aufgeregt. Nur eines hätte uns noch besser gefallen – wenn hier ein Film gedreht würde«, sprudelte Agnes hervor.

»Und wir *lieben* Ihren Katalog«, bekannte Grace. »Wenn er mit der Post kommt, streiten wir uns jedesmal, wer ihn zuerst anschauen darf.«

»Das freut mich.« Claire war froh, daß endlich ein Lächeln angebracht war. Sie hätte keine Sekunde länger ernst bleiben können. »Ihr Haus wird einen wunderschönen Hintergrund für unsere Fotos abgeben.«

Sie war begeistert, seit sie vom Highway abgebogen und der Schotterallee nach Rosesharon gefolgt waren. Der Herbst stand kurz bevor, aber der Rasen und die Blumenbeete um das Haus wirkten noch frisch und grün. Weiße Gartenmöbel standen im Schatten der ausladenden Bäume.

Das Haus selbst sah aus wie eine Hochzeitstorte. Die Ziegel waren in blassem Hellrosa getüncht. Die sechs korinthischen Säulen waren, wie alle anderen Verzierungen auch, weiß gestrichen. Eine breite Veranda verlief rings ums Haus, überschattet von einer Galerie im ersten Stock. Claire war sehr zufrieden mit Yasmines Wahl.

»Wir wollen, daß Sie sich hier wohl fühlen«, meinte Grace. »Vergessen Sie nicht, wir sind hier zu Hause, und Sie sind unsere Gäste. Alles steht zu Ihrer Verfügung.«

Eine Bewegung auf der Veranda lenkte ihre Aufmerksamkeit auf die Eingangstür. Ein kleiner, drahtiger junger Mann in weißem Leinenanzug und gelbem Polohemd riß die Fliegentür auf und betrat mit großer Geste die Bühne des Geschehens.

»Claire!« rief er aus, als er sie sah. »Mein Gott, das ist einfach irrsinnig. Liebling!« Er küßte sie auf beide Wangen und hielt gleich darauf den Lichtmesser, der an einer schwarzen Kordel um seinen Hals hing, vor ihr Gesicht, um die Werte abzulesen. »Ach, das wird einfach wundervoll. Ich kann gar nicht erwarten, daß wir endlich anfangen, *es sei denn,* diese mörderische Hitze bringt mich vorher um. Wie können Sie hier nur leben? Aber das Haus ist wirklich grandios. Yasmine hat mir das zwar versichert, aber ihr wißt ja, wie dieses Miststück immer übertreibt.«

Leon war einer der begehrtesten Modefotografen in New York. Seine Extravaganz wurde einzig von seinen Fähigkeiten mit Licht und Linse in den Schatten gestellt. Wenn er nicht gerade einen Wutanfall hatte oder gemeinen Tratsch verbreitete, war er recht amüsant.

Leon redete immer noch. »Diese Treppe ist der Wahnsinn. Stell

dir vor, ein Model lagert darauf wie kurz vor einer Ohnmacht.«
Er posierte selbst. »Die Augen auf Halbmast, du weiß schon.
Ich schieße von oben. Am besten am Spätnachmittag, damit das
Licht auf die richtigen Stellen fällt. Ja, ja.« Er klatschte in die
Hände. »Das Haar aufgefächert auf den Stufen. Ein paar
feuchte Strähnen auf der Wange. O Gott, ich krieg' schon eine
Gänsehaut, wenn ich es mir nur vorstelle.«
Die übrigen aus der Mannschaft trudelten ein und ließen sich
wie geschlagene Soldaten in die Sessel fallen. »Mein Gott, ist
das heiß«, schnaufte ein Mannequin und hob sich die blonden,
strähnigen Haare aus dem Nacken.
Es waren vier Mannequins und zwei männliche Modelle. Yasmine hatte sie schon für frühere Katalogaufnahmen engagiert.
Sie waren eine gesellige Gruppe, und sie sprachen sich nur mit
dem Vornamen an – Felicia, Dana, Liz und Alison. Sie waren
jung, sexy und sahen fantastisch aus. Kurt, der dunkle, düstere
Typ, trug sein seidiges schwarzes Haar schulterlang. Er spielte
den schlanken Europäer oder den gefährlichen, wilden Drauf-
gänger. Der andere Mann, Paul, war blond und blauäugig. Er
verkörperte die netten Jungs von nebenan und den vornehmen
Yuppie.
Die Stylistin, die für die Garderobe zuständig war, kannte man
in der ganzen Modewelt nur als Rue. Sie war in den mittleren
Jahren und hatte ein hartes Gesicht und eine Stimme wie ein
Zementmischer. Nie sah man sie ohne eine schwarze, stinkende
Zigarette im Mundwinkel.
Die Maskenbildnerin war eine ruhige Asiatin mit porzellanhel-
ler Haut und ausdrucksvollem Rehblick. Die Friseuse hatte ihr
Haar millimeterkurz geschnitten, trug aber Ohrringe, die ihr
bis auf die Brust baumelten.
Leons Assistent war ein schüchterner junger Mann, rund und
rosig wie ein Neugeborenes, der kaum etwas sagte und immer
in Leons Schatten blieb.
»Vielleicht sollten wir uns erst mal einrichten«, schlug Claire
vor. »Sobald alle ausgepackt haben, möchte ich mit Leon und
Yasmine die Aufnahmeliste durchgehen.«

Die Monteiths riefen zwei Pagen herbei, die das Gepäck nach oben brachten. Bevor sich die Gruppe in alle Richtungen zerstreute, rief Claire über den Lärm hinweg: »Vor dem Essen sollen alle Models zur Anprobe im Winnebago erscheinen. Rue hat eure Sachen schon gekennzeichnet.«

Die Models trennten sich in Zweiergruppen. Claire wußte nicht, wer bei wem schlief und wollte das auch gar nicht wissen. Zuviel Klatsch konnte sich negativ auf die Arbeit auswirken. Wenn sich während ihres Aufenthaltes irgendwelche Minidramen abspielen sollten, dann wollte sie nichts davon erfahren.

Mary Catherine teilte sich ihr Zimmer mit Harry. Leon und sein Assistent waren in einem Zimmer untergebracht. Claire und Yasmine wohnten zusammen. Rue, die Friseuse und die Visagistin wollten im Winnebago schlafen. Das traf sich. Andernfalls wäre kein Zimmer für ihre Mutter und Harry frei gewesen.

Sie war froh, sich auf ihre Arbeit konzentrieren zu können und keine Angst haben zu müssen, daß Cassidy ihre Mutter verhörte. Auch deshalb hatte sie Mary Catherine aus New Orleans weggebracht.

Kapitel 15

Claire war früh aufgestanden und besprach beim Kaffee mit Leon, Rue und Yasmine die Aufnahmen, die an diesem Tag gemacht werden sollten. »Was hältst du davon, eine Innenaufnahme mit dieser altmodischen Frisierkommode zu machen?« fragte sie Yasmine.

Yasmine war begeistert. »Wir können das Model von hinten vor dem Spiegel fotografieren, während man im Spiegel sieht, wie ein Kerl durch die Balkontür reinschaut. Wenn wir die Gardine vorziehen, ist nur seine Silhouette zu erkennen.«

»Die Aufnahme wäre wie geschaffen für den rückenfreien BH, den Sie entworfen haben, Claire«, erklärte Rue zwischen zwei rasselnden Hustenanfällen.

»Leon?«

»Klingt fantastisch. Aber wir sollten die Innenaufnahmen machen, wenn es bewölkt ist. Ich will diesen irrsinnigen Sonnenschein so lange wie möglich ausnutzen.«

Das Wetter war ganz nach Leons Wunsch, und sie kamen gut mit den Aufnahmen voran.

»Nach dem Lunch machen wir weiter«, rief Claire den anderen zu, während sich alle über die Vordertreppe in den kühlen Schatten der Veranda schleppten, wo Agnes Monteith mit einem schnurlosen Telefon wartete.

»Ein Anruf für Sie, Miss Laurent. Ein Mr. Cassidy. Ich habe ihm gesagt, daß wir gerade zu Mittag essen, aber er ließ sich nicht abwimmeln.«

»Nein, natürlich nicht.« Stirnrunzelnd nahm Claire das Telefon entgegen, aber sie sprach erst, als alle im Haus waren. »Hallo, Cassidy.«

»Wie ist Mississippi?«

»Heiß.«

»Bestimmt nicht heißer als New Orleans.«

»Ach?«

»Tun Sie nicht so unschuldig. Crowder heizt mir höllisch ein.«

»Wegen diesem Artikel?«

»Sie haben ihn gelesen?«

»Bevor ich abgefahren bin. Ariel Wilde hält mich für ein echtes Flittchen, wie?«

»Soviel Lärm um einen kleinen Kuß.«

Es war keineswegs nur »ein kleiner Kuß« gewesen, aber Claire beließ es dabei. »Sie hätten die Konsequenzen bedenken sollen, ehe Sie mich geküßt haben.«

»Das habe ich. Damals waren mir die Konsequenzen vollkommen egal.«

Claire sank in den nächsten Rohrstuhl. Ihr Atem ging schwer, ihr wurde heiß, und ihr fiel nichts ein, um die unangenehme Stille zu überbrücken.

Cassidy sagte: »Ariel hat Crowder angerufen, bevor sie zur Presse ging. Anscheinend hat sie jemanden auf Sie angesetzt.«

Bei dem Gedanken, daß sie jemand heimlich beobachtete, kam sie sich so besudelt vor, daß sie am liebsten ein Bad genommen hätte. »Zur Hölle mit ihr! Warum läßt sie uns nicht in Ruhe? Warum lassen Sie uns nicht in Ruhe?«

»Hören Sie, die letzten Tage waren für mich auch nicht gerade angenehm.«

»Crowder war wohl nicht besonders zufrieden mit Ihnen.«

»Er wollte mir den Fall wegnehmen.«

»Das hätte Ihnen gar nicht gefallen, wie?«

»Nein.«

»Wie hat Crowder offiziell auf den Artikel reagiert?«

»Er streitet alles ab.«

»Wie kann er das?« entfuhr es Claire.

»Ariel Wildes Wort steht gegen unseres. Wem wird die Allgemeinheit glauben, einer religiösen Spinnerin oder dem District Attorney?«

»Crowder lügt, um Sie zu schützen?«

»Nicht mich. Er hat gelogen, um seine Abteilung zu schützen. Er ist vor allem Politiker, und er unterstützt das Establishment so entschieden, wie Sie es bekämpfen.«

Claire war noch dabei, diese Neuigkeiten zu verarbeiten, als ihr ein erschreckender Gedanke kam. »Um sich wieder bei Crowder zu rehabilitieren, müssen Sie mich fast vor Gericht bringen. Nur so können Sie den Leuten beweisen, daß Sie unvoreingenommen und meinen Verführungskünsten nicht erlegen sind.«

»Unsinn«, erwiderte er gepreßt. »So ist es nicht.«

»Wirklich nicht?«

»Nun, bis zu einem gewissen Grad schon. Aber das hat nichts mit Politik oder Crowder zu tun. Ich muß nur einem einzigen Menschen was beweisen – mir selbst. Ich habe um diesen Fall gebeten. Ich habe darum *gebettelt*. Und jetzt habe ich ihn, deshalb bin ich dafür verantwortlich, daß Jackson Wildes Mörder vor Gericht kommt.« Leiser fügte er hinzu: »Wer auch immer das ist. Deshalb...«

»Deshalb was?«

»Deshalb habe ich mir heute morgen einen Durchsuchungsbefehl für French Silk besorgt.«

Bei diesen Worten krampfte sich ihr Magen zusammen. Die Vorstellung, wie Fremde in ihren persönlichen Dingen herumwühlten, war ihr unerträglich. »Das können Sie mir nicht antun, Cassidy!«

»Tut mir leid, Claire, aber ich kann und ich tu's. Um genau zu sein, ich fahre jetzt gleich zu French Silk.«

Er hängte ein, ohne sich zu verabschieden.

Als sie sich zu den anderen am kalten Büffet gesellte, setzte sie ein Lächeln auf und versuchte, sich heiter zu geben, aber offenbar konnte sie niemandem etwas vormachen.

Mary Catherine zog sie beiseite. »Ist alles in Ordnung, Liebes? Du siehst wütend aus.«

Liebevoll drückte sie ihrer Mutter die Hand. »Alles in Ordnung, Mama.«

»Mr. Cassidy hat vorhin angerufen, nicht wahr? Hat er dich wieder nach Reverend Wilde gefragt?«

»Nein. Es ging um etwas anderes. Gefällt es dir hier? Was hast du heute morgen mit Harry unternommen?«

Mary Catherine erging sich in einer ausführlichen Schilderung ihrer Aktivitäten. Claire fiel es schwer, sich auf das zu konzentrieren, was ihre Mutter sagte. Sie brachte ein paar allgemeine Bemerkungen über die Lippen, doch in Gedanken war sie bei der Polizei, die ihre Wohnung durchsuchte. Was sollten ihre Angestellten von ihr denken? Sie würde später anrufen und ihnen versichern, daß sie sich keine Sorgen zu machen brauchten.

Am Nachmittag widmete sie sich ihrer Arbeit, aber immer wieder mußte sie an die uniformierten Fremden denken, die ihre, Yasmines und Mary Catherines Schubladen durchkramten, alle Papiere durchblätterten, die Schränke durchsuchten und ihre persönlichsten Dinge befingerten.

Das würde sie Cassidy nie verzeihen.

»Liebling, weiß du, wo meine goldenen Manschettenknöpfe sind?«

Alister Petrie trat mit losen Ärmeln aus dem begehbaren Schrank. Er und Belle sollten in einer halben Stunde auf einer Dinnerparty erscheinen, deren Einnahmen zur Unterstützung seines Wahlkampfes gespendet wurden. Sie waren spät dran. Nach der Wahlkampfrede heute nachmittag hatte er kaum Zeit zum Heimfahren, Duschen und Umziehen gehabt, bevor er der nächsten Versammlung potentieller Spender und Wähler gegenübertrat.

»Sie liegen hier auf meinem Frisiertisch.«

Belle saß auf dem gepolsterten Samtstuhl vor ihrem Schminktisch und zog sich die Bürste über den blonden Pagenkopf. Seit der High School trug sie diese Frisur; durch Heißölbehandlungen und monatliches Nachschneiden hielt sie sie in Form.

»Hast du mich im Fernsehen gesehen?« fragte er. Er knöpfte sich das Hemd zu, während er zu ihr kam.

»Nein, Liebling. Ich mußte alles für heute abend vorbereiten. Ich bin überzeugt, du warst blendend wie immer.«

Er langte nach den Manschettenknöpfen neben ihr. »Zwei Sender...« Dann riß er die Hand zurück, als hätte ihn eine Kobra gebissen.

Seine Manschettenknöpfe lagen in einem Nest schwarzer Spitzen, das er augenblicklich wiedererkannte. Sein Magen krampfte sich zusammen. Ein paar unerträglich lange Sekunden glaubte er, sich über Belles Cremetöpfchen und Parfümflakons erbrechen zu müssen.

Ihre Blicke trafen sich im Spiegel. Betont kühl legte sie ihre Diamantohrringe an. »Ich habe das in der Tasche deines Anzugs gefunden, als ich ihn zum Reinigen bringen wollte. Wie *jede gute Ehefrau* leere ich alle Taschen, bevor ich die Sachen weggebe. Du hättest das wissen und besser achtgeben können.«

»Belle, ich –«

»Was, Alister?« Sie wirbelte auf dem Hocker herum und schaute ihm ins Gesicht. Ihre Miene war zu lieblich, um aufrichtig zu sein. »Trägst du seit neuestem Damenwäsche?« Sie hob das elastische Spitzenband hoch, an dem das winzige Dreieck befestigt war.

Inzwischen hatte er sich von dem ersten Schrecken erholt, den ihm der Anblick von Yasmines Tanga-Slip auf dem Frisiertisch seiner Frau eingejagt hatte, und er wurde wütend. Andere Männer hatten Affären, ohne sich dafür rechtfertigen zu müssen. Warum sollte immer er den Sündenbock abgeben?

»Sprich nicht so mit mir, Belle.«

»Andernfalls«, sagte sie und zog das Gummiband wie auf einer Schleuder in die Länge, bevor sie das Höschen wieder auf die Tischplatte fallen ließ, »kann ich daraus nur schließen, daß du eine Geliebte hast.«

Sie stand auf und stieß ihn weg. Die Hochnäsigkeit war das schlimmste an ihrem affektierten Gehabe. Mit ein paar einstudierten Gesten und kalkulierten Worten schaffte sie es, daß er sich schlecht und dumm und unbedeutend vorkam.

Er war Abgeordneter im Kongreß der Vereinigten Staaten,

Herrgott! Niemand, nicht einmal seine Frau, durfte so mit ihm umspringen. Er würde bestimmt nicht gestehen, daß er eine Geliebte hatte, und erst recht nicht um Verzeihung bitten.

Belle zog ein fließendes Chiffonkleid aus ihrem Schrank, stieg hinein und streifte es über ihre gertenschlanken Hüften. »Mach mir den Reißverschluß zu«, befahl sie, nachdem sie die Arme durch die mit Ziermünzen versehenen Ärmel geschoben hatte.

Sobald er den Reißverschluß hochgezogen hatte, drehte sie sich zu ihm um. »Ich bin nicht so dumm zu glauben, daß du mir treu bist. Natürlich hast du andere Frauen gehabt. Du hast jetzt eine und du wirst noch andere haben. Darum geht es nicht.«

»Warum machst du dann so einen Aufstand?« fragte er streitlustig. Sie hätte das Höschen unauffällig verschwinden lassen und ihnen diese unangenehme Szene ersparen können. Den lieben langen Tag machte ihm alle Welt die Hölle heiß. Er hatte keine Lust, sich auch noch zu Hause anraunzen zu lassen.

»Ich mache ihn, um dir deine erschreckende Dummheit vor Augen zu führen.«

Alister sah rot. »Jetzt halt mal die Luft an. Ich –«

Sie hob beide Hände. »Erspar mir deine selbstgerechte Entrüstung, Alister. Die kannst du dir nicht leisten. Hör mir zu und merk dir, was ich sage.«

Ihre Augen wurden schmaler. »Wenn ich herausgefunden habe, daß du dein Ehegelübde brichst, dann werden das andere auch herausfinden. Du bist unglaublich dumm und gefährlich unvorsichtig. Früher oder später wird alle Welt das merken, genau wie ich.

Bis jetzt hast du im Wahlkampf eine gute Figur gemacht. Du hast dir einen starken, soliden Wählerstamm aufgebaut.« Sie hielt inne und holte Luft. »Was, glaubst du, würden all diese Frömmler wie zum Beispiel Jackson Wildes Gefolgsleute sagen, wenn bekannt wird, daß du ein Ehebrecher bist? Wilde ist zwar tot, aber keinesfalls vergessen. Wir können uns seinen Einfluß immer noch zunutze machen. Du hast die Polizei besonders lautstark dafür kritisiert, daß man seinen Mörder noch nicht gefunden hat. All das könnte umsonst sein, wenn man dich als christlichen Heuchler durchschaut. Willst du Tausende von Wählerstimmen opfern, nur für ein paar Stunden...« Sie machte eine knappe Handbewegung zu dem Höschen auf dem Frisiertisch hin.

»Ficken. Man nennt es Ficken, Belle.« Er beobachtete schadenfroh, wie sie blaß wurde und sich plötzlich aufrechter hielt. »Und wenn du nicht so spröde im Bett wärst, dann bräuchte ich nicht –«

»Halt.« Sie zielte mit dem Zeigefinger auf seine Brust. »Gib mir nicht die Schuld. Du hast einen Fehler gemacht, Alister. Ich werde keinesfalls dafür büßen. Ich bin gerne die Frau des Kongreßabgeordneten Alister Petrie. Und ich möchte es auch bleiben.

Aber wenn du erwischt wirst, wenn man dich als fremdgehenden, lügenden Ehemann bloßstellt, dann werde ich mich bestimmt nicht hinstellen und verkünden, was für ein wunderbarer, liebender Gatte und Vater du bist. Ich werde mich nicht deinetwegen zum Narren machen.

Außerdem«, sie wurde leiser und vertraulicher, »weißt du genau, was passiert, wenn ich meine finanzielle Unterstützung für deinen Wahlkampf einstelle.« Alister spürte, wie ihm das Blut aus dem Gesicht wich. Belle lächelte. »Noch weiß niemand, daß du ohne mein Vermögen niemals in den Kongreß gekommen wärst. Und ohne meine Zuwendungen wirst du es auch diesmal nicht schaffen. Denk darüber nach. Wenn du wieder den Drang verspürst zu ficken – wie du es so charmant ausdrückst –, dann erfülle deine ehelichen Pflichten.«

Sie tippte mit ihrem manikürten Nagel auf sein gestärktes Hemd. »Es wäre sehr, sehr dumm, mich unglücklich zu machen, Alister. Beende die Affäre. Augenblicklich.«

Sie stellte sich auf die Zehenspitzen und gab ihm einen kurzen Kuß auf die Lippen. »Jetzt zieh dich an, sonst kommen wir zu spät. Und sag noch den Kindern gute Nacht.« An der Schlafzimmertür blieb sie stehen und machte eine Kopfbewegung in Richtung Frisiertisch. »Und laß das bitte verschwinden, damit ich es nie wieder sehen muß.«

Alister kochte vor Zorn, aber ihm waren die Hände gebunden. Oberflächlich gesehen war ihre Ehe perfekt. Solange alles nach Belles Willen ging, lebten sie in Harmonie. Doch er machte sich keine Illusionen. Sie sah vielleicht so zerbrechlich aus wie eine Treibhausorchidee. Aber wenn man ihr in die Quere kam, konnte sie bissiger sein als ein Vampir.

Sie war zu sehr mit sich selbst beschäftigt, um guten, schmutzigen Sex zu mögen. Bei ihr mußte alles sauber und ordentlich sein, alles mußte organisiert, durchgeplant werden und kontrollierbar bleiben. Sie hatte sich nicht darüber aufgeregt, daß er eine Geliebte hatte. In Wahrheit war sie wahrscheinlich erleichtert, daß er sie in letzter Zeit nicht so oft bedrängt hatte. Sie hatte der Zeitpunkt der Affäre und seine Unfähigkeit, sie geheimzuhalten, geärgert. Diesmal gab Belle nicht den Ton an, und das machte sie so wütend.

Er ging zum Frisiertisch und hob das Spitzenhöschen hoch. Seit er mit Yasmine angebändelt hatte, hatte er schon zu oft wider besseres Wissen gehandelt. Ihn schauderte bei der Vorstellung, daß irgendein Reporter von seinem Verhältnis mit dem berühmten schwarzen Mannequin Wind bekommen könnte. Aber was sollte er denn machen – sich mit dem sterilen, langweiligen Sex im Ehebett begnügen? Bis nach der Wahl vollkommen untertauchen? Es war unmöglich, während einer Wahlkampagne unauffällig zu bleiben. Er zog die Reporter an wie eine Leuchtangel die Fische, und er mußte im Scheinwerferlicht stehen, um Wähler zu gewinnen.

Beide Ziele waren unvereinbar. Eines von beiden mußte er aufgeben. Er konnte nicht alles haben.

Er befingerte das Spitzengewebe und dachte an den bizarren Nachmittag in seinem Büro in Washington; ein Lächeln legte sich um seine Lippen, und er lachte leise. »Wieso eigentlich nicht?«

Das Lokal war so düster wie Cassidys Stimmung. Es war eine jener Familienkneipen, in denen Bullen zum Dank für ihren notdürftigen Schutz und ihre lausigen Trinkgelder Rabatt bekamen. Detective Glenn hatte ihn hergeführt. Das Restaurant paßte zu ihm – es war schmierig und deprimierend. Cassidy wünschte, er wäre woanders und könnte sich über etwas anderes unterhalten als über den Fall.

»Wissen Sie, ich habe nachgedacht«, erklärte Glenn und zündete sich die nächste in einer endlosen Kette von Zigaretten an. »Könnte doch sein, daß eins von den Mädels was mit Wilde hatte. Eine kleine Romanze. Ist Ihnen jemals der Gedanke gekommen?«

»Nein«, antwortete Cassidy. Es störte ihn, daß Claire als Mädel bezeichnet wurde. »Wie kommen Sie darauf?«

»Diese Yasmine hatte immer was laufen; die Liste ihrer Typen ist kilometerlang. Mit wem trifft sie sich jetzt? Seit über einem Jahr hat man nichts mehr von einer Romanze gehört. Komisch, wie?«

»Sie glauben, sie hat was mit *Wilde* gehabt?«

Glenn zuckte mit den Achseln. »Vielleicht waren diese Spenden eine Vergütung für was ganz anderes.«

»Sie haben eine Nikotinvergiftung«, stellte Cassidy säuerlich fest und wedelte die verpestete Luft vor seinem Gesicht weg.

»Also, nach dem, was wir heute gefunden haben, glaube ich einfach alles.« Glenn pfiff. »Wirklich komisch diese Sache.«

Cassidy schwieg und spielte weiter mit dem kaputten Serviettenspender auf ihrem Tisch herum.

»Und bei dieser Laurent ist auch nicht alles koscher, stimmt's?«

»Stimmt«, antwortete Cassidy ruhig. »Ist es nicht. Aber was wir gefunden haben, beweist noch gar nichts.«

»Nein, aber wir machen Fortschritte.« Glenn schlürfte seinen Kaffee. »Was meint Crowder dazu? Sie haben's ihm doch erzählt, oder?«

»Ja, ich habe Bericht erstattet.«

»Und?«

»Er sagt, wir sollen zuschlagen«, murmelte Cassidy widerwillig.

»Also...«

Cassidy hob den Kopf und schaute den Detective hinter dem verkratzten Tisch an. »Also?«

»Also werden Sie nun hier sitzen bleiben und weiter so schauen, als hätten Sie gerade Ihren letzten Freund verloren, oder werden Sie endlich Vernunft annehmen, Ihren Schwanz wieder in die Hose stecken, Ihren Arsch hochkriegen und zuschlagen?«

Kapitel 16

Regen lag in der Luft. Die hohe Luftfeuchtigkeit machte fast jedem zu schaffen, und die Stimmung war gedrückt. Im Lauf des Vormittags wurden die Wolken dunkler und die Atmosphäre gereizter. Die Models, die nicht gebraucht wurden, zogen sich in ihre Zimmer zurück und ruhten sich in der klimatisierten Kühle aus. Da bei dem Wetter keine Außenaufnahmen gemacht werden konnten, wurden ein paar Bilder im Haus geschossen, wobei der Frisiertisch in Claires und Yasmines Zimmer zum Einsatz kam.

Wie Rue vorgeschlagen hatte, trug Dana den rückenfreien Büstenhalter. Dazu hatte sie elfenbeinfarbene Satinshorts, selbsthaltende Seidenstrümpfe und elfenbeinfarbene Satinschuhe mit hohen Absätzen angezogen. Claire hatte die Monteiths gefragt, wo sie in der nächstgrößeren Stadt ein Hochzeitskleid ausleihen könnte.

»Aber wir haben doch eins!« antworteten die beiden im Chor.

Ihre Nichte hatte vor ein paar Monaten auf Rosesharon geheiratet, und das Hochzeitskleid hing immer noch auf dem Speicher. Sie versicherten Claire, daß ihre Nichte geschmeichelt wäre, wenn es für den Katalog von French Silk verwendet würde. Es wurde heruntergebracht und aus der schützenden Plastikhülle befreit. Zum Glück war es nicht grellweiß, so daß es zu den vorgestellten Dessous paßte. Rue bügelte mit dem Dampfbügeleisen alle Falten aus, wobei sie ununterbrochen knurrte: »Das hat mir grade noch gefehlt. Als wär's nicht schon feucht genug hier.«

Jetzt hing das Brautkleid neben dem Frisiertisch, und Dana wirkte wie eine Braut, die sich für die Hochzeitszeremonie bereit macht. Der Frisiertisch war umgestellt worden, so daß im dreiteiligen Spiegel die Fenstertüren zu sehen waren, die auf die Galerie führten. Es war nicht einfach, das Foto so zu schießen, daß weder Leon noch die Scheinwerfer im Spiegel zu sehen waren.

»Ich will, daß Dana ihr Haar hoch hält«, erklärte Yasmine. »Damit man genau sehen kann, wie der Büstenhalter konstruiert ist.«

Die Maskenbildnerin hatte Dana noch nicht ganz hergerichtet, deshalb bat Yasmine Claire, sich auf den Frisierstuhl zu setzen, während sie die Position der Scheinwerfer, die Spiegelstellung und den Kamerawinkel bestimmten.

Claire setzte sich und schaute in den Spiegel. In dem Moment bemerkte sie eine Bewegung an der Balkontür. Cassidy teilte die Gardinen und kam ins Zimmer. Dann blieb er stehen. Ihre Blicke trafen sich im Spiegel.

»Genau so, Claire!« rief Yasmine. »Das ist es. Genau diesen Ausdruck will ich haben! Hast du das gesehen, Dana? Überrascht. Erwartungsvoll. Ein bißchen atemlos.« Als sie aber über ihre Schulter sah und entdeckte, daß Cassidy der Grund für Claires erstauntes Gesicht war, verflog ihre Begeisterung. »Was machen Sie denn hier?« fragte sie mit offensichtlichem Mißfallen. Sie wandte sich an Claire. »Hast du ihn eingeladen?«

»Nein«, antwortete sie, den Blick starr auf den stellvertretenden Bezirksstaatsanwalt gerichtet.

Leon reichte seinem Assistenten den Scheinwerfer, ging zu Cassidy und legte ihm eine Hand auf den Arm. »Und wer sind *Sie*?«

»Ein Bulle aus New Orleans«, antwortete Yasmine.

Cassidy lächelte schwach und befreite behutsam seinen Arm aus Leons Griff. »Ich bin kein Bulle.«

Claire stand auf und winkte das Model an ihren Platz. »Wir müssen die Aufnahme machen. Sind alle bereit?«

Dana nahm ihren Platz auf dem Frisierschemel ein. Rue und die

Maskenbildnerin zupften an ihr herum. Yasmine überlegte mit Leon, wie man die Aufnahme variieren konnte.

Claire versuchte, sich ihren Zorn nicht anmerken zu lassen, als sie Cassidy in eine Zimmerecke zog. »Was wollen Sie hier? Wir dulden keine Zuschauer bei unseren Fotoaufnahmen.«

»Tut mir leid, aber diesmal müssen Sie eine Ausnahme machen.«

»Und wenn nicht?«

»Dann hole ich mir eine richterliche Genehmigung.«

»Noch einen Durchsuchungsbefehl? Soll ich meinen Leuten sagen, daß Sie in ihren Sachen kramen wollen?«

Er zog die Stirn in Falten und sah sie wortlos an.

»Woher wußten Sie, wo wir sind?« fragte sie wütend.

»Ich habe eine ganze Kompanie von Detektiven zu meiner Verfügung. Es war kinderleicht, Sie zu finden.«

»Es überrascht mich, daß die Monteiths Sie hereingelassen haben. Ich dachte, nur Gäste dürfen ins Haus.«

»Ich bin ein Gast.«

»Was?« entfuhr es ihr. Als sie merkte, wie die anderen sie aufmerksam beobachteten, senkte sie die Stimme, doch ihre Wut war immer noch unüberhörbar. »Wir sollten die einzigen Gäste sein. Ich habe darauf bestanden, als ich die Zimmer reserviert habe.«

»Die Monteiths hatten noch ein Zimmer frei. Aufgrund meiner Referenzen haben sie es mir gegeben.«

»Ich will Sie nicht hier haben, Cassidy.«

»Nein, das wollen Sie bestimmt nicht. Zumal ich schlechte Nachrichten bringe.«

Sie verschränkte die Arme vor der Brust. »Als hätten Sie mir jemals was anderes gebracht. Also, was ist? Bringen wir's hinter uns.«

Er schaute über die Schulter. Die anderen waren beschäftigt oder taten wenigstens so. Ihre Anwesenheit schien ihn ebenso zu stören wie Claire. Er zog sie in den Flur, wo sie allein waren.

Ihr ins Gesicht blickend, fragte er: »Wußten Sie, daß sie Wodu praktiziert?«

»Wer, Yasmine?« Er nickte, und Claire machte eine knappe, zustimmende Schulterbewegung. »In New Orleans haben eine Menge Leute damit zu tun. Sie hat angefangen, sich dafür zu interessieren, seit sie so oft herkommt. Sie hat ein paar Wodu-Amulette, ein paar Kerzen, die –«

»Ihr Zimmer war vollgestopft mit Sachen, die mit Schwarzer Magie zu tun haben.«

»Das hat nichts zu besagen. Seit ich sie kenne, hat sie in jede Religion reingeschnuppert, vom Judentum angefangen bis zum Buddhismus. Manchmal trägt sie ein Kreuz, aber sie hat auch ein Armband mit dem ägyptischen Ankh-Zeichen. Diese Symbole bedeuten ihr nichts.«

»Hier geht es nicht um Schnickschnack und Modeschmuck, Claire. Wir haben eine Wodu-Puppe gefunden, die Jackson Wilde verkörpert.«

»Das hat nichts zu bedeuten!« widersprach sie eindringlich, aber so leise, daß die anderen sie nicht hörten. »Sonst haben Sie nichts gefunden? Sie können keinen Mordfall auf einer Puppe aufbauen.«

»Weder im Apartment noch in den Büroräumen hat man etwas gefunden, das Sie mit dem Mord an Wilde in Verbindung bringt.«

Langsam, damit er ihr die Erleichterung nicht anmerkte, ließ sie den angehaltenen Atem aus. »Das hätte ich Ihnen gleich sagen können, aber Sie hätten mir ja nicht geglaubt.«

»Moment.«

»Aha, da kommt noch was«, sagte sie. »Die schlechten Nachrichten.«

Seine Augen schienen sich durch ihren Schädel zu bohren. »Die Faserproben Ihres Autoteppichs stimmen mit einigen der Fasern überein, die wir auf Jackson Wildes Hotelzimmerboden gefunden haben. Der Test läßt keinen Zweifel zu. Sie haben mich angelogen, Claire. Verdammt noch mal. Sie waren *dort*!«

Josh klopfte an die Badezimmertür. »Ariel, ist alles in Ordnung?« Ihr Würgen hatte ihn aus dem Nebenzimmer in ihrem

Hotel in Tulsa geholt. »Ariel«, wiederholte er und klopfte lauter. »Mach die Tür auf.«

Er hörte das bekannte Spülen. Sekunden später entriegelte Ariel die Tür und zog sie auf. »Ich habe weiß Gott wenig Zeit für mich allein, Josh. Ich wüßte es wirklich zu schätzen, wenn ich wenigstens ungestört im Bad sein könnte.«

Er hatte beobachtet, wie sie in den letzten Wochen verfallen war, aber trotzdem erschreckte ihn ihr Aussehen. Unter ihren Augen lagen dunkle Ringe, die kein Make-up mehr waren. Ihre Wangen waren eingesunken wie bei einer Leiche. Als sie ihm den Rücken zudrehte, sah er, daß sich ihre Schulterblätter durch den Stoff ihres Kleides bohrten.

»Du machst dich kaputt.« Er folgte ihr zum Schrank, wo sie die Kleider durchforstete. Offenbar suchte sie etwas Geeignetes für den Auftritt in den Abendnachrichtenshows der beiden Lokalsender und für das Zeitungsinterview, das zuvor angesetzt war.

»Abgesehen von etwas Kopfweh geht's mir ausgezeichnet, und das machst du mit deinen Vorhaltungen nur noch schlimmer.«

»Etwas Anständiges zu essen könnte die Kopfschmerzen vertreiben.«

»Gestern nacht habe ich gefressen wie ein Schwein.«

»Dann bist du auf dein Zimmer gegangen und hast alles wieder rausgekotzt.«

Sie warf ihm einen wütenden Blick zu, zog ein Kleid aus dem Schrank und schleuderte es auf das Bett.

»Ariel, du mußt etwas essen«, flehte er. »Du brauchst Nährstoffe. Du hast einen anstrengenden Tag vor dir.«

»Hör auf, an mir rumzunörgeln.«

»Du mußt essen.«

»Ich habe gegessen!«

Wütend zeigte sie auf das Tablett, das der Zimmerservice gebracht hatte. Er warf einen Blick darauf. Die Salatplatte war nicht angerührt worden, nur der Kaffee war leer. »Kaffee ist nichts zu essen.«

»Ich möchte mich jetzt umziehen«, erklärte sie ungeduldig. »Wie du richtig bemerkt hast, habe ich einen anstrengenden Nachmittag vor mir.«

»Sag die Termine ab.«

Sie starrte ihn entgeistert an. »Wie bitte?«

»Sag die Termine ab und bleib heute im Bett.«

»Bist du übergeschnappt? Das kann ich nicht.«

»Du meinst, du willst es nicht.«

»Also gut, ich will es nicht. Ich will heute vor vollem Saal predigen.«

Josh fluchte leise. »Ariel, das ist Wahnsinn. Wir sind seit zehn Tagen auf Tour. Tagsüber gibst du Interviews, und abends hältst du stundenlange Gottesdienste. Wir reisen sogar nachts, nur damit wir keinen Tag verlieren. Du arbeitest dich auf.«

»Diese Tour zeigt Wirkung.«

»Sie überfordert uns.«

»Wenn's dir zu heiß wird –«

»Das hat doch nichts mit dieser Sache in New Orleans zu tun, oder? Du veranstaltest diese dämlichen Gebetsversammlungen doch nicht, um die Polizei anzutreiben, sondern nur deinetwegen. Wir sind hier auf keiner heiligen Mission. Wir sind auf einem Egotrip. *Deinem* Egotrip, Ariel.«

»Und wenn es so wäre?« brüllte sie. »Du profitierst doch auch davon. Bis jetzt hast du dich noch nicht beklagt, wenn sich die Fernsehkameras auf dein Klavier richten. Glaubst du, ohne mich und meine Genialität würdest du mit deinem mittelmäßigen Talent so oft ins Fernsehen kommen?«

»Ich habe nicht nur ›mittelmäßiges Talent‹.«

Sie schniefte gehässig. »Ach wirklich? Jackson war da anderer Meinung. Du hast mir jedesmal leid getan, wenn er sich über ›seinen untalentierten Sohn‹ ausließ. Langsam glaube ich, daß er recht hatte.«

»Was soll das heißen?«

Sie drehte sich um. »Wir kommen zu spät.«

»Was soll das heißen?« brüllte er.

Ihr Gesicht verzerrte sich vor Haß. »Das heißt, daß es deinem

Vater peinlich war, dich bei uns auf der Bühne zu haben. Ich weiß gar nicht, wie oft er mir erzählt hat, daß er dich nur deshalb nicht rauswerfen würde, weil du sein einziger Sohn bist. Du hast keinen Geschäftssinn, du bist kein begnadeter Redner, und du hast nicht das Zeug zum Anführer. Er war froh, daß du wenigstens ein paar Lieder auf dem Klavier spielen konntest, sonst hättest du bei Piggly Wiggly an der Kasse arbeiten können.«

Bevor er merkte, was er da tat, schlossen sich seine Hände um ihren dürren Hals. »Du verlogenes Biest. Du bist eine gottverdammte Lügnerin.« Er hatte die Daumen gegen ihren Kehlkopf gepreßt und schüttelte sie mit aller Gewalt.

Ariels Hände schossen hoch und klammerten sich um seine Handgelenke, aber seine langen, schlanken Finger gaben nicht nach. »Daddy wußte, daß ich Talent habe, und das machte ihm Angst. Er hatte Angst davor, daß ich meine Träume wahr machen und berühmter und beliebter werden könnte als er.«

»Laß – mich – los«, krächzte sie.

Plötzlich sah Josh wieder klar und merkte, daß seiner Stiefmutter bereits die Augen aus den dunkel umringten Höhlen traten. Er ließ sie los, und sie taumelte gegen die Kommode. Hustend und keuchend starrte sie ihn an. Ihr Blick war voller Verachtung. »Du bist ja krank.«

Joshs Atem ging fast so schwer wie ihrer. Die latente Gewalt, die so unvermutet zum Ausbruch gekommen war, beängstigte ihn. »Das hat er uns angetan«, sagte er langsam und heiser. »Er hat uns immer noch in der Hand. Als wäre der Scheißkerl nie gestorben.«

Wieder streckte er den Arm nach Ariel aus und drehte sie um. Er preßte die Hand gegen ihren Hinterkopf und schob ihr Gesicht dicht an den Spiegel. »Schau nur! Schau dich an. Du siehst aus wie ein lebender Leichnam. Er tut dir das an, und du läßt ihn gewähren. Seinetwegen hungerst du dich zu Tode. Jetzt sag mir, wer ist hier verrückt?«

Gleichermaßen angeekelt von sich selbst wie von ihr ließ er sie vor dem Spiegel stehen.

Nach dem Mittagessen gestaltete die Crew die hintere Veranda für die nächste Aufnahme um. Als Requisit diente eine uralte, handbetriebene Eismaschine, die irgendwer in der Garage der Monteiths aufgestöbert hatte. Die blaue Farbe auf dem Holzfaß war verblaßt und abgeblättert. Die rostigen Metallfaßreifen, mit denen die senkrechten Dauben zusammengehalten wurden, hatten auf das Holz abgefärbt. Die Eismaschine war nicht mehr zu gebrauchen, aber alle fanden sie sehr eindrucksvoll.

Das Model Liz saß in einem langen weißen Batistnachthemd auf einem Melkschemel. Die obersten Knöpfe waren offen, und das Hemd war in ihrem Schoß gerafft, so daß die geteilten Schenkel zu sehen waren, zwischen die sie die Eismaschine geklemmt hatte. Im Hintergrund lag Kurt in einer weißen Makrameehängematte.

Liz' Haar war mit Wasser besprenkelt worden und klebte ihr in feuchten, dunklen Strähnen an Hals und Brust. Sie sah richtig verschwitzt aus.

Die Maskenbildnerin besprühte Liz' Gesicht und Oberkörper mit Wasser, das einen Schweißfilm simulieren sollte. »Hmm«, seufzte Liz. »Fühlt sich gut an.«

»Laß uns ein bißchen mehr Fleisch sehen, Liz«, bat Yasmine.

Das Model beugte sich vor, als wollte es an der Handkurbel der Eismaschine drehen. »Oooh! Perfekt!« rief Leon.

»Moment«, mischte sich Claire ein. »Man sieht die Brustwarzen.« Der kühle Wassernebel hatte die Brustwarzen des Models unter dem Stoff hart werden lassen.

»Na und?« Verärgert über die Unterbrechung ließ Leon die Kamera sinken.

»Ich will nicht, daß sie vorstehen«, erklärte Claire. »Wir warten, bis sie sich wieder entspannt haben.«

»Wir zeigen doch ständig Brustwarzen.«

»Aber keine erigierten unter durchsichtigem Stoff. Ich will nicht, daß die Bilder vulgär wirken.«

»Mein Gott«, murmelte Leon. »Seit wann bist du denn so zimperlich?«

»Seit Jackson Wilde«, betonte Yasmine.

Claire fuhr herum und schaute ihre Freundin ebenso verblüfft wie verärgert an. »Das ist doch lächerlich, Yasmine! Wilde hat mir nie als Maßstab dafür gedient, was geschmackvoll ist und was nicht. Und er dient mir erst recht nicht als moralisches Gewissen. Das weißt du ganz genau.«

»Ich weiß bloß, daß du dich verändert hast, seit er ermordet wurde. Entspann dich. Er kann nicht mehr mit dem Finger auf dich zeigen.«

Die unsensiblen Bemerkungen ihrer Freundin brachten Claire auf die Palme, vor allem, da Cassidy in Hörweite war. Sie hatte ihm erlaubt, die Aufnahmen aus dem Hintergrund zu beobachten, weil sie hoffte, ihn so davon abhalten zu können, anderswo herumzustochern. Außer ihr schien sich niemand an seiner Anwesenheit zu stören. Sie war nervös und gereizt, obwohl sie ihre Arbeit nicht weniger kompetent als sonst machte.

Sie spürte, wie er bei Yasmines Bemerkung die Ohren spitzte, aber als sie zu ihm hinschaute, erwiderte er ihren Blick vollkommen unbeteiligt und ohne sich seine Gedanken anmerken zu lassen.

Sie giftete: »Mach einfach deine Fotos, Leon, und spar dir die Kommentare.«

Eine halbe Stunde später waren sie fertig, und die mürrische Gruppe zerstreute sich. Leise sagte Claire zu Yasmine: »Ich will so bald wie möglich in unserem Zimmer mit dir reden.«

Fünf Minuten später öffnete Yasmine die Zimmertür und kam hereinmarschiert. »Ich weiß, daß du wütend bist.«

Claire saß seit ein paar Minuten auf dem Bett und hatte sich auf ihrer Hälfte an das beschnitzte Rosenholzkopfende gelehnt. Hinter den Rücken hatte sie sich Kissen in schneeweißen Leinenbezügen gestopft.

»Unter den gegebenen Umständen, Yasmine, fand ich deine Bemerkungen über Jackson Wildes Tod überflüssig und geschmacklos.«

Yasmine zog eine perfekte Augenbraue hoch. »Wen interessiert schon, was ich über ihn sage?«

»Cassidy zum Beispiel.« Claire schwang ihre Beine über die

Bettkante. »Ich wünschte, du hättest nicht so respektlos über Wildes Tod gesprochen. Du hast geradezu erleichtert darüber gewirkt, daß er uns nicht länger zusetzen kann.«

»Du glaubst doch nicht wirklich, daß Cassidy wegen einer einzigen spaßigen Bemerkung seine Meinung über deine Schuld oder Unschuld ändert?«

Claire antwortete nicht darauf. Nach einer Weile sah sie zu Yasmine auf und sagte düster: »Eigentlich ärgere ich mich nicht deswegen über dich.«

Dann erzählte sie ihr von dem Gespräch, das sie in der Nacht vor der Abreise nach Mississippi mit ihrem Anwalt geführt hatte. Sobald sein Name fiel, blitzten Yasmines Augen zornig auf.

»Dieses dreckige Wiesel. Ich hab' ihn gebeten, dir nichts davon zu erzählen.«

»Dann stimmt es also? Er sollte mich überreden, mit unseren Aktien an die Börse zu gehen, damit du deine Anteile verkaufen kannst?«

»Ich muß meine Aktien abstoßen. Ich habe keine andere Wahl.«

»Keine andere Wahl?« schrie Claire sie an. »Du hättest zu mir kommen können.«

»Mit dem Hut in der Hand und zugeben, daß ich pleite bin?«

»Verdammt noch mal, Yasmine, ich weiß seit Monaten, daß du pleite bist.«

»Na großartig.« Das ehemalige Mannequin ließ sich auf die Kante der anderen Betthälfte sinken. Sie wirkte abweisend und feindselig.

Claire senkte die Stimme. »Deswegen brauchst du dich nicht zu schämen. Du hast dich einfach verkalkuliert. Irgendwann passiert das jedem mal. Ich leihe dir gern etwas Geld, bis sich das Blatt gewendet hat.«

»Von dir will ich kein Geld.«

»Warum?«

»Weil du schon die ganze Firma trägst. Nein, widersprich mir nicht. Es stimmt, Claire. Du hast French Silk zu dem gemacht, was es heute ist. Du erledigst den Löwenanteil an allen Arbeiten.«

»Ohne dich wäre meine Firma klein geblieben.«

Yasmine zuckte mit den Achseln, als wäre ihr Beitrag nicht der Rede wert. »Noch vor einem Jahr habe ich Geld gescheffelt. Ich dachte wohl, ich könnte nie so viel ausgeben. Ich habe es falsch angelegt, irgendwelchen ›Finanzberatern‹ in den Rachen geschmissen, die sich wahrscheinlich die Hälfte davon unter den Nagel gerissen haben. Ich habe gehofft, meine Aktien könnten mir da raushelfen.«

Claire schüttelte den Kopf. »Ich gehe auf gar keinen Fall an die Börse. Wenn du deine Aktien unbedingt verkaufen willst, kaufe ich sie dir ab.«

»Und damit wäre ich dir verpflichtet.«

»Das wärst du nicht.«

Yasmine überlegte kurz und sagte dann: »Gut. Ich werde dir die verfluchten Aktien verkaufen.

Können wir jetzt über was anderes reden? Ich kriege Geld, und die Firma ist gerettet. Halleluja und Amen! Und jetzt will ich nichts mehr davon hören; ich habe zur Zeit genug andere Probleme.«

»Deshalb brauchst du noch lange nicht hinter meinem Rücken und gegen meinen Willen Fäden zu ziehen. Wir haben schließlich alle Probleme.« Sie preßte sich die Hand auf die Brust. »Ich stehe unter Mordverdacht.«

»Von Cassidy?« Yasmine schnaubte. »Er hat nichts gegen dich in der Hand.«

»Sie haben den Teppich in meinem Auto mit ein paar Fasern verglichen, die sie in Wildes Hotelzimmer gefunden haben.«

Yasmine sah sie überrascht an. »Wann denn?«

»Als bei French Silk eine Hausdurchsuchung durchgeführt wurde.«

»*Was?*«

»Jawohl. Und sie haben einen Haufen Wodu-Kram in deinem Zimmer gefunden. Yasmine, zum Beispiel eine Puppe, die aussieht wie Jackson Wilde.«

»Das war nur ein Witz!«

»Das habe ich Cassidy auch gesagt. Er fand es gar nicht komisch. Er glaubt, daß ich in der Mordnacht in Jackson Wildes Hotelsuite war. Die Teppichfussel deuten darauf hin.«

»Wie viele Autos mit einem Teppich wie deinem gibt es in New Orleans? Dutzende, wenn nicht Hunderte, stimmt's?«

»Ich bin sicher, daß mich Cassidy nur deshalb noch nicht verhaftet. Er sagte, ein guter Anwalt würde sich Statistiken über alle Chrysler besorgen und nachrechnen, wie viele potentielle Mörder das ergibt.« Sie ging zur Balkontür. »Ich habe Angst, Yasmine.«

»Unsinn. Du hast noch nie Angst gehabt. Nicht seit ich dich kenne.«

»Jetzt habe ich welche.«

»Vor Cassidy?«

»Zum Teil. Aber am meisten ängstigt mich, daß ich die Gewalt über mein eigenes Leben verloren habe.«

»Ganz ruhig, Claire. Cassidy wird dich nicht ins Gefängnis stecken.«

»O doch, das wird er.« Sie lachte freudlos. »Wenn er glaubt, daß er genug Beweise hat, um vor einem Geschworenengericht zu bestehen, dann läßt er mich verhaften.«

»Bevor oder nachdem er mit dir gebumst hat?« Claire sah Yasmine fassungslos an. Yasmine zuckte mit den Achseln. »Der Mann ist so scharf auf dich, daß ihm die Eier schwellen. Er sieht aus, als würde er dich jeden Augenblick flachlegen.« Bevor Claire ihr widersprechen konnte, fuhr sie fort: »Paß auf, ich hatte meinen ersten Mann, als ich dreizehn war. Wenn du so früh anfängst, entwickelst du in diesen Dingen einen sechsten Sinn. Ich rieche es, wenn ein Mann es will, und ich weiß, wann eine Frau bereit ist. Und ihr beide seid längst überfällig.«

»Cassidy wollte diesen Fall haben. Er hat ihn bekommen, weil er gut ist. Wenn er es zu einer Verurteilung bringt, hat er alle Chancen, D. A. zu werden. Was er ausstrahlt, ist Feindseligkeit, nicht Lust«, entgegnete ihr Claire. »Er ist wütend auf mich, weil ich es ihm so schwermache, meine Schuld zu beweisen.«

»Aber wir wissen, daß du nicht schuldig bist, nicht wahr?«
Ihre Blicke trafen sich, und Claires Puls dröhnte in ihrem Kopf.
Ihr war schwindlig.
Schließlich sagte sie: »Ich stelle einen Scheck über ein Viertel
deiner Aktien aus. Auf diese Weise wirst du wieder flüssig, und
wir bleiben Partner bei French Silk. Später kannst du, wenn du
willst, den Anteil zum gleichen Betrag zurückkaufen.«
»Danke«, sagte Yasmine, ohne zu lächeln.
»Danke mir, indem du mir nicht mehr in den Rücken fällst.«

Sein Federhalter war weg.
Als er sein Dinnerjackett anzog, merkte Cassidy, daß der gold-
gravierte Stift – ein Geschenk seiner Eltern zum Abschluß des
Jurastudiums – nicht mehr da war. Er steckte ihn immer in die
linke Brusttasche seines Mantels und trug ihn fast ständig bei
sich.
Er suchte ihn auf dem Schreibtisch in seinem Zimmer, aber da
war er auch nicht. Er durchsuchte die anderen Sakkos, aber
vergeblich. Er war ganz sicher, daß er ihn nirgendwo hatte
liegenlassen. Er verlieh ihn nie und steckte ihn nach jedem Ge-
brauch gewissenhaft in die Tasche zurück.
Er versuchte sich zu erinnern, wo er das Jackett überall gelassen
hatte, seit er es morgens angezogen hatte. Der drückenden, der
Jahreszeit nicht angemessenen Hitze wegen hatte er es an den
Garderobenständer im Foyer gehängt, als er kurz nach dem
Mittagessen über das Gelände des Besitzes spaziert war.
Hatte jemand seinen Federhalter gestohlen? Keiner der Menschen auf Rosesharon sah so aus, als würde er die Taschen
fremder Menschen durchsuchen. Ein Angestellter? Er konnte
sich nicht vorstellen, daß die Monteiths einen Dieb unter ihrem
Personal duldeten. Sie schienen das Wohl und die Zufriedenheit
ihrer Gäste über alles andere zu stellen.
Der Stift war nicht besonders wertvoll, aber er hatte ihm viel
bedeutet. Als er die Treppe hinunterging, um mit Claires
Gruppe zu Abend zu essen, war er gleichermaßen zornig und
verwirrt.

Zwei der Models lungerten an der Minibar herum, einer modernen Ergänzung der ursprünglichen Einrichtung. Er stellte sich zwischen beide und schenkte sich einen Chivas on the Rocks ein. »Vergessen Sie nicht, Ihren Strich zu machen«, bemerkte die atemberaubende Brünette.

»Nein, bestimmt nicht.«

Bevor sie ihn in ein Gespräch verwickeln konnte, ging er zu Yasmine, die am Fenster stand und über die Veranda hinweg auf den Rasen starrte, auf dem lange, tiefe Schatten lagen. »Hübsch hier.«

Sie schleuderte ihm Blicke wie Dolche aus ihren Tigeraugen entgegen. »Wenn Sie den Geschworenen so plump kommen, gewinnen Sie bestimmt keinen Fall, Mr. Cassidy.«

»Ich wollte nur Konversation machen.«

»Nicht mit mir.«

Er nippte an seinem Scotch. »Sind die abweisenden Schwingungen, die ich in Ihrer Nähe spüre, beabsichtigt?«

»Ich kann Bullen nicht leiden.«

Er biß die Zähne zusammen und wiederholte eigensinnig: »Ich bin kein Bulle.«

»So gut wie.«

Sie war eine atemberaubend schöne Frau. Selbst aus nächster Nähe konnte er keinen Makel an ihrem Gesicht oder ihrer Figur entdecken, aber er mochte sie nicht. Sie strahlte eine Arroganz aus, der weder durch Drohungen, Späße oder Schmeicheleien beizukommen war. Er haßte es, so jemanden ins Kreuzverhör zu nehmen. Wenn sie entschlossen war zu lügen, ließ sich nicht einmal mit Dynamit die Wahrheit aus ihr heraussprengen.

Er wußte, daß er anders mit ihr sprechen mußte, um ihr eine Antwort zu entlocken. »Welche Laus ist Ihnen denn über die Leber gelaufen?«

»Sie zum Beispiel. Warum lassen Sie Claire nicht in Ruhe?«

»Weil sie vielleicht einen Menschen umgebracht hat.«

»Na klar. Und ich bin einer von den sieben Zwergen.«

»Sie glauben nicht, daß sie es war?«

Yasmine lachte höhnisch.

»Das bringt mich auf Sie. Sie hatten nicht weniger Grund dazu als sie. Vielleicht bin ich gar nicht hier, um Claire zu beobachten, sondern um Sie im Auge zu behalten.«

Ihre bezaubernden Lippen öffneten sich zu einem breiten Lächeln. Sie stemmte eine Hand in die Hüfte, schob die Brust vor und warf den Kopf zurück wie ein junges Fohlen. »Hier bin ich, Süßer. Sieh dich satt.«

Er lachte. »Da sind Sie anders als Claire. Sie würde mir am liebsten Scheuklappen aufsetzen.«

»Meinetwegen können Sie mich anglotzen, bis Ihnen die Augen rausfallen, solange Sie nicht rumschleichen und Claire nervös machen. Sie gehen ihr auf die Nerven.«

»Hat sie Ihnen das gesagt?«

»Das braucht sie mir nicht zu sagen. Ich kenne sie. Außer ihrer Mutter liebt sie nichts so sehr wie French Silk. Sie ist eine Perfektionistin. Die Fotositzungen sind auch so schon anstrengend und aufreibend genug, ohne daß sie Ihretwegen durchdreht.«

»Ich habe nicht den Eindruck, daß Claire schnell durchdreht.«

»Sie kennen sie nicht so gut wie ich. Sie bleibt äußerlich immer cool, aber innerlich brodelt sie.«

»Worüber haben Sie sich während Ihrer Gipfelkonferenz heute nachmittag unterhalten? Haben sie sich wegen Ihrer Bemerkung über Jackson Wilde gestritten?«

»Das möchten Sie wohl gerne wissen.«

»Allerdings.«

»Ficken Sie sich ins Knie, Cassidy.«

»Klingt, als meinen Sie das ernst.«

»Verlassen Sie sich drauf, Süßer. Im Augenblick kann mich die gesamte männliche Bevölkerung am Arsch lecken.«

»Ach? Was haben wir denn angestellt?«

»Es reicht, daß Sie atmen.«

»Abendessen!« Grace Monteith läutete mit einem kleinen Glöckchen und schob die Türen zum Speisesaal auf.

Cassidy hatte es so arrangiert, daß er Claire am Tisch gegen-
übersaß. Zwar waren die jungen Models bezaubernd und eine
wahre Augenweide, aber verglichen mit Claire Laurent wirkten
sie substanzlos.

Während er sein Schmorfleisch mit Gemüse aß, musterte er die
Tischgesellschaft und fragte sich, wer wohl seinen Stift gestohlen hatte. Er war überzeugt, daß er gestohlen worden war,
wahrscheinlich aus purer Bösartigkeit.

Von den drei Stilistinnen sah keine durchtrieben genug aus, und
die Models waren heute nachmittag alle zu beschäftigt gewesen.

Er hatte reichlich Gelegenheit, alle zu beobachten, ohne sich
damit verdächtig zu machen, da Leon das Gespräch an sich
gerissen hatte. Sein Assistent saß schweigend neben ihm.

»Ich bin ganz vernarrt in diese alte Wippe auf dem Rasen an der
Westseite«, verkündete Leon und schmierte dick Butter auf ein
Roggenbrötchen. »Wir müssen was mit der Wippe machen.«

»Wie wär's mit Leggings?« schlug Claire vor.

»Großartig«, stimmte Leon begeistert zu. »Wie geschaffen zum
Beinespreizen. Die Wippe, meine ich.« Er kicherte und wurde
dann wieder ernst.

»Andererseits würde mir auch der Kontrast von Seide und den
rauhen, verrotteten Balken gefallen. Hmm. Ich denk' noch mal
drüber nach. Hat noch jemand außer mir diese Dusche da draußen entdeckt?«

»Sie war für die Feldarbeiter da, die sich nach dem Baumwoll-
pflücken duschen wollten«, erklärte Grace, die gerade das Des-
sert austeilte.

»Ich hab' schon eine Idee, wie wir die Dusche verwenden können«, erklärte Yasmine. »Aber die bleibt vorerst geheim.«

»Ich muß eine rauchen«, sagte Rue, stand vom Tisch auf und
ging auf die Veranda.

»Morgen früh will ich die Morgensonne im Hintergrund ha-
ben.« Leon hielt sich die Hände vors Gesicht und bildete mit
Daumen und Zeigefingern einen rechtwinkligen Rahmen.
»Wenn wir Glück haben, liegt morgen sogar Tau. Wenn nicht,

dann wird uns diese reizende Lady hier den Rasensprenger einschalten.« Er nahm Agnes' Hand, die ihm gerade Kaffee einschenken wollte, und küßte sie. »Jedenfalls wird das Gras naß sein und funkeln. Ich seh' es schon glitzern. Der Saum des Nachthemds soll im feuchten Rasen schleifen. Vielleicht machen wir noch eine Schulter frei, zeigen ein bißchen Brust.«

»Wir könnten Kurt in den Hintergrund stellen«, schlug Yasmine vor. »Auf die Veranda zum Beispiel, mit offenem Haar und nichts als einer Pyjamahose an.«

»Irre!« kreischte Leon. »Du brauchst dich morgen früh nicht zu rasieren, Kurt. Ich stehe auf diese Fotos, die eine postkoitale Szene suggerieren. Aber, meine liebe Agnes, Ihre Wangen stehen ja in Flammen. Verzeihen Sie mir meine Offenheit. Halten Sie mich für furchtbar ungezogen?«

Cassidy verdrehte die Augen und sah dabei zufällig auf Claire, die sich das Lachen verkneifen mußte. Sie lächelten einander an. Trotz der vielen Menschen war es ein intimer Augenblick.

Sofort bemühte er sich, die zärtlichen Gefühle zu unterdrücken, die sich in ihm breitmachten. Wenn Claire nicht seine Hauptverdächtige gewesen wäre, hätte er alles unternommen, um sie in sein Bett zu bekommen. Darüber machte er sich keine Illusionen. Crowder übrigens genausowenig. Und sie wahrscheinlich auch nicht. Mein Gott, er hatte es ihr selbst gesagt. *Keine intimen Gesten mehr*, ermahnte er sich wütend. *Nicht einmal ein Blick am Eßtisch.*

Die Monteiths empfahlen ihnen, den Kaffee in den zwei Salons oder draußen auf der Veranda zu trinken, wo es nach Sonnenuntergang kühler geworden war.

Cassidy folgte Claire. Sie blieb an der Treppe stehen und unterhielt sich mit Mary Catherine und Harry, die auf ihr Zimmer gehen wollten. »Ich sag' dir gute Nacht, wenn du im Bett bist«, versprach Claire.

»Gute Nacht, Mr. Cassidy.«

»Gute Nacht, Miss Laurent, Miss York.«

Mit süßem Lächeln drehte sich Mary Catherine um und stieg die Treppe hinauf. Cassidy hielt Claire die Vordertür auf, dann schlenderten sie gemeinsam über die breite Veranda bis ans Geländer. Claire ließ sich darauf nieder und nippte an dem aromatischen Kaffee. »Und, was halten Sie von uns?«

»Interessant«, antwortete er.

»Wie diplomatisch.«

Er fragte sich, ob er ihr mitteilen sollte, daß sie einen Dieb unter ihren Mitarbeitern hatte, entschied sich aber dagegen. Eines nach dem anderen. Er hatte ihr schon einen Mord vorgeworfen.

»Sie starren mich an, Cassidy«, sagte sie leise.

»Ich denke über etwas nach, das Glenn gestern abend gesagt hat.« Ihm entging nicht, wie Claire schauderte, als er den Namen aussprach, aber er ließ sich nicht beirren. »Ihm ist der Gedanke gekommen, daß Yasmine vielleicht Jackson Wildes Geliebte war.«

»Wie bitte?« Klirrend landete die Tasse auf der Untertasse. Sie stellte beides auf dem Geländer ab. »Ihr Freund verliert langsam den Verstand, Cassidy. Und Sie auch, wenn Sie dasselbe glauben.«

»Es ist nicht so abwegig.«

Sie starrte ihn entgeistert an. »Denken Sie eigentlich manchmal nach, bevor Sie solchen Unsinn verbreiten? Sie sollten sich einmal reden hören.«

Laut ausgesprochen klang die Theorie lächerlich, aber er bohrte weiter, vor allem, um sich später vor Glenn rechtfertigen zu können. Außerdem führte auch ein Umweg manchmal ans Ziel.

»Yasmine hat mir selbst erklärt, daß sie alle Männer am Arsch lecken können.«

»Und deshalb war Jackson Wilde ihr Geliebter?« fragte sie. »Er hat Yasmine genauso gehaßt wie mich.«

»Oberflächlich betrachtet.«

»Sie glauben, sie haben sich heimlich getroffen?«

»Möglicherweise.«

»Das ist lächerlich. Außerdem war sie in der Mordnacht in New York.«

»Sind Sie sicher?«

»Ich habe sie am nächsten Morgen am Flughafen abgeholt.«

»Vielleicht hat sie Ihnen was vorgespielt.«

»Sie klammern sich an einen Strohhalm, Cassidy.«

»Hat sie zur Zeit einen Liebhaber?«

»Ich weiß nicht, was –«

»Hat sie?«

»Ja«, fauchte Claire.

»Wen? Wie heißt er?«

»Ich weiß es nicht.«

»Blödsinn.«

»Ich schwöre, ich weiß es nicht!«

Er sah sie kritisch an und beschloß, daß sie die Wahrheit sagte.

»Warum macht sie ein Geheimnis daraus? Ist er verheiratet?«

»Ich weiß nur, daß sie ihn wirklich liebt«, erklärte sie ausweichend. »Und damit wäre Ihre hanebüchene Theorie von ihr und Jackson Wilde als Liebespaar erledigt. Die beiden sind sich nicht einmal begegnet.«

»Sind Sie auch da sicher?«

»Absolut. Sie hätte mir davon erzählt.«

»Richtig. Im Gegensatz zu Ihnen lügt und verheimlicht sie nichts.« Er machte einen Schritt auf sie zu. »Vielleicht hatten Sie ja was mit Wilde laufen.« Ihre Miene erstarrte vor Zorn. Sie versuchte aufzustehen, aber er legte ihr die Hand auf die Schulter und drückte sie zurück auf das Geländer. »Vielleicht haben Sie sich ja zusammengetan und sich gegenseitig unterstützt. Sie lieferten Wilde eine Begründung für seinen Kreuzzug. Mit Ihnen als Gegnerin konnte er überall im Land Wellen schlagen; mit Ihrer Hilfe wurde er berühmt. Gleichzeitig hat er für French Silk geworben.«

»Warum hätte ich ihn dann umbringen und unser Geschäft platzen lassen sollen?«

»Vielleicht haben Sie herausgefunden, daß Sie nicht als einzige ein Geschäft mit ihm hatten. Vielleicht hatte er ganze Heerscharen von Frauen – für jede Sünde eine Braut.«

»Sie sind ja krank.«

»Vielleicht wurde Ihre Affäre langsam schal. War Ihre Spende vielleicht Schweigegeld? Wollten Sie sich mit ihm treffen, während er in New Orleans war, um die Modalitäten für weitere Zahlungen zu klären? Und sind Sie dann zu dem Schluß gekommen, die Zahlungen lieber endgültig einzustellen?« Sie schaffte es aufzustehen und versuchte, sich an ihm vorbeizudrängen, aber er versperrte ihr den Weg. »Wo sind Sie Jackson Wilde begegnet?«

Sie legte den Kopf in den Nacken und funkelte ihn zornig an. »Das habe ich Ihnen bereits gesagt. Ich bin ihm nur einmal begegnet, nämlich nach seiner Predigt im Superdome.«

»Und auch das ist gelogen. Während er Ihnen die Hand auflegte und Ihnen das ewige Leben versprach, hat er Ihnen da seine Zimmernummer ins Ohr geflüstert?« Er packte sie fest am Arm. »Sie hatten eine Sammlung von Zeitungsausschnitten über ihn, Claire, Sie haben seit Jahren jeden seiner Schritte verfolgt.«

»Das mit den Ausschnitten habe ich Ihnen erklärt.«

»Ihre Erklärung klingt wenig überzeugend.«

»Jedenfalls war ich nicht seine Geliebte.«

»Aber Sie schlafen auch mit sonst niemandem.«

»Woher wollen Sie das wissen?«

Ihre Frage schwebte zwischen ihnen wie der Nachhall aufeinanderklirrender Schwerter. Die Luft knisterte vor Feindseligkeit und unterdrückter Leidenschaft.

Schließlich sagte Claire: »Entschuldigen Sie mich, Mr. Cassidy.«

Sie zwängte sich an ihm vorbei und verschwand durch die Verandatür.

Kapitel 17

Während des Gottesdienstes in der Kemper-Arena von Kansas City brach Ariel zusammen.

Eine halbe Stunde lang hatte sie die ausverkaufte Halle in ihren Bann geschlagen. Weißgewandet hatte sie im Spotlight in der ansonsten abgedunkelten Halle gestanden, in der ihr Haar wie ein Heiligenschein gestrahlt hatte, flehend hatte sie die Arme himmelwärts gereckt wie ein gefallener Engel, der Gott um Erbarmen bittet.

Eben noch hatte sie die Stimme im lauten Gebet gen Himmel erhoben, so eindringlich, daß sie am ganzen Leibe zitterte; im nächsten Augenblick lag sie zusammengesunken auf der Bühne.

Im ersten Moment hatte Josh geglaubt, sie wäre bei ihrem theatralischen Auftritt einen Schritt zu weit gegangen. Insgeheim gratulierte er ihr zu ihrem dramatischen Instinkt und ihrem Geschick. Die Zuhörer hatten wie ein Mann nach Luft geschnappt, als ihre kleine Gestalt unter der sich aufblähenden weißen Robe verschwand, die wie ein gelandeter Fallschirm um sie herum aufwallte.

Aber als sie sich nach ein paar Sekunden nicht wieder gerührt hatte, erhob Josh sich von seiner Klavierbank und eilte zu ihr. Er kniete neben ihr nieder und rief ängstlich ihren Namen. Er versuchte, sie aufzurichten, doch sie hing schlaff und blaß in seinen Armen.

»Sie ist bewußtlos! Ruft einen Krankenwagen! Wir brauchen sofort einen Arzt. Ariel! Ariel!« Er schlug sie sacht auf die Wangen. Sie reagierte nicht. Er tastete an ihrem erschreckend dünnen Handgelenk nach einem Puls. Er spürte ein schwaches

Pochen. »Treten Sie zurück. Sie braucht Luft«, befahl er, weil sich immer mehr Menschen um ihn drängten, die ihm helfen wollten.

In der Arena war alles auf den Beinen. Es herrschte ein wildes Durcheinander; manche beteten, manche weinten oder gafften nur. Er befahl einem Koordinator, alle heimzuschicken. »Die Show ist beendet.«

Alle Versuche Joshs, Ariel aufzuwecken, waren vergebens. Sie reagierte erst, als die Sanitäter eintrafen und mit der Untersuchung begannen. »Was ist passiert?« murmelte sie, während sie langsam wieder zu sich kam.

»Du bist zusammengebrochen«, erklärte Josh. »Du mußt ins Krankenhaus. Alles wird gut.«

»Krankenhaus?« Mit letzter Kraft versuchte sie sich gegen die Sanitäter zu wehren, die sie auf der Bahre festschnallten. Während sie zum wartenden Krankenwagen gerollt wurde, erklärte sie, daß es ihr gutginge und daß sie nicht ins Krankenhaus wollte.

»Wissen Sie, warum sie zusammengebrochen ist?« fragte ein Sanitäter Josh, der darauf bestanden hatte, sie ins Krankenhaus zu begleiten. »Ist sie Diabetikerin?«

»Nicht daß ich wüßte. Ich glaube, sie hat sich überanstrengt. Sie spuckt alles wieder aus, was sie ißt.«

Der Sanitäter maß den Blutdruck und gab die Daten über Funk an den Arzt in der Notaufnahme des St.-Luke-Hospitals weiter. Der Arzt ordnete eine Infusion an, aber als sie am Krankenhaus ankamen, sah Ariel immer noch sterbenselend aus. Sie war totenblaß, ihre Lippen waren kalkweiß, und die Augen lagen tief in den Höhlen. Ohne Zeit zu verlieren, wurde sie in einen Behandlungsraum gerollt, zu dem Josh der Zugang verwehrt wurde.

Das Video von Ariels Schwächeanfall war in den Nachrichten gesendet worden. Josh hatte sich gegen so viele Reporter, Fotografen und Anhänger zu wehren, die sich vor dem Krankenhaus eingefunden hatten, daß die Polizei Absperrungen errichten mußte. Obwohl er nur ungern vor die Öffentlichkeit trat, gab

Josh vor den Kameras und Mikrofonen eine kurze und bewegende Erklärung ab.

»Mrs. Wilde hat ihre ganze Kraft dafür eingesetzt, Gerechtigkeit für den Mord an meinem Vater zu fordern. Die Ärzte haben mir erklärt, daß kein Grund zur Besorgnis besteht. Sobald ich mehr weiß, werde ich es Ihnen mitteilen. Bitte beten Sie für sie.«

Während Josh Kaffee aus dem Automaten trank und auf neue Informationen über ihren Gesundheitszustand wartete, versuchte er, sich über seine Gefühle klarzuwerden. Noch vor ein paar Tagen war er so wütend auf Ariel gewesen, daß er sie beinahe umgebracht hätte. Jetzt hatte er Angst davor, daß sie sterben könnte. Was wäre, wenn sie die Missionsgesellschaft nicht länger im Griff halten konnte und wenn sich die Organisation auflöste? Was sollte er dann mit seinem Leben anfangen?

Ihm war der Zirkus zuwider, zu dem sich die Predigten entwickelt hatten, aber er genoß die Auftritte. Er hatte einen geregelten Job, etwas, wovon jeder Musiker träumte. Seine Zuhörerschaft war loyal und großzügig. Seit er für sie spielte und ihren Applaus hörte, hatte er an Selbstvertrauen gewonnen. Er lebte von dem Applaus, ohne ihn würde er sterben oder es sich zumindest wünschen.

Was sollte er tun, wenn seine Show gemeinsam mit Ariel kollabierte?

»Mr. Wilde?«

»Ja?« Die Ärztin war jung und attraktiv und ähnelte eher einer Kindergärtnerin als einer Notärztin in einem großen Krankenhaus. »Wie geht es ihr? Wird sie sich wieder erholen?«

»Mrs. Wilde hat eine Eßstörung entwickelt, Bulimie genannt, aber ich glaube, es ist noch nichts verloren. Davor war sie anscheinend kerngesund. Sie braucht Beratung und eine gute Diät, damit es ihr wieder bessergeht. Ich glaube nicht, daß ihre Gesundheit oder die des Babys dauerhaften Schaden nimmt.«

Josh starrte sie an. »Des Babys?«

»Ganz recht«, antwortete die Ärztin lächelnd. »Ihre Stiefmutter ist schwanger.«

Eifersucht war Claire Louise Laurent unbekannt. Während ihrer Kindheit hatte es nichts und niemanden gegeben, auf den sie eifersüchtig sein mußte. Sie hatte nie um die Liebe und Aufmerksamkeit ihrer Mutter buhlen müssen.

Sie besaß ein gesundes Selbstbewußtsein und hatte nie anders sein wollen, als sie war. Sie maß sich nur an sich selbst; sie versuchte, immer besser zu werden, ohne dabei ihre Erscheinung, ihren Besitz oder ihre Leistungen mit denen anderer zu vergleichen.

Deshalb schockierte und beschämte es sie, daß das Gefühl plötzlich auftauchte und sie wie ein Nebel umhüllte. Vor allem, da sie ausgerechnet auf Yasmine eifersüchtig war.

»Das ist brillant.« Leon hauchte die Worte ehrfürchtig, als würde er hinter seinem Sucher Zeuge eines biblischen Wunders. »Du bist und bleibst die Beste, Liebling. Wie immer. Es wird niemals eine zweite Yasmine geben.«

»Ganz recht, Süßer.« Sie sagte das über ihre Schulter hinweg und schwenkte aufreizend das Hinterteil dazu.

Die Wolken, die tags zuvor Regen angedroht hatten, hatten sich verzogen, und obwohl sich am Horizont eine dunkle Gewitterfront abzeichnete, brannte die Sonne auf Rosesharon und die Crew herab, die sich um die Dusche vor dem Haus versammelt hatte. Es waren über dreißig Grad, und die Luft war feucht. Claire schrieb ihre schlechte Laune der gnadenlosen, dampfigen Hitze zu, aber sie wußte, daß der wahre Grund woanders lag.

Yasmine hatte ihre Idee bis zum Beginn der Aufnahmen für sich behalten. »Ich will den hier tragen.« Und dann hatte sie einen weißen, einfachen Baumwollpyjama hervorgezogen.

»Ich hab' mich schon gefragt, was daraus geworden ist«, bemerkte Claire.

»Ich habe ihn versteckt.« Der aus Boxershorts und einem Top bestehende Zweiteiler war ganz anders als die Sachen, die sich Yasmine sonst immer aussuchte. Sie griff lieber zu gewagteren Stücken.

»Ist das nicht ein bißchen zu schlicht für dich?«

»Nicht für die Aufnahme, die ich mir vorstelle«, schnurrte Yasmine mit einem boshaften Grinsen.

»Wie das?«

»Das zeige ich dir draußen an der Dusche.«

Jetzt hat sie ihr Geheimnis gelüftet, dachte Claire säuerlich, während sie beobachtete, wie Yasmine Pose um Pose einnahm, Leon Bild um Bild knipste und sein Assistent mit Kameras, Linsen und Scheinwerfern jonglierte.

Yasmine hatte das Oberteil ganz abgelegt und die Beine der Boxershorts hochgerollt, bis sie ihr knapp über dem Geschlecht saßen. Als erstes posierte sie stehend unter dem Duschkopf, mit dem Rücken zur Kamera. Dann drehte sie den Hahn auf. Wasser spritzte über ihr schwarzes Haar und glitzerte auf ihren Armen, während sie graziös wie eine Ballerina eine Stellung nach der anderen einnahm. In seidigen Rinnsalen floß es ihr über den geschmeidigen Rücken. Inzwischen waren die Boxershorts durchnäßt und klebten an ihrem straffen, runden Hintern. Der Stoff modellierte die schlanken, runden, erotischen Kurven und Vertiefungen genau. Yasmine beherrschte ihren Körper vollkommen. Sie betrachtete ihn als Arbeitsgerät und hatte ihn darauf trainiert, mit absoluter Präzision zu funktionieren.

Die Bilder wirkten so freizügig, daß Claire schon einschreiten wollte, so wie sie es am Vortag wegen der vorstehenden Brustwarzen getan hatte. Aber diesmal suchte sie aus anderen Gründen Streit. Yasmine sah aus wie ein erotisches Kunstwerk; solche Perfektion war auf keinen Fall obzön. Das Bild, das sie schuf, feierte die menschliche Sinnlichkeit, statt Propaganda für den moralischen Verfall zu machen.

Nicht jeder würde in dem Pyjama so atemberaubend aussehen wie Yasmine, aber allein aufgrund dieser Bilder würde sich der Pyjama tausendfach verkaufen. Zweifellos hätte Claire Yasmine zu ihrer Inspiration beglückwünscht, wie es der Rest der Crew tat, wäre da nicht Cassidy gewesen, der Yasmine ehrfürchtig anstarrte.

Claire war wütend, nervös, durcheinander und eifersüchtig, und er war schuld daran. Er war für dieses peinliche, kindische Gefühl in ihr verantwortlich.

Sie spielte mit dem Gedanken, ihn wegzuschicken. Aber er hätte wissen wollen, warum, und wenn sie behauptet hätte, er würde die Arbeiten stören, hätten die anderen ihr widersprochen. Und damit wäre offensichtlich gewesen, daß nur ihr seine Anwesenheit zu schaffen machte.

Yasmine war eine unglaubliche Frau, aber Claire war nie eifersüchtig auf sie gewesen. Yasmine kultivierte das Image einer sinnlichen Wilden, was Claire höchstens amüsant gefunden hatte, wenn sie sich mal darüber Gedanken gemacht hatte.

»Gefällt's dir, Claire?« rief ihr Yasmine über die Schulter zu.

»Ja«, antwortete sie leidenschaftslos. »Sehr nett.«

Yasmine ließ die Arme sinken und drehte sich um. Sie machte sich nicht die Mühe, ihre Brüste zu bedecken. »›Nett‹? Es soll nicht nett sein.«

»Was soll es denn sein?«

»Auf jeden Fall nicht *nett,* verdammt noch mal. Es soll die Leute fesseln. Es soll diese gottverdammten Pyjamas verkaufen, die ich, ganz ehrlich, für das Langweiligste halte, was du je entworfen hast. Sie haben keinen Stil, keine Klasse, gar nichts. Ich versuche, ein Produkt aufzupäppeln, das sonst ein Reinfall wird.«

Yasmine sprach so feindselig, daß selbst Leon verstummte. Alle schwiegen betreten und vermieden es, auf Claire oder Yasmine zu schauen. Sie hatten die beiden schon öfter streiten hören, aber noch nie so aggressiv.

Claire hatte das Gefühl, gleich zu zerplatzen, aber sie wandte sich an Leon und fragte ruhig: »Bist du fertig mit den Aufnahmen?«

»Ich glaube schon. Es sei denn, du willst noch mehr.« Er war ungewöhnlich folgsam und kleinlaut, als fürchte er, eine Explosion auszulösen.

»Ich verlasse mich auf dich, Leon.«

»Dann bin ich fertig.«

»Gut. Vielen Dank, Leute. Das reicht für heute. Wir sehen uns beim Abendessen.«

Claire drehte ihnen den Rücken zu und ging schnell zum Haus, weil sie sich danach sehnte, allein in ihrem kühlen, dämmrigen Zimmer zu sein und in aller Ruhe ihre Eifersucht zu hegen.

Sie hatte die Veranda beinahe erreicht, als Cassidy sie abfing.

»Warum haben Sie das gemacht?« Das Haar um sein Gesicht war schweißnaß. Er sah so wütend und aufgebracht aus wie sie selbst.

»Ich bin nicht in der Stimmung für eines Ihrer Verhöre, Cassidy.«

»Antworten Sie. Warum haben Sie sich von Yasmine vor allen anderen beleidigen lassen?«

»Yasmine hat nur sich selbst bloßgestellt. Gehen Sie mir aus dem Weg.« Sie umrundete ihn und stieg ein paar Stufen hinauf, bevor er ihr wieder den Weg verstellte.

»Gestern haben Sie sich noch über erigierte Brustwarzen aufgeregt, heute dagegen hätte Yasmine nicht nackter wirken können, selbst wenn sie unbekleidet gewesen wäre. Ich begreife das nicht.«

»Das brauchen Sie auch nicht.«

»Warum macht Sie das eine nervös und das andere nicht?«

»Weil es einen feinen Unterschied zwischen Sinnlichkeit und primitiver Anmache gibt. Ich will Fotos, die anregend, aber nicht beleidigend wirken.«

»Das sind rein subjektive Maßstäbe.«

»Natürlich. Aber ich gebe als erste mein Urteil ab, und ich habe einen ausgezeichneten Geschmack«, erklärte sie anmaßend und überzeugt zugleich.

»Haben Ihnen Yasmines Posen gefallen?«

»Das habe ich doch gesagt, oder nicht?«

»Aber Sie haben nicht so geklungen, als würden Sie es ernst meinen, und alle haben das gemerkt, vor allem Yasmine.«

»Es ist nicht mein Job, Yasmines Ego zu nähren.«

»Nein, es ist Ihr Job, Ihre Waren zu verkaufen, und mit diesen Fotos werden Sie Pyjamas verkaufen.«

Sie blies sich eine Strähne aus der Stirn. »Worauf wollen Sie hinaus, Cassidy?«

»Yasmines sinnliche Ausstrahlung war Ihnen plötzlich unangenehm. Warum?«

»Fanden Sie sie sinnlich? Ich weiß gar nicht, warum ich das frage. Es war unverkennbar, daß Sie sie sinnlich fanden. Sie waren hingerissen.« Er sah sie eigenartig fragend an, was sie nur noch wütender machte. »Oder etwa nicht?«

»Ich habe nicht besonders auf meine Reaktion geachtet«, antwortete er leise. »Im Gegensatz zu Ihnen.«

Claire merkte, daß er gefährlich dicht davor war, die Wahrheit ans Licht zu bringen, und wandte den Kopf ab. »Ist noch was, Cassidy?«

»Ja. Was für eine Beziehung haben Sie zu Yasmine, die es zuläßt, daß Sie sich so von ihr beleidigen lassen? Jeder andere hätte aus allen Rohren zurückgeschossen.«

»Yasmine greift andere an, wenn sie unzufrieden mit sich selbst ist. Ich weiß das.«

»Sie hat Sie gestern mit dieser Bemerkung über Wilde angegriffen. Wieso? Warum ist sie so unzufrieden mit sich selbst?«

»Das geht Sie nichts an.« Mit einem schnellen Schritt zur Seite parierte er ihren Versuch, an ihm vorbeizugehen. Wütend starrte Claire ihn an. »Also gut, soviel will ich Ihnen sagen: Yasmine fährt heute abend mit dem Kleinbus nach New Orleans, um sich mit ihrem Geliebten zu treffen. Morgen früh will sie zurückkommen.«

»Wo liegt das Problem?«

»Ich glaube, sie haben sich bei ihrem letzten Rendezvous gestritten.«

Cassidy schaute kurz über ihre Schulter in die Ferne. »Sie nimmt den Bus?«

»Hmm.«

»Fährt sie manchmal mit Ihrem Auto?«

»Sie lassen nach, Cassidy.« Er sah sie wieder an. »Hinter dieser Frage steht die Überlegung, ob Yasmine in der Mordnacht meinen Wagen gefahren hat. Sie vergessen dabei, daß sie in dieser Nacht in New York war und *ich* meinen Wagen gefahren habe.«

Er starrte sie an. »Es freut mich, daß Sie sich daran erinnern, Claire. Ich habe schon fast geglaubt, Sie hätten vergessen, daß

266

Ihr Wagen Sie mit dem Mord an Wilde in Verbindung bringt.«

»Scheinbar.«

»Früher oder später werden wir einen Hinweis finden, der Sie des Mordes überführt.«

Sie schauderte und sagte leise: »Verzeihen Sie. Ich gehe jetzt hinein.« Sie schaffte es unbehelligt durch die Eingangstür, aber im Foyer hatte er sie wieder eingeholt. Als sie nach dem Geländer griff, legte sich seine Hand auf ihre.

»Claire, warum tun Sie das? Warum drehen Sie sich einfach um und laufen weg, wenn ich Ihnen so was an den Kopf werfe? Warum wehren Sie sich nicht?«

»Weil ich das nicht nötig habe. Ich bin unschuldig, bis das Gegenteil bewiesen ist, vergessen Sie das nicht. Ich habe nichts von Ihnen zu befürchten.«

»Da irren Sie sich.« Er beugte sich vor und zischte durch die Zähne: »Sie können nicht ewig fortlaufen. Ich bin Ihnen nicht zum Spaß nach Mississippi gefolgt, wissen Sie?«

»Warum sind Sie dann hergekommen? Warum belästigen Sie mich und behindern mich bei der Arbeit? Um mich mit abwegigen Affären mit Jackson Wilde einzuschüchtern? Um einen Keil zwischen mich und Yasmine zu treiben?«

»Nein. Ich bin gekommen, weil ich keine andere Wahl hatte. Wir haben inzwischen aussagekräftiges Beweismaterial gegen Sie. Zum Beispiel diese Teppichfasern. Bis jetzt habe ich verhindert, daß Sie verhaftet wurden.«

»Warum?«

»Erstens, damit ich nicht wie ein Idiot vor den Geschworenen stehe und Sie wegen Mangels an Beweisen laufenlassen muß.«

»Und zweitens?«

Das Pendel in der alten Standuhr schwang vor und zurück und maß bedächtig die Sekunden, während der sie einander anstarrten.

Schließlich antwortete er: »Weil ich Ihnen immer noch meine Zweifel zugute halte. Glenn und alle anderen, die was zu sagen haben, wollen diesen Fall endlich abschließen.«

»Sie lassen sich von einer herumwütenden hysterischen Frau einschüchtern.«

»Die zufällig schwanger ist.«

Claire atmete hörbar aus. »Schwanger?«

»Ariel Wilde ist gestern abend während einer Predigt in Kansas City zusammengebrochen. Wenn Sie sich die Nachrichten angeschaut hätten, wüßten Sie das.« In den Zimmern auf Rosesharon gab es keine Fernseher. Solange sich ein Gast dort aufhielt, war er von der Außenwelt abgeschnitten, es sei denn, er las die Lokalzeitung, in der aber kaum nationale oder internationale Meldungen standen.

Claire schwirrte der Kopf. »Sie ist schwanger?«

»Ganz recht«, antwortete er gepreßt. »Und damit fällt sie als Verdächtige praktisch aus.«

»Nicht unbedingt.«

»In Ihren Augen vielleicht nicht. Vielleicht nicht mal in meinen. Aber für alle anderen schon. Mit wem, glauben Sie, wird die Öffentlichkeit sympathisieren? Mit der Lady, die für Mutterschaft und Güte steht, oder mit der Frau, die Pornohefte verbreitet?«

»Vielleicht ist es gar nicht Jacksons Kind«, wandte Claire ein. Sie klang wie jemand, der verzweifelt nach einer Rettungsleine schnappt. »Vielleicht ist es Joshs Baby.«

»Das glauben Sie und ich. Aber die anderen sehen in ihr eine fromme, weinende und schwangere Witwe, die weder ihren Mann mit ihrem Stiefsohn betrügen noch ihren Gatten kaltblütig ermorden würde.

Nehmen Sie sich in acht, Claire. Ariel wird diese Geschichte ausreizen. Sie haben schon zweimal erlebt, wie geschickt sie die Medien manipuliert. Sie können sie nicht einschüchtern, indem Sie ihr mit einer Klage drohen. Sie wird die Mörderin als unmoralische, opportunistische Hexe hinstellen, die ihren Mann umgebracht und sie und ihr ungeborenes Kind in eine Tragödie gestürzt hat. Das Fundament dafür hat sie schon gelegt. Und was glauben Sie – wie wird diese Hexe für die meisten Leute aussehen?« Er rückte näher. »Beginnen Sie langsam zu begreifen, was diese Schwangerschaft für Sie bedeutet?«

Sie begann nicht nur zu begreifen – sie spürte es tief in ihrem Herzen, dort, wo ihre schlimmsten Ängste saßen. Trotzdem war es töricht, Cassidy merken zu lassen, daß sie sich fürchtete.

»Was wollen Sie von mir?« fragte sie trotzig.

»Ein Geständnis.«

Sie schnaubte abfällig.

»Dann wehren Sie sich gefälligst, wenn ich Sie so angreife. Stampfen Sie mit dem Fuß auf. Schreien Sie. Werden Sie wütend oder zeigen Sie sich beleidigt. Aber ziehen Sie sich nicht hinter diese kühle Fassade zurück; das läßt Sie nur noch schuldiger aussehen. Sie können nicht mehr so tun, als ginge Sie das alles nichts an, Claire. Wehren Sie sich, um Gottes willen.«

»Ich würde mich niemals so erniedrigen.«

»Erniedrigen!« brüllte er. Sein Gesicht verzerrte sich vor Zorn. »Verhaftet zu werden, ist erniedrigend, Claire. Vor Gericht zu stehen und im Gefängnis zu leben ebenfalls.« Sein heißer Atem fegte ihr übers Gesicht. »Verdammt noch mal, sagen Sie, daß ich Sie zu Unrecht verdächtige. Geben Sie mir etwas in die Hand, das alle meine Vorwürfe gegen Sie entkräftet.«

»Solange ich nicht unter Anklage stehe, brauche ich mich auch nicht zu verteidigen. Das Gesetz –«

»Ich pfeife auf das Gesetz! Reden Sie!«

»Mr. Cassidy?« Die zittrige Stimme gehörte Mary Catherine, die im Durchgang zum Speisesaal stehenblieb. »Warum schreien Sie Claire so an? Sie wollen sie doch nicht wegbringen, oder?«

»Natürlich nicht, Mama«, versicherte Claire eilig.

»Das kann ich nämlich keinesfalls zulassen.«

Claire eilte zu ihrer Mutter und legte ihr einen Arm um die Schultern. »Mr. Cassidy und ich hatten nur ... eine Auseinandersetzung.«

»Ach.«

Claire sah sich um. Wo war Harry? Warum war sie nicht bei ihrer Mutter? »Es ist alles in Ordnung, Mama. Ehrenwort. Geht es dir gut?«

Mary Catherine lächelte zaghaft. »Es gibt gefüllte Schweinekoteletts zum Abendessen. Klingt das nicht lecker? Ich muß dafür sorgen, daß sie an Tante Laurels Kotelett das Fett wegschneiden. Eigentlich rührt sie kein Schweinefleisch an, weißt du? Von dem Fett bekommt sie nämlich Verstopfung. Ach, verzeihen Sie, Mr. Cassidy, daß wir in Ihrer Gegenwart so sprechen.«

Cassidy räusperte sich. »Schon in Ordnung.«

»Tante Laurel möchte ein paar Ableger von den Rosenstauden in ihren Hof pflanzen. Wäre das nicht reizend, Claire Louise?«

»Ja, Mama. Ganz reizend.«

Mary Catherine spazierte an Claire vorbei zu dem Garderobenständer neben der Tür, an dem Cassidys Sportsakko hing. Sie zog etwas aus ihrer Rocktasche und steckte es in die Brusttasche des Jacketts. Ohne sich für ihre eigenartige Handlung zu rechtfertigen, redete sie weiter: »Claire, meine Liebe, dein Gesicht ist ganz rot.«

»Es ist heiß draußen.«

»Schwitzt du etwa, Liebes? Das ist ganz und gar nicht damenhaft. Vielleicht solltest du vor dem Essen ein Bad nehmen und dich umziehen.«

»Das mache ich, Mama. Ich wollte gerade hinaufgehen.«

»Du arbeitest viel zu schwer. Tante Laurel und ich haben heute nachmittag beim Tee darüber gesprochen. Du mußt auf dich aufpassen.« Mary Catherine strich ihr liebevoll über die Wange, dann entschwebte sie nach oben und außer Sichtweite. Sobald sich ihre Zimmertür geschlossen hatte, eilte Cassidy an den Garderobenständer und faßte in die Brusttasche seines Sakkos.

»Da soll mich doch...«

»Was ist denn?« Er hielt ihr einen goldenen Federhalter hin. »Gehört der Ihnen?«

Traurig lächelnd sagte er: »Am Nachmittag nach meiner Ankunft ist mir aufgefallen, daß er weg war, nachdem ich mein Sakko hier aufgehängt hatte. Ich habe geglaubt, jemand hätte ihn gestohlen, aber ich konnte mir einfach nicht vorstellen, wer so etwas tun sollte. Es ist kein teurer Füller, aber ich hänge an ihm, weil meine Eltern ihn mir geschenkt haben, und sie sind beide tot.«

Claire preßte sich die Fingerspitzen an die Lippen und drehte ihm den Rücken zu. Sie lehnte sich an eines der hohen, schmalen Fenster beiderseits der Eingangstür und lehnte die Stirn an das Glas, das trotz des drückendheißen Nachmittags kühl geblieben war.

Cassidy stellte sich hinter sie. »Es ist nicht so wichtig, Claire.«

Seine Stimme klang leise, sanft, vertraulich. Als er ihr die Hände auf die Schultern legte und sie umdrehte, war sie versucht, Ihren Kopf an seine Schulter zu legen so wie eben ans Fenster. Sie sehnte sich so danach, sich ihm anvertrauen zu können. »Ach, Cassidy, ich wünschte...«

»Was?« fragte er leise.

Da sie ihm nicht zu sagen vermochte, was sie sich wirklich wünschte, antwortete sie: »Ich wünschte, es wäre nicht so heiß und es würde regnen. Ich wünschte, wir wären hier fertig und ich könnte heimfahren und mein Büro und meine Wohnung wieder herrichten, die von der Polizei bestimmt auf den Kopf gestellt worden ist.«

Sie biß sich auf die Unterlippe, um die Tränen der Verzweiflung und Angst zurückzuhalten. »Ich wünschte, ich hätte nie von Jackson Wilde gehört. Ich wünschte, Sie hätten mir das von Ihrem Füller gesagt. Ich hätte es Ihnen schon vor Tagen erklären können.«

»Ich habe ihn wieder, und nur das zählt. Vergessen Sie's.«

Aber sie konnte es nicht vergessen; sie fühlte sich verpflichtet, ihm das Verhalten ihrer Mutter zu erklären. »Manchmal nimmt sich Mama etwas. Sie stiehlt nicht, denn ihr ist nicht einmal bewußt, daß sie etwas Falsches tut. Sie ›leiht‹ sich die Sachen nur aus. Und sie gibt alles zurück, was sie sich genommen hat. Es ist ganz harmlos und unschuldig, wirklich.«

»Psst, Claire.« Er fuhr ihr mit den Fingern übers Haar und hauchte ihr einen Kuß auf die Lippen. »Ich glaube Ihnen.«

Aber als er den Kopf senkte, um ihr einen zweiten Kuß zu geben, stieß sie ihn weg und sah ihm in die Augen. »Nein, das tun Sie nicht, Cassidy.« Plötzlich sprachen sie nicht mehr über ihre Mutter und den Federhalter. Claire schüttelte langsam den Kopf. »Sie glauben mir kein Wort.«

Kapitel 18

Yasmine verschwand vor dem Abendessen. Der freie Platz am Eßtisch führte zu einigen Spekulationen, denen Claire mit einer knappen Erklärung ein Ende bereitete. »Yasmine hat heute abend eine Verabredung in New Orleans, aber sie wird nicht lang bleiben. Morgen früh ist sie wieder da.«

Leon plauderte aufgeregt über die Fotos, die er gemacht hatte. Seine Begeisterung, gesteigert durch mehrere Gläser des exzellenten Weines, verleitete ihn dazu, die Mahlzeit mit Anekdoten zu würzen. Er unterhielt seine gespannt lauschende Zuhörerschaft mit schlüpfrigen Geschichten über die Berühmtheiten und Möchtegernberühmtheiten, die Manhattans ständig wechselnde Nachtlokale besuchten.

»Natürlich ist es nicht mehr so wie früher, in der Blütezeit des Studio 54«, bemerkte er wehmütig. »Es ist eine Schande, aber seit es AIDS gibt und Drogen out sind, gibt es einfach keine *richtigen* Partys mehr.«

Gleich nach dem Essen zog sich Claire zurück. Sie schützte Erschöpfung vor, begleitete Mary Catherine und Harry nach oben und blieb im Zimmer der beiden, wo sie mit ihrer Mutter plauderte, bis die Schlaftablette zu wirken begann.

Vor lauter Eile, nach New Orleans zu kommen, hatte Yasmine ihr Zimmer in wüster Unordnung zurückgelassen. Claire war eine halbe Stunde damit beschäftigt, die verstreuten Sachen einzusammeln und den Frisiertisch aufzuräumen. Im Bad sah es nicht besser aus. Nachdem sie dort Ordnung gemacht hatte, ließ sie die Wanne mit kühlem Wasser vollaufen und versuchte sich zu entspannen und nicht mehr an Ariel Wildes Schwangerschaft und die nachteiligen Auswirkungen, die das für sie haben konnte, zu denken.

Nach dem Bad puderte sie sich mit Talkum und zog ein gerade geschnittenes mattweißes Seidennachthemd an, das ihr bis auf die Schenkel reichte. Sie steckte sich das Haar mit einer Haarnadel oben auf ihrem Kopf fest, dann stapelte sie die Kissen gegen das Kopfende ihres Bettes und lehnte sich dagegen. Erst wollte sie die Nachttischlampe einschalten, aber die Dunkelheit war zu angenehm. Auszuschlafen war wichtiger, als den Aufnahmeplan für morgen durchzugehen.

Aber ihre Gedanken kamen nicht zur Ruhe. Wie ungezogene Kinder tobten sie durch ihren Kopf und gönnten ihr keinen Frieden. Nur kurz schaffte sie es, die Augen zu schließen, dann sprangen sie eigensinnig wieder auf. Sie wälzte sich unruhig im Bett herum. Gelächter drang aus dem Salon. Sie wünschte, ihre Mitarbeiter würden endlich Ruhe geben und ins Bett gehen.

Sie fürchtete sich davor, der Ursache für ihre Unruhe nachzuspüren. Intuitiv fühlte sie, daß sie lieber nicht wissen wollte, woher diese Persönlichkeitsveränderung rührte. Verdrängung war besser als Konfrontation. Sie wollte sich ihren Problemen nicht stellen. Wenn sie nicht weiter darüber nachdachte, würden sie sich vielleicht von selbst erledigen.

Sie hörte fernes Donnergrollen. Während sie vergeblich einzuschlafen versuchte, lauschte sie dem Gewitter, das langsam auf Rosesharon zutrieb. Blitze zuckten hinter den Gardinen vor den Fenstertüren. Vielleicht würden die Wolken ja diesmal kühlenden Regen bringen. Bis jetzt hatten sie nur bewirkt, daß die Menschen immer reizbarer und die Atmosphäre immer gespannter geworden war.

Je näher der Sturm kam und je intensiver er wurde, desto unruhiger wurde Claire.

Cassidy wollte sich nicht zu den anderen gesellen und ging spazieren. Die erdrückende Schwüle und die beißenden Moskitos trieben ihn jedoch bald zurück ins Haus.

Er ging nicht noch einmal in den Salon, um den anderen eine

gute Nacht zu wünschen, sondern verschwand gleich oben in seinem Zimmer. Vor Claires Tür, deren Zimmer neben seinem lag, blieb er stehen, aber er hörte nichts. Auch drang kein Licht durch den Spalt unter der Tür, deshalb vermutete er, daß sie ihre Ankündigung in die Tat umgesetzt hatte und früh zu Bett gegangen war.

In seinem Zimmer zog er sich nackt aus. Gott, selbst hier drin war es stickig. Er spielte mit dem Gedanken, nach unten zu gehen und sich ein Bier aus der Bar zu holen, überlegte es sich aber anders. Am Ende lief er dabei noch Agnes oder Grace über den Weg, die ihre Gäste mit Vorliebe in endlose Plaudereien verstrickten. Die Gastfreundschaft konnte im Süden bisweilen beengende Formen annehmen. Im Augenblick war er nicht zum Schwatzen aufgelegt. Heute nacht konnte er niemanden ertragen außer sich selbst, und das war schon anstrengend genug.

Nach einer kurzen Dusche legte er sich aufs Bett und zündete sich eine Zigarette an. Er hatte vor zwei Jahren das Rauchen aufgegeben, aber er war nervös. Außerdem mußte er seine Hände beschäftigen, solange sich seine Gedanken ständig im Kreis bewegten.

Claire hatte ein Motiv, und sie hatte eine Gelegenheit gehabt. Claire konnte wegen der Stoffasern ihres Autoteppichs mit dem Tatort in Verbindung gebracht werden, und sie hatte kein felsenfestes Alibi. Claire war die aussichtsreichste Kandidatin für den Schuldspruch, den er aus beruflichen wie auch persönlichen Gründen durchpauken mußte.

Aber er wollte nicht, daß Claire verurteilt wurde.

»Gottverdammt.« Noch lange, nachdem das Wort verklungen war, stand der Fluch im Raum. Da hatte er sich ja in eine schöne Zwickmühle manövriert. Wenn er seinem Gewissen und seinem Berufsethos folgte, mußte er diesen Fall abgeben. Crowder hatte ihm bereits ein Ultimatum gesetzt. Die Frist verkürzte sich von Tag zu Tag. Wenn er auf Befehl von oben abgezogen wurde, würde er diese Scharte nie wieder auswetzen können. Aber was wäre, wenn er den Fall vor Ablauf des Ultimatums freiwillig abgeben würde? Crowder glaubte, daß er zu tief in den Fall verstrickt war, deshalb würde er die Entscheidung wahrscheinlich begrüßen. Ihr Verhältnis würde keinen Schaden nehmen. Im Gegenteil, wahrscheinlich würde sein Mentor ihn noch mehr achten. Crowder würde den Fall einfach einem anderen übergeben.

Nein, das ging nicht. Dieser andere wäre bestimmt aggressiv und würde Claire verhaften lassen, sobald sie nach New Orleans zurückkehrte. Man würde sie unter Mordanklage stellen. Man würde ihr die Fingerabdrücke abnehmen, sie fotografieren und einsperren. Bei dem Gedanken daran wurde ihm schlecht.

Andererseits konnte er die Vorstellung nicht ertragen, daß er eine schuldige Frau laufenließ, nur weil er scharf auf sie war. Aber so einfach war es nicht. Seit er French Silk zum ersten Mal einen Besuch abgestattet hatte und Claire Laurent begegnet war, war gar nichts mehr einfach oder normal gewesen.

Als wäre er verhext worden. Die Atmosphäre bei French Silk bezauberte ihn und zog ihn an. Es lag nicht an dem alten Gebäude, nicht einmal am französischen Viertel. Er war oft dort gewesen, seit er nach New Orleans gezogen war. Er fand die Gegend charmant, aber nie hatte er das Gefühl gehabt, durch ein Zeittor zu gehen, hinter dem alles in Zeitlupe geschah und nichts so war, wie es schien.

Nicht der Ort faszinierte ihn, sondern Claire. Sie umgab eine Aura, die ihn in Bann schlug. Diese schwer definierbare Ausstrahlung war gefährlich romantisch, unwiderstehlich verlokkend und möglicherweise sein Verderben. Er war gefangen wie in einem unsichtbaren Spinnennetz. Je erbitterter er sich zu befreien versuchte, desto tiefer verstrickte er sich. Selbst jetzt überlegte er, wie er sie vor dem Gericht bewahren konnte, obwohl er eigentlich nach einem Weg suchen sollte, sie zu überführen.

Verrückt, dachte er und schüttelte den Kopf über seine Unvorsichtigkeit. Aber trotzdem überlegte er weiter. Was konnte es schaden, über Alternativen nachzudenken? Im Gegenteil, war

ein solches Verhalten nicht besonders sensibel, verantwortungs-
bewußt und professionell?

Wer kam noch als Verdächtigter in Frage?

Ariel Wilde. Sie war schwanger, aber sie hatte eine ganze Reihe
von Gründen, ihren Ehemann zu beseitigen. Trotzdem wäre es
schwer, sie anzuklagen und hinterher als Held dazustehen. Er
konnte immer Zweifel anmelden, was den Vater des Kindes
betraf. Aber ein guter Anwalt würde sich solche Fragen verbit-
ten. Der Richter würde vielleicht im Sinne der Verteidigung
entscheiden, und damit hätte er sein Pulver verschossen. Seine
Anklage wäre im Keim erstickt. Die Geschworenen würden nie
von Ariels Affäre mit ihrem Stiefsohn erfahren, und Cassidys
Ruf wäre dahin, weil er eine werdende Mutter und Beinahehei-
lige in ein schlechtes Licht rücken wollte.

Joshua Wilde. Cassidys Instinkt sagte ihm, daß der Junge keine
Fliege umbringen konnte, von einem tyrannischen Vater ganz
zu schweigen. Andererseits war er dreist genug, die Frau seines
alten Herrn zu bumsen.

Das Dumme war, daß er bei einer Anklage gegen Ariel oder
Josh nichts gegen die beiden in der Hand hatte. Er konnte nur
auf Vermutungen und Schlußfolgerungen bauen. Wenn die Geschworenen sich an die Anweisungen des Richters hielten und
im Zweifel für den Angeklagten entschieden, hätten Ariel und
Josh nichts zu befürchten. Der stellvertretende District Attorney Cassidy hätte seine Glaubwürdigkeit verloren, und der
wahre Mörder käme ungeschoren davon.

Dieser Gedanke war unerträglich. Vor allem anderen mußte er
sicherstellen, daß das nicht passierte. Er war entschlossen, den
Mörder zu schnappen und hinter Gitter zu bringen.

Oder die Mörderin.

Er dachte an Claire und fluchte, drückte seine Zigarette aus,
ohne auch nur einmal daran gezogen zu haben, und zündete
sich die nächste an. Er sah die Szene am Nachmittag vor sich.
So zerzaust und mit schweißglänzender Haut hatte sie bezaubernd ausgesehen. In der feuchten Luft hatte sich ihr Haar
verführerisch um ihr Gesicht gelockt. Sie hatte wütend und

ängstlich zugleich gewirkt. Aber als er sich ihr in den Weg
gestellt hatte, war sie zu stolz gewesen, diese beiden menschlichen Schwächen, Eifersucht und Lust, zu gestehen.

Rastlos und angewidert von sich selbst rollte sich Cassidy vom
Bett und zog sich eine Jeans über die Hüften. Er machte sich
nicht die Mühe, sie zuzuknöpfen, bevor er die Balkontür auf-
zog und auf die Galerie trat. Die Luft war noch schwüler geworden. Nicht ein Lufthauch regte sich.

Er schaute zu Claires Balkontür, aber dort war alles dunkel. Sie
schlief. Er blickte in den Himmel; die tief hängenden Wolken
sahen voll und schwer aus. Es roch stark nach Regen, aber er
spürte keinen Tropfen. Die Atmosphäre war elektrisch aufgeladen, so als würde bald etwas Entscheidendes passieren.

Gerade als er diesen Gedanken gefaßt hatte, zuckte hinter den
reglosen Baumwipfeln ein Blitz über den Himmel.

Als der Himmel von einem strahlenden, zackigen Blitz zerrissen wurde, fuhr Claire erschrocken auf. Sie hielt den Atem an
und wartete auf den Donnerschlag. Wie ein Peitschenhieb
knallte er über dem Hausdach, brachte Fenster und Gläser zum
Klirren. Eine Sturmbö folgte. Die Balkontür flog auf, schwang
ins Zimmer und knallte gegen die Seitenwand. Die dünnen Gardinen blähten sich wie Segel im Wind.

Claire glitt aus dem Bett und ging durchs Zimmer. Die Bäume
um Rosesharon schaukelten in den heftigen Windstößen, die
von überall her zu kommen schienen. Der Wind zerrte ihr an
den Haaren und drückte ihr das Nachthemd gegen den Leib.
Ein zweiter Blitz erhellte für einen Augenblick die Galerie.

In diesem Moment sah sie Cassidy. Er stand am Geländer, ohne
Hemd, rauchend, und schaute sie an. Sie wollte in ihr Zimmer
zurückweichen und die Balkontüren hinter sich zumachen,
aber sie war unfähig, sich zu bewegen. Sein bohrender Blick
hatte sie gefesselt. Ohne ein Wort drückte er sich vom Geländer
ab und kam mit langsamen, bedächtigen, raubtierhaften Schritten auf sie zu.

Ihr Herz begann zu rasen wie der Sturmwind. In ihrem Kopf

drehte sich alles, als wären ihre Gedanken von den Böen aufgewirbelt worden. Sie sagte das erste, was ihr in den Sinn kam: »Ich wußte gar nicht, daß Sie rauchen.«

Cassidy näherte sich ihr schweigend. Kurz vor ihr blieb er stehen. Claire fühlte sich durch eine unwiderstehliche Kraft körperlich zu ihm hingezogen, so als trüge er einen riesigen Magneten in seiner Brust.

Atemlos sagte sie: »Ich glaube, es gibt endlich ein Gewitter.«

Er schnippte seine Zigarette übers Balkongeländer, streckte den Arm nach ihr aus und zog sie mit der Kraft des nächsten Donnerschlags an seine Brust. Der Kuß, den er ihr aufzwang, war ungestüm wie der Wind. Zugleich zog er die Klammer aus ihrem Haar und ließ sie achtlos zu Boden fallen, fuhr ihr mit den Fingern durchs Haar und bog ihren Kopf erst zur einen Seite, dann zur anderen, so daß ihr Mund seinen herrischen Befehlen Folge leisten mußte.

Hitze strahlte von ihm aus, durch seine Haut und das dichte Haar auf seiner Brust hindurch. Claire spürte seine Begierde und reagierte unwillkürlich; plötzlich erkannte sie, daß sie sich deshalb in letzter Zeit so unbehaglich gefühlt hatte. Das Gefühl blühte auf und breitete sich in ihr aus – dieses süße, schmerzliche Verlangen nach ... nach Cassidy.

Ihre Finger gruben sich in seine muskulösen Schultern, und sie drängte sich an ihn. Ein leiser, lustvoll klingender Laut entkam ihm. Sein Mund ließ von ihrem ab und suchte nach ihrer Halsgrube. Claire legte den Kopf nach hinten und schwelgte in der Liebkosung seiner Lippen.

Er strich mit einer Hand über ihren Rücken und ihren Hintern, hob sie an und drückte sie an sich, preßte sein erigiertes Glied gegen ihren Venushügel. Mit der anderen Hand zog er einen Träger ihres Nachthemds über ihre Schulter und entblößte eine Brust. Dann suchte er die Brustwarze, schloß seine Lippen darum und reizte sie mit seiner Zunge. Leise, sehnsüchtige Laute entkamen Claires offenen Lippen, bis er sie wieder mit einem Kuß versiegelte.

Der Sturm wütete jetzt genau über ihnen. Der Wind heulte

zornig. Blitze zuckten, Donner knallte. Regen fiel in dichten Strömen. Immer neue Regenböen schwappten unter das Balkondach und schlugen gegen ihre nassen Füße. Sie merkten nichts von alledem.

Bis sie Stimmen hörten.

Um den Regen zu genießen, hatten zwei Models beschlossen, statt durch den Hausgang über die Galerie zu ihren Zimmern zu gehen. Claire stieß Cassidy von sich weg und schaute zur Hausecke, wo die beiden jeden Augenblick auftauchen mußten.

Er nahm ihre Hand, trat in ihr Zimmer und zog sie hinter sich her. Gerade als er die Balkontür verriegelte, kamen die beiden jungen Frauen um die Ecke und blieben stehen, um den Sturm zu beobachten.

Cassidy lehnte Claire gegen die Balkontür, wo sie sich in den dünnen Gardinen verhedderten. Alle Einwände, die sie hätte vorbringen können, erstickte er mit seinem Kuß. Seine Zunge drang in ihren Mund und versiegelte ihn mit ihrer Verführungskraft. Seine Hände wanderten unter ihr Nachthemd. Warm und stark drückten sie gegen ihr Hinterteil, als er einen ihrer Schenkel anhob und über seinen legte. Seine Knöchel streichelten kaum spürbar über ihr Schamhaar. Unwillkürlich zog sich ihr Unterleib so heftig zusammen, daß sie fast aufgeschrien hätte. Er erstickte ihren Schrei mit einem neuerlichen Kuß.

Draußen sagte eines der Models: »Das gießt ja wie verrückt. Solche Blitze habe ich noch nie gesehen.«

»Psst! Du weckst Claire auf.«

Claire war hellwach. Mit jeder Faser ihres Körpers reagierte sie auf Cassidys Berührungen. Mit den Fingern teilte er die Lippen über ihrem Geschlecht; einer glitt tiefer. Immer wieder streckte er ihn mit einer leichten Bewegung ganz aus, bevor er ihn unendlich langsam zurückzog. Claire klammerte sich an ihn. Er brach seinen sengenden Kuß ab und durchbohrte sie mit seinem heißen, unnachgiebigen Blick, ohne dabei mit dem Streicheln aufzuhören.

»Wir sollten auch lieber ins Bett gehen.«

»Wann bist du morgen dran?«

»Halb neun.«

Ein leiser Schrei. »Vorsicht, es ist glatt. Ich wäre fast ausgerutscht.«

Cassidy zog seinen Finger zurück und legte die Kuppe auf die prall gefüllte Perle über ihrer Scham. Unendlich langsam umkreiste er den feucht schimmernden Rubin. Claire blinzelte verzweifelt in dem Bemühen, die Augen offenzuhalten. Cassidy verschwamm vor ihren Augen. Sie konnte gerade noch feststellen, daß ihm das Haar in die Stirn fiel, daß er sie mit ernstem, gespanntem Gesicht ansah und daß seine Augen leuchteten wie im Fieber.

Der Höhepunkt schwemmte Claire fort. Sie kämpfte dagegen an, aber er durchströmte sie wie eine mächtige Droge. Hitze. Leidenschaftliches Erbeben. Das Gefühl von Erhabenheit.

Die Stimmen auf dem Balkon hatten sich entfernt, nur die Geräusche des Sturms und die seidig-rauhen, schweren Atemzüge waren noch zu hören. Cassidy nahm sie in die Arme und trug sie zum Bett, wo er sie hinlegte, bevor er an ihre Seite kam. Er zog ihr das kurze Nachthemd aus, dann bedeckten seine Hände ihre heißen Brüste. Seine Fingerspitzen spielten mit ihren Brustwarzen, und das Gefühl, das sie dabei auslösten, war so intensiv, daß Claire leise wimmerte. Er senkte den Kopf und küßte hingebungsvoll und zärtlich ihren Busen. Sie packte ihn am Haar; sie wußte, daß sie dem ein Ende machen mußte, und begriff zugleich, daß sie genausogut versuchen konnte, den Regen abzustellen.

Er küßte sie auf den Bauch. Ängstlich hauchte sie: »Cassidy?«

»Psst.« Sein Atem strich warm über ihr Schamhaar.

»Cassidy?«

Ohne auf ihr Zögern einzugehen, schob er seine Hände unter ihre Pobacken und hob ihr Geschlecht an seinen offenen Mund.

Seine Zunge erforschte die süße, feuchte Grotte. Er leckte sie genüßlich, tauchte tiefer. Er liebkoste sie liebevoll und küßte sie dann voller Hingabe, als wollte er den Nektar aus einer köstlichen Frucht saugen. Mit der Zungenspitze erweckte er das kleine Juwel zu neuem Leben.

Die Lust wurde schier unerträglich. »Bitte«, stöhnte sie.

Er kniete sich zwischen ihre Schenkel und drang in sie ein. Schwer und heiß spürte sie seinen Atem an ihrem Hals. Sie hörte ihn keuchen. Dann begann er sich zu bewegen, sie zu liebkosen und zu streicheln, bis sie nichts mehr wahrnahm außer ihm.

Die Haut auf seinem Rücken war naß. Seine Muskeln hüpften unter ihren Fingern. Sie schob beide Hände unter seine Jeans und packte seinen Hintern, um ihn tiefer in sich aufnehmen zu können. Er stöhnte vor Lust. Sie küßten sich. Seine Lippen schmeckten nach Moschus und verbotenen Freuden. Sie leckte sie erst vorsichtig, dann gierig ab.

Er faßte ihre volle Brust in seiner Hand und strich mit dem Daumen über die erigierte Warze, um sie schließlich zärtlich zwischen seinen Fingern hin und her zu rollen. Claire streckte den Rücken durch. Unvermittelt hielt sie den Atem an und sagte seinen Namen. Der erste Höhepunkt war nur ein Vorbote gewesen. Diesmal fühlte sie sich, als wäre sie Teil eines Feuerwerks. Feurige Funken erstrahlten um sie herum, während sie scheinbar endlos durch die Dunkelheit schwebte, um schließlich langsam zu verglühen.

Erst dann kam Cassidy. Er umarmte sie und flüsterte ihr erotische Beschwörungen ins Ohr, während sie tief in ihrem Inneren die Wärme spürte, die er in ihr verströmte.

Erschöpft lagen sie nebeneinander; er hatte den Kopf auf ihre Brüste gebettet, sie ihre Beine um ihn geschlungen. Irgendwann setzte er sich auf und streifte seine Jeans ab, legte sich dann wieder hin und zog sie an sich. Claire kuschelte sich an seinen nackten Körper.

Das Gewitter war vorüber, aber es regnete noch. Der ferne Donner ließ sie an die Nacht denken, in der sie Cassidy zum ersten Mal geküßt hatte, die Nacht, in der sie zum Hotel Pontchartrain gefahren waren, um Mary Catherine abzuholen.

Schaudernd verdrängte Claire die Erinnerung. Sie wollte nicht daran denken, wer sie waren und welche Rollen sie in dem Drama spielten, das über ihr Leben entschied.

Er spürte, wie sie schauderte, und küßte sie auf die Schläfe. »Was ist?«

»Nichts.«

»Doch.«

Sie seufzte, und ein Lächeln spielte um ihre Lippen. »Das hat noch niemand mit mir gemacht.«

Ein Lachen stieg aus seiner Brust, genau unter ihrem Ohr. »Gut.«

Sie fuhr mit den Fingerspitzen über seine Rippen. Das Gefühl erregte sie. »Cassidy?«

»Hmm?«

»Was machen wir morgen?«

Er rollte sie auf den Rücken, beugte sich über sie und legte ihr den Finger auf die Lippen. »Wenn wir jetzt darüber sprechen, dann muß ich gehen. Willst du das?« Er streichelte ihren Mund und küßte sie dann, tief, innig und voller Hingabe. Sacht öffnete er ihre Schenkel und drängte sich dazwischen. Er war schon wieder bereit.

Sie seufzte. »Nein. Bleib bei mir.«

Kapitel 19

Andre Philippi war ganz aus dem Häuschen. Yasmine war wieder in seinem Hotel. Yasmine! Das bezauberndste Wesen auf der ganzen Welt.

Er machte gerade seinen Rundgang durch die Lobby, als er sie hereinkommen sah. Obwohl die Sonne schon untergegangen war, trug sie eine undurchsichtige, große Sonnenbrille. Offensichtlich wollte sie nicht erkannt werden. Wenn er ihr Gesicht nicht so gut gekannt hätte, wäre sie vielleicht nicht einmal ihm aufgefallen. Aber er verbrachte mehr Zeit damit, Fotos von ihr anzustarren, als in den Spiegel zu schauen. Er kannte ihr Gesicht besser als sein eigenes.

Zielstrebig marschierte sie auf die Aufzüge zu. Einer wartete mit offener Tür. Andre beeilte sich, um ihn noch zu erwischen, ehe er nach oben fuhr. »Yasmine. Willkommen.« Er verbeugte sich knapp.

»Hallo, Andre.« Sie lächelte, setzte die Sonnenbrille ab und steckte sie in ihre große Umhängetasche. »Wie geht es dir? Ich habe dich seit Ewigkeiten nicht mehr gesehen.«

Claire hatte sie einander vor einigen Jahren auf einer kleinen Dinnerparty vorgestellt. Seither waren sie sich immer wieder begegnet. Aber jedesmal erregte und schmeichelte es Andre von neuem, daß sie ihn als Freund betrachtete.

»Mir geht es gut. Und dir?«

»Ich kann nicht klagen.« Ihr Lächeln, das diese Worte begleitete, wirkte nicht ganz aufrichtig.

»Bist du in der Stadt, um an dem neuen Katalog zu arbeiten?«

»Wir machen die Aufnahmen für die Frühjahrsausgabe drüben in Mississippi. Ich bin bloß heute abend hier.«

Er fragte die Gäste nie, warum sie in seinem Hotel waren. Das hätte seiner Maxime widersprochen, vor allem anderen Diskretionen zu wahren. »Wie geht es Claire?«

»Sie war ziemlich unleidlich, als ich heute nachmittag losgefahren bin«, antwortete Yasmine.

»Oje. Ist Mary Catherine –«

»Nein, mit ihrer Mutter hat es nichts zu tun.«

Er wartete höflich, daß sich Yasmine weiter über ihre gemeinsame Freundin auslassen würde.

Yasmine belohnte ihn für seine Geduld. »Ich vermute, ihr macht der Job zur Zeit zu schaffen. Du kennst Claire. Sie läßt nie Dampf ab, wenn sie wütend ist. Ich fände das viel gesünder. So köchelt sie leise vor sich hin, und jeder in ihrer Nähe fühlt sich beschissen.«

Andre spürte, daß es eine Auseinandersetzung zwischen den beiden Frauen gegeben hatte, die er mochte und bewunderte, und antwortete diplomatisch: »Ich bin überzeugt, daß der Katalog die Anstrengungen lohnt, die ihr beide dafür auf euch nehmt.«

»O ja, das glaube ich auch.« Sie sagte das ohne jede Begeisterung.

»Erzeugt der kreative Aspekt eines neuen Katalogs nicht jedesmal Angst?« fragte er höflich.

»Diesmal noch mehr als sonst.«

»Warum das?«

»Cassidy.«

Andre erbleichte. »Heißt das, er ist *dort?*«

»Genau. Er ist Claire nach Rosesharon gefolgt und quasi zu einem festen Bestandteil des Aufnahmeteams geworden.«

Er fuhr sich nervös mit der Zunge über die Lippen. »Warum um Himmels willen setzt er ihr so zu?«

Sie hatten die gewünschte Etage erreicht. Andre trat mit Yasmine aus dem Lift, und sie gingen gemeinsam über den Hotelflur.

»Er hat sie immer noch im Verdacht, Wilde umgebracht zu haben.«

»Aber das ist doch verrückt!« Andre strauchelte. Schweiß brach ihm auf der Stirn aus. Er zog ein makelloses Taschentuch aus seiner Brusttasche und tupfte sich die Schweißperlen ab. »Wenn ich nicht auf Cassidys Trick hereingefallen wäre und verraten hätte, daß Claire mich damals angerufen hat –«

»Na, na!« Beruhigend legte ihm Yasmine eine Hand auf die Schulter. »Claire hat mir erzählt, wie aufgeregt du warst, als das passiert ist. Cassidy ist gewitzt. Er hätte so oder so rausgefunden, daß Claire in der Nacht im Fairmont war. Du hast nichts verraten, was er früher oder später nicht selbst entdeckt hätte.«

Sie senkte die Stimme und meinte vertraulich: »Wenn du wissen willst, was ich davon halte – ich glaube, Cassidy ist eher daran interessiert, Claires Unschuld als ihre Schuld zu beweisen.«

»Aber natürlich ist sie unschuldig«, erklärte Andre eilig. »Claire war damals ausschließlich hier, um Mary Catherine abzuholen. Ich würde das auch vor Gericht beschwören. Ich würde alles tun, um eine Freundin zu beschützen.«

»Darauf zählen deine Freunde.«

Diese Bemerkung fand Andre beunruhigend. Er wollte noch einmal beteuern, daß er an Claires Unschuld glaubte, aber Yasmine entfernte sich bereits. »Ich hoffe, wir sehen uns bald mal wieder länger, Andre.«

Er nahm ihre Hand, beugte sich darüber und gab ihr einen Handkuß. »*Au revoir,* Yasmine. Deine strahlende Schönheit verleiht allem um dich herum Glanz.«

Das Lächeln, das sie berühmt gemacht hatte, trat auf ihr Gesicht. »Mein Gott, du kleiner Stinker! Du bist ja ein Dichter!«

»Ich gestehe es«, gab er einfältig zu. Nie würde sie erfahren, wie viele Stunden er damit zugebracht hatte, Oden auf ihre Schönheit und ihren Charme zu verfassen.

Sie legte ihre Hand an seine Wange. »Du bist ein echter Gentleman, Andre. Warum können nicht alle Männer so gut und rücksichtsvoll und loyal sein wie du?« Ihr Lächeln wurde traurig. Sie zog ihre Hand zurück, drehte sich um und ging weg. Er folgte ihr nicht. Das gehörte sich nicht. Aber er wartete, bis sie in ein Zimmer gelassen wurde, nachdem sie angeklopft und leise ihren Namen genannt hatte.

Andre beneidete den Mann nicht, der sie hinter der Tür erwartete. Seine Liebe zu Yasmine hatte nichts Sexuelles an sich. Sie rührte aus seiner Seele und betraf eine viel höhere Ebene als die physischer Lust. Er wünschte ihr aus tiefstem Herzen, daß sie Liebe und Glück in allen Formen und aus allen nur denkbaren Quellen erfuhr.

Euphorisch schwebte er zurück zum Lift. Yasmine hatte zärtlich seine Wange berührt. Glatt und kühl hatte sich ihre Hand angefühlt, so wie die seiner *maman*, als er noch ein Kind gewesen war. Auch in ihren Augen war etwas gewesen, das ihn an seine Mutter gemahnte – eine vertraute Bitterkeit, an die er sich nur zu gut erinnerte. Aber er verwarf den Gedanken, um sich den Augenblick übersprudelnder Freude nicht zu verderben.

»Du dreckiger Schwanzlutscher. Du mieser Scheißkerl.« Yasmine überschüttete Alister Petrie mit einer Litanei von Obszönitäten.

»Äußerst charmant, Yasmine.«

»Halt deine verlogene Fresse, du verfluchter Hurenbock.«

Sie strahlte Wut aus wie eine Heizsonne Hitze. Ihr ganzer Körper war verkrampft, als würde er gleich vor Zorn platzen. Flammen loderten aus den Tiefen ihrer Augen. »Du hast nie vorgehabt, deine Frau zu verlassen, stimmt's?«

»Yasmine, ich –«

»*Stimmt's?*«

»In einem Wahljahr wäre das politischer Selbstmord. Aber das bedeutet nicht –«

»Du gottverdammter Lügner. Du schleimiges, stinkendes Stück Rattenscheiße. Am liebsten würde ich dich umbringen.«

»Um Himmels willen.« Er fuhr sich mit den Fingern durch das immer noch zerwühlte Haar. Sie hatten fast ebenso erbittert miteinander geschlafen, wie sie sich jetzt stritten. Sie hatten sich auf dem Bett gewälzt und sich aufgebäumt und sich aneinander festgekrallt und miteinander gerungen, als hätten sie sich gerauft und nicht geliebt.

»Du regst dich zu sehr auf«, versuchte er sie zu beruhigen, um einem neuen Ausbruch vorzubeugen. »Es geht doch nur um eine zeitweilige Trennung, Yasmine. Es wäre das Beste –«

»Das Beste für dich.«

»Das Beste für uns beide, wenn wir die Sache ein bißchen abkühlen lassen, wenigstens bis nach der Wahl. Ich will nicht für immer Schluß machen. Mein Gott, glaubst du, mir gefällt das? Im Gegenteil. Du bist mein Leben.«

»Scheißdreck.«

»Ich schwöre dir, sobald die Wahl gelaufen ist, werde ich –«

»Wirst du was? Wirst du dir jede Woche ein paar Stündchen abzweigen, um mit mir zu ficken? Und wie lange? Lebenslänglich? Fick dich ins Knie, Kongreßabgeordneter. Diese Scheiße lasse ich mir nicht bieten.«

»Ich habe nicht erwartet, daß du dich darüber freust. Ich erbitte nur ein wenig Verständnis. Mein Terminkalender ist ein Alptraum, Yasmine. Ich stehe ständig unter Druck.«

»Süßer, du weißt gar nicht, was Druck ist.« Ihre Stimme klang unheilverheißend. »Wenn ich mit dir fertig bin, wird niemand in diesem oder irgendeinem Staat auch nur einen Cent auf deinen mickrigen Arsch geben. Es hat sich ausgebumst, das darfst du deinem Negermädel glauben. Die Party ist aus, Baby. Jetzt ist Zahltag.«

Sie ging zur Tür. Er lief ihr nach. »Warte, Yasmine! Laß mich erklären. Du bist unvernünftig.« Er hielt sie an der Schulter zurück und drehte sie um. »Bitte.« Seine Stimme brach unter einem Schluchzer. »Bitte.«

Sie machte keine Anstalten zu gehen, aber ihre Augen glühten weiter wie heiße Kohlen. Alister schnappte nach Luft und blinzelte rasch. Er sah aus wie ein Todeskandidat, der vor der Exekution um einen Aufschub fleht.

»Yasmine, Liebling«, begann er zaghaft. »Du mußt mir einen

Gefallen tun. Versprich mir, daß du damit nicht vor die Presse gehst.«

Die Worte durchbohrten sie wie Lanzen, rissen neue Wunden, aus denen Zorn und Schmerz sprudelten. »Dir ist doch scheißegal, wie ich mich fühle, habe ich recht? Du denkst nur an dich und an deinen verdammten Wahlkampf!«

»So habe ich das nicht gemeint. Ich –«

Mit einem Wutschrei holte sie aus, kratzte mit den Fingernägeln über seine Wange und zog vier lange, blutende Schrammen durch seine Haut. Mit der anderen Hand riß sie ihm ein Büschel Haare aus.

Einen Moment war Alister zu verblüfft, um sich zu bewegen. Dann spürte er den Schmerz und legte sich schreiend die Hand auf die Wange.

»Du bist ja verrückt!« brüllte er, als er seine blutige Hand sah. »Du bist ja vollkommen durchgedreht!«

Ein paar Sekunden schwelgte Yasmine in seiner Verblüffung und seinem Schmerz, dann stürmte sie aus dem Zimmer. Auf dem Weg zum Lift begegneten ihr ein Mann und eine Frau. Die beiden starrten sie an und wichen ängstlich an die Wand zurück. Sie merkte, daß ihr die Tränen übers Gesicht liefen und daß ihre Bluse offen war.

Während sie mit dem Lift nach unten fuhr, knöpfte sie sich die Bluse zu und schob sie zurück in den Hosenbund. Auch die Brille setzte sie wieder auf. Mit gesenktem Kopf durchquerte sie die Lobby des Fairmont. Aus dem Augenwinkel sah sie Andre, aber sie verlangsamte ihren Schritt nicht; sie wollte nicht von ihm angesprochen werden. Dann verließ sie das Gebäude. Sie holte Claires Mietwagen aus der Parkgarage und fuhr über die Canal Street davon.

Der Abend war mild. Viele nutzten das zu einem verlängerten Wochenende. Die Straßen des französischen Viertels waren voller Touristen, die den Verkehr zum Erliegen brachten und sich auf den Bürgersteigen drängten. Yasmine hatte Schwierigkeiten, einen Parkplatz zu finden, und ließ den Wagen schließlich im Halteverbot stehen. Sie mußte noch ein paar Blocks die Rue

Dumaine entlanggehen, ehe sie ihr Ziel erreicht hatte. Sie sah niemandem ins Gesicht und verhielt sich so unauffällig wie möglich.

Der Laden hatte noch offen, aber wenn sie nicht gewußt hätte, daß er sich dort befand, hätte sie ihn bestimmt übersehen. Ein paar Kunden standen vor den Regalen mit Kräutern, die man für Liebestränke brauchte.

»Ich möchte zur Priesterin«, sagte Yasmine leise zu dem Verkäufer, der gerade einen Joint rauchte. Der Uralthippie verschwand und kehrte einen Augenblick später zurück und winkte Yasmine zu sich.

Der Altarraum war durch einen verstaubten, kastanienbraunen Samtvorhang vom Laden abgetrennt. Die Wände waren mit afrikanischen Masken und Metallarbeiten geschmückt, mit denen mächtige Geister beschworen wurden. Ein großes Holzkreuz stand in einer Ecke, aber es war kein traditionelles Kruzifix. Um den Stamm wand sich Damballah, die Schlange, der mächtigste Geist. In einem Drahtkäfig in der Ecke gegenüber lag eine Python, die Verkörperung Damballahs. Die Schlange wurde für Wodu-Rituale gebraucht, die in den Sümpfen außerhalb der Stadt abgehalten wurden. Auf dem Altar selbst drängten sich Statuen christlicher Heiliger, Fotos von Menschen, die behaupteten, von den Geistern gesegnet worden zu sein, blakende Kerzen, qualmende Räucherstäbchen und Knochen und Schädel von verschiedenen Tieren.

Die Priesterin saß auf dem Königinnenthron neben dem Altar. Sie war sehr groß, und ihre gewaltigen Brüste ruhten auf einem Bauch, der sich aus mehreren Speckrollen zusammensetzte. Ihr riesiger Kopf steckte unter einem Turban. Dutzende Goldketten hingen um den dicken, kurzen Hals. An mindestens der Hälfte davon baumelten Glücksbringer, Medaillons und andere Amulette. Sie hatte Hände wie Baseballhandschuhe. An jedem Finger glitzerten mehrere Ringe. Sie hob eine riesige Pranke und winkte Yasmine zu sich.

Die Priesterin kam aus Haiti und war schwarz wie Ebenholz. Ihr breites, rundes Gesicht glänzte ölig und verschwitzt. Als wäre sie in Trance, beobachtete sie ihre Besucherin schwerlidrig und schläfrig aus ihren kleinen Augen, die wie Onyxknöpfe strahlten.

Yasmine sprach sie mit mehr Erfurcht an als ein gläubiger Katholik einen Kardinal. »Ich brauche Ihre Hilfe.« Der fette Qualm aus den Räucherstäbchen wirkte berauschend. Yasmine fühlte sich leicht benommen, aber das war immer so, wenn sie dieser geheimen Welt der Schwarzen Magie einen Besuch abstattete. Dunkle Kräfte schienen von der Priesterin, ihren Requisiten und von den finsteren Schatten in jeder Ecke auszustrahlen.

Gedämpft und monoton erzählte Yasmine der Priesterin von ihrem Liebhaber. »Er hat mich zu oft belogen. Er ist böse. Er muß bestraft werden.«

Die Priesterin nickte weise. »Hast du etwas, das ihm gehört?«

»Ja.«

Die Priesterin hob eine beringte Hand, und eine Assistentin tauchte aus dem Nichts auf. Sie hielt Yasmine eine kleine Steingutschale hin. Yasmine kratzte die Hautfetzen und das getrocknete Blut unter ihren Fingernägeln hervor und legte die Partikel vorsichtig in die Schale. Als nächstes löste sie Alisters Haare, die immer noch um die Finger ihrer linken Hand geschlungen waren, und gab sie dazu.

Dann hob sie den Blick und sah die Priesterin an. Das Flackern der Kerzen spiegelte sich in ihren Mandelaugen und verlieh ihnen etwas Animalisches. Ihre Lippen bewegten sich kaum, aber ihre gezischte Botschaft war unmißverständlich. »Er soll leiden.«

Als Alister ihre neoklassizistische Villa am Ufer des Sees Pontchartrain betrat, erwartete ihn Belle in der Eingangshalle. Die Kinder waren schon früh ins Bett geschickt worden. Bevor die Haushälterin und Köchin nach Hause gegangen war, hatte sie den Eßtisch mit feinstem Porzellan gedeckt und die Schale darauf mit frischen Blumen versehen.

Belle trug einen Hausanzug aus lila Seide, der an ihren Beinen raschelte, als sie auf ihren Mann zuging und ihn begrüßte. »Mein Gott. War sie das?« Sie untersuchte die Kratzer auf seiner Wange, aber ihre Stimme klang keineswegs mitleidig, sondern nur überrascht.

»Zufrieden, Belle? Diese Kratzer sollten dir beweisen, daß ich mein Versprechen gehalten habe.«

»Du hast ihr gesagt, daß es endgültig vorbei ist und daß sie uns nicht mehr belästigen soll?«

»Ganz genau. Und dann hat sie mich angesprungen wie eine gottverdammte Panterin.«

Belles glänzender Pagenkopf blieb fest wie ein Helm, als sie leise schnalzte und den Kopf schüttelte. »Geh nach oben und tu dir Jod auf die Kratzer. Ich schenke währenddessen den Wein zum Essen ein.«

»Ich bin nicht hungrig.«

»Natürlich bist du hungrig, Liebling«, erklärte sie mit starrem Lächeln. »Nun lauf schon und verarzte dein Gesicht. Ich erwarte dich gleich wieder unten.«

Alister erkannte ihre Aufforderung als das, was sie war – ein Test, mit dem sie seinen Gehorsam auf die Probe stellte. In der für sie typischen subtilen Art setzte sie die Bedingungen fest, unter denen sie bei ihm bleiben, seinen Wahlkampf finanzieren und davon absehen würde, ihn als Ehebrecher und Lügner bloßzustellen. Von nun an würde sie in dieser Scharade als Autor, Produzent und Regisseur agieren. Wenn er die Hauptrolle spielen wollte, mußte er ihre Anweisungen bis ins Detail befolgen.

Was blieb ihm anderes übrig, als auf ihre Bedingungen einzugehen, so erniedrigend sie auch sein mochten? Eine Weile würde er mitspielen, auf jeden Fall bis nach der Wahl. Wenn er danach seine Affäre mit Yasmine wieder aufleben lassen oder etwas mit einem anderen Mädchen anfangen wollte, dann würde er das verdammt noch mal tun. Nur weil er einmal erwischt worden war, brauchte er nicht den Rest seines Lebens das kastrierte Schoßhündchen für Belle zu spielen. Im Augenblick war es allerdings klüger, so zu tun.

»Ich komme gleich wieder runter.«

Oben untersuchte er sein Gesicht im Badezimmerspiegel. Die Kratzer waren noch frisch, offen und blutig. Wie zum Teufel sollte er das seinem Stab und dem Wahlkampfkomitee erklären, von den Medien und den Wählern ganz zu schweigen? Ein Ast? Ein junges Kätzchen? Wer würde ihm das glauben?

Andererseits würde man ihn, um ihn zu überführen, der Lüge bezichtigen und Beweise vorbringen müssen. Worüber zerbrach er sich also den Kopf? Sie würden ihm glauben müssen, weil ihnen gar nichts anderes übrigblieb.

Er befürchtete nicht, daß Yasmine ihn den Nachrichtenhunden wie ein Stück rohes Fleisch zum Fraß vorwerfen könnte. Gut, sie hatte ihm einen ganz schönen Schrecken eingejagt, als sie ihn so angesehen hatte, daß ihm das Blut in den Adern gefroren war. Aber wenn sie sich erst abgekühlt hatte und wieder zur Vernunft gekommen war, würde sie ihre Rachepläne begraben. Immerhin liebte sie ihn. Ihre Liebe war ein Fluch gewesen, der sich nun als Segen erweisen konnte. Sie würde nichts tun, um seine politische Karriere zu zerstören, weil sie wahrscheinlich immer noch hoffte, eines Tages die Frau des Kongreßabgeordneten Petrie zu werden.

Außerdem war da noch ihr mächtiger Stolz. Sie konnte ihre Affäre nicht ausplaudern, ohne sich selbst lächerlich zu machen. Sie hatte genug damit zu tun, ihre Karriere wiederaufzubauen, ihr Unternehmen zu schützen und ihre Gläubiger hinzuhalten. Das letzte, was Yasmine wollte oder brauchte, war ein Skandal.

Ihre Vorwürfe konnte er vor der Öffentlichkeit abstreiten und sich hinter eine glückliche Ehe verschanzen. Er war sicher, daß Belle zu ihm hielt.

Nachdem er sich beruhigt hatte, ging er fast aufgekratzt wieder nach unten. Belle küßte ihn sanft und betrachtete mit Mitleidsmiene seine Wange. »Damit ist die Sache für uns erledigt«, erklärte sie, während sie ihm ein Glas mit gekühltem Weißwein reichte. »Erzähl mir, was du heute gemacht hast.« Sie servierte ihm ein leichtes Nachtmahl aus Krabbensalat auf Toasteckchen,

Seewolffilet, marinierten Cocktailtomaten und Brombeersorbet.

Sie tranken gerade Mokka, als etwas gegen ihr Eßzimmerfenster knallte. Es prallte mit einer solchen Wucht auf das Glas, daß die Panoramascheibe erbebte.

»Was zum Teufel war das?« Alister fuhr herum.

Belle schoß so schnell aus ihrem Stuhl hoch, daß er nach hinten fiel.

Alister starrte entsetzt auf das von Blut und Schleim verschmierte Fenster.

Belle preßte sich die Hand auf den Mund, um sich nicht zu übergeben.

»Jesus«, keuchte Alister. »Bleib drinnen.«

»Alister –«

»Bleib drinnen!«

Er war noch nie besonders mutig gewesen, deshalb trieb ihn eher die Wut als der Mut zur Vordertür hinaus und über den sorgsam gepflegten Rasen. Weiter unten auf der Straße hörte er Reifen quietschen, aber der Wagen war zu weit weg und es war zu dunkel, um ihn zu erkennen oder das Nummernschild zu lesen.

Ängstlich und vorsichtig pirschte er sich an das Eßzimmerfenster heran. Von dieser Seite sah das blutbesudelte Glas noch gespenstischer, noch echter aus. Er konnte das Blut riechen.

Er beugte sich über das Blumenbeet, um den Fleck genauer zu untersuchen, verlor das Gleichgewicht, fiel in das Gestrüpp unter dem Fenster und landete auf einem toten Huhn. Man hatte ihm die Kehle durchgeschnitten. Der Schnitt war frisch, tief und breit. Auf den Federn glänzte feucht das dunkle Blut.

Der Kongreßabgeordnete stieß einen Schrei aus.

Voller Panik rappelte er sich auf, lief durch das Gestrüpp und taumelte die Vordertreppe hinauf. Sobald er drinnen war, knallte er die Tür zu und schob alle Riegel vor. Hastig tippte er den Alarmcode auf der Tafel ein.

Belle hatte sich von ihrem ersten Schrecken erholt und verlangte eine Erklärung. »Wer hat diese Sauerei auf unserem Fen-

ster angerichtet? Weißt du, wie schwer es ist, das wieder wegzu-
kriegen?«

Am liebsten hätte er sie geschüttelt, bis ihre perlengleichen,
weißen Zähne klapperten. »Verstehst du nicht, was das heißt?
Sie will mich töten.«

»Wer?«

»Sie.«

»Deine ehemalige Geliebte?«

Er nickte und stotterte: »Sie ... sie hat mich verflucht.«

»Um Himmels willen, Alister, reiß dich zusammen. Du machst
dich lächerlich.«

Er schüttelte aufgeregt den Kopf.

»Das ist ein Fall für die Polizei.« Belle wandte sich, kühl wie
immer, zum Telefon.

»Nein!« Er kam ihr mit einem Satz zuvor und riß das Kabel aus
dem Wandstecker. »Nein.«

»Alister, du benimmst dich wirklich sonderbar. Was macht dir
solche Angst?«

Er krächzte nur ein Wort: »Wodu.«

Kapitel 20

Kurz vor sechs scheuchte Yasmine sie auf. Sie riß die Tür auf, stürmte ins Zimmer und blieb schliddernd stehen, als sie Claire entdeckte, die sich im Doppelbett an Cassidy kuschelte.

»Ach du Scheiße!«

Der Ausruf riß Claire aus dem Tiefschlaf. Sie setzte sich auf, strich sich das Haar aus den Augen und faßte nach dem Bettzipfel, um ihre Brüste zu bedecken, die nach der Liebesnacht rosig und zart wirkten.

Durch die plötzliche Bewegung geweckt, rollte sich Cassidy auf den Rücken. »Was ist denn?« Er folgte Claires entsetztem Blick und sah Yasmine, die sie beide ein paar Sekunden lang anstarrte, bevor sie auf dem Absatz kehrtmachte, aus dem Zimmer lief und die Tür hinter sich ins Schloß fallen ließ.

»Da stimmt was nicht.« Claire langte nach ihrem Nachthemd, das über dem Fußende des Bettes hing.

»Wie meinst du das? Was stimmt nicht? Wie spät ist es?« Cassidy stützte sich auf seine Ellbogen und schüttelte schlaftrunken den Kopf.

»Mit Yasmine ist was.«

»Claire?«

Sie hatte sich einen Morgenmantel über das Nachthemd gezogen. Als sie auf dem Weg zur Tür am Bett vorbeikam, schoß seine Hand vor und ergriff ihren Arm. Unter schweren Lidern sah er zu ihr auf. Sie wußte, was der Blick bedeutete, und Schmetterlinge flatterten in ihrem Bauch auf. »Ich kann nicht«, flüsterte sie sehnsüchtig. »Yasmine braucht mich.«

»Ich brauche dich auch.«

»Du hast mich schon gehabt«, erklärte sie mit einem schüchternen Lächeln.

Hin- und hergerissen zwischen Loyalität und Begierde, sah sie erst zur Tür und dann wieder auf ihn. »Ich muß mit ihr reden, Cassidy.«

»Okay«, knurrte er. »Aber ich bin ein schlechter Verlierer.« Er hob ihre Hand an seinen Mund und küßte sie herausfordernd in die Handfläche. »Beeil dich.«

»Versprochen.«

Der Gang lag im grauvioletten Dämmerlicht. Eilig schlich sie zur Treppe und machte sich auf Zehenspitzen, um niemanden aufzuwecken, auf den Weg nach unten. Sie warf kurz einen Blick in den zweiräumigen Salon, entdeckte Yasmine aber nicht. Sie wollte schon am Eßzimmer vorbeilaufen, als sie eine Bewegung an der Bar bemerkte. Sie machte kehrt und stellte sich zu Yasmine.

Das ehemalige Mannequin hielt eine Karaffe hoch. »Einen Drink?«

»Yasmine, was ist los?«

»Wieso kümmert dich das? So wie du aussiehst, hast du vermutlich eine Wahnsinnsnacht in deinem kleinen Doppelbettchen hinter dir. Du und der Detective und beide ganz pudelnackt, wie? Hmmm-mmm. Einfach toll.«

»Er ist kein Detective, und du bist ungerecht. Wieso stört es dich, wenn ich mit Cassidy schlafe?«

Sie drehte sich um, ein Cocktailglas voller Wodka in der Hand. »Es stört mich nicht. Im Gegenteil, ich geb' keinen nassen Rattenfurz darauf, womit du fickst.«

»Mit wem ich ficke«, verbesserte sie Claire. »Wenn du mich schon beleidigen willst, dann wenigstens grammatikalisch richtig.«

Yasmine setzte ihr Glas hart auf der Bar auf. Sie versuchte, ihren Zorn zu unterdrücken, konnte es aber nicht. Ein Lächeln flatterte ihr um die Mundwinkel. »Claire Louise Laurent. Immer korrekt und anständig.« Sie grinste Claire flüchtig an, dann fiel ihr Lächeln in sich zusammen wie ein Soufflé. Sie senkte den

Kopf, bedeckte ihr Gesicht mit den Händen und begann zu schluchzen.

Claire legte einen Arm um sie und führte sie zu einem der gepolsterten Barhocker. »Was ist denn, Yasmine?« fragte sie und strich ihr das Haar zurück. »Wenn du so gemein wirst, muß etwas Schreckliches passiert sein.«

»Das Arschloch hat mir den Laufpaß gegeben.«

Das hatte Claire befürchtet. Das Unausweichliche war geschehen. Sie war immer überzeugt gewesen, daß es nur eine Frage der Zeit war, bis Yasmine von ihrem verheirateten Liebhaber verstoßen würde, und sie hatte sich vor diesem Tag gefürchtet. Sie zog ihre Freundin an ihre Schulter, damit sie sich daran ausweinen konnte.

»Dieser Hurensohn hat mich von Anfang an belogen«, sagte Yasmine mit tränenerstickter Stimme. »Er hätte seine Frau nie verlassen. Er hat nie vorgehabt, mich zu heiraten oder mit mir zusammenzuleben. Ich war so blöd, Claire, so gottverdammt blöd.« Sie trommelte mit den Fäusten auf die Bar. »Warum hab' ich mich nur so verarschen lassen?«

»Liebe macht blind. Ihretwegen tun wir Dinge, die schlecht für uns sind. Wir wissen, daß sie schlecht sind, und tun sie trotzdem.«

Yasmine setzte sich auf und wischte sich die Nase am Blusensaum ab. »Gestern abend hat er sogar noch mal mit mir gevögelt, bevor er Schluß gemacht hat. Kannst du dir das vorstellen? Als ich ankam, ist er fast über mich hergefallen. Er hat mir gesagt, daß ich so schön bin und daß die Tage ohne mich die reine Hölle wären. Wir haben gerammelt wie die Karnickel, schnell und hart.« Zwei Tränen rannen gleichzeitig aus beiden Augen und rollten über ihre makellosen Wangen. »Ich habe ihn geliebt, Claire.«

»Ich weiß. Es tut mir leid.«

»Jetzt kann ich gar nicht glauben, daß ich auf seine Lügen reingefallen bin. Ich hab' zwar davon geträumt, aber eigentlich habe ich mir nie vorstellen können, wie er mit mir in Washington spazierengeht.«

»Washington?«

Yasmine lachte schnaubend. »Vielleicht kostet ihn das eine Stimme, aber was soll's? Warum sollte ich's dir nicht erzählen? Mein geheimnisvoller Freund war der Kongreßabgeordnete Alister Petrie.«

Claire atmete langsam aus. »Alister Petrie.«

»Kennst du ihn?«

»Nein, ich bin ihm nie begegnet. Aber ich kenne seine Frau, Belle. Ich habe ihr vor ihrer Hochzeit ein paar Aussteuersachen geschneidert. Damals habe ich auf Kommission gearbeitet. Eine Freundin hat mich empfohlen.«

»Wie ist sie?«

»Ach, Yasmine, vergiß –«

»Herrgott noch mal, Claire, tu mir den Gefallen. Wie ist sie?«

»Hübsch. Blond. Schla-«

»Das meine ich nicht. Ich weiß, wie sie aussieht.«

»Du kennst sie?«

»Ich habe sie gesehen.« Claire zog fragend die Brauen hoch.

»Ja, ich habe ihnen ein paarmal nachspioniert«, gab Yasmine ungeduldig zu. »Ich habe all das getan, was eine gute kleine Geliebte nicht tun soll. Ich habe mich beklagt. Ich habe Forderungen gestellt. Ich habe ihn erpreßt. Ich habe gebettelt. Ich habe ihn angeschrien. Ich habe mitten in der Nacht bei ihnen zu Hause angerufen, nur um seine Stimme zu hören, wenn er ans Telefon kam. All diesen Scheiß.

Seit er mit der Kampagne für seine Wiederwahl angefangen hat, hat er immer weniger Zeit für mich gehabt. Und je weniger Zeit wir zusammen verbracht haben, desto mehr habe ich ihm zugesetzt. Auch deshalb ist Alister wütend geworden, glaube ich. Ich war unvorsichtig; man hätte uns erwischen können. Er hatte Angst, daß Belle was merkt. Oder vielleicht hat sie was gemerkt. Wer weiß? Inzwischen würde ich dem verlogenen Sack kein Wort mehr glauben.«

»Ich kann mir vorstellen, daß du ihm gefallen hast. Du bist ganz anders als seine Frau.«

»Wieso?«

»In allem«, antwortete Claire. »Ich mochte sie nicht. Sie hat aristokratische Vorfahren und läßt das jeden spüren. Sie ist kühl und überheblich. Kaltschnäuzig. Bigott. Und vermutlich kalt wie ein Fisch.«

»Vielleicht hat er da mal nicht gelogen«, murmelte Yasmine.

»Was ich jetzt sage, kommt verfrüht«, meinte Claire unsicher. »Und du wirst mir nicht glauben, trotzdem stimmt es.« Sie nahm Yasmines Hände und drückte sie. »Die Beziehung war nicht gut, sonst wärst du nicht immer so unglücklich gewesen. Du bist ohne ihn besser dran.«

Yasmine schüttelte den Kopf. »Nein, Claire, da täuscht du dich. Mir geht es wirklich mies. Mein Leben ist ein einziger Scherbenhaufen.«

»Das stimmt nicht, Yasmine!«

»Offenbar hast du meine Finanzprobleme vergessen. Mit dem Geld, das du mir für diese Aktien zahlst, kann ich meine Schulden nie bezahlen.«

»Das wird sich ändern. So was braucht Zeit. Du bist schön und talentiert, Yasmine«, erklärte Claire aufrichtig. »Tausende von Frauen würden augenblicklich mit dir tauschen wollen. Im Moment hast du Liebeskummer, aber der wird vergehen.«

Yasmines Augen zogen sich zu schrägen Schlitzen zusammen und verliehen ihrem Gesicht etwas Berechnendes und zugleich Animalisches. »Ich habe Liebeskummer, aber ich werde nicht allein leiden.« Sie zog ihre Hände aus Claires Griff, faßte in ihre Umhängetasche und zog ein kleines Ding heraus, vor dem Claire angeekelt zurückwich.

»Mein Gott, Yasmine. Was willst du damit?«

Die Wodu-Puppe war eine groteske Karikatur des Kongreßabgeordneten. Yasmine hielt die Puppe hoch und betrachtete sie stolz. »Siehst du die Haare auf dem Kopf? Das sind Alisters Haare. Damit wird der Fluch noch wirksamer. Und das hier«, sie deutete auf den überdimensionalen roten Filzpenis, der aus dem Unterleib der Puppe wuchs, »na, du weißt schon, wofür das steht.«

Claire war schockiert. »Das meinst du doch nicht ernst, oder?

Ein paar Kerzen und Talismans, okay, das ist harmlos. Aber du glaubst doch nicht wirklich an Flüche und Schwarze Magie?«

Yasmine schaute sie wütend an. »Warum nicht? Du glaubst schließlich an eine jungfräuliche Geburt, oder nicht?«

Sich über Religion zu streiten, war bloß Zeitvergeudung. Claire würde sich nicht darauf einlassen, vor allem jetzt nicht, wo ihre Freundin emotional so angeschlagen war. Sie verkniff sich jeden Kommentar und beobachtete entsetzt und zugleich fasziniert, wie Yasmine die Puppe auf die Bar legte, in ihre Bluse griff und ein silbernes Amulett hervorzog, das an einer Kette um ihren Hals hing. Das Amulett war eine kleine Hohlkugel, gefüllt mit etwas, das Claire nicht identifizieren konnte, das aber nach Kräutern roch.

»Wenn ich das hier an meinem Körper trage«, verkündete Yasmine unheilvoll, »kann ich seine Gedanken kontrollieren. Er wird mich keine Sekunde vergessen können. Ich werde ihn Tag und Nacht verfolgen. Ich treibe ihn in den Wahnsinn.«

»Yasmine, du machst mir angst.«

Sie lachte kehlig. »Deine Angst ist nichts im Vergleich zu dem, was Alister erleben wird, ehe ich fertig bin mit ihm.«

»Was meinst du damit? Yasmine, was hast du vor?«

Ohne die Frage zu beantworten, sagte sie: »Schau zu, Claire. Beobachte. Lerne. Falls du mal jemanden verfluchen willst.«

Sie schlug ihren Hemdkragen zurück und gab den Blick auf eine Reihe langer, gefährlich aussehender Nadeln frei. Sie zog eine aus dem Stoff und legte sie beiseite. Dann zündete sie ein Streichholz aus dem Heftchen auf der Bar an. Sie hielt das brennende Zündholz unter die Nadel, bis sie das Eisen fast nicht mehr halten konnte, dann trieb sie die glühende Spitze in den widerwärtig roten Penis der Puppe.

»Guten Morgen, Alister«, flüsterte sie. »Hast du gut geschlafen? Mach dir keine Hoffnungen auf einen Fick mit deinem langweiligen Weib. Nicht einmal meine berühmten Lippen könnten deinen Schlappschwanz jetzt hochkriegen.« Sie zündete das nächste Zündholz an, erhitzte noch eine Nadel und jagte sie in den Rumpf der Puppe.

Claire packte Yasmine an der Schulter und schüttelte sie. »Hör auf damit! Das ist doch lächerlich. Wodu zu praktizieren ist gefährlich und dumm; ich werde nicht zulassen, daß meine beste Freundin so etwas tut.« Sie schüttelte sie noch einmal. »Hast du mich verstanden, Yasmine?«

Yasmine blinzelte verwirrt, als hätte Claire sie aus einer Trance geweckt. »Natürlich verstehe ich dich.« Sie grinste breit und fragte: »Du hast doch nicht geglaubt, daß ich das ernst meine, oder?«

»Ich...«, begann Claire unsicher.

Yasmine lachte. »Diesmal hab’ ich dich wirklich reingelegt, was?« Sie steckte das Amulett wieder unter ihre Bluse und ließ die Puppe in die Umhängetasche fallen.

»Laß das bloß Cassidy nicht sehen«, warnte Claire. »Er hat sich schon für deine Jackson-Wilde-Puppe interessiert. Ich habe ihm gesagt, das wäre nur ein Scherz gewesen. Vielleicht überlegt er es sich anders.«

»Komm schon, Claire, ganz ruhig. Das ist so, wie wenn du dir von einer Zigeunerin die Hand lesen läßt. Du glaubst nicht dran, aber es macht Spaß.«

Claire war immer noch nicht überzeugt, und ihre Miene verriet das wohl. Yasmine warf ihr einen ernüchternden Blick zu und griff wieder zu ihrem Drink. »Dieser ganze Hokuspokus mit der Schwarzen Magie ist natürlich ein Riesenschwindel, aber ich möchte einfach gern so tun, als könnte ich Alister wirklich weh tun. Warum soll nur ich mich quälen? Ich fühle mich einfach besser, wenn ich mir vorstelle, daß dieser Drecksskerl auch ein bißchen leidet.« Sie nahm einen Schluck. »Und damit genug von meinem Liebesleben. Erzähl mir, mit welchen Tricks Cassidy dich aus deinem Höschen gekriegt hat.«

Leise schlich sich Claire in ihr Zimmer zurück. Da es sich auf der Westseite des Hauses befand, lag es im Halbdunkel. Cassidy war noch im Bett, lag auf dem Rücken, hatte die Hände hinter dem Kopf verschränkt und starrte auf den Deckenventilator, der sich langsam über ihm drehte. Sein Profil war atemberau-

bend, kräftig, maskulin, mit ausgeprägten Gesichtszügen. Sie
liebte die Form seiner Lippen; jetzt, wo sie wußte, wie sie
schmeckten und sich anfühlten, wie bittend und wie fordernd
sie sein konnten, wurde ihr der Mund wäßrig, wenn sie sie nur
sah.

Seine Oberarmmuskeln waren hart und rund wie Äpfel. Weiches, dunkles Haar säumte seine Achselhöhlen und bedeckte
die Brust, die sich über einem flachen, harten Bauch erhob. Die
Bauchdecke endete in einer schmalen Taille und einem noch
schmaleren Becken. Sein Geschlecht war voll und fest, und
Claire mußte daran denken, wie es sich anfühlte, wie es roch
und wie es schmeckte.

Sie versuchte, die erotischen Erinnerungen zu unterdrücken,
und machte die Tür hinter sich zu. Er drehte den Kopf.

»Hallo.«

»Hallo.«

»Alles in Ordnung?«

»Jetzt schon. Vorhin nicht. Sie war furchtbar wütend.«

»Weswegen?«

»Geht dich das was an?«

Er zog die Hände unter seinem Kopf hervor und stützte sich
auf einen Ellbogen. »Du brauchst nicht gleich den Stachel aus-
zufahren, Claire. Es war eine ganz normale Frage.«

Sie setzte sich auf die Bettkante, drehte ihm aber den Rücken
zu. »Ihr Liebhaber hat Schluß mit ihr gemacht. Und frag mich
nicht, wer es war, denn das kann ich dir nicht sagen.«

»Ich wollte gar nicht fragen.«

»So ... gut. Dann ist ja alles in Ordnung.«

»Wirklich? Das verblüfft mich. Du klingst, als wäre gar nichts
in Ordnung.«

Sie richtete sich auf. »Du solltest wieder in dein Zimmer gehen.
Yasmine möchte duschen und vor der Arbeit noch ein paar
Stunden schlafen.«

»Das hier hat nichts mit Yasmine zu tun.«

»Also gut, nein.« Claire sprang auf und drehte sich zu ihm um.
Sie schleuderte eine Hand in Richtung Balkontür. »Falls du es

noch nicht bemerkt hast, Cassidy, die Sonne ist aufgegangen. Es ist Morgen.«

»Na und? Verwandelst du dich jetzt in einen Kürbis?»

»Nein, aber du wirst dich in einen stellvertretenden District Attorney verwandeln, der mir liebend gern einen Mord anhängen möchte.«

»Hast du denn einen Mord begangen?«

»Darauf brauche ich nicht zu antworten.«

»Das ist mir auch lieber, weil du mich sonst anlügen würdest.«

»Geh einfach.«

Er warf die Decke zurück und sprang nackt und sexy aus dem Bett. Lustvolle Erinnerungen an letzte Nacht drängten sich rücksichtslos in ihr Bewußtsein. Sie waren ihr unangenehm, aber sie waren da, und sie war gezwungen, ihnen Raum zu geben. Der Anblick weckte in ihr den Wunsch, ihn wieder zu berühren, seine kraftvollen Schenkel an ihren zu spüren, ihren Körper von seinen Händen streicheln zu lassen.

Sie schaute zu, wie er die alten, verblichenen Jeans anzog, mit denen er gestern abend in ihr Zimmer gekommen war. Auch diesmal knöpfte er sie nicht zu. Sie hatten sich so perfekt und vor so langer Zeit an seinen Körper geschmiegt, daß sie nicht runterrutschten.

»Warum sparst du dir nicht diesen Quatsch mit Yasmine und ihrem geheimen Geliebten und erzählst mir, was wirklich mit dir los ist?«

»Ich weiß nicht, wovon du sprichst.«

»So nicht.« Er zielte mit dem Zeigefinger auf ihre Nasenspitze. »Spiel mir nicht die arrogante Oberschülerin vor, Claire. Inzwischen weiß ich, daß das nur eine Maske ist, die du aufsetzt, wenn es dir gerade in den Kram paßt. Vor allem, wenn du einer Auseinandersetzung aus dem Weg gehen willst. Gestern nacht habe ich die echte Claire kennengelernt. Dort.« Er zeigte auf das zerwühlte Bett.

»Bist du deshalb mit mir ins Bett gegangen, weil du mich besser kennenlernen wolltest?«

»Ja. In jeder Hinsicht.«

»Wie romantisch. Und was war der wahre Grund?«

Er packte ihre Hand und schob sie in seine offene Hose. »Hör auf mit diesem Unfug, küß mich, und in zwanzig Sekunden kehrt deine Erinnerung zurück.«

Sie zog ihre Hand zurück. »Bestimmt willst du mir weismachen, du wolltest nur mit mir schlafen.«

»Genau so ist's.«

»Ich glaube dir nicht, Cassidy. Du behauptest immer, ich lüge. Diesmal glaube ich, du lügst.«

Er lachte schnaubend und schüttelte verwundert den Kopf. »Was? Was ist in der halben Stunde passiert, die du weg warst?«

»Ich bin wieder zu Verstand gekommen«, murmelte sie mit abgewandtem Gesicht.

Er nahm ihr Kinn zwischen seine Finger und zog ihren Kopf zu sich her. »Sprich nicht in Rätseln.«

»Also gut, dann muß ich deutlich werden.« Sie hob ihr Kinn aus seinen Fingerspitzen. »Yasmine hat etwas gesagt, das mir zu denken gegeben hat.«

»Was denn?«

»Etwas über Tricks.«

»Wie bitte?«

Yasmine hatte mit ihrer Frage, mit welchem Trick Cassidy sich in ihr Bett gemogelt hatte, den warmen, leuchtenden Schleier des Verliebtseins weggerissen und Claire in die kalte Wirklichkeit zurückgestoßen. Zitternd, doch mit bemüht feindseliger Stimme fragte sie: »Warum hast du heute nacht mit mir geschlafen?«

»Ist das nicht offensichtlich, Claire?«

»Das soll ich jedenfalls glauben.«

»Wir wollten einander«, sagte er.

»Aber du hast den ersten Schritt gemacht.«

»Du hast dich nicht gewehrt.«

»Nein, du bist nicht mit deiner Hundemarke in der Hand oder mit einer Aktentasche voll Dokumenten oder mit einem Hau-

305

fen Drohungen angekommen. Dazu bist du viel zu schlau; du weißt nämlich, daß ich was gegen Behörden habe und mich gegen sie wehre. Statt dessen hast du dich als Mann an mich rangemacht. Du hast dir meine Eifersucht zunutze gemacht. Ja«, sagte sie und durchschnitt dabei mit den Händen die Luft, »aus irgendeinem irrationalen Grund war ich gestern eifersüchtig auf Yasmine. Du hast das und die erotische Stimmung bei unserer Arbeit ausgenutzt.

Yasmine hat mich gefragt, warum sie sich hat verarschen lassen«, fuhr sie fort. »Ich habe sie getröstet, indem ich ihr erklärt habe, daß wir von Zeit zu Zeit alle etwas wider besseres Wissen tun, und meist ist unsere Libido dabei im Spiel.

Und in diesem Augenblick habe ich begriffen, wie dumm ich gewesen bin. Du hast mich verführt in der Hoffnung, daß du anderntags deine Mörderin hättest. Vielleicht hast du vorgehabt, mich mürbe zu machen und vor der Morgendämmerung ein Geständnis zu kriegen.«

»Herrgott noch mal!« Er hatte ihr immer ungeduldiger zugehört, fuhr sich jetzt mit allen zehn Fingern durchs Haar und stemmte schließlich die Hände in die Hüften. »Und wann genau sollte dieses Geständnis erfolgen, Claire? Beim Vorspiel? Ober habe ich erwartet, daß du beim Höhepunkt aufschreist: ›Ich bin schuldig‹? Nein, warte, ich hab's. Ich habe gehofft, daß wir uns nur um den Verstand vögeln müßten, dann würdest du im Schlaf reden. Stimmt's?«

»Das ist nicht komisch.«

»Da hast du verdammt recht. Das ist es nicht«, brüllte er.

»Wenn du so scharf darauf bist, deinen Mörder zu fangen, warum bist du dann so hinterhältig? Warum hast du mich nicht einfach verhaftet?«

»Hast du schon einen Gedanken daran verschwendet, in was für einem Interessenkonflikt ich stecke? Seit Wochen ringe ich mit mir. Letzte Nacht war es mir wichtiger, dich zu lieben, als einen Schuldspruch zu bekommen.«

»Lügner.«

Mit langen, wütenden Schritten kam er auf sie zu. »Wenn du

glaubst, das gestern abend hätte irgendwas mit diesem Mordfall zu tun, dann vergißt du schneller, als du zum Höhepunkt kommst.«

Ihre Hand traf hart und dumpf auf seinem Kinn auf. »Geh mir aus den Augen.«

Er schnappte ihr Handgelenk und riß sie zu sich her. Zorn brannte in seinen Augen. Einen Augenblick befürchtete Claire, er würde ihr die Ohrfeige zurückgeben. Schließlich sprach er, aber seine Lippen waren dünn und fest und bewegten sich kaum. »Nur zu gern, Miss Laurent.«

Bevor er durch die Balkontür verschwand, drehte er sich um. »Weißt du, weshalb du so wütend bist, Claire? Du ärgerst dich über dich selbst, weil du mir gezeigt hast, wie du wirklich bist. Du bist wütend, weil du nicht aufgepaßt hast und weil dir alles, was wir getan haben, so verdammt gut gefallen hat. Vom ersten Kuß bis zum letzten Seufzer. Und nur ein Mensch belügt dich – du selbst.«

»Was willst du hören?« schlug sie zurück. »Daß du ein ganz toller Liebhaber bist? Braucht dein männliches Ego Streicheleinheiten am Morgen danach? Gut, wenn du es willst. Es war wirklich wunderbar. Du weißt, was du zu tun hast, wann du aggressiv und wann du passiv sein mußt.«

»Danke.«

»Das ist kein Kompliment. Du mußt jahrelang geübt haben, um diese Technik zu beherrschen. Wie viele andere weibliche Verdächtige hast du dazu ins Bett geschleift? Zählst du so deine Erfolge? Zählt für dich selbst nicht, ob du sie ins Gefängnis bringst, sondern ob du sie davor noch ficken kannst?«

Er hatte die Zähne zusammengebissen. »Ich brauche niemanden zu vögeln, um ein Urteil durchzukriegen.«

»Ach nein?«

»Nein. Solche Tricks habe ich nicht nötig. Dazu bin ich zu gut.«

»Wenn du so verdammt gut bist, Mr. Cassidy, dann kümmere dich endlich um deine Arbeit und verschwinde verdammt noch mal aus meinem Zimmer!«

Kapitel 21

»Du siehst fabelhaft aus.« Joshua schob gutgelaunt einen leeren Rollstuhl in Ariels Krankenzimmer. Die Schwestern hatten ihm mitgeteilt, daß sie angezogen war und nach draußen gebracht werden wollte, wo haufenweise Journalisten darauf warteten, sie zu fotografieren und sie nach dieser jüngsten Episode in ihrem dramatischen Leben zu fragen. »Ihr fahrbarer Königsthron wartet, Madam.«

Ariel ließ die Verschlüsse an ihrem Koffer zuschnappen. »Ist der Thron notwendig?«

»Das ist Vorschrift im Krankenhaus. Außerdem hat das so was Biblisches.«

Sie sah ihn stirnrunzelnd über die Schulter an.

Josh nahm ihre schlechte Laune gleichmütig hin. Er sah ausgesprochen gut und elegant aus. Sein Gang war energischer als sonst. Die paar Tage Ruhe und Entspannung hatten ihn sichtbar verjüngt.

Auch wenn Ariel immer noch Trauerkleidung trug, sah sie für jemanden, der gerade aus dem Krankenhaus entlassen wird, erstaunlich attraktiv aus. Eine Kosmetikerin war eigens gekommen, um ihr das lange, platinblonde Haar zu waschen und zu fönen. Ariel hatte sich geschminkt und absichtlich dabei die schwachen Ringe unter ihren großen blauen Augen ausgelassen.

Sie war nicht gerade erbaut darüber, Josh zu sehen, und fest entschlossen, sich nicht von seiner Fröhlichkeit anstecken zu lassen. »Warum grinst du denn unentwegt?«

»Mir geht es einfach gut.«

»Wahrscheinlich hast du die ganze Zeit Klavier gespielt, während ich hier drin gesteckt habe.«

»Praktisch rund um die Uhr.« Er suchte sich eine Banane aus dem übervollen Obstkorb, schälte sie und biß herzhaft hinein. »Und kein einziges Gospelstück.«

»Nur dieses klassische Zeug«, brummte sie, wobei sie noch einmal das Gesicht in ihrem kleinen Schminkspiegel überprüfte. »Ich bin fast froh, daß ich mir das nicht anhören mußte.«

»Es klang gar nicht schlecht, wenn ich das sagen darf.«

Sie klappte die Schminkdose mit einer schnellen Handbewegung zu und ließ sie in die Handtasche fallen. »Halt deine Finger in Bewegung, denn in ein paar Tagen wirst du nicht mehr zum Vergnügen spielen. Dann heißt es zurück zu den Gospels.«

Joshs Lächeln verflog. Er warf die Bananenschale auf das Tablett über dem Bett. »Was soll das heißen, ›in ein paar Tagen‹? Die Ärzte haben gesagt, du sollst dich mindestens noch einen Monat ausruhen.«

»Ist mit egal, was sie gesagt haben. Bis Ende nächster Woche ist das nächste Gebetstreffen fällig. Wir waren so in Schwung und dann das.« Sie schlug sich auf den Bauch, als wollte sie das Kind darin bestrafen. »Wir müssen wieder angreifen. Je eher, desto besser. Ich werde nicht lockerlassen, bis Cassidy, oder wer auch immer inzwischen für den Fall verantwortlich ist, jemand für den Mord an Jackson vor Gericht stellt.

Und das ist nur der Anfang. Ich beabsichtige, jeden Tag im Gericht zu erscheinen. Das Verfahren wird wochenlang, monatelang Schlagzeilen machen. Ich werde die ganze Zeit über dabeisein. Sichtbar. Eine tragische Gestalt. Wir müssen die kostenlose Publicity bis zum letzten nutzen. Fertig?«

Während sie ihm ihre Pläne dargelegt hatte, hatte sie im Bad, im Schrank und in allen Schubladen nachgeschaut, ob sie auch nichts vergessen hatte. Jetzt drehte sie sich zu Josh um, der schweigend ihrer Ansprache gelauscht hatte.

»Laß mich das klarstellen«, sagte er gepreßt. »Du hast deine Lektion nicht gelernt.«

»Ich werde essen, okay? Du kannst dir deine Vorwürfe sparen.«

»Aber die Bulimie war nur das halbe Problem, Ariel. Du wirst dich wieder bis zum Zusammenbruch verausgaben. Hast du das wirklich vor?«

»Nein, das habe ich nicht vor«, antwortete sie zuckersüß. »Ich habe nicht vor, wieder im Krankenhaus zu landen, aber ich werde mich auch nicht aufs Altenteil zurückziehen, nur weil ich mich ein bißchen übernommen habe und in Ohnmacht gefallen bin.«

»Was ist mit dem Baby?«

»Was soll damit sein?«

»Ist es von mir?«

»Nein«, antwortete sie gehässig und scharf. »Das ist von deinem teuren, seligen Vater. Er hat mir das angehängt.« Ihre Augen glitzerten haßerfüllt.

»Bist du sicher?«

»Ja. Du nimmst doch immer Gummis. Er nicht. Dieser Hurensohn.«

»Du wolltest kein Kind?«

»Verdammt noch mal, nein! Denkst du, ich bin verrückt? Warum sollte ich ein Kind haben wollen? Damit ich alles aufgeben darf, wofür ich gearbeitet habe?«

»Aber Daddy wollte ein Kind.«

»Natürlich«, antwortete sie beißend. »Du weißt, wie er war. Er und sein monströses Ego. Er wollte einen kleinen Jackson Wilde, der ihm bis aufs i-Tüpfelchen gleicht.« Sie musterte Josh verächtlich. »Sein erster Sohn war eine einzige Enttäuschung.«

Josh schaute verlegen auf seine langen, schlanken Musikerfinger; der verhaßten Wahrheit konnte er nicht widersprechen.

»Er hat mich ständig gepiesackt, daß er ein Kind will«, fuhr Ariel fort. »Er sagte, das wäre gut für unser Image und würde die Organisation stärken. Wir könnten berühmter werden als die Heilige Familie.

Ich hab' ihn abgewimmelt, aber wie immer hat dieser Dreckskerl das letzte Wort behalten. Ich wette, er amüsiert sich königlich über mich.« Sie starrte wütend zu Boden und stampfte mit dem Fuß auf, als wollte sie ihren Ehemann in der Hölle erreichen. »Ich hasse dich, du Bastard.«

»Wann hast du entdeckt, daß du schwanger bist, Ariel?«

Sie warf sich das Haar über die Schulter und sah ihren mißmutigen Stiefsohn an. »In der Nacht, in der ich zusammengebrochen bin, ungefähr eine Stunde, nachdem sie mich hergebracht und untersucht haben.«

»Nicht vorher?«

Sie legte den Kopf zur Seite und kniff mißtrauisch die Augen zusammen. »Worauf willst du hinaus?«

»Hast du den Verdacht gehabt, daß du schwanger bist, bevor Daddy ... starb?«

Sie drehte ihm den Rücken zu und nahm ihre Handtasche. »Was macht das für einen Unterschied? Er hat mich geschwängert. Wenn er leben würde, säße ich jetzt da mit seinem Kind. Zum Glück kann er mich nicht mehr daran hindern, es zu verlieren.«

Josh drehte sie so plötzlich um, daß ihr Genick hörbar knackte. »Verlieren?«

Sie schüttelte seine Hände ab. »Stell dich nicht so dumm, Josh. Wenn du glaubst, ich würde meine Karriere als Fernsehpredigerin gegen einen Haufen Windeln und Möhrenbrei eintauschen, dann hast du dich getäuscht. Ich will kein Kind. Hab' nie eins gewollt.« Sie lachte überheblich. »Diesmal wird sich Jackson nicht durchsetzen.«

»Hast du daran gedacht, wie sehr dich deine treue Herde verdammen würde, wenn herauskäme, daß du eine Abtreibung hattest?«

»So blöd bin ich nicht«, fuhr sie ihn an. »Jeder, der in den letzten Wochen ferngesehen hat, weiß, daß ich vor Erschöpfung und Trauer zusammengebrochen bin. Bald wird man berichten, daß ich trotz meiner Schwangerschaft alles daransetze, Jacksons letzten Wunsch zu erfüllen und seine Feinde zu vernichten. Ich werde nicht ruhen, bis sein Mörder gefangen und bestraft ist.

Eine Weile werde ich die Schwangerschaft ausschlachten. Ich werde ihnen tränenüberströmt erzählen, wie glücklich Jackson wäre, wenn er wüßte, daß er seinen Samen in meinen Leib gepflanzt hat. *Das* nenne ich biblisch!« fügte sie mit heiserem Lachen hinzu.

»Ich werde auf Abraham und Sarah verweisen und darauf, wie Gott ihren Glauben schließlich mit einem Kind belohnte. Dann, in ein paar Wochen, werde ich vor Kummer eine Fehlgeburt haben. Stell dir nur vor, was für eine Lawine wir damit auslösen. ›Mann und Kind wurden ihr geraubt, aber unerschütterlich setzt sie ihren Kreuzzug fort.‹«

Bei der Vorstellung leuchteten ihre Augen auf. Sie sah Josh an und lachte wieder. »Was ist denn los, Josh? Du siehst aus, als würde dir gleich das Essen hochkommen.«

»Du machst mich krank.«

»Sag bloß, du hast dich auf das Baby gefreut! Bist du deshalb so aufgedreht in letzter Zeit? Hast du dich schon als Stiefvater für deinen kleinen Stiefbruder gesehen?« Sie tätschelte ihm die Wange. »Wenn du nicht so dumm wärst, wärst du richtig süß.«

Er schlug ihre Hand weg. »Ich bin längst nicht so dumm, wie du irrtümlicherweise glaubst, Ariel.« Mit einer wütenden Kopfbewegung deutete er auf den Rollstuhl. »Bist du bereit?«

»Mehr als bereit. Aber ich gehe, ich fahre nicht.« Sie faßte nach ihrem Koffer.

»Du sollst nichts Schweres tragen.«

»Warum nicht? Ich kann es kaum erwarten, Jacksons letzte Fessel abzuschütteln.« Sie wuchtete den schweren Koffer hoch und marschierte zur Tür.

»Es ist offen.« Cassidy schaute von dem Papierberg auf seinem Schreibtisch auf.

Detective Howard Glenn kam hereingeschlendert und ließ sich lässig in einen Stuhl fallen. »Willkommen daheim.«

»Danke.«

»Wie war's?«

»Genau wie ich Ihnen prophezeit habe. Miss Laurent hat darauf verwiesen, daß es Hunderte von Autos dieses Typs in Louisiana gibt, und sie behauptet, daß sich Yasmine nur oberflächlich für Wodu interessiert. Sie hat sich mit verschiedenen Religionen befaßt, meint es aber mit keiner ernst. Eins habe ich erfahren. Yasmine hat einen geheimnisvollen Geliebten, aber es war nicht Wilde. Ihre Beziehung bricht gerade auseinander. Vielleicht sollten Sie einen Mann darauf ansetzen.«

»Mach' ich. In der Zwischenzeit hab' ich ein paar andere Sachen nachgeprüft.«

»Und?«

Glenn zog einen kleinen Spiralblock aus der Brusttasche seines Tweedsakkos. »Bis jetzt – und ich bin längst noch nicht fertig – habe ich zehn höchst anrüchige Bekannte ausgemacht, die Spenden an Wildes Missionsgesellschaft geleistet haben. Beträchtliche Spenden.«

»Wie beträchtlich?«

»Zwischen fünf und fünfundzwanzig Riesen.« Er wartete Cassidys Reaktion ab.

»Ich höre.«

»Drei von den zehn besitzen Pornokinos. Zwei besitzen und führen Sexläden. Dazu kommen zwei Massagestudios und zwei Oben-ohne-Bars.« Er zeigte Cassidy ein Männergrinsen.

Cassidy lächelte nicht einmal. »Das sind erst neun. Sie sagten zehn.«

»Dann ist da noch ein Filmstar, der im Pornogewerbe als das Heißeste seit Erfindung der Kamera gehandelt wird.«

Cassidy stand aus seinem Drehstuhl auf und ging ans Fenster. Er schob die Hände in die Hosentaschen und schaute nach draußen, ohne etwas zu sehen. »Lassen Sie mich raten. Sobald sie ihre ›Spenden‹ geleistet hatten, hat Wilde die Flamme kleiner gedreht.«

»Ich habe nicht genug Leute, um das so schnell zu überprüfen«, meinte Glenn. »Aber darauf tippe ich auch.«

»Vielleicht hat Wilde den Preis für seinen Ablaß erhöht, und jemand war nicht einverstanden damit.«

»Vielleicht.«

Cassidy drehte sich um. »War einer von diesen Leuten in der Mordnacht im weiteren Umkreis von New Orleans?«

»Ah ja, genau das ist der Haken an der Sache.« Der Detective zupfte nachdenklich an seinem Ohrläppchen. »Sie leben über die ganzen Vereinigten Staaten von Amerika verstreut. Keiner wohnt in der Nähe.«

»Die Stadt hat einen Flughafen und einen Busbahnhof, von den Interstate Highways ganz zu schweigen.«

»Sie brauchen nicht gleich eklig zu werden, Cassidy.«

»Verzeihung, aber ich bin eklig gelaunt.«

»Kann ich verstehen«, erklärte Glenn mit mitleidslosem Achselzucken. »Nur die Schauspielerin gibt zu, jemals in New Orleans gewesen zu sein.«

»Wann?«

»Vor ewigen Zeiten. Als Wilde ermordet wurde, war sie gerade in Rom.«

»Rom, Italien?«

»Genau dieses.«

»Stimmt das?«

»Sie hat einen italienischen Regisseur, der behauptet, daß sie seit April bei ihm in seiner Villa wohnt.«

Ein Ohnmachtsgefühl lastete mit dem Gewicht eines Kettenpanzers auf Cassidy. »Ich schlage vor, daß Sie dranbleiben, Glenn. Sagen Sie Ihren Leuten, sie sollen die Liste hundertmal durchgehen, falls nötig. Sieben Sie alle aus, die nicht in das Schema des erzkonservativen Bibelschwingers passen.«

»Einverstanden. Aber das wird Zeit brauchen.«

Stirnrunzelnd fragte Cassidy: »Was ist mit Unternehmensspenden?«

»Ich bin auf ein paar gestoßen. Nichts von Interesse.«

»Überprüfen Sie auch die. Wer steht hinter der Firma? Ein Unternehmen bietet sich an, wenn jemand anonym bleiben will. Wir sollten mit den Gesellschaften anfangen, die Verbindungen zum Süden, vor allem nach New Orleans haben, und uns von da aus vorarbeiten.«

Der Detective nickte und schlurfte hinaus. Cassidy hätte ihn am liebsten in den Hintern getreten, nur um zu sehen, ob er sich auch schneller bewegen konnte. Aber er konnte es sich nicht leisten, sich noch mehr Feinde zu machen. Seine Verbündeten waren dünn gesät. Niemand wollte was mit einem Verlierer zu tun haben, das war in jeder Firma so. Sobald er sich der Kaffeemaschine näherte, verkrümelten sich seine Kollegen wie verschüttete Erbsen.

Nach seiner Rückkehr in die Stadt hatte er Crowder Bericht erstattet, daß die Reise nach Mississippi nichts erbracht hatte. Der D. A. hatte das nicht allzu gut aufgenommen. Seine Geduld sei erschöpft, hatte er Cassidy erklärt. »Und Ihre Frist ist abgelaufen. Bis zum Wochenende will ich was Konkretes von Ihnen, sonst sind Sie den Fall los.«

»Ganz gleich, wen Sie an meine Stelle setzen, er wird gegen dieselben Ziegelwände rennen, Tony, und er würde nicht so gut mit Glenn zusammenarbeiten.«

»Vielleicht nicht.«

»Ich bin an ihn gewöhnt.« Crowder verzog keine Miene. Cassidy seufzte. »Sehen Sie, es gibt keine substantiellen Beweise außer ein paar Teppichfasern, die zu zehntausend Autos im Bezirk passen.«

»Und eines dieser Autos gehört Claire Laurent, die ein Motiv und eine Gelegenheit hatte.«

»Aber ich kann nicht beweisen, daß sie zur Mordzeit mit Wilde in seiner Hotelsuite war.«

»Die Fasern könnten reichen.«

»Nie im Leben.« Cassidy schüttelte eigensinnig den Kopf. »Ich stelle mich nicht vor die Geschworenen, solange ich meinen Arsch nicht auf dem Trockenen habe.«

Crowder funkelte ihn an. »Sorgen Sie bloß dafür, daß es Ihr Arsch und mein Arsch ist, den Sie aufs Trockene bringen, und nicht Claire Laurents.«

Diese Bemerkung hatte Cassidy so wütend gemacht, daß er Crowder am liebsten die Faust ins Gesicht geschlagen hätte. Statt dessen war er aus Crowders Büro gestürmt. Seitdem waren zwei Tage vergangen, ohne daß sie miteinander gesprochen hatten. Die Stunden rannen ihm durch die Finger.

Das Höllische daran war, daß Crowder ins Schwarze getroffen hatte. Er *wollte* Claire beschützen. Auch wenn er so wütend war, daß er sie am liebsten eigenhändig erwürgt hätte, wollte er sie nicht ins Gefängnis bringen. Aber wenn sie schuldig war, würde ihm nichts anderes übrigbleiben. Er würde sie lebenslänglich hinter Gitter bringen, ohne Hoffnung auf Haftverschonung, Bewährung oder Urlaub auf Ehrenwort.

Cassidy schaute auf, als er das zaghafte Klopfen an seiner Bürotür hörte. Joshua Wilde stand unsicher auf der Schwelle. »Die Sekretärin sagte, ich soll einfach reingehen.«

»Was wollen sie?« knurrte Cassidy.

»Bearbeiten Sie immer noch den Mordfall meines Vaters?«

»So steht's jedenfalls heute morgen in der *Times Picayune*. Kommen Sie rein. Aber ich warne Sie, ich bin stinkwütend, wenn Sie also gekommen sind, um mir auf die Nerven zu fallen, dann tun Sie sich selbst einen Gefallen und ziehen wieder ab.«

»Ich bin nicht gekommen, um Ihnen auf die Nerven zu fallen.«

»Setzen Sie sich.« Der junge Mann setzte sich auf einen Stuhl ihm gegenüber.

Cassidy nickte in Richtung Gebäudefront. »Warum sind Sie nicht bei den anderen da unten?«

Seit seiner Rückkehr von Rosesharon mußte sich Cassidy jedesmal, wenn er ins Gebäude wollte, durch Scharen von Demonstranten kämpfen, die ihn für inkompetent erklärten. Vor dem Haus paradierte Stunde um Stunde eine laute, feindselige Menge, die ›Onward, Christian Soldiers‹ sang und mit Protestplakaten wedelte, sobald er sich blicken ließ.

»Der neueste Einfall meiner Stiefmutter«, bemerkte Josh lakonisch.

»Ich dachte, sie wäre gerade erst aus dem Krankenhaus gekommen.«

»Stimmt, aber sie hat sich gleich wieder in die Arbeit gestürzt.

Sie wird Ihnen keine ruhige Minute gönnen, bis Sie den Mörder vor Gericht gebracht haben.«

»Da ist sie nicht die einzige«, murmelte Cassidy vor sich hin.

»Warum raten Sie ihr nicht, dem Umfug da draußen ein Ende zu machen? Das führt doch zu nichts.«

»Sie kommt damit in die Abendnachrichten. Und genau das will sie erreichen.«

»Es ist nur eine Frage der Zeit, bis die Sache umkippt. Ein paar von den Leuten hier im Haus haben einen ziemlich miesen Charakter, wissen Sie? Es wird Verletzte geben. Ariel will bestimmt keine schlechte Publicity.«

»Sie wird sich was ausdenken, um sie trotzdem zu nutzen.«

»Bei der Demonstration vor Frenck Silk ist ihr das nicht gelungen. Die Laurents haben Ihre Leute wie Totschläger aussehen lassen.«

»Ariel hat vor Wut gekocht, als Claire Laurent den Spieß umgedreht hat.« Seine ironische Miene wurde nachdenklich. »Eine interessante Frau. Die meisten Menschen hätten sich auf eine Schlammschlacht eingelassen. Sie hat Klasse. Ich bewundere ihren Mumm.«

Genau, dachte Cassidy düster. *Man muß ihren Mumm bewundern.*

»Aber zurück zu Ariel«, sagte Josh. »Sie hört nicht auf mich. Um genau zu sein, sie hört auf niemanden. Wenn sie sich etwas in den Kopf gesetzt hat, dann ist sie gnadenlos. Sie läßt sich durch nichts aufhalten.«

»Sprechen wir von Ihrer Stiefmutter oder von General Patton?«

»Glauben Sie mir, Cassidy, Sie kennen sie nicht so gut wie ich. Sie ist verrückt geworden, vor allem ... vor allem seit mein Vater ermordet wurde.«

Joshs Blick wurde unruhig und wich Cassidys aus, was ihn Hoffnung schöpfen ließ. Sein untrüglicher Instinkt sagte ihm, daß er kurz vor einem Durchbruch stand. Es war schwer, sich zu beherrschen, aber er tat, als würde ihn kaltlassen, was er bis jetzt gehört hatte. Er forderte Josh zum Weiterreden auf.

»Bestimmt haben Sie schon gehört, daß Ariel schwanger ist.«

»Darf man gratulieren?«

»Sie meinen, ob ich der Vater bin?« Josh schüttelte den Kopf.
»Sie sagt, Daddy war es. Deshalb bin ich hier.« Er stand unvermittelt auf und begann, vor Cassidys Schreibtisch auf und ab zu gehen.

»Warum entspannen Sie sich nicht und erzählen mir einfach, was Ihnen unter den Nägeln brennt?« Cassidys Tonfall war verbindlich, weil er hoffte, damit Joshs Vertrauen zu erwecken und ihn zu ermutigen.

»Ich habe Sie angelogen«, platzte Josh heraus.

»Inwiefern?«

»Wegen dieser Nacht. Ich habe gesagt, Ariel und ich wären die ganze Zeit zusammengewesen. In Wahrheit ist ... sie ... aus meiner Suite verschwunden und in ihre gegangen.«

»Wann?«

»Früher. Gegen Mitternacht.«

»Wie lang?«

»Für fünfzehn, vielleicht zwanzig Minuten.«

»Hat sie mit Ihrem Vater gesprochen?«

»Ich weiß nicht. Ich schwöre es bei Gott.«

»Lassen Sie Gott aus dem Spiel. Schwören Sie es mir.«

Josh fuhr sich nervös mit der Zunge über die Lippen. »Ich schwöre Ihnen, daß ich es nicht weiß.«

»Gut. Weiter.«

»Sie hat mir erzählt, daß sie die Noten für ein Stück gesucht hätte. Sie sagt, Daddy hätte geschlafen. Ich habe mir bis zum nächsten Morgen nichts dabei gedacht. Sie hat mich gebeten, Ihnen oder der Polizei nichts davon zu erzählen.«

Cassidys Herz raste, aber er war zu klug, um seine Hoffnungen auf einen Mann zu setzen, der schon eine entscheidende Lüge zugegeben hatte. Hier handelte es sich um Beweise aus zweiter Hand. Vor Gericht würde er damit nicht bestehen. Er hatte immer noch nichts gegen die Witwe in der Hand. Aber das hier würde die Ermittlungen in andere Bahnen lenken und Claire aus dem Kreuzfeuer nehmen. Nach den kärglichen Ergebnissen der letzten Tage kam ihm das wie eine Rekordernte vor.

Er fragte: »Warum haben Sie gelogen, Josh?«

»Ich habe nicht geglaubt, daß das einen Unterschied macht. Ariel wurde fast hysterisch, als sie seine Leiche entdeckte. Es war so, Sie wissen schon, blutig. Ich habe nicht geglaubt, daß sie etwas mit dem Mord zu tun hat.«

»Und was glauben Sie jetzt?«

Josh blieb vor Cassidys Schreibtischkante stehen und schaute ihn an. »Jetzt glaube ich das Gegenteil.«

Cassidy fürchtete sich davor zu schlucken oder zu blinzeln, als könnte Joshua Wildes wacklige Erklärung bei der kleinsten Bewegung in sich zusammenstürzen und sich in nichts auflösen. »Wieso haben Sie Ihre Meinung geändert?«

Josh stand mit sich selbst auf Kriegsfuß. Wenigstens vermittelte er diesen Eindruck. Er wischte sich die feuchten Hände an den Hosenbeinen ab. »Im Gegensatz zu dem, was Ariel in den Medien verbreitet, freut sie sich nicht über die Schwangerschaft. Um genau zu sein, sie ärgert sich schwarz darüber. Sie plant, eine Fehlgeburt zu inszenieren und damit zwei Fliegen mit einer Klappe zu schlagen – sie ist das Baby los und gewinnt noch mehr Sympathisanten.«

Cassidy ließ sich auf das Spiel ein und tat schockiert. »Das klingt nach einem Monster.«

»Sie kennen noch nicht einmal die halbe Wahrheit, Mr. Cassidy. Sie sieht sich als Megastar, dem Millionen Menschen folgen. Sie sollten hören, was sie mit der *Stunde für Gott und Gebet* vorhat. Es ist wirklich grotesk. Zuallererst möchte sie die Kanzel zu einem Forum für Politiker machen, die zu wichtigen Themen ihre Meinung teilen. Die ersten Gastredner hat sie schon eingeladen. Sie ist ehrgeizig und verrückt und entschlossen, sich von nichts und niemandem aufhalten zu lassen. Sie hat wirklich jede Verbindung zur Wirklichkeit verloren.«

»Zurück zu dem Mord.«

Josh setzte sich wieder. Er verschränkte die Finger zwischen den Knien und starrte sie beim Sprechen an. »Mein Daddy war ein Tyrann. Er spielte sich jedem gegenüber als Gott auf, auch Ariel und mir gegenüber. Besonders uns beiden gegenüber. Er schikanierte sie wegen ihres Gewichts, bis sie eine Eßstörung entwickelte.«

»Die Zeitungen haben angedeutet, daß man Bulimie bei ihr diagnostiziert hätte, aber das Krankenhaus in Kansas City hat das nie bestätigt.«

»Es stimmt. Und dieses Baby ist für sie auch einer von Daddys grausamen Streichen. Sehen Sie, es ist, als hätte er sie immer noch in seiner Hand. Ich glaube, sie wußte schon lange vor ihrem Zusammenbruch, daß sie schwanger ist. Ich glaube, sie war wütend auf Daddy, weil er ihr ein Kind aufgezwungen hat, obwohl sie ihm immer wieder gesagt hat, daß sie keines will. Ich glaube, sie hat ihn deswegen ermordet.«

Cassidy beschloß, den Teufelsadvokaten zu spielen und Joshs Anschuldigungen den Boden unter den Füßen wegzuziehen, wie es jeder Verteidiger bei einem so wackligen Fall wie diesem machen würde. »Theoretisch kann das stimmen, Josh, aber trotzdem haben wir keinen Beweis. Haben sich Ihr Vater und Ariel jemals wegen dieser Schwangerschaft gestritten?«

»Nein. Ich habe erst in der Nacht, in der sie in die Notaufnahme gerollt wurde, erfahren, daß sie schwanger ist.«

»Hat sie jemals gedroht, Ihren Vater umzubringen?«

»Nein.«

»Nie?«

»Nein. So etwas hätte er nicht geduldet.«

»Besitzt Ihre Stiefmutter eine Waffe?«

»Nein. Jedenfalls weiß ich von keiner. Aber ihr Bruder sitzt im Gefängnis.«

Cassidy hatte das schon herausgefunden. »Den Gefängnisakten zufolge hat Ariel seit Jahren keinen Kontakt mehr mit ihrem Bruder gehabt; sie hat ihm nicht mal eine Karte geschrieben. Ich bezweifle, daß er ihr eine Waffe besorgen könnte, ohne daß jemand davon erfahren würde.«

Josh zuckte mit den Achseln. »Es war nur eine Vermutung. Sie hätte sich irgendwie eine Waffe besorgen und sie irgendwo wegwerfen können, wo niemand sie findet.«

»Vielleicht«, sagte Cassidy indifferent.

»Denken Sie an die Wunden. Ein Mann schwängert eine Frau. Sie haßt ihn, weil er ihr ein ungewolltes Kind angehängt hat. Sie schießt ihm die Eier weg. Ergibt das keinen Sinn?«

Cassidy kniff ein Auge zu, als würde er die Haltbarkeit der Hypothese abwägen. Dann rieb er sich den Nacken. »Ganz ehrlich, Josh, es ist schwach.«

»Ich dachte, Sie wären begeistert«, sagte er zerknirscht.

»Trug Ariel Schuhe, als sie in der Nacht aus Ihrer Suite verschwunden ist?«

»Schuhe? Nein. Sie war barfuß, glaube ich. Sie hatte die Schuhe ausgezogen, bevor wir uns geliebt hatten. Ich glaube nicht, daß sie sie wieder angezogen hat. Warum?«

»Wir überprüfen immer noch ein paar Teppichfasern, die wir im Zimmer Ihres Vaters gefunden haben.« Er wartete einen Moment. »Haben Sie oder Ariel einen Wagen gemietet, während Sie hier waren?«

»Ich schon. Ich bin gern unabhängig.«

»Sie sind in New Orleans herumgefahren?«

»Oft. Jeden Tag. Ich hatte ein Cabrio gemietet und bin mit offenem Verdeck durch die Gegend gefahren.«

Das ließ sich leicht überprüfen. »Hat Ariel Sie auf einer dieser Fahrten begleitet?«

»Einmal, glaube ich. Vielleicht zweimal. Warum?«

»Schlafen Sie noch mir ihr?«

»Nein. Seit ein paar Wochen nicht mehr.«

»Was ist passiert?«

Josh sah ihn an und schaute dann weg. »Ich weiß nicht. Sie ist so sehr damit beschäftigt, die Organisation zu leiten, daß wir irgendwie keine Zeit mehr dazu haben. Oder sie ist müde und mürrisch. Oder ich habe ihr Vorwürfe wegen ihrer Spuckerei gemacht, und sie wurde wütend. Und seit ich von dem Baby weiß ...«

»Was?«

»Also, ich finde es irgendwie nicht richtig, mit ihr zu schlafen, während sie meinen Halbbruder austrägt.«

Cassidy beugte sich vor. »Sehen Sie die Ironie darin, Josh? Als er noch am Leben war, fanden Sie es ganz in Ordnung, die Frau Ihres Vaters zu bumsen, aber seit er tot ist und sie mit seinem Kind schwanger geht, haben Sie Schiß.«

Josh wurde trotzig. »So empfinde ich eben.«

»Okay.« Cassidy lehnte sich in seinem Sessel zurück. »Lassen Sie uns einen Moment so tun, als wäre es so gewesen, wie Sie sagen. Ariel hat Sie allein gelassen, ist in die Suite gegangen, die sie mit Ihrem Vater teilte, erschoß ihn mit einer Waffe, von der niemand etwas wußte und die seitdem nicht wiederaufgetaucht ist, und kam dann zur zweiten Runde zurück in Ihr Bett, in der richtigen Annahme, daß Sie ihr ein Alibi geben würden.«

»So sehe ich es.«

Cassidy schmatzte nachdenklich. »Ich begreife nur eins nicht – wieso haben Sie sich entschlossen, doch noch zu mir zu kommen?«

»Ich hatte ein schlechtes Gewissen, weil ich gelogen habe.«

»Gewissen?« wiederholte Cassidy skeptisch.

Josh ereiferte sich wieder. »Ich bin vielleicht ein Ehebrecher. Ich gebe zu, daß ich meinem Vater Hörner aufgesetzt habe. Aber ich werde Ariel nicht bei einem Mord decken.«

Unentschlossen nagte er an seiner Unterlippe. »Also gut, es ist nicht nur mein schlechtes Gewissen, Mr. Cassidy. Sie werden mir vielleicht nicht glauben, aber ich habe Angst um sie.«

Cassidy schnaubte.

Josh rief aus: »Wirklich. Ich wußte schon immer, daß sie ehrgeizig und rücksichtslos ist, aber jetzt ist sie eindeutig zu weit gegangen. Sie ist skrupellos. Gemein. Sie schreckt vor nichts zurück, um ihren Kopf durchzusetzen. Wenn jemand auch nur in der unwichtigsten Sache anderer Meinung ist als sie, feuert sie ihn. Gnadenlos. Ohne Diskussion. Zack«, sagte er und schlug die Faust in die andere Handfläche, »er ist draußen.«

Er starrte auf seine zitternden Hände. »Ich komme mir vor, als hätte ich Scheuklappen aufgehabt. Vielleicht war ich so auf meinen Vater fixiert, daß ich gar nicht gesehen habe, wie Ariel wirklich ist. Ich glaube, sie ist zu allem fähig, um ihre Interessen zu wahren. Ich glaube, sie ist extrem labil. Gefährlich labil.«

Cassidy bedachte ihn mit einem langen, nachdenklichen Blick, dann stand er auf und machte damit deutlich, daß das Gespräch zu Ende war. »Danke, Josh«. Er reichte ihm die Hand. Der junge Mann schüttelte sie verwirrt.

»Das ist alles? Ich dachte, Sie würden mir eine Million Fragen stellen.«

»Die kommen später. Ich werde mich augenblicklich an die Arbeit machen. Lassen Sie sich solange in Gegenwart Ihrer Stiefmutter nichts anmerken. Machen Sie weiter wie zuvor. Tun oder sagen Sie nichts, was sie auf den Gedanken bringen könnte, daß Sie bei mir waren. Sie soll weiterhin glauben, daß ich sie schon vor Wochen aus der Liste der Verdächtigen gestrichen habe.« Cassidy sah Josh ernst an. »Ich weiß, daß das nicht leicht für Sie war.«

»Nein, das war es nicht. Jahrelang haben Ariel und ich beieinander Zuflucht vor unserem Vater gesucht. Wir waren voneinander abhängig. Wir erlitten das gleiche Elend und verließen uns aufeinander, um es erträglicher zu machen. Seit seinem Tod brauchen wir den anderen nicht mehr, um uns an ihm zu rächen. Der Haß auf ihn war das einzige, was uns verband. Ich glaube, Ariel hat ernste psychische Probleme, die aus ihrer ärmlichen Kindheit herrühren. Ich bin manchmal wütend auf sie, aber meist fürchte ich mich vor ihr. Trotzdem«, er schüttelte traurig den Kopf, »kann ich ihr einen Mord nicht durchgehen lassen.«

»Josh, sie hatten eine lange Affäre mit Ariel, deshalb muß ich eines wissen – werden Sie vor Gericht gegen sie aussagen können?«

Ohne Zögern antwortete Josh: »Ja.«

Sie verabschiedeten sich. Kaum hatte Josh sein Büro verlassen, zog sich Cassidy sein Sakko über und rückte seine Krawatte zurecht. Er gab Josh genügend Zeit, das Gebäude zu verlassen, dann fuhr er mit dem Lift ein Stockwerk höher und marschierte auf Anthony Crowders Büro zu. Er mißachtete die Warnung der Sekretärin, Crowder sei furchtbar beschäftigt und wolle nicht gestört werden. Mit einer Zuversicht, die er seit Tagen nicht mehr gespürt hatte, platzte er ohne anzuklopfen ins Zimmer.

»Bevor Sie mich anschreien, hören Sie mir zu. Ich glaube, ich weiß, wer Jackson Wilde umgebracht hat.«

Crowder schmetterte den Kugelschreiber auf den Tisch. »Und?«

»Sein Sohn.«

Kapitel 22

Fast wortgetreu wiederholte Cassidy sein Gespräch mit Joshua Wilde. Als er fertig war, hörte Crowder mit dem Fingertrommeln auf. »Das verwirrt mich. Sie sagen, Sie halten den Sohn für den Mörder, aber er schiebt alles auf die Witwe.«

»Aus Groll. Petzen ist Rache für Feiglinge, und Josh ist ein echter Hosenscheißer.«

»Woher soll er dann den Mut gehabt haben, seinen Vater umzulegen?«

»Er hat Wilde erwischt, als der praktisch wehrlos war. Nackt. Auf dem Rücken. Wahrscheinlich sogar schlafend. Josh kannte die Gewohnheiten seines Vaters. Er wußte, wann er angreifen mußte. Das trifft übrigens auch auf Ariel zu«, murmelte Cassidy wie zu sich selbst. »Jedenfalls schoß Josh seinem Vater in die Eier, um uns zu verwirren. Es sollte so aussehen, als hätte eine Frau ihn umgebracht. Er hat mich vorhin extra noch mal daran erinnert.«

Crowder faltete die fleischigen Hände unter dem Kinn und bedachte das einen Moment. »Warum sollte Josh seinen Vater umbringen wollen? Aus Eifersucht?«

»Vielleicht. Wenn Ariels Baby von seinem Vater ist, wie sie behauptet. Aber ist glaube, er hatte ein stärkeres Motiv.«

»Stärker als Eifersucht? Geld?«

»Nicht direkt. Bestimmt war Josh scharf darauf, die Organisation zu übernehmen, nachdem sein Alter nicht mehr da war. Er hat wahrscheinlich davon geträumt, als Thronerbe ins Scheinwerferlicht zu treten. Für einen jungen Mann, der von seinem Vater gelernt hat und der immer in diesem riesigen Schatten gestanden hat, wäre das nicht so abwegig.«

»Statt dessen reißt Ariel alles an sich.«

»Mit beiden Händen. Genau wie zuvor bleibt Josh im Hintergrund. Er steht immer noch in der zweiten Reihe. Aber selbst wenn die Organisation als Motiv ausfallen sollte, bleibt noch das persönliche.«

»Und zwar?«

»Josh hat zugegeben, daß Jackson Wilde ein Tyrann war, der sie beide psychisch tyrannisiert hat. Sein ganzes Leben hat Josh für Jackson den Prügelknaben abgegeben. Ihm stand's schließlich bis obenhin. Also hat er seinen ganzen Mut zusammengenommen und seinen Alten aus dem Weg geräumt, nur um mitzuerleben, wie seine Stiefmutter sich vordrängelt und ihn in den Schatten stellt. So etwas nenne ich frustrierend.«

»Er hat einen Sklaventreiber gegen einen anderen eingetauscht.«

»Richtig. Um sie loszuwerden, denunziert er sie als Mörderin. Oder, vielleicht...« Plötzlich kamen ihm andere Möglichkeiten in den Sinn. »Vielleicht haben sie Jackson zusammen erledigt. Und dann ist Josh aus den eben genannten Gründen zum Judas geworden.«

»Beides klingt vernünftig. Haben Sie mit Glenn darüber gesprochen?«

»Noch nicht, aber er wird in die Luft springen. Er hat von Anfang an auf Ariel oder Josh getippt. Er wird sie unters Mikroskop legen und bohren wollen, bis er sie in- und auswendig kennt. Ich möchte sie gern beschatten lassen.«

»Der P. C. wird fluchen, wenn Sie noch mehr Männer wollen.«

»Sie haben mir bis zum Wochenende Zeit gegeben, Tony. Spielen Sie fair, und versuchen Sie, an die Männer zu kommen.«

Als Cassidy in sein Büro zurückkam, fühlte er sich, als wäre seine innere Batterie neu aufgeladen worden. Zum erstenmal seit Tagen schoß Adrenalin durch seine Adern. Er hatte ein Ziel und einen Angriffsplan. Er würde nicht lockerlassen, bis er alle Möglichkeiten und sich selbst erschöpft hatte.

Zuallererst mußte er ein paar Anrufe machen.

Beim ersten Anruf brauchte sich Cassidy gar nicht erst zu melden. Er fragte bloß: »Füttern Sie immer noch diesen Fernsehreporter mit Infos?«

Das Informantensystem arbeitete in beide Richtungen. Die Staatsanwaltschaft nutzte dieselben Quellen wie die Medien und streute manchmal Informationen aus, die absichtlich mit irreführenden Halbwahrheiten und Andeutungen gespickt waren.

Cassidy sagte: »Ich hatte heute nachmittag eine längere, vertrauliche Unterredung mit Joshua Wilde. Als er mein Büro verließ, war er wütend und erregt. Das wäre fürs erste alles.«

Er beauftragte einen Sachbearbeiter, die Autoverleihfirmen in der Stadt zu überprüfen. »Ich will wissen, wo Joshua Wilde während der Woche, in der sein Vater ermordet wurde, ein Auto geliehen hatte. Weiterhin, welches Fabrikat und Modell das war, wieviel er damit gefahren ist und in welchem Zustand er es wieder abgegeben hat. Wenn es ein Chrysler mit einem blauen Teppich war, soll der Wagen aufgetrieben und augenblicklich ins Polizeirevier gebracht werden. Danke.« Vielleicht würden die Jungs im Labor einen eingetrockneten Blutfleck entdecken, das Blut würde sich als das von Jackson Wilde herausstellen, und – bingo! – hätte er einen neuen Hauptverdächtigen.

»Einfacher geht's wirklich nicht«, erklärte Cassidy dem Polizeileutnant, der das Beschattungsteam leitete, das Crowder dem Polizeikommissar hatte abschwatzen können. »Joshua und Ariel Wilde sind auffälliger als die Tunten auf der Bourbon Street. Sie können sie unmöglich verlieren.«

Sobald alle Aufgaben delegiert waren, lehnte sich Cassidy in seinem Sessel zurück und seufzte optimistisch. Irgendwas würde bei der Sache schon rauskommen. Ein bislang unentdeckter Hinweis würde das Interesse auf Josh oder Ariel richten und Claire aus dem Kreuzfeuer nehmen.

Seit ihrem erbitterten Streit auf Rosesharon hatte er versucht, nicht an sie zu denken, aber vergebens. Sie ging ihm nicht aus dem Kopf – ihr Körper, wie sie sich geliebt hatten und ihre zornigen Anschuldigungen.

Als hätte sie das Verlies in seiner Seele geöffnet, das Skelett darin entdeckt und kräftig mit den Knochen geklappert. Sie hatte ihm vorgeworfen, sie zu täuschen und zu manipulieren. Früher hätte sie sogar recht damit haben können. Als Verteidiger hatte er vor keinem Mittel zurückgeschreckt, um einen Freispruch durchzupauken. Er hatte Theater gespielt, Tränen, Lachen, Zorn vorgetäuscht, nur damit seine Klienten als freie Menschen aus dem Gerichtssaal spazieren konnten.

Wenn ihn sein Gewissen geplagt hatte, hatte er sich mit dem Pflichtbewußtsein beruhigt. Er tat nur so gut wie möglich seine Arbeit. Aber er hatte gewußt, daß das nur ein Vorwand für sein Gewinnstreben gewesen war. Er hatte um jeden Preis als Sieger aus dem Prozeß hervorgehen wollen. Bis er den Fall gewonnen hatte, bei dem der Einsatz zu hoch gewesen war. Seitdem wollte er nur noch, daß die Gerechtigkeit siegte. Und bei dem Mordfall Jackson Wilde zielte er auf nichts anderes.

Mochte Gott ihm helfen, wenn die Angeklagte Claire Laurent hieß.

Aber das würde nicht passieren, redete er sich eigensinnig zu. Sie war unschuldig. Eine Frau, die so warm und hingebungsvoll im Bett war, konnte unmöglich kaltblütig einen Mann töten. Er hatte nicht nur ihre Lippen, ihre Brüste, ihre Schenkel und ihren Bauch berührt. Er hatte ihre Seele berührt. Wäre sie vergiftet gewesen, hätte er das gespürt.

Aber anders als sie glaubte, hatte er nicht mit ihr geschlafen, um herauszufinden, ob sie schuldig oder unschuldig war. Es war einfach unvermeidlich gewesen. Seit ihrer ersten Begegnung war ihr Schicksal besiegelt.

Sobald sie von allen Verdächtigungen reingewaschen war, würde er zu ihr gehen und sich in aller Demut für die Torturen entschuldigen, denen er sie unterzogen hatte. Sie konnte ihn unmöglich respektieren, wenn er seine Arbeit als Staatsanwalt nicht ernst nehmen würde. Wenn sie sich erst gegenseitig ihre Verfehlungen verziehen hätten, würden sie wieder miteinander schlafen.

Die Vorstellung erregte ihn und riß ihn in die Gegenwart zurück. Claire mußte inzwischen aus Mississippi zurück sein. Er starrte auf das Telefon, spielte mit dem Gedanken, sie anzurufen. Nein. Sie war bestimmt noch wütend. Es war besser, ihr noch ein paar Tage zum Abkühlen zu geben.

Inzwischen würde er weitergraben und nach dem fehlenden Teilchen suchen, das jemand anderem die Schuld zuweisen und Claires Unschuld beweisen würde.

Denn sie war unschuldig.

Stirnrunzelnd betrachtete Claire die ungeöffnete Post, die sich auf ihrem Schreibtisch stapelte. Rechnungen waren zu bezahlen, Memos auszusortieren, und ein bedrohlich aussehender Umschlag vom Finanzamt war zu öffnen. Ihr fehlte die Energie, die Büroarbeit anzugehen; sie schob ihre Erschöpfung auf die Reise. Sie hatte schwer gearbeitet, unter ständigem Zeitdruck, in drückender, lähmender Hitze. Sie brauchte und verdiente ein paar Tage Ruhe, bevor sie sich wieder in die Arbeit stürzte. Doch gleich darauf wurde ihr bewußt, daß ein paar Tage Ruhe ihr Problem nicht lösen würden.

Sie verscheuchte den deprimierenden Gedanken und befaßte sich mühsam wieder mit dem Haufen auf ihrem Schreibtisch. Zwischen der ungeöffneten Post lagen noch ein paar alte Zeitungen. Einer nicht genauer bezeichneten, aber zuverlässigen Quelle zufolge konzentrierte der stellvertretende District Attorney Cassidy seine Ermittlungen inzwischen auf Ariel und Joshua Wilde.

Sie schaute auf seinen fettgedruckten Namen, bis sie jedes Zeitgefühl verloren hatte. Wahrscheinlich hätte sie noch weiter gedankenversunken auf die Zeitung gestarrt, hätte ihre Mutter sie nicht aus ihren Gedanken gerissen, die mit einem Tablett in der Tür stand.

»Wie wäre es mit etwas Tee, Claire Louise? Du siehst in letzter Zeit so müde aus. Ich dachte, vielleicht könnte ich dich damit etwas aufmuntern.«

»Danke, Mama. Das klingt wunderbar. Aber nur, wenn du eine Tasse mittrinkst.«

»Ich habe gehofft, daß du das sagen würdest.«

Claire lächelte, nahm eine Zeitungsausgabe in die Hand und ging zu der Sitzecke, in der sie sich bei seinem ersten Besuch mit Cassidy unterhalten hatte. Anscheinend erinnerte sie alles an ihn. Es mißfiel ihr, daß er soviel Macht über sie hatte. Er hatte sie weder angerufen noch sonst einen Versuch unternommen, sie wiederzusehen, seit er an jenem Morgen ohne Abschied von Rosesharon verschwunden war. Sie wußte nicht, ob sie erleichtert, verzweifelt, verletzt oder alles zusammen sein sollte.

Wenn sie an ihn dachte, erwachten alle ihr bekannten Gefühle zugleich in ihr; manche waren angenehm, andere furchtbar. Bisweilen ertappte sie sich dabei, versonnen zu lächeln, nur um im nächsten Augenblick den Tränen nahe zu sein. Seit die Sozialarbeiter sie aus Tante Laurels Haus holen wollten, hatte niemand mehr soviel Macht über sie gehabt.

Mary Catherine setzte das silberne Tablett auf dem Kaffeetischchen ab. Sie reichte Claire eine handbestickte Leinenserviette und schenkte dann aus der Porzellankanne duftenden Tee in zwei Tassen.

Sie plauderten über Belanglosigkeiten, tranken Tee und knabberten Kekse, die Mary Catherine und Harry am Morgen gebacken hatten. Die Reise nach Mississippi hatte Mary Catherine gutgetan. Claire stellte fest, daß die Wangen ihrer Mutter rosig und gesund aussahen wie seit Jahren nicht mehr. Ihr Blick war klar und lebhaft. Nichts war von der Leere zu merken, vor der sie sich schon als Kind gefürchtet hatte, seit sie darin den Vorboten eines Anfalls erkannt hatte. Mary Catherine schien ihre Umwelt besser wahrzunehmen. Soweit Claire wußte, hatte sie seit der Sache mit Cassidys Füllhalter keine Anfälle mehr gehabt.

Als würde sie Claires Gedanken erraten, sagte sie: »Wie ich sehe, hast du Zeitung gelesen. Angeblich glaubt Mr. Cassidy inzwischen, daß Jackson Wildes Sohn oder Witwe ihn umgebracht haben. Ist das nicht lächerlich?«

»Lächerlich?«

»Sie haben es nicht getan. Und ich glaube nicht, daß Mr. Cassidy das glaubt.«

»Woher weißt du, daß sie es nicht getan haben, Mama?«

Mary Catherine überging die Frage mit einer anderen: »Und warum demonstrieren diese Leute schon wieder vor unserem Haus?« Demonstrierende Wilde-Anhänger hielten seit ihrer Rückkehr in die Stadt Wache vor dem French-Silk-Gebäude.

»Ich wünschte, sie würden weggehen«, meinte Mary Catherine gequält. »Morgens kommen Harry und ich kaum zum Markt. Ich gehe gerne aus, aber wenn ich mich erst durch diese Menge drängeln muß, vergeht mir der Spaß.«

Mary Catherine gab die Tatsache, daß sie nicht mehr unbehelligt zum französischen Markt gelangen konnte, mehr zu denken als die Mordanklage gegen ihre Tochter. Aber das fand Claire weniger irritierend als die Bemerkungen, die ihre Mutter zuvor gemacht hatte. »Diese Demonstrationen sind eine Plage, aber sie werden aufhören, Mama. Sobald jemand für den Mord an Reverend Wilde verhaftet wird, werden sie sich auflösen.«

»Wird er wiederkommen?«

Einen grauenvollen Augenblick lang glaubte Claire, sie meinte Jackson Wilde. »Wer, Mama?« fragte sie heiser.

»Mr. Cassidy.«

Claires Schultern sackten herab, und sie atmete tief aus. »Ich weiß nicht. Warum?«

Plötzlich standen Tränen in Mary Catherines Augen. Ihre Unterlippe begann zu zittern. »Ich habe gehofft, daß du von deinem jungen Mann nicht so enttäuscht werden würdest wie ich von meinem.« Sie zog ein dünnes Leinentaschentuch mit Monogramm aus ihrer Rocktasche. Es roch nach den rosenduftenden Säckchen, die sie in ihre Schubladen steckte.

Während sich Mary Catherine die Augen abtupfte, legte Claire ihre Hand auf die ihrer Mutter. »Wein doch nicht, Mama. So ... war es nie ... zwischen Mr. Cassidy und mir.«

»Ach«, sagte sie leise und scheinbar untröstlich. »Dabei habe ich das so gehofft. Ich mag ihn sehr gern. Er sieht so gut aus. Und er weiß, wie man eine Dame zu behandeln hat.«

O ja, dachte Claire, *er sieht gut aus.* Sie erinnerte sich deutlich an sein dunkles, leidenschaftliches Gesicht, an die sinnlichen Lippen, die ihre Brüste liebkosten, an die warme, flauschig behaarte Brust. Und er wußte wirklich, wie man eine Dame zu behandeln hat, vor allem im Bett. Er spendete soviel Lust, wie er suchte, vielleicht sogar mehr. Ein so perfektes Liebesspiel konnte doch nur Berechnung sein, oder nicht?

Sie verdrängte den Gedanken. Er war zu schmerzlich. Sie war hoffnungslos in Cassidy verliebt, mit der Betonung auf *hoffnungslos.* Sie hatten keine gemeinsame Zukunft. Selbst wenn sie nicht auf verschiedenen Seiten in einem Kriminalfall gestanden hätten, verkörperte er das System, das sie fürchtete und haßte. Sosehr sie Cassidy als Mann liebte, sie glaubte nicht, daß sie dem Staatsanwalt Cassidy je vollkommen vertrauen könnte.

Claire brach das Herz über diesem Konflikt. Wenn sie darüber nachdachte, lähmte sie die Verzweiflung, deshalb verschloß sie diese heimliche Liebe in ihrem Herzen und tat so, als gäbe es sie nicht.

Sie hob ihre Tasse. »Gib mir bitte noch etwas Tee, Mama. Niemand macht so guten Tee wie du.« Claire versuchte, das Gespräch auf weniger verfängliche Themen zu lenken. Eine halbe Stunde später nahm Mary Catherine das Tablett wieder mit und ließ Claire allein. Sie schaute die Zeitungen durch.

Joshua Wilde stritt erbittert ab, etwas mit dem Mord an seinem Vater zu tun zu haben. Ariel beschuldigte Cassidy, sie nur zu verdächtigen, um von seiner eigenen Unfähigkeit abzulenken. Sie deutete an, daß er aus persönlichen Gründen die Hauptverdächtige schützte. Sie hatte sich geweigert, irgendwelche Namen zu nennen, selbst als sie ausdrücklich nach Claire Laurent gefragt wurde. Aber durch ihre Weigerung hatte sie die Anspielung nur unterstrichen.

Claire war natürlich erleichtert, daß sie nicht mehr Cassidys Hauptverdächtige war, aber sie konnte es sich nicht leisten, unvorsichtig zu werden. Niemand vermochte zu sagen, was Joshua Wilde tun oder behaupten würde, wenn ihn Cassidys Anschuldigungen aufschreckten. Statt eines Feindes hätte sie dann zwei.

Sie war so gedankenversunken, daß sie erschrak, als das Telefon neben ihrem Ellbogen klingelte. Sie hob erst beim dritten Läuten ab. »Hallo?«

»Claire, bist du es?«

»Andre? *Bonsoir.* Wie schön, von dir zu hören. Wie geht es dir?«

»Gut, gut, mir geht es gut. Nein, eigentlich ...« Er zögerte. »Ich mache mir schreckliche Sorgen um Yasmine.«

Claire runzelte die Stirn; sie konnte ihn gut verstehen. Seit sich ihr Geliebter von ihr getrennt hatte, benahm sich Yasmine eigenartig. Claire konnte nicht genau sagen, was sie störte, aber irgend etwas beunruhigte sie. Während der letzten Arbeitstage auf Rosesharon hatte Yasmine sich zwar jeder Aufnahme mit der für sie typischen Fantasie und Energie gewidmet, aber ihre Begeisterung und ihr Lachen hatten gekünstelt geklungen.

Claire hatte erwartet, daß Yasmine die anderen nach New York begleiten würde, wo die letzten Studioaufnahmen gemacht werden sollten, nachdem die Arbeiten in Mississippi beendet waren. Statt dessen war Yasmine mit ihr nach New Orleans zurückgefahren. Sowie sie angekommen waren, hatte Yasmine das Theaterspielen aufgegeben und war mürrisch und verschlossen geworden.

Yasmine sagte nichts davon, daß sie den Katalog fertigstellen wollte. Als ihrer Geschäftspartnerin gab Claire das zu denken, aber da die Vorlagen erst in einigen Wochen beim Drucker sein mußten, wartete sie geduldig. Yasmine blieb tagsüber auf ihrem Zimmer, jeden Tag, verschwand abends und kehrte erst am frühen Morgen zurück. Sie sagte nicht, wohin sie ging, und lud Claire auch nicht ein mitzukommen.

Claire vermutete, daß sie das Haus des Kongreßabgeordneten Petrie ausspionierte oder versuchte, sich mit ihm zu treffen. Am liebsten hätte sie Yasmine davor gewarnt, sich so unreif zu verhalten, aber Yasmine schien sich nicht mit ihr unterhalten zu wollen. Im Gegenteil, sie mied Claire. Die Tür zu ihrem Zimmer blieb verschlossen. Sie aß nicht mit Claire und Mary Catherine zusammen.

Vor dem Bruch mit ihrem Geliebten war Yasmine immer unter Menschen gewesen, hatte sich mit Verehrern umgeben und sich in ihrer Bewunderung gesonnt. Normalerweise ertrug es Yasmine nicht, allein zu sein, deshalb war ihr Verhalten so beunruhigend. Claire hatte ihre Freundin in Frieden gelassen, da sie offenbar auf diese Weise ihren Liebeskummer überwinden wollte. Aber vielleicht war es an der Zeit, sich einzumischen.

Offensichtlich machte sich Andre ebenfalls Sorgen. »Hast du Yasmine in letzter Zeit gesehen?« fragte sie ihn.

»Nicht seit letzter Woche, als ihr in Mississippi wart. Sie kam ins Hotel, blieb eine Stunde und verschwand. Claire, du weißt, daß ich sonst nie Vertraulichkeiten ausplaudere, aber ich weiß, wie nahe du Yasmine stehst –«

»Ich zweifle nicht an deiner Loyalität, Andre. Sowenig wie an deiner Diskretion. Auf beides habe ich mich immer verlassen können. Du kannst sicher sein, daß ich dir keinen Tratsch aus der Nase ziehen will.«

»Wenn ich das glauben würde, hätte ich nicht angerufen.«

»Etwas hat dich dazu gedrängt. Ich höre dir an, daß du dir Sorgen machst. Ich nehme an, du hast mit Yasmine gesprochen, als du sie gesehen hast?«

Er erzählte ihr von dem Gespräch im Hotelflur und wie wütend Yasmine ausgesehen hatte, als sie ging. »So habe ich sie noch nie gesehen. Sie war ganz verstört. Geht es ihr inzwischen besser?«

Claire wollte keinesfalls Yasmines Intimsphäre verletzen und sagte nur: »In dieser Nacht ist etwas sehr Unangenehmes passiert. Sie hat es mir am Morgen danach erzählt. Ich glaube, es war ganz gut, daß sie darüber geredet hat.«

»Ist sie wieder in New York?«

»Nein, sie ist hiergeblieben. Wahrscheinlich, weil es hier weniger hektisch ist. Ich glaube, sie versucht, mit sich ins reine zu kommen, bevor sie heimfliegt.«

Und Alister Petrie lebt hier, dachte Claire. Sie hatte sein Gesicht auf der Titelseite der Morgenzeitung gesehen. Andre erzählte sie jedoch nichts von dem Kongreßabgeordneten. Wenn er wußte, wer Yasmines Geliebter war, behielt er es zwar mit der für ihn bezeichnenden Diskretion für sich, aber sie wollte Andre keinesfalls in eine kompromittierende Situation bringen.

»Glaubst du, sie hat sich von diesem ... unangenehmen Vorfall erholt?« fragte er.

Sie antwortete ausweichend: »Es scheint ihr nicht schlechterzugehen.«

»Ah, gut, da fällt mir ein Stein vom Herzen«, sagte er. Er lachte leise. »Du weißt bestimmt, daß ich sehr viel von Yasmine halte.«

»Ja, das weiß ich.« Claires leises Schmunzeln machte bald neuen Sorgenfalten Platz. »Vielleicht habe ich der Sache zu lange zugeschaut. Ich glaube, wir sollten uns noch einmal von Frau zu Frau unterhalten.«

»Bitte laß es mich wissen, wenn ich etwas tun kann. Was auch immer.«

»Bestimmt.«

»Claire, du ... du bist mir doch nicht böse wegen dieser Sache mit Mr. Cassidy?«

»Vergiß es, Andre. Bitte. Man hat dich skrupellos ausgetrickst. Wie mich auch«, ergänzte sie leise. »Mach dir keine Gedanken deswegen.«

Sie versicherte ihm, daß Cassidy und seine Nachforschungen ihrer alten Freundschaft nichts anhaben konnten. Sie vereinbarten, bald gemeinsam zum Essen auszugehen. Kurz nachdem Claire sich verabschiedet und aufgelegt hatte, griff sie wieder zum Telefon.

Cassidy schlenderte zu dem Polizisten, der Joshua Wilde beschatten sollte. Als würden sie sich nicht kennen, fragte er nach Feuer.

»Wußte gar nicht, daß Sie rauchen«, sagte der Cop leise und vertraulich. Er zog ein Feuerzeug aus der Tasche und ließ es aufschnappen. Eine Stichflamme wie aus einem Flammenwerfer schoß heraus.

»Ich hab' vor ein paar Jahren aufgehört«, sagte Cassidy und hustete den inhalierten Rauch wieder aus.

»Und jetzt fangen Sie wieder an?«

»Ich habe Sie bloß um Feuer gebeten, okay? Worum sollte ich Sie als einfacher Passant denn sonst bitten? Daß Sie mir einen blasen?«

Der schlanke Schwarze grinste. Sein langes Haar war am Hinterkopf zu einem dünnen Zopf geflochten, der mit einem Gummiband zusammengehalten wurde. Er zwinkerte und drückte kurz Cassidys Schulter. »Ich bin teuer. Können Sie sich das leisten?«

Cassidy schüttelte die Hand ab. »Leck mich.«

»Oh, das klingt ja toll, Süßer.«

Offensichtlich machte sich der junge Cop, der, wie Cassidy wußte, etwa so warm war wie ein Gefrierfisch, auf seine Kosten lustig. Der Junge war groß, schlank und gutaussehend, deshalb arbeitete er oft als geheimer Ermittler im französischen Viertel. Frech und lässig lehnte er an der Gaslaterne gegenüber dem Gumbo Shop auf der St. Peter Street. Durch das Mikrofon unter dem Aufschlag seines changierenden Kunstseideanzugs hatte er an die Zentrale weitergegeben, daß er Josh bis zu dem beliebten Restaurant gefolgt war. Cassidy war zu aufgedreht, um in seinem Büro oder seinem stickigen, einsamen Apartment zu bleiben, und hatte sich deshalb entschlossen, aktiv an der Beschattung teilzunehmen.

»Wie lange ist er schon da drin?«

Der Cop schaute auf die Rolex-Imitation an seinem Handgelenk. »Zweiunddreißig Minuten.«

»Will er dort zu Abend essen?«

»Sieht so aus.«

Cassidy kniff die Augen gegen den Rauch zusammen, der zwischen seinen Lippen aufstieg. Er blinzelte durch den blaugrauen Dunst und versuchte, etwas hinter den Restaurantfenstern zu erkennen. »Wie lange braucht einer allein, um da drin was zu essen?«

Der Cop musterte Cassidy wie ein Stricher einen möglichen

Freier. Dann erklärte er singend, ganz und gar in seiner Rolle aufgehend: »Mann, seien Sie nicht so verkrampft. Wenn wir Spaß haben wollen, müssen Sie sich entspannen.«

Cassidy schoß ihm einen finsteren Blick zu und wollte gerade weitergehen, als Josh in der Passage erschien, in der sich der Restauranteingang befand. Schnell drehte ihm Cassidy den Rücken zu und tat, als würde er sich die T-Shirts ansehen, die in der Tür des Souvenirladens hingen. Als er einen verstohlenen Blick über die Schulter warf, bemerkte er, daß Josh den Unterkiefer vorgeschoben hatte und ziemlich wütend aussah.

»O-oh«, flüsterte der Cop. »Unser Mann ist stinkig.«

In Gedanken war er bei dem, was hinter ihm passierte, trotzdem tat Cassidy wieder so, als würde er sich für ein T-Shirt interessieren, auf dem in Glitzerbuchstaben eine ziemlich gewagte Botschaft zu lesen war. Ein asiatischer Verkäufer eilte lächelnd herbei, um ihn zu beraten. »Nein, danke. Ich seh' mich bloß um.«

»Wie nicht anders zu erwarten«, murmelte der Cop. »Wenn ein Mann so stinkig ist, steckt garantiert 'ne Schnalle dahinter.«

»Eine Frau?« Cassidy schaute zu dem Restaurant auf der anderen Straßenseite und zuckte sofort wieder zurück. »*Scheiße!*« rief er leise, aber mit hörbarem Nachdruck aus.

»Wie bitte?« fragte der lächelnde Asiate.

Der Cop kicherte leise.

Die Frau, die mit Josh aus dem Restaurant gekommen war, interessierte sich nicht für das, was um sie herum vorging. Sie sagte etwas zu ihm, drehte sich um und marschierte dann auf dem Bürgersteig davon. Im ersten Moment sah es so aus, als würde Josh ihr folgen wollen, doch anscheinend überlegte er es sich anders und starrte ihr nur wütend nach. Seine langen Musikerfinger ballten sich zu Fäusten. Dann stolzierte er entrüstet wie ein mißverstandener Prophet in entgegengesetzter Richtung davon.

Cassidy schmiß seine Zigarette in den Gully und fuhr den Zivilbullen an: »Sie haben doch gesagt, er ist allein.«

»Hey, Sie lassen meine Tarnung auffliegen, Mann.« Der

Schwarze lächelte und legte Cassidy die Hand auf den Arm. Mit glühenden Augen und verführerischem Grinsen säuselte er: »Er ist allein hergekommen. Er muß sich drinnen mit ihr getroffen haben.«

»Sie bleiben ihm auf den Fersen.« Cassidy machte eine Kinnbewegung zu Josh hin, der schon an der Royal Street angelangt war.

»Sie übernehmen die Lady?«

»Das ist keine Lady«, meinte Cassidy, bevor er vom Bordstein trat und über die Straße eilte, um die Verfolgung aufzunehmen. »Das ist Claire Laurent.«

Kapitel 23

Claire blieb unwillkürlich stehen, als sie um die Ecke bog und Cassidy vor der Eingangstür von French Silk stehen sah. Seit dem Morgen, an dem er aus ihrem Zimmer auf Rosesharon gestürmt war, hatte sie ihn nicht mehr gesehen. Bei seinem Anblick stockte ihr unwillkürlich der Atem. Ihr Herz machte einen Satz. Aber sie gab sich Mühe, ihre Miene unbeteiligt wirken zu lassen, und kam scheinbar völlig ungerührt auf ihn zu.

»Hallo, Cassidy.«

»Claire.« Er nickte. »Schöner Abend, nicht wahr?« Er schwitzte und schien noch mehr außer Atem zu sein als sie.

»Viel zu warm für die Jahreszeit. Der Herbst hat New Orleans noch nicht erreicht.«

Er wischte eine Schweißperle weg, die sich durch seine dichte Braue gearbeitet hatte und ihm ins Auge rann. »Verdammt richtig. Es ist heiß und klebrig wie eine Straßenhure am Samstagabend.«

Claire stellten sich die Nackenhaare auf. »Ich finde Ihren Vergleich äußerst unpassend, Mr. Cassidy.«

»Ach, wir sind wieder beim Sie.«

Am liebsten hätte sie ihm das einnehmende Grinsen aus dem Gesicht geschlagen. Sie erklärte steif: »Ich gehe hinein.«

Demonstranten marschierten vor dem Gebäude auf und ab. Langsam und schwerfällig sangen sie »Onward, Christian Soldiers.«

Claire hoffte, daß sie endlich müde wurden und Blasen an den Füßen bekamen.

Unbemerkt schlüpfte sie durch den Seiteneingang. Bevor sie die Tür hinter sich schließen konnte, war ihr Cassidy gefolgt. »Was willst du?« fragte sie abweisend. »Ich denke, wir haben das Thema Wetter erschöpft.«

»Ich war gerade in der Gegend«, antwortete er unbeeindruckt. »Ich wollte nur mal hallo sagen.«

Seine Brust hob und senkte sich heftig. Das Hemd unter seinem Anzugsjackett war feucht. »Ich weiß die freundliche Geste zu schätzen«, sagte sie. »Wenn du mich jetzt entschuldigen würdest –«

»Möchtest du noch einen Happen mit mir essen?«

»Nein danke. Ich habe vorhin mit Mama gegessen.«

»Ach, du hast heute zu Hause gegessen?«

»Ganz recht.«

»Dann warst du nur eben spazieren?«

»Ich habe den ganzen Tag am Schreibtisch gesessen. Ich mußte mir die Beine vertreten.«

»Wolltest du irgendwohin?«

»Nein. Ich war spazieren.« Sie ging um ihn herum und öffnete die Tür für ihn. »Tut mir leid, Cassidy, aber ich muß nach oben und nach Mama sehen. Ich mußte sie allein –«

Cassidy packte sie an beiden Schultern und stemmte sie gegen die Tür. »Du hast sie allein gelassen, damit du dich mit Joshua Wilde im Gumbo Shop treffen konntest.«

Sie hatte die Falle geahnt, trotzdem war sie verblüfft, als sie so plötzlich über ihr zuschnappte. Sie suchte nach einer plausiblen Erklärung, aber ihr fiel keine ein, deshalb entschloß sie sich zum Gegenangriff.

»Du bist mir gefolgt? Waren die Zeitungsmeldungen bloß Finten, um mich in Sicherheit zu wiegen?«

»Wir haben dich nicht beschattet. Wir verfolgen Josh. Stell dir vor, wie überrascht ich war, als er sich ausgerechnet mit dir traf.«

»Wenn du wußtest, wo und bei wem ich war, wozu dann das ganze Theater, Cassidy?«

»Ich bin auf einem anderen Weg hergelaufen. Ich wollte doch

sehen, ob du mir die Wahrheit sagst. Wie üblich
logen.«

»Weil ich wußte, daß du mich nicht verstehen würd«

»Du wußtest, daß ich dir deine Lügen nicht mehr abk«

beugte sich vor und sprach leiser. »Aber probier's ruhig aus,
Claire. Stell mich auf die Probe. Seit wann kennst du Joshua
Wilde?«

»Seit heute abend.«

»Und diesen Mist soll ich dir abkaufen?«

»Ich schwöre es! Ich habe heute nachmittag herumtelefoniert,
bis ich wußte, wo er wohnt. Ich habe ihn gebeten, sich mit mir
zu treffen. Er war einverstanden.«

»Warum?«

»Wahrscheinlich wollte er die berüchtigte Besitzerin von French
Silk kennenlernen.«

Cassidy schüttelte den Kopf. »Ich meine, warum wolltest du
dich mit ihm treffen? Was habt ihr beide zu bereden?«

»Ich habe ihm Geld geboten.«

»Geld?« wiederholte er verdutzt.

»Genau. Im Gegenzug sollte er Einfluß auf Ariel ausüben. Er
sollte sie dazu bringen, keine Anschuldigungen mehr gegen
mich und meine Mutter zu erheben, die Demonstranten abzu-
ziehen, kurz gesagt einem Waffenstillstand zuzustimmen. Ich
habe ihm gesagt, daß ich nur mein Leben leben und in Ruhe
meinen Geschäften nachgehen möchte, soviel das auch kosten
mag.«

»Du hast versucht, ihn zu bestechen? Willst du mir das weismachen?«

»Du bist mir zu nahe«, murmelte Claire. »Ich kriege keine
Luft.«

Cassidys Augen hatten sich in sie gebohrt; jetzt blinzelten sie,
als würde er plötzlich aufwachen. Er sah seine Knöchel weiß
über den Fingern hervortreten, die ihre Schultern umklammer-
ten, sah, wie eng er ihren Körper zwischen seinem und der Tür
eingeklemmt hatte, nahm die Hände von ihr und wich zurück.

341

.e«, sagte sie ruhig.

ü bist noch nicht vom Haken. Weiter.«

»Mehr war nicht dabei. Ich weiß, daß Jackson, und wahrscheinlich auch Ariel und Josh, Geld von anderen Zeitschriften genommen und sie dafür in Ruhe gelassen haben.«

»Woher weißt du das?«

»Das ist doch nur logisch, oder nicht? Es ist doch auffällig, daß so viele Zeitschriften, die auf diese Liste – Jackson Wildes Hitliste, wie du sie genannt hast – gehört hätten, gefehlt haben. Was ist mit *Lickety Split* und *Hot Pants*? Warum ist Jackson Wilde gegen einen Dessouskatalog ins Feld gezogen und nicht gegen diese Pornomagazine?

Höchstwahrscheinlich weil sie dafür gesorgt hatten, daß Wilde sie in Ruhe läßt.« Sie sah ihn an, als würde ihr plötzlich einiges klarwerden. »Du hast dir das wahrscheinlich auch schon gedacht.«

»Ich habe ein paar Männer darauf angesetzt, ja. Was hat Josh gesagt?«

»Er hat nicht zugegeben, daß sich sein Vater bestechen ließ, aber er hat es auch nicht abgestritten.«

»Warum ist dir diese Lösung erst jetzt eingefallen? Du hättest Jackson schon vor einem Jahr auszahlen und dir die ganzen Probleme sparen können. Hast du ihm jemals so etwas vorgeschlagen?«

»Nein. Es gab nur die Spende, von der du schon weißt.«

»Warum dann jetzt, Claire?«

»Ich habe es satt, deshalb«, rief sie aus. »Was glaubst du denn? Die Demonstranten denunzieren mich auf ihren Plakaten. Meine Mutter regt sich auf, wenn sie so was liest. Diese Leute belästigen meine Angestellten, wenn sie zur Arbeit kommen. Sie behindern die Arbeit durch Verkehrsstaus, so daß wir keine Lieferungen mehr bekommen und keine Waren mehr ausliefern können. Eine Spedition hat bereits angedroht, ihre Tarife zu erhöhen, weil sich ihre Fahrer immer wieder beschwert haben.«

Sie warf den Kopf zurück, als würde sie den Himmel um Erlösung anflehen. »Vor seinem Tod war Jackson Wilde monatelang der Stachel in meinem Fleisch. Inzwischen sind Wochen vergangen, aber für mich hat sich nichts geändert. Ich will seinen Geist exorzieren. Ich will ihn ein für allemal loswerden.«

Sie merkte sofort, daß ihre Worte schlecht gewählt waren. Sie sah schnell auf Cassidy, der sie aufmerksam beobachtete. »Was dir mit dem Mord nicht gelungen ist.«

»Das habe ich nicht gesagt.«

»Habe ich den falschen Baum angebellt, Claire? Hatte Josh am Ende ein Techtelmechtel mir dir, nicht mit seiner Stiefmutter?«

»Mach dich nicht lächerlich! Ich bin Joshua Wilde heute nacht zum erstenmal begegnet.«

»Du lügst, Claire!«

»Ich lüge nicht!«

Cassidy lachte höhnisch. Er ging ein paar Schritte und studierte einen Stapel Versandkisten, bevor er sich wieder zu ihr umdrehte. »Verkauf mich nicht für dumm. Ich kenne dich wesentlich besser als vor ein paar Wochen.«

Plötzlich waren die Gefühle und die Leidenschaft, die während des Gewitters auf Rosesharon von ihnen Besitz ergriffen hatten, wieder lebendig. »Ich lüge nicht. Ich habe mich heute abend mit Joshua Wilde getroffen und ihm einen Scheck angeboten, wenn man mich in Frieden läßt.«

»Vielleicht. Aber was verheimlichst du vor mir?«

»Nichts.«

»Claire!«

»*Nichts!*«

Cassidy fluchte tonlos. »Also gut, wie du willst. Wie hat Josh reagiert?«

»Er war aufgebracht.«

»Hat dich abblitzen lassen?« fragte er ungläubig.

»Eiskalt. Er sagte, er sei unbestechlich.« Sie sah Cassidy in die Augen und reckte das Kinn hoch. »Ich glaube ihm.«

»Dann bist du die einzige hier, denn ich glaube kein Wort von diesem Unsinn. Du hast Josh Geld angeboten, und er hat es abgelehnt. Das soll ich glauben?«

»Es ist mir egal, was du glaubst.«

»Das sollte dir aber nicht egal sein, Claire. Weil ich glaube, daß du mir verheimlichst, weswegen du dich eigentlich mit Joshua Wilde getroffen hast.«

»Weshalb sollte ich mich sonst mit ihm treffen?«

»Ich weiß es nicht, aber mir fällt es schwer zu glauben, daß du versuchst, jemanden zu bestechen. Zum einen bist du zu stolz dazu, zum anderen ist dir die öffentliche Meinung im Grunde egal. Und schließlich hast du mir selbst erklärt, daß dieser ganze Trubel gut für dein Geschäft ist, also gefährden dich die Wildes nicht wirklich. Ich finde es noch schwerer zu glauben, daß Josh dein Geld ablehnt. Wie auch immer, es klingt verdammt komisch.«

»Du gibst nie auf, nicht wahr?«

»Nein. Ich kann nicht. Dafür werde ich bezahlt.«

»Vielleicht bleibt dir bald nichts anderes übrig. Man wird dir den Fall wegnehmen. Einflußreiche Persönlichkeiten fordern inzwischen deinen Kopf. Nicht einmal dein Mentor, Anthony Crowder, wird noch lange zu dir halten.«

»Worauf willst du hinaus?« fragte er mißtrauisch.

»Du versuchst, aus nichts etwas zu machen. Du bist genauso weit davon entfernt, den Mord an Wilde aufzuklären, wie am Morgen nach der Tat.«

»Sei dir da nicht so sicher.«

»In einem bin ich mir sicher. Sein Sohn hat ihn nicht umgebracht.«

»Dann bleibst immer noch du, nicht wahr, Claire?« Er faßte um sie herum nach der Tür und ging, ohne sich zu verabschieden.

»O Christus. Hauen Sie ab und lassen Sie mich in Ruhe.«

»Machen Sie auf.«

Die Hotelzimmertür ging kurz zu, die Kette wurde zurückgezogen, dann machte Josh auf. »Es ist spät«, grummelte er.

Cassidy marschierte ins Zimmer und sah sich langsam um. Das Bett war noch gemacht, aber jemand hatte darauf gelegen. »Sie waren noch nicht im Bett. Ich vermute, Sie werden heute nacht schlecht schlafen, Josh. Ich weiß, daß ich schlecht schlafen werde.«

Josh warf sich in einen der beiden Sessel im Zimmer und deutete auf den anderen. »Sie sind ein mieser Hund, Mr. Cassidy. Ich bin aus freien Stücken zu Ihnen gekommen, hab' mich ausgekotzt und Ihnen vertrauliche Informationen überlassen. Und eh' ich mich versehe, mache ich Schlagzeilen. Bei Ariel hab' ich ausgeschissen; sie redet nicht mal mehr mit mir. Sie hat mich gefeuert, wissen Sie? Kaum waren die Schlagzeilen am Zeitungsstand zu lesen, schon war dieser Judas Ischariot Thema für die *Stunde für Gott und Gebet*. Wahrscheinlich erwartet sie, daß ich hingehe und micht selbst erhänge.«

»Ich wette, es war ein ganz schöner Schlag, gefeuert zu werden.«

Josh lachte säuerlich. »Das Beste, was mir je passiert ist. Wahrscheinlich werden Sie mir das nicht glauben, aber ich schwöre bei Gott, daß es stimmt. Ich fühle mich freier als je zuvor.«

»Komisch. Sie sehen nicht so aus, als würden Sie sich freuen«, bemerkte Cassidy. »Sie sehen aus, als hätte man Sie in eine Badewanne voll Scheiße getaucht.«

»Das habe ich Ihnen zu verdanken. Die Zeitungen lassen in letzter Zeit immer deutlicher durchblicken, daß ich wieder verdächtigt werde.«

»Wie das Wort sagt, Josh, ist jemand verdächtig, der Verdacht auf sich zieht.«

Josh zog unschuldig die Schultern hoch. »Wodurch zum Beispiel?«

»Indem Sie versuchen, Ihre Stiefmutter bzw. Geliebte anzuschwärzen.«

»Ich glaubte, das Richtige zu tun.«

»Hat Ihr Gewissen Sie geplagt?« fragte Cassidy ironisch.

»Ich wollte nicht zusammen mit ihr untergehen.«

»Okay. Erklären Sie mir folgendes. Warum haben Sie sich heute abend mit Claire Laurent getroffen?«

Josh sah Cassidy scharf an. »Woher wissen Sie das? Lassen Sie mich beschatten?«

»Ich habe selbst gesehen, wie Sie aus dem Gumbo Shop gekommen sind.«

»Sie sind ganz zufällig vorbeigekommen?« fragte Josh wütend.

»Beantworten Sie meine Frage.«

Cassidys scharfe Aufforderung erstickte Joshs aufflackernden Trotz. Er sah sich um, als wollte er Cassidys durchdringendem Blick entkommen. »Sie hat angerufen und um das Treffen gebeten, nicht ich.«

»Sie und die Besitzerin von French Silk geben ein seltsames Paar ab.«

Josh stand aus seinem Sessel auf und begann, unruhig im Zimmer herumzugehen. Seine Bewegungen wirkten völlig zusammenhanglos und sprunghaft. »Mir wäre fast der Hörer aus der Hand gefallen, als sie anrief und mir ihren Namen sagte.«

»Sie sind ihr nie zuvor begegnet?«

»Nein, Mann. Unter dieser Brücke ist eine Menge dreckiges Wasser durchgelaufen. Ich hätte bestimmt nicht erwartet, daß sie anruft und mich fragt, ob wir zusammen einen heben gehen.«

Genau wie Claire log Josh oder verschwieg zumindest etwas. Cassidy bohrte weiter. »Sieht toll aus, die Lady.«

»Glaub' schon«, antwortete Josh vorsichtig.

»Sie schienen wütend zu sein, als sie aus dem Restaurant kamen.«

»Das war ich auch.«

»Hören wir auf mit dem Eiertanz. Was wollte sie, Josh?«

»Es hat nichts mit dem Mord an meinem Vater zu tun.«

»Lassen Sie das meine Sache sein.«

Der junge Mann schien eine Weile mit sich zu ringen, dann platzte er heraus: »Sie hat mir fünfundzwanzigtausend Dollar angeboten, wenn wir unsere Hunde zurückrufen. Fünfundzwanzigtausend Dollar!«

Cassidy pfiff. »Ganz ordentlicher Preis für eine Protestdemonstration.«

»Es geht um mehr. Um die Demonstrationen, die Anrufe und Ariels Zeitungsinterviews. Miss Laurent möchte, daß das alles aufhört. Ich kann's ihr nicht verdenken.«

»Was haben Sie ihr geantwortet?«

»Ich hab' sie abblitzen lassen. Sie weiß offenbar nicht, daß ich keinen Einfluß mehr auf Ariel habe. Seit Daddy tot ist, zieht sie die Fäden, nicht ich. Ich könnte ihr keinen Maulkorb anlegen, selbst wenn ich wollte.«

»Sie haben Claires Angebot also ausgeschlagen?«

»Ich habe den Scheck zerrissen und ihn ihr praktisch ins Gesicht geworfen. Ich habe ihr gesagt, daß ich nichts mit den Aktionen der Missionsgesellschaft zu tun habe. Das hatte ich nie, werde ich nie und wollte ich nie. Ich spiele – spielte – Klavier. Das ist alles. Mehr habe ich nie gewollt. Ich mache keine Politik. Ich habe nicht die Feindschaften meines Vaters gepflegt. Das konnte er ganz gut alleine. Wenn er Bestechungsgeld nahm, dann war das seine Sache. Ich will nichts damit zu tun haben.«

»Sie sind arbeitslos. Sie hätten ihr das Blaue vom Himmel versprechen können, den Scheck nehmen und sich auf den Weg zur Bank ins Fäustchen lachen können.«

Josh starrte ihn feindselig an. »Sie sind ein echter Scheißkerl, Cassidy. Gehen Sie.«

»Nicht so schnell. Sie waren mehr als eine halbe Stunde da drin. Sonst haben Sie und Claire über nichts gesprochen?«

»Wir haben immer wieder verlegen geschwiegen.«

»O Mann!«

»Ganz im Ernst. Als sie erst auf den Punkt kam, brauchten wir nur noch ein paar Minuten. Sie hob die Schnipsel des Schecks auf, steckte sie in ihre Tasche und legte Geld auf den Tisch, um für unsere Drinks zu bezahlen. Als wir gegangen sind, hat sie sich verabschiedet. Das ist alles.«

»Sie sind auf dem Gehsteig stehengeblieben, als würden sie sich überlegen, ihr nachzulaufen.«

Josh strich sich die Locke zurück, die ihm in die Stirn gefallen war. »Daran kann ich mich nicht erinnern.«

»Ich mich schon. Ganz genau.« Cassidy beugte sich vor. »Hatten Sie sich die Sache mit dem Geld anders überlegt?«

»Nein. Ich bin kein Mörder, und ich bin kein Dieb.«

Cassidy hätte ihn am liebsten am Kragen gepackt und geschüttelt. »Sie haben mir nicht alles erzählt, Josh. Ich hab's satt, mich an der Nase rumführen zu lassen. Was verheimlichen Sie mir?«

Kapitel 24

»Sie –«

»Was?« drängte Cassidy.

»Ich weiß nicht.« Josh verzog frustriert das Gesicht. »Wenn ich ihr nachgestarrt habe, wie Sie meinen, dann, weil ich nicht nur wütend, sondern auch verwirrt war.«

»Weswegen?«

»Wegen ihr. Sie hat so was an sich, wissen Sie?«

»Nein, weiß ich nicht. Erklären Sie es mir.«

»Ich glaube, das kann ich nicht.«

»Versuchen Sie es.«

»Es war, als würde sie mich vollkommen durchschauen. Aber wenn ich sie ansah, war es, als würde ich durch einen Schleier schauen. Wir sprachen dieselbe Sprache, aber die Worte paßten nicht zu dem, was mir ihre Augen sagten. Sie hat mich verrückt gemacht.«

»Worüber, zum Teufel, reden Sie?

Er wußte ganz genau, worüber Josh sprach. Jedesmal, wenn er mit Claire zusammengewesen war, ausgenommen jene Augenblicke, in denen sie sich ihm offen und leidenschaftlich hingegeben hatte, hatte er sich vollkommen nackt gefühlt, während sich Claire ständig bedeckt hielt. Es war, als würde man in das maskierte Gesicht eines Fechters sehen. Man wußte, mit wem man es zu tun hatte, aber man konnte ihn kaum erkennen.

»Ich wußte, daß Sie mir nicht glauben würden«, brummte Josh. »Deshalb hab' ich das nicht von selbst angesprochen.«

In der Hoffnung, noch mehr aus dem eingeschüchterten jungen Mann herauszubringen, log Cassidy: »Ich glaube, Sie setzen mir da einen Haufen Bockmist vor, um mich aus der Bahn zu werfen.«

Josh fluchte und fuhr mit der Hand durch die Luft, als wollte er die richtigen Worte einfangen, um seine Gedanken auszudrükken. »Ich bin dieser Frau nie zuvor begegnet, aber ich hatte das komische Gefühl, daß ich sie kenne. Oder, um genau zu sein, daß sie mich kennt. Herrgott, ich weiß es nicht. Bei Daddy gingen alle möglichen Leute aus und ein. Vielleicht bin ich ihr einmal über den Weg gelaufen, und nur mein Unterbewußtsein erinnert sich daran.«

Er blieb stehen und drehte sich zu Cassidy um. »Mir ist da eben ein Gedanke gekommen. Vielleicht hat Claire Laurent dieselbe Taktik bei meinem Vater versucht, und als er ihr Geld ablehnte, hat sie ihn abgemurkst. Ist Ihnen der Gedanke schon mal gekommen?«

Ohne darauf zu antworten, stand Cassidy auf und ging zur Tür. Dort drehte er sich um und warnte ihn: »Josh, wenn Sie mich angelogen haben, komme ich wieder und mach' Sie fertig. Ich zieh' Ihnen die Unterlippe über den Schädel, den Rücken runter und stopf' sie Ihnen in den Arsch.« Er zielte mit dem Zeigefinger auf ihn. »Ich frage Sie noch einmal – sind Sie Claire Laurent schon früher begegnet?«

Josh schluckte sichtbar. »Nein. Ich schwöre es beim Grab meiner Mutter.«

Draußen legte Cassidy sein hartgesottenes Gehabe ab. Es wurde ihm zu anstrengend. Er schlurfte zu seinem Wagen. Müdigkeit legte sich schwer über ihn.

Auf der Fahrt zu seinem Apartment brannten und juckten seine Augen jedesmal, wenn ihn die Scheinwerfer eines Autos blendeten, doch er wußte, sobald er sich zum Schlafen hinlegte, würden sie aufgehen und sich bis zum Morgengrauen nicht mehr schließen.

Müde öffnete er die Tür zu seinem stickigen Wohnzimmer, schaute flüchtig die Post durch und ging dann ins Schlafzimmer. Als er das ausgezehrte Gesicht im Spiegel über dem Waschbekken im Bad betrachtete, wurde ihm klar, warum er sich so

ausgelaugt fühlte wie ein Marathonläufer nach einem Berg-
lauf.

Heute nacht hatte Claire ihm endlich einmal die Wahrheit gesagt, aber dafür war er auf ein weiteres Motiv für sie gestoßen,
Jackson Wilde zu ermorden.

Cassidys Besuch hatte Claire zutiefst beunruhigt. Lange nachdem sie die Tür hinter ihm verriegelt hatte, blieb sie dort stehen,
den Kopf an das kühle Metall gelehnt. Sie hatte ihr Treffen mit
Josh unbedingt geheimgehalten wollen. Von nun an mußte sie
doppelt vorsichtig sein. Sie würde kein zweites Mal den Fehler
begehen, Mr. Cassidys weitreichenden Arm zu unterschätzen.
Er hatte mehr Möglichkeiten als sie. Wahrscheinlich ließ er sie
rund um die Uhr von Zivilfahndern beschatten.

Der Gedanke verstörte sie aus mehreren Gründen. Erstens
wurde ihre Intimsphäre verletzt. Zweitens war, obwohl Cassidy seine Ermittlungen in eine andere Richtung gelenkt hatte,
immer noch jeder verdächtig, der mit French Silk zu tun hatte.
Am meisten irritierte sie jedoch, daß ein Mann, mit dem sie
intim gewesen war, soviel Macht über sie besaß.

Mit seiner Überheblichkeit entwertete er die Zärtlichkeit und
Süße ihrer Liebesnacht. Es war, als würde ein liebloser, unsensi-
bler Mensch durch ein Blumenbeet trampeln. Die Blumen waren
immer noch da, aber ihre Schönheit war unwiderruflich dahin.

Deprimiert löste sie sich von der Tür und ging zum Lastenaufzug. Im Näherkommen hörte sie, wie er klappernd abwärts
fuhr. Sie sah Yasmine hinter den metallenen Falttüren, als er im
Erdgeschoß anhielt. »Hallo«, sagte sie, bemüht, ihre Stimme
fröhlicher klingen zu lassen, als sie sich fühlte. Leider stimmte
Yasmines Anblick sie keineswegs froh. Auch sie machte ihr
Sorgen. »Gehst du heute abend wieder aus?«

»Ja, eine Weile.«

»Soll ich mitkommen? Ich würde gern ausgehen. Ich könnte
Harry anrufen, damit sie auf Mama aufpaßt.«

Yasmine schüttelte ablehnend den Kopf. »Tut mir leid, Claire,
aber ich habe schon was vor.«

Claire lächelte tapfer. »Es freut mich, daß du wieder unter Leute gehst. Ich habe mir schon Sorgen um dich gemacht.«

»Das wäre nicht nötig gewesen. Es hat sich alles geregelt.«

»Gut. Das habe ich gehofft. Brauchst du meinen Wagen?«

»Nein danke. Ich nehme ein Taxi.«

Weil sie nicht aufdringlich wirken wollte, fragte Claire nicht, wohin sie ging und was sie vorhatte. Yasmines Kleidung gab ihr keinen Aufschluß. Sie trug ein konservatives, schlichtes Seidenkleid. Das Melonengrün brachte ihr Gesicht zum Leuchten. Das Haar hatte sie an der Luft trocknen lassen, so daß es ihren Kopf mit glänzenden, ebenholzschwarzen Locken umgab. Große Goldteller hingen an ihren Ohren. Die berühmten Armreifen glänzten an ihren schlanken Handgelenken. Yasmine sah unbeschreiblich schön aus, und Claire sagte ihr das.

»Danke. Ich möchte heute nacht schön aussehen.«

»Du siehst selbst an deinen schlechtesten Tagen schön aus.«

Spontan umarmte Claire sie.

Yasmine erwiderte die Umarmung. »Danke für alles, Claire.«

»Du brauchst mir nicht zu danken. Du hast in letzter Zeit viel durchgemacht.«

»Aber du hast zu mir gehalten, obwohl jeder andere mich aufgegeben hätte.«

»Das würde ich nie tun. Darauf kannst du dich verlassen.« Sie drückte sie noch fester. »Paß auf dich auf.«

»Du kennst mich doch, Süße.« Yasmine löste die Umarmung, zwinkerte und schnalzte mit der Zunge. »Immer obenauf.«

Claire lachte. Das war die alte, schlagfertige Yasmine. Sie fragte sich unwillkürlich, ob Alister Petrie angerufen hatte und sich mit ihr versöhnen wollte. Das würde erklären, warum sie sich heute nacht soviel Mühe mit ihrem Aussehen gegeben hatte.

»Wann kommst du heim?«

»Warte nicht auf mich. Tschüß. Ich schalte die Alarmanlage ein.«

»Danke. Tschüß.«

Claire wartete, bis sie das Lager durchquert hatte. An der Tür drehte sich Yasmine noch einmal um und winkte ihr fröhlich zu. Selbst über diese Entfernung hörte Claire ihre Armreifen klingeln.

Oben sah Claire nach Mary Catherine, die friedlich schlief. Als sie die Schlafzimmertür zuzog, blieb sie wie angewurzelt stehen – es roch nach Rauch.

Als sie das alte Gebäude hatte renovieren lassen, hatte sie für teures Geld eine hochmoderne Sprinkleranlage und Rauchdetektoren einbauen lassen; sie wußte, daß ein Brand einen hohen Preis fordern würde, nicht nur an Waren, sondern wahrscheinlich auch an Menschenleben. Aber trotz dieser Vorsichtsmaßnahmen hatte sie panische Angst vor einem Feuer.

Sie folgte dem Rauchgeruch bis zu Yasmines Zimmer. In letzter Zeit hatte sie es nicht betreten, aber vor ihrer Affäre mit Alister hatte Yasmine ihre Tür nur selten verriegelt. Claire hatte keine Skrupel, in ihr Zimmer zu gehen und nachzusehen, woher der Rauch kam. Was sie hinter der Türschwelle erwartete, war ein Schock für ihre Sinnesorgane und ihre Nerven. Automatisch schlug sie sich die Hand über Nase und Mund, dann ging sie langsam auf den provisorischen Altar zu, der früher ein ganz gewöhnliches Nachtkästchen gewesen war.

Qualmende, blakende Kerzen waren im Kreis darum aufgebaut und warfen wabernde Schatten auf die Wände. Unidentifizierbare Kräuter und Öle waren auf der Oberfläche des Tisches verteilt. Zum Teil waren sie die Ursache für den entsetzlichen Gestank im Raum. Aber nur zum Teil.

In der Mitte des Altars stand eine unförmige Steingutschale. Sie war mit etwas gefüllt, das wie die Innereien eines kleinen Tieres aussah. Irgendwann mochten die einzelnen Organe noch erkennbar gewesen sein. Jetzt waren sie zu einem schleimig-blutigen Brei verrührt. Der Gestank ließ Claire hinter vorgehaltener Hand würgen.

Blut war sorgfältig in symbolischen Mustern auf den Tisch geträufelt worden. Die kleine Alister-Petrie-Figur, jene Puppe, die Yasmine ihr gezeigt hatte, war enthauptet und entmannt worden. Wie ein durchs Herz getriebener Pfahl ragte eine widerwärtig aussehende Nadel aus ihrer Brust.

»Mein Gott«, stöhnte Claire und wich zurück. »O mein Gott, Yasmine. Nein!«

Sowie Harry auf ihren verzweifelten Anruf hin eingetroffen war, rannte Claire zu ihrem Wagen und fuhr in das elegante Viertel am Ufer des Pontchartrain-Sees, wo der Kongreßabgeordnete Alister Petrie mit Frau und Kindern lebte. Sie hoffte, daß sie nicht zu spät kam.

»Soll ich warten?« Der Taxifahrer legte einen Arm über die Rückenlehne und starrte die atemberaubende Frau auf dem Rücksitz an.

»Nein danke.« Yasmine reichte ihm einen Zwanzigdollarschein. »Der Rest ist für Sie.«

»Danke, Miss. Sagen Sie, kenn' ich Sie nicht? Ich meine, sollte ich Sie nicht kennen? Sie sind doch berühmt, oder?«

»Ich war Mannequin. Vielleicht haben Sie mein Bild in einer Zeitschrift gesehen.«

Er schlug sich mit dem Handballen auf die Stirn. »Jesus! Ich hab's mir doch gedacht.« Er grinste unter der schwachen Innenbeleuchtung seines Wagens und entblößte dabei krumme, tabakfleckige Zähne. »Wer hätte gedacht, daß Sie mal in meinem Taxi fahren würden? Vor Ihnen hatte ich nur ein einziges Mal jemand Prominenten, so 'ne Kochdame aus dem Fernsehen. Julia irgendwas. Hören Sie, ich hol' Sie gern nachher wieder ab. Ich kann Ihnen meine Karte geben. Sie können mich anrufen, wenn Sie abgeholt werden wollen.«

Yasmine schüttelte den Kopf und stieg aus. »Danke.«

»Na, Wiedersehen. War mir ein Vergnügen.«

Er legte den Gang ein, winkte ihr zu und lenkte vom Randstein weg. Yasmine sah ihn wegfahren. Sie lächelte, weil sie ihm eine Freude gemacht hatte. Er würde monatelang, vielleicht jahrelang darüber reden und jedem erzählen, daß Yasmine in seinem Taxi gefahren war, genau an dem Abend, an dem sie wirklich berühmt geworden war.

»Viel Glück, Süßer«, flüsterte sie in die windstille Abendluft. Vom Randstein aus betrachtete sie das ansehnliche Haus auf der gegenüberliegenden Straßenseite. Es würde sich gut auf einer Postkarte machen. Selbst das Virginiamoos an den uralten Eichen hing genau so, wie es sich gehörte.

An dem dunklen Eßzimmerfenster war kein Blut. Sie hatten es am Morgen weggewaschen, nachdem sie das Hühnchen hatte »abliefern« lassen. Sie war extra am nächsten Tag vorbeigefahren. Nichts hatte darauf hingedeutet, daß dieser Hurensohn, wie sie gehofft hatte, von ihrem Zauber in Angst und Schrecken versetzt worden war.

Er wußte nicht, was Schrecken war. Noch nicht.

Sie trat vom Gehsteig und überquerte die Straße. Sie langte in ihre große, lederne Umhängetasche und nahm den Revolver heraus. Hundertmal hatte sie die Trommel überprüft, während sie einen unerträglich langen Nachmittag damit verbracht hatte, auf die Nacht zu warten. Jetzt überprüfte sie sie noch mal. Alle Kammern waren geladen.

Sie trat auf den Weg, der den Rasen vor dem Haus in zwei sorgfältig modellierte Hälften teilte. Ihr ausgreifender Schritt strahlte Selbstbewußtsein aus, so wie er es jahrelang auf den Laufstegen der Modehäuser in New York, Paris und Mailand getan hatte. Niemand ging wie Yasmine. Diesen Schritt konnte man nicht imitieren. Viele hatten das versucht, aber niemand war es gelungen, diese sinnliche Gegenbewegung der Hüften und Schultern mit einer solchen Eleganz und Grazie auszuführen. Sie zögerte einen Herzschlag lang auf der untersten Stufe vor der Veranda, dann trat sie an die breite Eingangstür und drückte auf die Klingel.

»Daddy, ich spiele am Samstag Fußball. Kannst du diesmal kommen? Ich bin Torwart.«

Alister Petrie streckte die Hand über die Ecke des Eßtisches in der Küche und strubbelte seinem Sohn das Haar. »Ich werde es versuchen. Ich kann es dir nicht versprechen, aber ich werde es versuchen.«

»Mann, das wär' toll«, strahlte der Junge.

Seit dem Vorfall mit dem toten Hühnchen, bei dem er um zehn

Jahre gealtert war, hatte Alister Petrie sein Leben umgekrempelt. Tagelang hatte er in Angst und Schrecken gelebt, war nur aus dem Haus gegangen, wenn es sich gar nicht vermeiden ließ, und auch dann nur unter dem Schutz der Leibwächter, die Belle ihm aufgezwungen hatte.

Wenn er seine geplanten Wahlkampfreden hielt, hatten seine Knie hinter dem Podium gezittert, so hatte er sich vor einem Attentat gefürchtet. Nachts sah er im Traum, wie eine Kugel in rasender Geschwindigkeit auf ihn zukam, in seine Stirn schlug und seinen Schädel wie eine Wassermelone explodieren ließ. Immer wieder wurde er Zeuge seiner eigenen Exekution und wachte zitternd und verschwitzt auf.

Belle war ständig an seiner Seite, um ihn zu trösten und zu beruhigen. Sie zog seinen bebenden Leib an ihren und versicherte ihm fürsorglich, daß seine Geliebte ihrem Zorn mit diesem abscheulichen und wilden Anschlag Luft gemacht hatte und nun alles gut war.

Allerdings gelang es ihr, die tröstenden Worte mit scharfen, gemeinen Seitenhieben zu würzen. »Du erntest, was du gesät hast, Alister.« »Wie man sich bettet, so liegt man.« »Niemand kann seinen Sünden entfliehen.« Sie verfügte über eine ganze Litanei von Sprichwörtern, und alle hatten einen biblischen Beigeschmack.

Wie mit Widerhaken setzten sich ihre Kommentare unter seiner Haut fest. Es würde seine Zeit dauern, ehe er wieder den Mut hätte, sich anderswo umzusehen. Er hatte seine Lektion gelernt. Wenn er wieder das Bedürfnis hätte fremdzugehen, würde er sich genau davon überzeugen, daß die Geliebte nichts mit Wodu am Hut hatte.

Als es so aussah, als wäre das tote Hühnchen tatsächlich ein einmaliger Vorfall gewesen und von Yasmine kein Rachefeldzug zu befürchten, begann sich Alister allmählich zu entspannen. Sein Terminkalender wurde wieder so voll wie zuvor. Die Leibwächter wurden entlassen.

Nur das häusliche Glück blieb. Er war jetzt so oft wie möglich daheim. Er gab beiden Kindern jeden Abend einen Gutenachtkuß und nahm sich die Zeit, tagsüber mit jedem Kind ein paar Worte zu wechseln.

Belle engagierte sich aktiver als zuvor in seinem Wahlkampf. Sie verloren sich kaum mehr aus den Augen. Sie hielt ihn an einer äußerst kurzen Leine, aber das störte ihn momentan nicht, denn im Gegenzug hatte sie ihr Versprechen gehalten, die Wahlkampfzuwendungen, die aus ihrem Privatvermögen und dem Vermögen ihrer weitverzweigten Familie flossen, nicht zu reduzieren oder einzustellen.

Allerdings hatten sie seit jener schicksalhaften Nacht nicht mehr im Eßzimmer gegessen.

Heute abend hatten sich die Petries um den Tisch in der gemütlichen Nische neben der Küche versammelt. Rockwell hätte kein harmonischeres Bild häuslichen Glücks malen können. Es hatte frischen Apfelkuchen zum Nachtisch gegeben. Der Duft von Zimt und gebackenen Granny Smith zog noch durch den hell erleuchteten Raum.

Sie sahen aus wie die typische amerikanische Familie – abgesehen von dem uniformierten Hausmädchen, das auf Belles wortloses Zeichen hin die Teller abräumte und in die Geschirrspülmaschine stellte.

»Daddy?«

»Ja, mein Kleines?« Er sah seine Tochter an.

»Ich hab' heute ein Bild von dir in der Schule gemalt.«

»Wirklich?«

»Hmm. Ich hab' gemalt, wie du vor der amerikanischen Fahne eine Rede hältst.«

»Was du nicht sagst!« freute er sich überschwenglich. »Zeig mal her.«

»Mommy, darf ich aufstehen? Es ist im Schulranzen oben in meinem Zimmer.«

Belle lächelte nachsichtig. »Natürlich, Liebling.«

Die jüngste Petrie rutschte aus ihrem Stuhl und flitzte aus der Küche. Sie war gerade an der Schwingtür angekommen, als jemand an der Tür läutete. »Ich mach' auf!« Ihre hohe Kinderstimme schallte durchs Haus. Sie hörten, wie die Gummisohlen ihrer Turnschuhe auf dem Parkett quietschten und ab und zu von den kleinen Läufern gedämpft wurden.

Das Telefon klingelte. Das Hausmädchen ging an den Apparat in der Küche. »Bei Petrie.«

Sie hörten, wie die Haustür aufging.

»Nein«, sagte das Hausmädchen in den Hörer. »Bei uns gibt es niemanden, der so heißt.«

»Wer war das?« fragte Belle, als das Hausmädchen aufgelegt hatte.

»Da hat sich jemand verwählt. Eine Frau fragte mich hysterisch nach einer gewissen Yasmine.«

Alister wurde blaß und sprang auf. »Yasmine?«

Belle sah ihn an. Gleichzeitig kam ihnen derselbe grausige Gedanke. Belle sagte: »Ist das –«

»Ja.« Alister lief durch die Schwingtür.

»Was ist denn, Mom?«

»Nichts, mein Sohn.«

»Du siehst komisch aus.«

Das Hausmädchen fragte: »Stimmt etwas nicht, Miss Petrie?«

»Unfug«, fuhr Belle sie an. »Was soll denn nicht stimmen?«

Dann hörten sie den Schuß.

»Legen Sie nicht auf!« schrie Claire in den Hörer in der Telefonzelle. Als sie das Freizeichen hörte, schlug sie mit dem Hörer gegen den Apparat. »Ich habe doch gesagt, Sie sollen nicht auflegen!«

Nachdem sie sich in der für sie fremden Gegend hoffnungslos verfahren hatte, hatte sie an einer Telefonzelle angehalten und die Petries angerufen. Ohne zu wissen, wovor sie eigentlich warnen wollte, hatte sie hastig die Nummer gewählt, die ihr die Auskunft gegeben hatte. Beim ersten Läuten hatte jemand abgehoben, aber offenbar hatte das Hausmädchen, das sie halb hysterisch angebrüllt hatte, geglaubt, sie hätte sich verwählt oder sei verrückt.

Sie warf den nächsten Vierteldollar ein und wählte noch einmal.

Diesmal war belegt. »Komm schon, bitte. Bitte.« Sie steckte den Vierteldollar erneut in den Schlitz und versuchte es wieder. Diesmal war die Leitung frei, aber niemand ging an den Apparat. Weil sie es für möglich hielt, daß sie sich in der Eile verwählt hatte, wählte sie noch mal. Wieder hob niemand ab.

Kurz darauf hörte sie Sirenen. Wie eine Faust in ihrer Brust umkrampfte eine düstere Vorahnung ihr Herz. »O nein. Bitte, Gott, nicht.«

Aber ihre Gebete wurden nicht erhört. Die Einsatzwagen rasten mit zuckenden Blaulichtern vorbei. Claire hängte ein, rannte zu ihrem Auto und nahm die Verfolgung auf. Als sie ihr Ziel erreicht hatten, stürzte sie aus ihrem Wagen, packte den Arm eines Nachbarn im Pyjama und schrie ihn an: »Wem gehört das Haus?«

»Dem Kongreßabgeordneten Petrie.«

Polizisten liefen schon über den Rasen, und die Sanitäter eilten mit einer Trage zur offenen Tür. Claire drängte sich an dem verwirrten Nachbarn vorbei und rannte über den leicht hügeligen Rasen. Ein Polizist versuchte sie aufzuhalten, aber sie ignorierte seine Haltrufe.

»Meine Freundin braucht mich.«

Atemlos kam sie an der Verandatreppe an und lief auf die Menschen zu, die sich in der Tür drängten. In dem Haus schrie ein hysterisches Kind. Polizisten forderten sie auf, stehenzubleiben.

Ihre schlimmsten Befürchtungen wurden wahr, als sie auf der Türschwelle eine Gestalt unter einem Leintuch erblickte. Sie war zu spät gekommen! Yasmine hatte ihn umgebracht! Aufgeregt suchte sie unter den hektisch und verwirrt herumlaufenden Menschen nach Yasmine.

Plötzlich fiel ihr Blick auf Alister Petrie. Vor Erleichterung hätte sie beinahe losgelacht. Er wirkte wie betäubt, schien aber unverletzt zu sein.

Dann bemerkte sie, daß er mit frischem Blut bespritzt war, das offensichtlich nicht seines war. Die Lache zu seinen Füßen wurde von dem Fluß gespeist, der unter der Plastikplane hervorströmte. Wieder sah Claire auf den Körper, und diesmal sah sie etwas unter der Plane herausragen, das ihr beim erstenmal entgangen war – eine Hand, eine wunderschön geformte, lange, schlanke, kaffeebraune Hand.

Und um das Handgelenk lagen glänzende Goldreifen.

Kapitel 25

Als Claire aus der Fluggastbrücke trat, wurde sie von Blitzlichtern und Kamerascheinwerfern geblendet. Automatisch hob sie den Arm über die Augen. Sie wollte fliehen, aber sie konnte nirgendwohin. Die anderen Fluggäste drängten hinter ihr hinaus, schnitten ihr diesen Fluchtweg ab, und vor ihr stand eine Phalanx von Reportern und Fotografen.

In New York hatte sie den Trubel erduldet, den Yasmines Selbstmord ausgelöst hatte. Sie hatte damit gerechnet, daß sich die Presse darauf stürzen würde, deshalb hatte sie sich zusammengerissen und sich den Medien gestellt. Aber sie hatte geglaubt, daß bis zu ihrer Rückkehr nach New Orleans das Interesse abgeflaut wäre und war nicht auf die Reporter vorbereitet, die sich wie eine Meute auf sie stürzten.

»Miss Laurent, was halten Sie von Yasmines Verbindung –«

»Treffen die Anschuldigungen zu?«

»Was wissen Sie über –«

»Bitte«, sagte sie und versuchte, sich durchzukämpfen. Aber sie standen fest wie eine Kompanie kamera- und mikrofonbewehrter Soldaten. Sie gaben keinen Fußbreit nach. Ohne eine Erklärung würden sie nicht weichen.

»Meine Freundin war offensichtlich sehr unglücklich.« Claire hatte ihre große Sonnenbrille aufgesetzt und versuchte, das Gesicht von dem gleißenden Scheinwerferlicht abzuwenden. »Ich trauere um sie, aber sie hat mir und der gesamten Modeindustrie so viel gegeben, daß die Erinnerung an sie noch über viele Jahre hinweg weiterleben wird. Und jetzt entschuldigen Sie mich.«

Sie ging durch den Flughafen, ohne noch eine Frage zu beantworten. Schließlich erbot sich ein Wachmann, ihr Gepäck abzuholen, und half ihr in ein Taxi. Als sie bei French Silk ankam, wurde sie dort nicht nur von weiteren Reportern, sondern auch von Anhängern Jackson Wildes erwartet, die unerbittlich weiterdemonstrierten. Hastig bezahlte sie den Fahrer und lief ins Haus.

Zu ihrer Erleichterung sah sie, daß die Angestellten ihrer Arbeit nachgingen, aber die Stimmung schien gedrückt. Einige sprachen Claire leise ihr Beileid aus. Im Aufzug setzte sie die Sonnenbrille ab, trug flüchtig Lippenstift auf und sammelte sich. Sie wollte nicht, daß sich Mary Catherine noch mehr über Yasmines Selbstmord aufregte. Als sie ihre Mutter und Harry auf dem La-Guardia-Flughafen in ein Flugzeug nach New Orleans gesetzt hatte, war ihr Mary Catherine verunsichert und verwirrt vorgekommen. Claire hatte sich Sorgen um ihre Mutter gemacht und sich nur ungern von ihr getrennt, aber sie hatte das Gefühl gehabt, daß es Mary Catherine in ihrer vertrauten Umgebung bessergehen würde als in New York, wo Claire ihr nur wenig Zeit und Aufmerksamkeit widmen konnte.

Sie setzte ein Lächeln auf, öffnete die Tür zu ihrem Apartment und schwebte hinein. »Mama, ich bin wieder da!« Sie war erst ein paar Schritte weit gekommen, als sie Mary Catherine im Wohnzimmer entdeckte. Sie saß in einer Sofaecke und schniefte in ein Taschentuch. Harry stand am Fenster, steif, ernst und mit mißbilligender Miene.

Nachdem sie das ganze Bild in sich aufgenommen hatte, schaute Claire wieder auf Cassidy, der neben ihrer Mutter saß. »Was zum Teufel wollen Sie hier?«

»Ich habe ihm gesagt, daß ich das nicht richtig finde, aber er hat darauf bestanden, mit ihr zu sprechen.«

»Danke, Harry. Ich weiß, wie aufdringlich Mr. Cassidy sein kann.« Sie durchbohrte ihn mit mißbilligenden Blicken, während sie zum Sofa eilte und sich vor ihrer Mutter hinkniete. »Mama, ich bin wieder da. Freust du dich gar nicht, mich zu sehen?«

»Claire Louise?«

»Ja, Mama?«

»Kommen sie dich holen?«

»Nein. Niemand kommt mich holen.«

»Sie dürfen dich nicht wegbringen, nur weil ich etwas Falsches getan habe.«

»Sie können mich nicht wegbringen. Ich gehe nirgendwohin. Ich bin wieder da. Ich bleib' bei dir.«

»Ich wollte es wirklich nicht«, gestand Mary Catherine zwischen leisen Schluchzern. »Wirklich. Frag Tante Laurel. Aber ich...« Sie hob die Hand an die Schläfe und massierte sie sachte. »Manchmal gerate ich ganz durcheinander, wenn ich daran denke, was ich getan habe. Mama und Papa waren so böse auf mich, als ich ihnen von dem Baby erzählte.«

Claire zog Mary Catherine in ihre Arme und flüsterte: »Hab keine Angst, Mama. Ich bin ja da. Ich werde mich immer um dich kümmern.« Claire drückte sie, bis das Weinen aufgehört hatte, dann lächelte sie ihrer Mutter ins tränenüberströmte Gesicht. »Weißt du, was ich heute abend gern essen würde? Dein Gumbo. Machst du mir welches? Bitte.«

»Tante Laurels Eintopf ist doch viel besser als meiner«, antwortete Mary Catherine schüchtern. »Aber wenn du wirklich welches möchtest...«

»Ich will.« Sie machte Harry ein Zeichen. »Warum fängst du nicht gleich damit an, damit es den ganzen Tag einkochen kann? Geh mit Harry. Sie wird dir helfen.« Sie half Mary Catherine auf.

Mary Catherine wandte sich um und reichte Cassidy ihre Hand. »Ich muß jetzt fort, Mr. Cassidy, trotzdem vielen Dank für Ihren Besuch. Kommen Sie doch mal nachmittags mit Ihren Eltern vorbei, dann können wir zusammen einen Sherry trinken.« Er nickte. Harry scheuchte sie in die Küche.

»Ich war noch nicht fertig.«

Claire fuhr herum. »Von wegen! Wie kannst du es wagen, dich in meiner Abwesenheit hier reinzuschleichen? Was willst du von ihr?«

»Ich hatte ein paar wichtige Fragen an sie.«

»Du kannst mich mal mit deinen wichtigen Fragen.«

»Als stellvertretender District Attorney habe ich das Recht –«

»Recht?« fragte sie höhnisch. »Wir haben einen Toten in der Familie, oder hast du das vergessen?«

»Das mit Yasmine tut mir leid.«

»Na sicher. Das macht eine Verdächtige weniger, nicht wahr?«

»Du bist ungerecht. Ich wollte deine Mutter nicht aufregen.«

»Du hast sie aber aufgeregt. Und wenn du sie jemals wieder schikanierst, dann bringe ich dich um. Sie kann dir keine Antwort auf deine verfluchten Fragen geben.«

»Aber du kannst es«, sagte er. »Deshalb kommst du mit mir.«

»Warum?«

»Das sage ich dir, wenn wir dort sind.« Er umklammerte ihren Arm.

»Willst du mich verhaften? Was hast du aus meiner Mutter rausgepreßt?«

»Sag ihnen auf Wiedersehen, Claire, und komm freiwillig mit«, erklärte er ruhig, aber fest. »Wenn du mir eine Szene machst, regt sich Mary Catherine nur noch mehr auf.«

In diesem Augenblick haßte ihn Claire. »Du Schwein.«

»Hol deine Tasche und verabschiede dich.«

Um ihrer Mutter willen kam sie seiner Aufforderung nach. Claire starrte ihn mit unverhohlenem Abscheu an. Endlich sagte sie: »Harry, ich fahre kurz mit Mr. Cassidy weg. Wiedersehen, Mama.«

Als sie aus dem Haus traten, gerieten die Reporter und Demonstranten in Aufruhr. Dutzendweise wurden Claire die Fragen entgegengeschleudert.

»Miss Laurent hat nichts zu erklären«, sagte Cassidy den Reportern kurz angebunden.

»Cassidy, was ist Ihrer Meinung nach –«

»Kein Kommentar.«

»Glauben Sie, Sie haben die Mörderin gefunden?«

»Kein Kommentar.« Ohne sich um die Mikrofone zu kümmern, die ihm vors Gesicht gehalten wurden, schob er Claire durch die Menge. Sie war erschöpft, deprimiert und verwirrt, deshalb folgte sie ihm widerspruchslos. Wenigstens war Cassidy ein vertrauter Gegner.

Cassidys weit ausholende Schritte ließen die Meute bald zurückfallen. Zwei uniformierte Polizisten schirmten sie von hinten ab. Ohne innezuhalten, marschierten sie über den Bürgersteig davon.

»Ich fahre sie in meinem Wagen«, sagte Cassidy zu den Polizeibeamten. »Versuchen Sie, die Menge aufzulösen, und behalten sie das Gebäude im Auge.«

»Ja, Sir.«

Die Polizisten blieben zurück, um seine knappen Anweisungen auszuführen. Ohne langsamer zu werden, führte er Claire zu seinem Wagen, der im Halteverbot am Straßenrand stand. Er öffnete ihr die Beifahrertür und trat zurück. Sie war zu erschöpft, um sich jetzt mit ihm anzulegen, und stieg ein.

»Wie hast du es geschafft, daß die Beerdigung nicht ins Fernsehen kam?« fragte er, als sie auf dem Weg ins Zentrum waren.

»Ich habe eine falsche Fährte gelegt. Die Reporter sind einem Leichenwagen mit leerem Sarg nach New Jersey gefolgt.« Sie berührte den goldenen Armreif an ihrem Handgelenk. Es war einer von Yasmines Lieblingsreifen gewesen. Yasmine hätte gewollt, daß sie ihn trug, das wußte Claire. »Ich hätte es nicht ertragen, wenn ihr Begräbnis zu einem öffentlichen Karneval ausgeartet wäre.«

Mehr als eine Woche war vergangen, seit sie ihre Freundin tot auf der Schwelle vor Alister Petries Haus hatte liegen sehen. Yasmine hatte sich vor ihm und seiner Tochter durch den Hinterkopf geschossen, so daß wie in einem letzten Racheakt ihr Gesicht beim Austritt der Kugel komplett zerstört wurde. Yasmine war unwiderruflich tot, Claire vergaß es oft, aber dann holte sie die Wirklichkeit wieder mit erbarmungsloser Klarheit ein.

Sie hatte kaum Zeit zum Trauern gefunden. In den Tagen nach

dem Selbstmord hatte sie unangenehme Aufgaben erledigen müssen – sie hatte Formulare unterzeichnen, Arrangements treffen, Yasmines Geschäfte regeln, Reporter abwimmeln und sich neugierigen Fragen stellen müssen.

Claire behielt Yasmines Geheimnisse für sich. Nicht einmal jetzt, wo sie ihr nicht mehr damit schaden konnte, wollte sie ihr Vertrauen enttäuschen. Gemeinsamen Freunden, die entsetzt die Nachricht vernommen hatten und Erklärungen wünschten, hatte Claire lediglich gesagt, daß Yasmine in letzter Zeit sehr unglücklich gewesen war. Sie ließ sich weder über ihre enttäuschte Liebe noch ihre finanziellen Schwierigkeiten aus.

Da Yasmines Familie nur noch aus ein paar Cousins bestand, die über die Ostküste verstreut lebten und denen sie nie nahegestanden hatte, war die Verantwortung für die Bestattungsfeier Claire zugefallen. Yasmine hatte keine Anweisungen hinterlassen, deshalb hatte Claire auf ihren Instinkt vertraut und den Leichnam verbrennen lassen. Die Trauerfeier hatte in aller Stille und vor wenigen, geladenen Gästen stattgefunden. Jetzt war eine versiegelte Urne in einem Mausoleum alles, was von ihrer atemberaubenden, talentierten, umtriebigen Freundin geblieben war, die so gern gelebt hatte, bis sie sich in den falschen Mann verliebt hatte.

Bei dem Gedanken an Petrie wandte sich Claire an Cassidy, der schweigend den Wagen fuhr. »Petries Tochter. Hat sie sich erholt?«

»Soweit ich gelesen habe, geht's ihr allmählich besser. Sie hat immer noch Alpträume, stand gestern in der Zeitung. Und sie geht immer noch zum Kinderpsychologen.«

»Ich kann es gar nicht fassen, daß Yasmine etwas so Gräßliches vor einem Kind getan hat.«

»Petrie war der Liebhaber, der sie fallengelassen hat, stimmt's?«

»Gut geraten.«

»Ich hab' gehört, daß man danach eine Menge Wodu-Kram in ihrem Zimmer gefunden hat.«

»Ja.«

»Ich habe auch gehört, daß du am Tatort warst, Claire.«

»Ich habe den Altar in ihrem Zimmer entdeckt. Ich dachte, sie wollte ihm was antun. Deshalb bin ich ihr nachgefahren, aber ich bin zu spät gekommen.«

»Dr. Dupuis hat mir gesagt, daß du ihr nicht von der Seite weichen wolltest und den Leichnam ins Leichenschauhaus begleitet hast.«

»Sie war meine Freundin.«

»Eine Freundin wie dich kann man sich nur wünschen.«

»Auf dein Lob kann ich verzichten.«

»Du bist fest entschlossen, dich mit mir anzulegen, nicht wahr?«

»Ich dachte, schon bei unserer ersten Begegnung hätte sich herausgestellt, daß wir keine Freunde werden können.« Sie schauten sich kurz an und gleich wieder weg. Nach einer Weile sagte Claire: »Das wird Petries Wahlkampf gar nicht guttun. Was sagt er denn dazu?«

»Hast du das nicht gelesen?«

»Nein. Ich habe es vermieden, irgendwas über ihren Selbstmord oder die möglichen Gründe dafür zu lesen. Das hätte ich nicht ertragen.«

»Dann empfehle ich dir, in nächster Zeit keine Zeitschrift anzufassen. Jede, vom *New Yorker* bis zum *National Enquirer,* hat ihre eigene Theorie.«

»Das habe ich befürchtet. Sag mir, womit ich rechnen muß.«

»Daß sie zu viele Drogen genommen hat.«

»Das habe ich erwartet.«

»Daß sie Petrie aus rassistischen Gründen haßte.«

»Yasmine war unpolitisch.«

»Daß sie eine verlassene Geliebte gewesen war.«

»Was er bestimmt abgestritten hat.«

»Eigentlich hat er überhaupt nichts gesagt. Er versteckt sich hinter seiner Frau und überläßt ihr das Reden. Wirklich geschickt, wenn man sich's recht überlegt. Wenn seine Frau so zu ihm hält, dann konnte er doch keine außereheliche Affäre gehabt haben, oder?«

»Richtig. Und damit stempeln sie Yasmine als Verrückte ab.«

»Darauf läuft es hinaus.« Cassidy lenkte den Wagen auf den reservierten Parkplatz neben dem Gebäude der Staatsanwaltschaft.

»Warum hast du mich hergebracht?« fragte Claire wütend. »Ich habe eine lange Reise hinter mir. Ich bin müde. Mir ist nicht danach zumute, irgendwelche Fragen zu beantworten. Außerdem bin ich wütend auf dich, weil du meine Mutter belästigt hast. Ich dachte, du wärst den Fall inzwischen los. Hat ihn dir Crowder immer noch nicht weggenommen?«

»Nicht, seit wir entscheidende Fortschritte gemacht haben.«

»Herzlichen Glückwunsch. Aber was haben diese entscheidenden Fortschritte mit mir zu tun? Ich war nicht einmal hier.«

Er wandte sich ihr zu und legte seinen Arm quer über die Rückenlehne. »Wir haben die Kugel, die Yasmine getötet hat, ballistisch untersucht. Sie weist die gleichen Merkmale auf wie die, mit denen Jackson Wilde umgebracht wurde. Alle wurden aus dem .38er Revolver abgefeuert, den die tote Yasmine in ihrer Hand hielt.«

Kapitel 26

Andre Philippi schrubbte seine Fingernägel mit Bürste und Waschlotion. Seit er an diesem Morgen aufgewacht war, hatte er sich schon fünfmal zwanghaft und übergründlich die Hände gewaschen. Als sie ihm – vorübergehend – sauber genug schienen, spülte er sie unter beinahe unerträglich heißem Wasser ab und trocknete sie mit einem flauschig weißen Handtuch, das eben erst aus der Hotelwäscherei gekommen war.

Er musterte sich in dem Spiegel über dem Becken. Seine Kleider waren makellos, nirgendwo war ein Fleck oder eine Falte zu entdecken. Die rosa Nelke im Aufschlag war taufrisch. Jedes Haar war eingeölt und lag an seinem Platz. Eigentlich sollte er sich prächtig und herausgeputzt fühlen wie ein nagelneues Auto im Schaufenster.

Statt dessen fühlte er sich unsicher, ängstlich und elend.

Er ging aus der Toilette, nicht ohne gewissenhaft das Licht auszuschalten, und kehrte in sein Büro zurück. Den meisten Menschen wäre es außergewöhnlich ordentlich erschienen. Andre fand es chaotisch. Auf seinem Schreibtisch stapelten sich Briefe, die beantwortet werden mußten, Einsatzpläne für seine Angestellten, Marketingmemos und Kundenbefragungen. Der Schriftverkehr, den er normalerweise so gern durcharbeitete und methodisch erledigte, hatte sich während seiner Trauerzeit um Yasmine angesammelt. Seit er die entsetzliche Nachricht von ihrem Selbstmord gehört hatte, war ihm nicht nach Arbeiten zumute. Wenn man bedachte, wie sehr er seine Arbeit liebte, kam diese neue Einstellung einem Sakrileg gleich.

Als Claire angerufen hatte, um ihm mitzuteilen, daß Yasmine

gestorben war, hatte er sie unumwunden als Lügnerin beschimpft. Die Vorstellung, daß dieses bezaubernde Wesen sich auf so gräßliche Weise selbst zerstören könnte, war zu schrecklich, um glaubhaft zu sein, und zu schmerzlich, um darüber nachzudenken. Voller Qualen hatte er sich an jenen Tag erinnert, an dem er aus der Schule heimgekommen war und seine schöne *maman* nackt in der überfließenden Badewanne gefunden hatte, aus der lauwarmes Wasser und warmes Blut auf den Kachelboden tropften.

Die zwei Frauen, die er mehr als alle anderen Geschöpfe Gottes geliebt und verehrt hatte, hatten den Tod dem Leben vorgezogen. Sie hatten nicht nur einer Welt ohne ihn den Vorzug gegeben, sie hatten nicht einmal daran gedacht, sich von ihm zu verabschieden. Die Trauer schnürte ihm wie eine körperliche Krankheit die Brust zu, bis ihm bei jedem Atemzug das Herz zu zerreißen drohte.

Er hatte es abgelehnt, zu dem Trauergottesdienst, den Claire arrangiert hatte, nach New York zu fahren. Er hatte am Grab seiner *maman* gestanden wie damals, als es versiegelt wurde und er geschworen hatte, daß er den Tod niemals hinnehmen würde, bis er selbst starb.

Um Yasmines Tod verarbeiten zu können, hatte er versucht, sich mit vertrauten Platitüden zu trösten. »Zu große Schönheit kann auch ein Fluch sein.« »Ruhm und Glück fordern einen hohen Preis.«

Er hatte sich sogar die Sachen vorgesagt, die er von den Freunden seiner Mutter gehört hatte, als sie sich das Leben genommen hatte. »Manche Engel«, hatte ein wohlmeinender Mensch ihm erzählt, »sind so schön, daß Gott es nicht ertragen kann, zu lange von ihnen getrennt zu sein. Schon vor ihrer Geburt ist ihnen ein kurzes Leben vorherbestimmt. Das Leben ist ihnen eine Last, deshalb durcheilen sie es nur, um endlich in jene Welt zurückkehren zu können, die so makellos ist wie sie selbst.«

Wie es in New Orleans Brauch war, hatte es eine Parade mit einer Jazzband quer durchs französische Viertel gegeben, um die Heimkehr seiner Mutter in eine ihr würdige Welt zu feiern.

Er hatte diesen Unsinn nicht geglaubt, als er ein Teenager gewesen war, der krampfhaft versucht hatte, nicht lauthals um seine Mutter zu weinen. Er glaubte ihn auch jetzt nicht. Aber er fühlte sich besser, wenn er sich so was vorsagte. Er war außerdem jeden Tag zur Messe gegangen und hatte inbrünstig um Yasmines Seelenheil gebetet.

Als wäre ihr Tod allein nicht belastend genug, regte er sich darüber auf, wie die Presse über sie herzog. Die Verleumdungen fand er ungeheuerlich und unfair, vor allem, da sie sich nicht mehr verteidigen konnte.

Cassidy hatte Andre am frühen Morgen angerufen, und angesichts der Schlagzeilen überraschte es ihn nicht. Er hatte damit gerechnet und sich fast auf den Anruf gefreut, denn auf diese Weise konnte er seinem Zorn über die Respektlosigkeit, mit der man Yasmine behandelte, Luft machen.

»Die Frau ist tot, Mr. Cassidy«, hatte er giftig erklärt. »Sie kreisen über ihrer Leiche wie ein Aasgeier. Es ist obszön, entwürdigend und verabscheuenswert, wie Sie von Menschen zehren, die sich nicht mehr verteidigen können.«

»Sparen Sie sich den Quark, Andre. Ich habe eine Frage an Sie, und Sie sollten mir ehrlich antworten, denn sonst komm' ich rüber und knips' Ihnen die Knospe vom Stengel, und ich meine damit nicht die Blume in Ihrem Knopfloch. War Yasmine in der Nacht, in der Jackson Wilde ermordet wurde, im Fairmont-Hotel?«

»Ihre Ausdrucksweise ist widerwärtig. Ich hätte gute Lust, mich bei Ihrem Vorgesetzten –«

»Ob sie in dem Scheißhotel war!« hatte ihn Cassidy aus dem Hörer angebrüllt.

Andre riß sich zusammen, strich sich mit einer feuchten Hand über den Kopf und sagte: »Sie haben die Kartei gesehen. War ihr Name in der Gästeliste aufgeführt?«

»Danach habe ich Sie nicht gefragt.«

»Mehr habe ich nicht zu sagen.«

Cassidy hatte es noch einmal versucht, diesmal in beschwichtigendem, freundlichem Ton. »Ich weiß, daß Yasmine Ihre

Freundin war. Es tut mir leid, daß sie tot ist. Ihre Schönheit war atemberaubend, und ich habe sie bewundert. Ich verstehe, was Sie angesichts ihres tragischen Todes empfinden.

Die Spekulationen der Presse sind zum Teil völlig abwegig. Yasmine war kein Junkie und auch keine militante Bürgerrechtlerin. Sie können ihr eine schlechte Presse ersparen, wenn Sie sich mir anvertrauen. Und bedenken Sie, was Sie Claire damit ersparen.«

»Spielen Sie meine Freunde nicht gegeneinander aus, Mr. Cassidy.«

»Das versuche ich auch gar nicht. Aber wenn Yasmine Wilde tatsächlich umgebracht hat, dann bedeutet das, daß Claire unschuldig ist. Wollen Sie ihr nicht helfen?«

»Nicht, wenn ich dadurch eine andere Freundin belaste, die ebenfalls unschuldig ist, die tot ist und die sich nicht verteidigen kann.«

»Über ihre Schuld oder Unschuld wird noch in einer Untersuchung entschieden.« Er hatte hören können, wie Cassidy die Geduld ausging. »Sagen Sie mir bloß, ob Sie Yasmine in der Mordnacht in Ihrem Hotel gesehen haben.«

»Sie verstehen es, mit Worten umzugehen, Mr. Cassidy, aber Ihre Motive sind eigennützig. Sie haben offensichtlich nichts gegen Yasmine in der Hand. Und soweit es mich betrifft, werden Sie auch nichts in Ihre Hand bekommen. Sie haben mich einmal hinters Licht geführt. Das ist einmal zuviel. Adieu.«

»Ich kann Sie in Beugehaft nehmen«, hatte Cassidy gedroht.

»Tun Sie, was Sie nicht lassen können. Ich werde Ihnen trotzdem keine andere Antwort geben.«

Dabei hatten sie es belassen. Andre hatte schon halbwegs damit gerechnet, daß Sturmtruppen aus dem Rathaus mit einem Haftbefehl in der Hand durch die Tür stürmen würden. Aber was Cassidy auch tun mochte, es ließ ihn kalt. Nicht einmal roher Gewalt würde er sich beugen. Die Vermutung, daß Yasmine Jackson Wilde umgebracht hatte, war einfach lächerlich. Sie war unbegründet und falsch. Um genau zu sein, überlegte Andre, während er aufstand, um sich schon wieder die Hände zu waschen, war das unmöglich.

»Das ist unmöglich.«

Claire stemmte sich ihm entgegen, aber Cassidy schleifte sie trotzdem durch den Seiteneingang in das Gebäude der Staatsanwaltschaft. Der Haupteingang wurde von Jackson Wildes Jüngern belagert, die dort eine Mahnwache abhielten. Sie hatten frisches Blut geleckt, diesmal Yasmines, auch wenn sie schon tot war.

Zweifellos war Ariel Wilde zu Ohren gekommen, daß Yasmines Selbstmord und der Mord an Jackson Wilde aufgrund der Waffe miteinander zu tun hatten. Sie hatte keine Zeit verloren und ihre Gefolgschaft erneut zu spiritueller Raserei aufgepeitscht. Sie war eine geniale Strategin, die es verstand, aus dem Handgelenk einen hocheffektiven Angriff zu organisieren. Dabei konnte sie sich auf die unerschütterliche Treue ihrer Gefolgsleute verlassen, die sie nicht weniger verehrten als Jesus.

»Soll das heißen, daß Yasmine Jackson Wilde umgebracht hat?« fragte Claire, während Cassidy sie in einen Aufzug schob und die Taste für den ersten Stock drückte.

»Ich habe es auch nicht geglaubt, bis ich mit eigenen Augen die Untersuchungsergebnisse gesehen habe.«

»Sie sind falsch. Jemand hat sich geirrt.«

»Ich habe sie zweimal überprüfen lassen, Claire. Es besteht nicht der leiseste Zweifel. Die Kugeln wurden aus derselben Waffe abgefeuert. Verflucht, warum hast du mir nicht erzählt, daß Yasmine eine Waffe hatte? Wenn du es mir verraten hättest, könnte deine Freundin noch leben.«

Mit einem Klagelaut drückte sich Claire gegen die Fahrstuhlwand, um so weit wie möglich von ihm wegzukommen. »Du bist ein hinterfotziger Dreckskerl, Cassidy.«

Die Aufzugtür glitt zurück. »Nach dir«, bat er mit samtweicher Stimme. Er wartete, ließ ihr keine andere Wahl, als aus dem Aufzug zu treten. »Hier lang. Wir werden das jetzt ein für allemal klären.« In seinem Eckbüro knallte er die Tür hinter ihnen zu, schälte sich aus seinem Mantel und deutete auf einen Stuhl. »Mach's dir ruhig bequem. Du wirst hier erst wieder rausgehen, wenn ich dieser Sache auf den Grund gegangen bin.«

»Du hast meine Mutter gefragt, ob Yasmine vielleicht Reverend Wilde umgebracht hat. Deshalb war sie so aufgeregt.«

»Ich habe sie gefragt, ob sie gewußt hat, daß Yasmine eine Waffe besaß. Ich habe sie gefragt, ob Yasmine jemals davon gesprochen hat, Wilde zu erschießen. Und so weiter. Ich schwöre dir, ich war so zurückhaltend wie möglich.« Claires Miene blieb abweisend. »Ich habe nur meine Arbeit getan, Claire.«

»O ja, deine verfluchte Arbeit.« Sie strich ihr Haar zurück. Selbst diese kleine Geste schien ungeheure Energien zu kosten. Tiefe Schatten lagen unter ihren Augen; sie sah todmüde aus. »Darf ich wenigstens anrufen und mich nach ihr erkundigen?«

Er deutete auf das Telefon, steckte dann den Kopf aus der Tür und rief nach zwei Tassen Kaffee. Bis eine Sachbearbeiterin mit zwei dampfenden Styroporbechern angelaufen kam, hatte Claire ihr kurzes Gespräch schon wieder beendet.

»Das Gumbo steht auf dem Herd. Sie spielen Ginrommé. Mama gewinnt.«

Ihr Lächeln hätte einer Madonna mit schlafendem Kind Ehre gemacht. Ihre Lippen sahen weich und wunderschön aus, wenn sie so lächelte. Cassidy versuchte, nicht daran zu denken, wie diese Lippen schmeckten. »Kaffee?«

»Nein danke.«

»Nimm ihn. Du wirst ihn brauchen.«

Sie zog die Tasse zu sich her, ließ sie aber stehen. Sie setzte sich bequemer hin, schlug die Beine übereinander und faltete die Hände im Schoß, dann sah sie ihn an. »Also? Fragen Sie schon, Herr Staatsanwalt.«

»Laß das, Claire.«

»Was?«

»Mach mir die Arbeit nicht noch schwerer, als sie ohnehin schon ist.«

»Ich dachte, je schwerer sie ist, desto besser gefällt sie dir.«

Er beugte sich über sie. »Glaubst du, es macht mir Spaß, dich über Yasmine auszufragen? Ich weiß, wie nah ihr euch wart und wie sehr dich ihr Selbstmord mitgenommen haben muß.«

»Aber das kann dich nicht aufhalten, oder? Du suchst doch nur jemanden, den du den Löwen zum Fraß vorwerfen kannst.«

Er schlug mit der flachen Hand auf den Tisch. »Ja, verdammt. Und mir ist scheißegal, wer es ist, solange du es nicht bist!«

Eine Zeitlang schwiegen beide angespannt. Seine Augen verrieten mehr, als er aussprechen durfte, aber sie begriff die Botschaft. Sie senkte den Blick und damit ihre Waffen.

»Yasmine kann Jackson Wilde unmöglich ermordet haben«, beschwor sie ihn leise. »Du glaubst doch bestimmt nicht, daß sie es war.«

»Warum sollte ich das nicht glauben?«

»Sie kannte ihn nicht einmal persönlich. Was für ein Motiv soll sie denn gehabt haben?«

»Dasselbe wie du. Er gefährdete ihre Firma, und ihr saßen die Gläubiger im Nacken. Wir haben das herausgefunden, als wir ihre Spende an Wilde überprüft haben.«

»Yasmine steckte in finanziellen Schwierigkeiten, aber Wilde hat French Silk nie in Gefahr gebracht. Sie hat sich darüber amüsiert, daß er sein Ziel nicht nur verfehlt hatte, sondern daß der Schuß sogar nach hinten losgegangen war. Wir florierten dank der Publicity, die er uns verschaffte. Außerdem ist die Frage nach einem Motiv überflüssig. Yasmine war in dieser Nacht in New York.«

»Nein, das war sie nicht.«

»Ich habe sie am Morgen danach vom Flughafen abgeholt.«

»Ich habe bereits vor Wochen die Aufzeichnungen der Fluggesellschaften beschlagnahmen lassen, Claire. Sie kam nicht mit dem Frühflug. Sie kam am Abend zuvor, mehr als zwölf Stunden früher.«

Claire starrte ihn ungläubig an. »Warum hast du mir das nicht gesagt?«

»Ich hatte keinen Grund, Yasmines Geheimnis zu lüften. Ich war der Meinung, sie wäre früher gekommen, um ihren Geliebten zu treffen und du solltest nichts davon erfahren, weil du nichts von der Affäre hieltest. Diese Sache schien nur euch beide zu betreffen, und ich wollte mich nicht zwischen euch stellen. Jetzt hat ihre Lüge allerdings neues Gewicht bekommen.«

Er setzte sich auf die Schreibtischecke ihr gegenüber. »Claire, wußtest du, daß Yasmine in dieser Nacht in New Orleans war?«

»Nein.«

»Hat sie sich deinen Wagen geborgt?«

»Nein. Ich habe sie erst am nächsten Morgen gesehen.«

»Wußtest du, daß sie eine Waffe hatte?«

Sie schwankte. Er sah, daß sie mit dem Gedanken spielte, ihn anzulügen, und war erleichtert, als sie antwortete: »Ja. Ich wußte, daß sie eine Waffe besitzt. Sie hat sie, seit ich sie kenne. Ich habe sie immer wieder gebeten, das Ding loszuwerden.«

»Warum hast du mir nicht eher davon erzählt?«

»Weil ... Yasmine sagte, sie hätte sie verlegt.«

»Du meinst, sie hat sie verloren?«

»Vorübergehend, ja. Sie hat sie wiedergefunden.«

»Du meinst, sie hatte die Waffe verloren und dann tauchte sie plötzlich wieder auf?«

Claire nickte. »Sie mußte sie vor jedem Flug in den Koffer packen, damit sie am Flughafen nicht beschlagnahmt wurde. Sie sagte, wahrscheinlich hätte sie sie in irgendeiner Tasche steckenlassen.«

»Aber trotzdem hast du mir nichts davon erzählt?«

»Ich hielt es nicht für wichtig.«

»Du lügst, verdammt.«

»Also gut!« schrie sie. »Ich hatte Angst, daß du glaubst, die verdammte Waffe hätte was mit dem Mord an Jackson Wilde zu tun.«

»Sie *hat* etwas damit zu tun.«

»Yasmine hat diese Waffe nicht benutzt, um Jackson Wilde zu erschießen.«

»Jemand hat ihn damit erschossen.«

»Nicht Yasmine.«

»Wer außer ihr hatte Zugang dazu?«

»Niemand, soweit ich weiß.«

»Und was ist mit dir?«

»Ich habe noch nie in meinem Leben geschossen. Ich wüßte gar nicht, wie das geht. Das habe ich dir schon hundertmal gesagt.«

»Vielleicht macht das hundert Lügen mehr.«

»Ich lüge nicht.«

»Wann hat Yasmine ihre Waffe verloren?«

»Sie wußte es nicht mehr.«

»Wo hat sie sie verloren?«

»In ihrem Gepäck, vermute ich. Ich weiß es nicht.«

»Wie lange war sie weg?«

»Zwei, drei Wochen. Ich weiß es nicht genau.«

»Wie hat sie sie wiedergefunden?«

»Sie hat gesagt, sie wäre plötzlich in ihrer Handtasche zum Vorschein gekommen.«

»Claire –«

»Ich weiß es nicht!«

»Cassidy?« Ein Mann öffnete nach kurzem Anklopfen die Tür. Er spürte die Spannung, warf einen unsicheren Blick auf Claire und sah dann wieder Cassidy an. »Crowder will Sie sehen.«

»Ich komme nachher zu ihm.«

Der junge Beamte ließ sich durch Cassidys gereizte Antwort nicht abwimmeln. »Tut mir leid, Sir, aber Crowder will Sie sofort sehen. Er hat gesagt, er würd' mich in den Hintern treten, wenn ich Sie nicht mitbringe. Er hat Besuch, und es ist unabdingbar, daß Sie auch kommen.«

Kapitel 27

Cassidy griff fluchend zu seinem Mantel. Während er ihn anzog, sagte er: »Wenn Yasmine in dieser Nacht in Wildes Zimmer war, dann hatte sie Teppichfasern aus deinem Wagen an den Schuhen.«

»Zum hundertsten Mal, ich war in dieser Nacht nicht mit Yasmine zusammen. Ich bin selbst mit meinem Wagen gefahren.« Claire hielt Kopf und Blick gesenkt, aber ihre Stimme war kalt wie Stahl. »Ich habe Yasmine erst gesehen, als ich sie am Morgen danach vom Flughafen abgeholt habe. Wenn sie in New Orleans war, dann hat sie das vor mir verheimlicht. Jedenfalls konnte sie unmöglich mein Auto benutzen.«

»Ich komme so schnell wie möglich zurück. Du bleibst hier im Zimmer.« Er ging hinaus und zog die Tür hinter sich zu.

Auf dem Weg zum Aufzug begegnete er Howard Glenn. »Hallo, Cassidy, ich wollte gerade zu Ihnen.«

»Was gibt's?«

»Wir sind in dieser Spendenliste auf was Interessantes gestoßen.«

»Danke.« Cassidy nahm das Papier, das Glenn ihm entgegenstreckte, faltete es zweimal und schob es sich in die Brusttasche. »Ich schau' es mir so bald wie möglich an. Jetzt muß ich zu Crowder. Bleiben Sie am Ball.«

Er trat in den Fahrstuhl. Als er wieder herauskam, marschierte er, ohne innezuhalten, bis vor Crowders Schreibtisch. »Um Himmels willen, Tony, was ist so verdammt wichtig, daß es keine Sekunde warten kann? Ich habe gerade Claire Laurent verhört. Sie deckt Yasmine, aber je mehr ich aus ihr herausbekomme, desto wahrscheinlicher wird es, daß Yasmine Wilde ermordet hat.«

»Genau darüber wollten wir mit Ihnen sprechen.«

Cassidy fiel wieder ein, daß der Kollege einen Besucher erwähnt hatte, und folgte Crowders Blick. Alister Petrie saß gelassen in einem Ledersessel an der Wand gegenüber.

Cassidy hatte noch nie viel für Petrie übrig gehabt, weder als Mensch noch als Politiker. Außer eindrucksvollen politischen Verbindungen besaß er nichts, was ihn für sein Amt qualifizierte. Cassidy hielt ihn für einen aufgeblasenen Schwätzer, der nichts zustande gebracht hatte, aber genug Geld besaß, um sich einen Sitz im Kongreß zu erkaufen. Weil Cassidy seine Arbeitsmoral schon mit der Muttermilch eingesogen hatte, hatte er für Petrie nur Verachtung übrig, aus der er kaum ein Hehl machte.

»Hallo, Herr Abgeordneter.«

»Mr. Cassidy.« Die Antwort war kühl.

»Setzen Sie sich, Cassidy.« Crowder deutete kurz auf einen Stuhl.

Cassidys Instinkt sprühte Funken wie ein kurzgeschlossenes Elektrokabel. Es lag etwas in der Luft, und wenn er seiner Intuition trauen konnte, dann war es nichts Angenehmes. Tony Crowder traute sich kaum, ihm in die Augen zu sehen. Ein schlechtes Zeichen.

»Der Kongreßabgeordnete wird uns erklären, warum er um dieses Treffen gebeten hat.« Tony räusperte sich verlegen hinter vorgehaltener Faust. »Wenn Sie hören, was er zu sagen hat, werden Sie begreifen, wie wichtig und dringlich die Sache ist. Herr Kongreßabgeordneter?«

Petrie begann mit den Worten: »Ich war sehr erstaunt, als ich heute morgen die Schlagzeilen las, Mr. Cassidy.«

»Es ist auch erstaunlich. Zum Glück war der Techniker auf Draht, sonst hätte er nicht gemerkt, wie ähnlich sich die Ergebnisse der ballistischen Untersuchung an der Kugel, mit der sich Yasmine erschossen hat, und denen aus Wildes Leiche waren. Alle Kugeln weisen eine tiefe Kerbe auf, die ihm aufgefallen war. Also hat er sie verglichen. Sie entstammen derselben Waffe.

Er hat sie noch einmal abgefeuert, nur um sicherzugehen. Er hat sich nicht getäuscht.«

»Er muß sich getäuscht haben.«

»Hat er nicht.«

»Trotzdem müssen Sie Ihre Nachforschungen bezüglich einer möglichen Verbindung zwischen Yasmines Selbstmord und dem Mord an Jackson Wilde unverzüglich und endgültig einstellen. Und zwar sofort.«

Der Befehl wurde so pedantisch und mit so unverblümter Arroganz vorgebracht, daß Cassidy im ersten Moment fast laut aufgelacht hätte. Er schaute Tony Crowder an, aber die Miene seines Vorgesetzten zeigte nicht die Spur eines Lächelns. Sein Gesicht wirkte finster und unnahbar wie ein Totempfahl aus Eichenholz.

»Was zum Teufel soll das?« Er schaute wieder Petrie an. »Wie kommen Sie dazu, mir zu befehlen, ich soll meine Ermittlungen einstellen?«

»Yasmine hat Jackson Wilde nicht ermordet.«

»Woher wissen Sie das?«

»Weil sie in dieser Nacht bei mir war. Die ganze Nacht.«

Stille senkte sich über den Raum. Erneut sah Cassidy Tony an, sein unnachgiebiger Blick forderte eine genauere Erklärung. Der D. A. räusperte sich mit offenkundigem Unbehagen. Cassidys Achtung vor ihm sank. Er hätte Petries Vater sein können, aber er kuschte vor diesem Popanz wie vor einem verdammten Prinzen.

»Der Kongreßabgeordnete ist heute morgen zu mir gekommen und hat zugegeben, daß er ... also, daß er und diese Yasmine ein Verhältnis hatten.«

»Wer hätte das gedacht«, bemerkte Cassidy sarkastisch. »Ich weiß alles über dieses Verhältnis.«

»Dann können Sie sich vorstellen, wie peinlich eine längere und gründliche Untersuchung für den Kongreßabgeordneten und seine Familie werden könnte.«

»Daran hätte er denken sollen, bevor er mit ihr ins Bett gestiegen ist.«

Petrie plusterte sich auf. »Sie können mir diese Peinlichkeit ebensogut ersparen, Mr. Cassidy, denn wie ich Ihnen eben erklärt habe, hatte Yasmine ein Alibi. Sie war bei mir.«

Cassidy sah ihn zornig an. »Sie sind schuld daran, daß sie sich umgebracht hat, nicht wahr, Petrie? Sie hat ihr Gehirn an Ihre Tapete gespritzt, weil Sie ein Lügner und Betrüger sind. Wieso haben Sie ihr eigentlich den Laufpaß gegeben? Hatten Sie sie langsam satt? Oder haben Sie so kurz vor der Wahl kalte Füße gekriegt? Hatten Sie Angst, daß Ihre weißen Wähler nicht mit einer schwarzen Geliebten einverstanden wären?«

»Cassidy!« Tony knallte die Faust auf den Schreibtisch.

Cassidy sprang auf und richtete seinen Zorn nun gegen Crowder. »Zum erstenmal, seit wir in diesem Fall ermitteln, haben wir einen echten Beweis in der Hand. Erwarten Sie im Ernst, daß ich ihn wegschmeiße, nur weil dabei ans Licht kommen könnte, daß die Frau, die mit dem Verbrechen zu tun hat, die Mätresse eines Kongreßabgeordneten war?«

Petries Lässigkeit war verschwunden. Sein Gesicht war vor Entrüstung rot angelaufen, und er war ebenfalls aufgestanden. »Yasmine war nicht meine Mätresse. Sie hat eine unnatürliche und vollkommen einseitige Zuneigung zu mir entwickelt. Eine verhängnisvolle Affäre.«

»Sie sind ein Lügner. Es war eine zweiseitige Affäre, bis Sie den Schwanz eingezogen haben.«

»Sie war eine furchtbar verwirrte junge Frau.«

»So ein Blödsinn.«

»Sie war abhängig von bewußtseinsverändernden Drogen –«

»In Dr. Dupuis Autopsiebericht steht, daß sie nicht mal ein Aspirin im Blut hatte.«

»Offenbar war sie nicht einverstanden mit meiner Position –«

»Ach, ich wette, Sie waren mit fast allen Positionen einverstanden. Welche hatten Sie denn am liebsten? Oben oder unten?«

»Cassidy, es reicht!« brüllte Crowder und erhob sich. »Ich lasse nicht zu, daß Sie den Kongreßabgeordneten in meinem Büro beleidigen. Immerhin ist er aus eigenem Antrieb und unter großem persönlichem Einsatz hierhergekommen.«

»Verdammt noch mal, ich kann das einfach nicht glauben, Tony!« rief Cassidy aus. »Sie wollen das unter den Teppich kehren? Sie wollen so tun, als gäbe es diese ballistischen Tests nicht?«

»Sie wissen so gut wie ich, daß diese Tests ohne Beweiskraft sind. Außerdem klingt das, was er zu sagen hat, ganz vernünftig. Lassen Sie ihn ausreden.«

»Warum, Tony?« fragte Cassidy kochend vor Wut.

»Er hat mich überzeugt, daß die junge Frau kein Motiv hatte, Wilde zu ermorden.«

Cassidy wirbelte herum und nahm Petrie ins Visier. »Sie sind dran. Geben Sie sich Mühe.«

Petrie zupfte am Saum seines Sakkos und sammelte sich. »Yasmine hielt Jackson Wilde für eine Witzfigur«, sagte er. »Gut, er bezeichnete den Katalog von French Silk als pornografisch, aber sie nahm ihn nicht ernst. Sie hat sich über mich lustig gemacht, weil ich ihm den roten Teppich ausgerollt habe, solange er hier war.«

»Oh, Sie sind ein Spezialist im Arschkriechen.«

»Cassidy, halten Sie den Mund!«

Er ignorierte Crowder und baute sich vor Petrie auf. »Sie haben sich auf seinem Podium wirklich gut gemacht. Sie sind genauso ein Wichser wie er. Wilde war der Alister Petrie der Gläubigen. Wie Sie war er ein selbstbezogener, egoistischer Opportunist, dessen einzige Begabung es war, die Leute an der Nase rumzuführen.«

Petries Gesicht wurde noch röter, aber seine Stimme blieb kühl. »Und wenn Sie mich noch so sehr beleidigen, das ändert nichts an den Tatsachen. Yasmine war in der Nacht, in der Jackson Wilde erschossen wurde, bei mir.«

»Wo?«

»Im Doubletree.«

»Sie waren die ganze Nacht im Doubletree, ohne daß Mrs. Petrie mißtrauisch geworden wäre?«

»Ich bleibe oft über Nacht in der Stadt, wenn es spät wird und ich am nächsten Morgen eine frühe Verabredung habe. Auf diese Weise erspare ich mir eine kurze Nacht und den Stoßverkehr am nächsten Morgen.«

»Und Sie haben Gelegenheit, Ihre Frau zu betrügen.«

»Ich versuche, ehrlich zu Ihnen zu sein«, rief Petrie ärgerlich aus. »Ich habe doch zugegeben, daß ich mit Yasmine im Doubletree war.«

»Ich werde das überprüfen.«

»Ich weiß, daß Sie das tun werden.«

»Wie erklären Sie, daß Wilde mit ihrer Waffe erschossen wurde, wenn sie es nicht war?«

»Vielleicht kann ich etwas Licht in diese Sache bringen.«

»Dann tun Sie das bitte.«

Nach dieser sarkastischen Bemerkung sprach Petrie ausschließlich in Crowders Richtung. »Ich war bei Yasmine, als sie ihre Waffe wiederfand.«

»Wiederfand?«

»Ja. Zu ihrer Überraschung entdeckte sie den Revolver unten in ihrer Handtasche, die sie die ganze Zeit bei sich hatte. Sie sagte, sie hätte die Waffe verlegt. Sie meinte, sie hätte sie irgendwo auf ihren Reisen zwischen hier und New York verloren.«

Cassidy fluchte lautlos. Das paßte haargenau zu Claires Geschichte und nahm ihm jeden Wind aus den Segeln. Trotzdem blieb seine Miene grimmig.

»Ich schlage vor, Sie verhören jeden, der Zugang zu Yasmines Tasche hatte«, meinte Petrie. »Und Sie hören auf, nachzuforschen, was sie in dieser Nacht gemacht hat.«

»Das würde Ihnen so passen, wie?«

Unbeeindruckt von Cassidys bissiger Bemerkung beugte sich Petrie vor und hob seine Aktentasche auf. »Ich überlasse Ihnen die Verbrechensbekämpfung, Mr. Cassidy.« Er ließ ein sprödes Lächeln aufblitzen. »Ich erspare Ihnen Stunden fruchtloser Arbeit und möglicherweise eine öffentliche Bloßstellung. Ich hätte nicht hierherkommen und zugeben müssen, daß ich in der Mordnacht mit Yasmine zusammen war. Ich hielt das für meine Bürgerpflicht. Jetzt brauchen Sie das Geld unserer Steuerzahler nicht mit weiteren panischen Aktionen zu verheizen.«

»Sie tun nur einem was Gutes – sich selbst«, widersprach Cassidy mit hämischem Grinsen. »Daß Yasmine und Sie ein Paar waren, haben Sie uns nur gesagt, damit Sie es Ihren Wählern nicht zu sagen brauchen.«

Wieder lächelte Petrie ihn flüchtig an. »Nehmen Sie sich den Rat Ihres Mentors Mr. Crowder zu Herzen. Man hat Ihren Ehrgeiz bemerkt und durchaus registriert. Aber wenn Sie in diesem Sessel sitzen wollen«, er machte eine Kopfbewegung zu Crowders Schreibtisch hin, »sollten Sie sich an die Spielregeln halten.«

»Ich werde keinesfalls für irgendwelche Politiker Mist schaufeln, wenn Sie das meinen.«

»Alles ist politisch, Mr. Cassidy. Und fast alles ist Mist. Wenn Sie sich um ein öffentliches Amt bewerben, werden Sie sich ans Schaufeln gewöhnen müssen.«

Cassidy legte den Kopf zur Seite. »Eine schöne Ansprache, Petrie, aber sie klingt irgendwie einstudiert. Hat Ihre Frau sie Ihnen geschrieben?«

Petries Arroganz sank in sich zusammen wie ein Fallschirm am Boden. Er spie: »Ich will heute abend im *Times Picayune* lesen, daß der Techniker einen Fehler gemacht hat, daß die Beschuldigungen des stellvertretenden District Attorneys Cassidy gegen Yasmine haltlos sind, daß die Staatsanwaltschaft alle früheren Erklärungen bezüglich einer möglichen Verbindung zwischen Yasmine und dem Mord an Wilde zurücknimmt und daß die Ermittlungen in einer anderen Richtung weitergeführt werden. Stellen Sie den Selbstmord als unerklärliche Handlung einer psychisch Kranken hin, die sich aus nur ihr bekannten Gründen entschlossen hat, ihr Leben auf meiner Türschwelle zu beenden.«

»Haben Sie die Hirnspritzer schon von Ihrer Tapete gewaschen?«

»Cassidy.«

»Oder haben Sie gleich neu tapeziert?«

»Cassidy!«

Auch diesmal ließ er sich von Crowders Ermahnung nicht beeindrucken. »Können Sie sie wirklich so schnell aus Ihrem Leben streichen, Petrie? Ein Eimer Wasser und einen Schuß Spülmittel, und *wutsch*, weg ist sie? Mehr hat sie Ihnen nicht bedeutet?«

Cassidy setzte seine Worte wie einen Rammbock ein, weil er hoffte, damit die schützende Fassade zu zerschmettern, die so typisch für das öffentliche Amt war, das Petrie innehatte. Er wollte sich Mann gegen Mann mit Petrie messen. Nur dann wäre er ihm gewachsen, wenn nicht sogar überlegen. Petrie sollte wütend, unruhig und aufgeregt werden. Schließlich erreichte er, was er wollte.

»Yasmine war es nicht wert, daß ich ihretwegen soviel durchmache.« Petrie lachte kurz. »Sie war bloß eine Hure, und sie hatte die heißeste Muschi, die mir je begegnet ist. Pech für Sie, daß Sie sich an ihre kühle Freundin Claire Laurent rangemacht haben und nicht an Yasmine.«

Cassidy sprang auf ihn zu, schubste ihn in den Ledersessel zurück und drückte Petrie gleichzeitig den Unterarm gegen den Kehlkopf und das Knie in den Unterleib.

»Wenn Yasmine eine Hure war, was sind Sie dann, Sie Hurensohn?« Er verstärkte den Druck auf Petries Kehle und bohrte sein Knie in die empfindlichen Hoden. Petrie quiekte vor Angst, Cassidy weidete sich an dem Entsetzen, das er in seinen Augen sah.

Aber Cassidys Freude war nur von kurzer Dauer. Crowder war fast dreißig Jahre älter als er, aber er war zwanzig Kilo schwerer und stark wie ein Bulle. Seine Hände landeten wie nasse Zementsäcke auf Cassidys Schultern, der unter dem Gewicht beinahe eingeknickt wäre. Er zog Cassidy von Petrie weg, der sich die pfeifende Kehle hielt. Der Kongreßabgeordnete ging ängstlich in Deckung und stammelte: »E-er ist verrückt.«

»Ich entschuldige mich für das Verhalten meines Angestellten«, sagte Crowder. Er hielt Cassidy mit einer Hand auf der Brust zurück. Cassidy stemmte sich dagegen. Crowder schaute ihn warnend an.

Petrie raffte zusammen, was von seiner Würde noch übrig war, strich sich das Sakko glatt und fuhr sich mit der Hand übers Haar. »Ich werde Anzeige gegen Sie erstatten. Sie hören noch von meinem Anwalt.«

»Nein, das werden wir nicht«, widersprach Crowder knapp. »Es sei denn, Sie wollen, daß bekannt wird, worüber wir gesprochen haben. Im Moment ist unser Gespräch noch vertraulich. Wenn Sie uns verklagen, wird die Öffentlichkeit alles erfahren.«

Petrie sah aus, als würde er gleich platzen. Trotzdem nahm er sich Crowders subtile Drohung zu Herzen. Ohne ein weiteres Wort verließ er das Büro.

Ein paar Sekunden lang bewegte sich keiner von beiden. Schließlich hob Cassidy die Hand und zog wütend Crowders Pranke von seiner Brust.

»Ich weiß, was Sie denken«, sagte Crowder.

»Sie haben gar keine Ahnung.« Cassidy hatte sein Temperament wieder gezügelt, aber es würde noch eine Weile dauern, bis sein Zorn verraucht wäre. Er war wütend auf den Mann, den er respektiert und unterstützt hatte. Er war gleichzeitig enttäuscht und zornig wie ein Kind, das erkennt, daß sein Held auch Schwächen hat. »Warum haben Sie das getan, Tony?«

Crowder ging an seinen Schreibtisch zurück und ließ sich schwer in den Sessel plumpsen. »Ich habe Petrie einen Gefallen geschuldet. Er hat mich bei der letzten Wahl unterstützt. Er ist ein schleimiger, kaltschnäuziger, hochnäsiger kleiner Bastard. Aber leider hat er auch jede Menge politische Rückendeckung und Geld hinter sich. Er wird wiedergewählt. Ich gehe nächstes Jahr in Pension. Ich will nicht, daß mir Petrie mein letztes Jahr zur Hölle macht.«

Er sah zu Cassidy auf, bat ihn stillschweigend um Verständnis. Cassidy sagte nichts, sondern ging ans Fenster. Von oben konnte er sehen, wie Petrie auf der Straße von Reportern umzingelt wurde und eine Erklärung in die Mikrofone und Kameras sprach. Er konnte nicht hören, was der Kongreßabgeordnete sagte, aber bestimmt würde jedes verlogene, zuckersüße Wort in den Fünfuhrnachrichten wiedergekäut werden. Traurigerweise würde fast alles von einer Öffentlichkeit geglaubt werden, die sich nur zu gern verführen ließ und immer geneigt war, einem hübschen Gesicht und aufrichtigen Lächeln zu glauben.

»Früher, als ich jung und wütend und energiegeladen war wie Sie, hätte ich ihm die Eier am Boden festgenagelt«, sagte Crowder gerade. »Ich hätte ihm erklärt, daß es bei der Verbrechensaufklärung keine Mauscheleien geben darf und daß ich keine Abkommen treffen kann, die uns in unserer Arbeit behindern. Bestimmt hätte ich ihm das auch heute morgen gesagt und ihn dann rausgeworfen, wenn ich meiner Sache sicher sein könnte. Aber unterm Schlußstrich hat er recht, Cassidy. Schließlich ist er freiwillig zu mir gekommen und hat zugegeben, daß er eine Geliebte hatte. Deshalb müssen wir ihm glauben, wenn er sagt, daß sie in der Mordnacht bei ihm war.«

Cassidy starrte immer noch aus dem Fenster und beobachtete die Pantomime unten auf der Straße. Wildes Gefolgsleute bejubelten Petrie, der sich jetzt verabschiedete. Seine Leute halfen ihm in einen Kleinbus und machten ihm den Weg frei. Eine Motorradstreife eskortierte den Bus.

»Scheiße«, murmelte Cassidy und drehte sich um. »Manchmal glaube ich, ich habe Wildes Leiche, die drei Einschüsse und das Blut nur geträumt. Er wurde doch ermordet, oder?«

»Gewiß.«

»Dann, verdammt noch mal, hat ihn jemand umgebracht.«

»Aber nicht Yasmine. Ich habe schon eine Beamtin ins Doubletree geschickt, um Petries Geschichte zu überprüfen. Bevor Sie zu mir kamen, hat sie angerufen. Petrie hatte sich dort ein Zimmer genommen. Bis jetzt hat sie vier Leute aufgetrieben, die ihn dort gesehen haben. Den Portier, den Pagen –«

»Schon gut, schon gut. Was ist mit Yasmine?«

»Niemand kann bezeugen, sie gesehen zu haben. Aber wenn sie sich heimlich getroffen haben, hat sie sich natürlich Mühe gegeben, nicht aufzufallen. Und wenn man das Hotel durch die Seitentür betritt, kommt man direkt zum Aufzug, ohne erst durch die Lobby zu müssen.«

Cassidy schob die Hände in die Hosentaschen. »Damit wären wir wieder am Anfang.«

»Nicht wirklich«, sagte Crowder ruhig.

»Wie meinen Sie das?«

»Die Sache ist ganz einfach, Cassidy. Sie war es von Anfang an. In diesem Augenblick sitzt die Mörderin in Ihrem Büro.«

»Claire war es nicht.«

Crowder pochte mit dem Zeigefinger auf die Tischplatte. »Sie hatte dasselbe Motiv wie Yasmine, nur war ihres stärker. Sie hatte eine Gelegenheit, denn sie hat für diese Nacht kein stichhaltiges Alibi. Wir haben ihre Stimme aufgenommen, als sie ihren Freund im Fairmont gebeten hat, für sie zu lügen. Die Teppichfasern am Tatort passen zu denen in ihrem Wagen. Sie hatte Zugang zu Yasmines Waffe und konnte sie wieder zurücktun, nachdem sie sie benutzt hatte. Mein Gott, was wollen Sie denn noch?«

»Sie war es nicht«, wiederholte Cassidy gepreßt.

»Sind Sie so überzeugt von ihrer Unschuld?«

»Ja.«

»So sehr, daß Sie Ihre Karriere dafür aufs Spiel setzen?«

Crowders Sekretärin steckte den Kopf durch den Türspalt. »Es tut mir leid, Mr. Crowder, aber sie hat darauf bestanden –«

Die Sekretärin wurde von Ariel Wilde zur Seite gestoßen. Mit wehendem, blaßblondem Haar kam sie hereingesegelt. Sie trug ein weißes Kostüm, das an das Kleid aus ihrer Fernsehshow erinnerte.

»Ah, Mrs. Wilde, wie nett von Ihnen, bei uns vorbeizuschauen«, begrüßte Cassidy sie sarkastisch. »Kennen Sie District Attorney Anthony Crowder schon? Mr. Crowder, Mrs. Ariel Wilde.«

Sie richtete ihren eisblauen Blick auf Cassidy. »Gott wird über Sie rechten. Sie haben eine Posse aus dem Mord an meinem Mann gemacht.«

Cassidys Brauen hoben sich. »Posse? Sie nennen das hier eine Posse? Was ist mit der Posse, die Sie aus Ihrer Ehe gemacht haben, indem Sie sich mit Ihrem Stiefsohn eingelassen haben?«

»Ich habe keinen Stiefsohn mehr. Unter Ihrem Einfluß hat er sich zu einem Judas gewandelt. Gott wird auch ihn bestrafen.«

»Wie bestraft Gott einen Lügner, Mrs. Wilde? Denn Sie haben schließlich auch gelogen, nicht wahr? In der Nacht, in der Ihr Mann ermordet wurde, haben Sie Joshs Zimmer gegen Mitternacht verlassen, um einen Ausflug zu Ihrer Suite zu machen.«

»Cassidy, worauf wollen Sie hinaus?« fragte Crowder.

»Ich habe vor ein paar Tagen herausgefunden, daß Josh einen Chrysler LeBaron Cabrio gemietet hatte, als er in New Orleans war. Zufällig ähnelt er dem Wagen Claire Laurents und hat denselben Teppich.«

»Ich bin hergekommen, um Ihnen zu sagen –«

Cassidy ließ Ariel nicht ausreden. »Sie sind in Joshs Mietwagen gefahren. Vielleicht haben Sie die Teppichfasern in das Schlafzimmer Ihres Mannes geschleppt, als Sie ihn umgebracht haben.«

»Ich hätte sie jederzeit in sein Zimmer schleppen können«, zeterte sie. »Statt den Mörder meines Mannes zu finden, quälen Sie immer nur mich und mein ungeborenes Kind.«

Wie auf ein geheimes Stichwort stürmten in diesem Moment zwei Reporter und ein Kameramann an der fassungslosen Sekretärin vorbei durch die offene Tür. Ariel umfaßte ihren Bauch mit beiden Händen. »Wenn ich mein Kind verliere, trifft Sie die Schuld daran, Mr. Cassidy. Ich brauche nur in die Zeitung zu sehen und weiß, daß der Tod meines Mannes mit diesem widerwärtigen Katalog und der Hure zu tun hat, die sich darin zur Schau gestellt hat!«

»Yasmine war keine Hure.«

Die ruhige Feststellung kam von Claire, die vollkommen unerwartet in der Tür auftauchte.

Cassidy war mit seiner Geduld am Ende. »Ich habe gesagt, du sollst in meinem Büro bleiben.«

»Metze!« kreischte Ariel und zeigte mit dem Finger auf Claire.

»Alles raus aus diesem Büro!« brüllte Crowder. »Wer hat die

Reporter reingelassen?« Die Videokamera schwenkte herum und fing das rot angelaufene, zornige Gesicht des District Attorneys ein.

Ariel stürzte sich auf Claire. Ihre Augen zogen sich zu bösartigen Schlitzen zusammen. »Endlich stehen wir uns von Angesicht zu Angesicht gegenüber.«

»Ich habe das so lange wie möglich vermieden.«

»Der Sünde Lohn ist der Tod«, zischte Ariel.

»Ganz genau«, antwortete Claire. »Deshalb mußte Ihr Mann sterben.« Sie drehte sich um und sah Cassidy in die Augen. »Deshalb mußte ich ihn umbringen.«

Kapitel 28

Von da an ging alles so schnell, daß sich Claire später nicht mehr an den genauen Ablauf der Ereignisse erinnern konnte.

Ariel Wilde sank auf die Knie, streckte die gefalteten Hände gen Himmel und dankte Gott lauthals dafür, sein mächtiges Schwert der Gerechtigkeit geschwungen zu haben.

Crowder brüllte nach dem Wachdienst, der sein Büro räumen sollte.

Die Reporter stießen Claire ihre Mikrofone entgegen und bombardierten sie mit Fragen.

Der Kameramann stellte seinen schmutzigen Schuh auf einen teuer bezogenen Sessel, um die sich entfaltende Szene besser ins Blickfeld zu bekommen.

Die Sekretärin hinter Claire kreischte: »O mein Gott«, als sie sich umdrehte und eine Meute von Wildes Jüngern heranstürmen sah.

Als Claire später Zeit fand, sich den Aufruhr nach ihrem Geständnis wieder ins Gedächtnis zu rufen, kamen ihr die Erinnerungen verschwommen vor, so als hätte sie alles hinter einer Milchglasscheibe mitverfolgt. An eines erinnerte sie sich jedoch mit schmerzhafter Klarheit – daran, wie Cassidy sie angesehen hatte.

Myriaden von Gefühlen zuckten über sein Gesicht. Unglauben. Trauer. Schuld. Verwirrung. Enttäuschung. Schmerz. Und doch blieb unter diesem Kaleidoskop von Reaktionen sein funkelnder Blick unnachgiebig auf sie gerichtet.

Er löste sich erst von ihr, als einer von Ariels Gefolgsleuten Claire von hinten schubste und sie sich am Türpfosten festhalten mußte, um nicht umzufallen. Die Wachleute waren noch nicht da, deshalb drängte die Menge ungehindert nach.

Ariel beendete ihr Gebet, sprang auf und richtete anklagend den Finger auf Claire. »Sie hat meinen Mann ermordet, einen der bedeutendsten geistigen Führer dieses Jahrhunderts!«

Der Kameramann hatte Schwierigkeiten, alles auf Band zu bekommen. Die Reporter bombardierten Claire mit Fragen. Wie eine immer gewaltiger werdende Flutwelle drängten mehr und mehr Menschen auf Crowders Bürotür zu, stiegen auf und über die Schreibtische der Sekretärinnen und kämpften Crowders Angestellte und sich gegenseitig nieder, um besser sehen zu können.

Die Nachricht von Claires Geständnis ging von Mund zu Mund. Immer haßerfüllter wurde ihr Name weitergegeben. In kürzester Zeit hatte sich die Menge in einen Lynchmob verwandelt.

»Sie ist es von Anfang an gewesen!« hörte sie einen Mann brüllen.

»Sie und French Silk sollen auf ewig in der Hölle schmoren!«

Die Atmosphäre wurde zunehmend aggressiver. Die Schreie wurden lauter, die Beleidigungen infamer. Crowder befahl den Reportern zu verschwinden. Er zog den Kameramann von seinem Sessel. Daraufhin rutschte dem Mann die Kamera von der Schulter. Sie krachte auf den Boden, und er begann Crowder wütend zu beschimpfen, weil der die Pressefreiheit einschränken wolle.

Da die Kamera nicht mehr zu gebrauchen und daher ungefährlich war, ließ Crowder ihn schimpfen und konzentrierte sich auf Ariel Wilde. »Schaffen Sie Ihre Anhänger hier raus!«

»»Mein ist die Rache, spricht der Herr‹«, zeterte sie mit fanatisch strahlenden Augen.

Cassidy wachte plötzlich auf und wurde sich der feindseligen Menge bewußt. Er eilte zu Claire und klammerte seine Hand um ihren Unterarm. »Wenn das so weitergeht, reißen sie Miss Laurent noch in Stücke.« Er mußte brüllen, um sich Crowder verständlich zu machen. »Ich bringe sie hier weg.«

»Wo bringen Sie sie hin? Cassidy?«

Das war das letzte, was Claire von Crowder sah und hörte, denn Cassidy warf seinen Arm über ihre Schulter, drehte sie herum und begann, sich eine Bresche in die Mauer der Pöbelnden zu schlagen.

»Räumen Sie das Büro! Schaffen Sie diese Leute hier raus!«

Die Sekretärinnen und Angestellten reagierten auf Cassidys wütenden Befehl, indem sie die Leute ebenso freundlich wie hilflos aufforderten, doch bitte zu gehen. Keiner hörte auf sie. Endlich erschienen die uniformierten Wachbeamten. Sie stürzten sich in das Getümmel, brüllten Befehle und drohten massenweise Verhaftungen an, mit denen sie bei niemandem Eindruck schinden konnten.

Claire wurde klar, daß Cassidy versuchte, sie zur Treppe zu bringen. Aber ein bulliger Bibelschwinger in einem T-Shirt mit dem Aufdruck GOTT IST LIEBE blockierte die Tür zur Nottreppe und knurrte Claire an: »Dafür wirst du in der Hölle schmoren, Schwester.«

»Aus dem Weg, oder Sie landen noch vor ihr dort«, drohte Cassidy.

Der Mann grunzte, seine Hand schoß vor, packte Claire am Haar und zog mit aller Kraft. Er riß ihr ein paar Strähnen aus. Claire stieß einen Schmerzensschrei aus und riß instinktiv beide Hände hoch, um ihren Kopf zu schützen.

Cassidy hàndelte ebenfalls instinktiv. Er rammte dem Mann die Faust in die Magengrube und versetzte ihm, als er in sich zusammensank, einen Kinnhaken, der seinen Hinterkopf gegen die Wand krachen ließ.

Die Menschen um sie herum begannen zu schreien. Innerhalb weniger Sekunden geriet alles in Panik. Cassidy zerrte die Tür auf und schubste Claire vorwärts, so daß sie auf den Treppenabsatz taumelte.

Dann packte er einen Wachmann am Kragen und benutzte ihn als Schild, um den Notausgang zu blockieren. »Halten Sie mir den Rücken frei, bis ich sie aus dem Haus geschafft habe. Lassen Sie niemanden durch diese Tür«, brüllte er und zog die Tür wieder zu. Der Wachmann nickte dumpf, ohne recht zu wissen, wie ihm geschah.

Cassidy packte Claire an der Hand und begann, die Treppe hinunterzulaufen. »Ist alles in Ordnung?«

Claire merkte, daß sie vor Angst kein Wort herausbrachte. Wie der fassungslose Wachmann nickte sie nur, aber Cassidy hatte es so eilig, daß er sich nicht einmal umdrehte.

Die Treppe diente als Fluchtweg und endete an einer Außentür, so daß sie nicht durch das Chaos in der Lobby des Gebäudes mußten. Dort trampelten sich Wildes Gefolgsleute, verwirrte Angestellte und jene Bemitleidenswerte nieder, die an diesem Nachmittag in den Büros der Staatsanwaltschaft zu tun hatten.

Sobald sie draußen waren, zerrte Cassidy Claire hinter sich her, an der Rückfront des Gebäudes vorbei auf die andere Seite, wo sein Wagen parkte. »Scheiße!« Er blieb so plötzlich stehen, daß Claires Zähne aufeinanderschlugen. »Mein Autoschlüssel liegt auf dem Schreibtisch.«

Er vergeudete keine Zeit mit Nachdenken, sondern machte sich sofort auf die Suche nach etwas, womit er das Fenster einschlagen konnte. Kostbare Sekunden später kehrte er mit einem Ziegel von einer Baustelle in der Nähe zurück. »Kopf weg.«

Er schlug das Seitenfenster mit dem Ziegel ein, faßte dann durch das zerbrochene Glas und entriegelte die Tür. Sowie Claire eingestiegen war, knallte die Tür zu. Sie beugte sich nach links und öffnete ihm die Fahrertür.

»Wie willst du ihn denn starten?«

»Wie ein Autoknacker.«

Während Claire die Glassplitter vom Sitz fegte, schloß er den Wagen kurz. Die Flucht war ihnen innerhalb weniger Minuten geglückt. Um das Rathaus herum erstreckte sich ein Labyrinth von Einbahnstraßen, das genaue Wegplanung erforderte, selbst wenn man täglich dort herumfuhr. Im Fahren riß Cassidy den Hörer seines Autotelefons von der Gabel und warf ihn Claire in den Schoß.

»Ruf French Silk an. Sag ihnen, sie sollen für heute schließen und so schnell wie möglich verschwinden.«

»Sie werden sich nicht trauen –«

»Du hast sie eben gesehen. Gott allein weiß, wozu diese Wahnsinnigen imstande sind, wenn sie hören, daß du gestanden hast.«

Claire hatte Angst um das Gebäude und das kostbare Inventar, aber mehr noch um die Sicherheit ihrer Angestellten. Nervös hackte sie auf die gummibezogenen Tasten des Apparats ein. »Meine Mutter. Ich muß sie in Sicherheit bringen.«

»Ich denke schon darüber nach«, antwortete er angespannt und raste bei Gelb über eine Ampel.

Claire hatte ihre Sekretärin am Apparat. »Es hat eine neue Entwicklung im Fall Wilde gegeben.« Sie sah Cassidy an; er warf ihr einen kurzen Seitenblick zu. »Es könnte gefährlich werden, wenn French Silk heute geöffnet bleibt. Schicken Sie alle heim. Ja, sofort. Sagen Sie ihnen, sie brauchen nicht wieder zur Arbeit zu erscheinen, ehe wir es ihnen sagen. Natürlich wird ihnen der Ausfall bezahlt. Sichern Sie das Gebäude. Schnell. Und jetzt stellen Sie mich bitte zu meiner Wohnung durch.«

Während das passierte, sagte sie zu Cassidy: »Ich muß nach Hause. Ich muß mich um meine Mutter kümmern.«

»Ich kann dich nicht zu French Silk bringen, Claire. Ariels Kommunikationssystem ist effektiver als jedes Fernsprechnetz. Aber du hast recht, wenn sie das Gebäude stürmen, könnte es gefährlich für Mary Catherine werden.«

Bei dem Gedanken geriet Claire in Panik. »Du mußt mich sofort zu ihr bringen, Cassidy.«

»Das kann ich nicht.«

»Natürlich kannst du.«

»Kann Harry sie mit nach Hause nehmen?«

»Ich muß –«

»Wir haben keine Zeit zum Streiten, verdammt! Kann Harry sie mit nach Hause nehmen?«

Er wandte seinen Blick kurz vom Verkehr ab und sah sie an, Claire hätte ihm am liebsten widersprochen, aber der Vorschlag klang vernünftig. Gepreßt sagte sie ins Telefon: »Hallo, Harry, ich bin es. Hören Sie mir gut zu.« Sobald sie ihre Bitte vorgebracht hatte, erklärte sie: »Ich weiß, es ist eine Zumutung, aber ich muß wissen, daß Mama in Sicherheit und in guten Händen ist. Verhalten Sie sich möglichst unauffällig. Nein, ich bin sicher, Sie werden das ausgezeichnet machen. Aber beeilen Sie sich. Bringen Sie sie sofort weg. Ja, ich werde auf mich aufpassen. Ich rufe später an und lasse Sie wissen, wo ich bin.«

Sie legte auf, blieb angespannt sitzen und starrte stur geradeaus. Cassidy fädelte sich durch den Verkehr und bog ziellos ab. Er fuhr gut, aber schnell. Seine Augen waren ständig in Bewegung, schwenkten hin und her wie ein Minendetektor.

»Solltest du mich nicht zur Polizei bringen?«

»Später. Wenn sie die Verrückten vertrieben haben und ich keine Angst mehr zu haben brauche, dich an einen Fanatiker zu verlieren, der sich Auge um Auge an dir rächen möchte.«

»Wohin fahren wir dann?«

»Ich bin für jeden Vorschlag zu haben.«

»Heißt das, du hast dir gar kein Ziel überlegt?«

»Ungefähr ein Dutzend bis jetzt. Aber keins davon gefällt mir. Ich kann dich nicht zu French Silk bringen. Und sobald sie merken, daß du nicht dort bist, werden sie in meiner Wohnung nach dir suchen.«

»Es gibt Hunderte von Hotels und Motels.«

»Sie werden sie überprüfen.«

»Auch außerhalb der Stadt?«

Er schüttelte den Kopf. »Mit dem kaputten Fenster kann ich nicht so lange rumfahren. Zu auffällig.«

»Bring mich zurück.«

Er schnaubte höhnisch. »Auf gar keinen Fall. Nicht mal, wenn du dich umbringen willst.«

»Ich habe einen Mord gestanden, Cassidy. Ein Schwerverbrechen. Jeder Polizist im ganzen Staat wird nach mir suchen. Wenn ich fliehe, mache ich alles nur noch schlimmer.«

»Du bist nicht flüchtig, solange du in meiner Obhut bleibst. Sobald wir uns irgendwo verkrochen haben, rufe ich Crowder an. Wenn die Luft erst rein ist, bringe ich dich ins Sheriffsbüro und lasse dich offiziell festnehmen. Ich hoffe nur, ich kann dich

dorthin bringen, ohne daß die Presse Wind davon bekommt.«
Er warf ihr einen Blick aus dem Augenwinkel zu. »Bis dahin
muß ich sichergehen, daß dich nicht irgendein Bastard mit einer
Bibel in einer Hand und einer abgesägten Schrotflinte in der
anderen aufstöbert.«

Er übertrieb nicht. Sie legte einen Finger auf die wunde Stelle an
ihrem Kopf und schauderte, als sie an den Haß in den Augen
des Mannes dachte.

»Hast du irgendeine Idee?« fragte er. »Leider besitze ich keine
Angelhütte, kein Boot und kein –«

»Tante Laurels Haus«, sagte Claire unvermittelt. »Es ist seit
Jahren verschlossen. Kaum jemand weiß, daß es immer noch
mir gehört.«

»Hast du einen Schlüssel?«

»Nein, aber ich weiß, wo einer versteckt ist.«

Sie fand den Hausschlüssel unter dem Stein neben dem dritten
Kamelienbusch im Blumenbeet unten links vor der Veranda, wo
er versteckt worden war, seit Claire denken konnte. Cassidy
hatte seinen Wagen nicht auf der Straße vor dem Haus parken
wollen, deshalb hatten sie ihn in der Gasse hinter dem Garten
abgestellt.

Als sie das alte Stadthaus betraten, roch es muffig und abgestan-
den wie jedes unbewohnte Gebäude, aber Claires Geruchsner-
ven wurden von vielfältigen angenehmen Erinnerungen erregt:
Tante Laurels Rosenkissen, Parfümbällchen aus getrockneten,
mit Nelken gespickten Orangen, staubige alte Spitzen, Jasmin-
tee und Weihnachtskerzen.

Der Anblick der Eingangshalle versetzte Claire in ihre Kindheit
zurück. Manche Erinnerungen waren so undurchsichtig wie die
Vorhänge vor den schmalen Fenstern beiderseits der Eingangstür. Andere waren lebendig wie die Farben in dem echten Per-
serteppich. Manche leuchteten wie die buttergelben Sonnen-
strahlen, die gesprenkelte Schatten auf die Wände warfen. Andere waren düster wie die mächtige Standuhr, die groß und
schweigend in der Ecke stand.

Cassidy schloß die Tür hinter ihnen und verriegelte sie wieder, dann schielte er durch die Vorhänge, bis er sich davon überzeugt hatte, daß niemand ihnen gefolgt und kein neugieriger Nachbar auf sie aufmerksam geworden war. Er drehte sich mit dem Rücken zum Fenster und nahm den Raum in Augenschein. Claire beobachtete seine Reaktion genau; ihr wurde klar, daß sie hoffte, er würde das Haus ebenso mögen wie sie.

»Wann warst du zum letzten Mal hier?« fragte er.

»Gestern.« Er sah sie verdutzt an, und sie lächelte. »So kommt es mir jedenfalls vor.«

Sie machte ihm ein Zeichen, ihr zu folgen. »Ich zeige dir den Hof. Es ist für mich der schönste Platz im Haus. Später bringe ich dich nach oben.«

»Gibt es hier ein Telefon?«

»Wir haben es abgemeldet, als wir ausgezogen sind.«

»Ich werde mein Autotelefon benutzen müssen.«

»Jetzt gleich?« fragte sie enttäuscht.

»Nicht gleich, aber bald, Claire.«

»Ich verstehe.«

Er folgte ihr durch ein vornehmes Eßzimmer und eine verwinkelte Küche in das Sonnenzimmer, wie sie es nannte. Es hatte auf drei Seiten Fenster und war mit weißen Rattanmöbeln eingerichtet, deren gemütlich wirkende blumengemusterte Chintzpolster in der Mitte durchgesessen waren. Vom Sonnenzimmer gelangte man in den Hof. Claire entriegelte die Terrassentür, stieß sie auf und trat auf das brüchige Ziegelpflaster hinaus.

»Da drüben, hinter der doppelten Glastür, ist das Wohnzimmer. Oder der Salon, wie Tante Laurel sagte. Darüber, im ersten Stock, war mein Zimmer. Manchmal im Sommer, wenn es nicht so viele Mücken gab, erlaubten mir Mama und Tante Laurel, draußen auf dem Balkon zu schlafen. Ich habe es geliebt, beim Einschlafen den Brunnen plätschern zu hören. Und morgens roch ich frischen Kaffee und Geißblatt, bevor ich die Augen aufmachte.«

Außer einer eifrigen Glyzinienranke und einem schnellen, verschreckten Chamäleon war nichts Lebendiges im Hof. Der Fuß des Brunnens war rissig und bröckelte. Das Becken um den nackten Cherub war voller Regenwasser und totem Laub. Die alte Schaukel war eingerostet und quietschte, als Claire sie sachte anschob.

»Überall hing damals Farn. Wenn die Farne Ableger bekamen, knipsten wir sie ab und ließen sie im Wasser Wurzeln treiben, ehe wir sie in Tontöpfe pflanzten. Jedes Frühjahr setzen wir winterharte Pflanzen in die Beete. Manchmal blühten sie bis in den Dezember. An milden Abenden aßen wir hier draußen. Bevor ich in die Schule kam, saß Mama immer in diesem Stuhl und erzählte mir Märchen.« Liebevoll fuhr sie mit der Hand über das rostige Schmiedeeisen.

»Es macht mich traurig, all das so verwahrlost zu sehen. Als würde ich vor der Leiche eines geliebten Menschen stehen.« Sie ließ noch mal den Blick wehmütig über den Hof schweifen, dann trat sie zurück ins Sonnenzimmer. In der Küche öffnete sie eine Dose aus der Vorratskammer und stellte fest, daß immer noch Tee darin war. »Als ich das letzte Mal hier war, habe ich mir Tee gemacht. Möchtest du welchen?«

Ohne seine Antwort abzuwarten, spülte sie den Kessel aus und schaltete den Herd ein. Sie wollte gerade Tassen aus dem Schrank nehmen, als Cassidy ihre geschäftigen Hände einfing und Claire zu sich herumdrehte.

Ihr war klar gewesen, daß dieser Augenblick kommen mußte. Sie hatte gewußt, daß Cassidy sie irgendwann fragen würde und daß sie ihm dann alles erzählen mußte. Sie hatte diesen Moment so lange wie möglich hinausgezögert; jetzt war es soweit.

»Claire«, frage er leise, »warum hast du Jackson Wilde umgebracht?«

Seine Augen blickten durchdringend in ihre. Die Zeit war gekommen.

»Jackson Wilde war mein Vater.«

Kapitel 29

Frühling 1958.

Es war heiß im Vieux Carré, obwohl der Mai erst ein paar Tage zählte. Die Blüten waren in solcher Fülle aufgesprungen, daß die Luft wie Parfüm duftete. Die jungen Blätter leuchteten grün. Der Frühling hatte auch die drei Schulmädchen erwischt und erfüllte sie mit einer Lebenslust, die mit Englisch, Geometrie, Französisch oder Chemie nicht zu stillen war.

Um etwas von ihrer überschäumenden Energie abzulassen, hatten sie die Schule geschwänzt und sich auf die Suche nach den verbotenen Vergnügungen gemacht, die im französischen Viertel zu finden waren. Sie schmausten Lucky Dogs, die sie von einem Straßenhändler kauften, und ließen sich mitten auf der Straße von einer Zigeunerin mit einem Papagei auf der Schulter aus der Hand lesen.

Alice ließ sich von Lisbet herausfordern und wagte einen Blick in eine der schummrigen Bars an der Bourbon Street, deren Türsteher die Tür, um sie zu necken, extra weit aufschwingen ließ. Quiekend rannte sie zurück zu ihren Freundinnen. »Was hast du gesehen?«

»Das glaubt ihr mir nie«, ereiferte sich Alice.

»War sie nackt?«

»Bis auf ein paar Troddeln. Die hat sie rumgewirbelt.«

»Du lügst«, urteilte Lisbet.

»Ehrlich.«

»Das kann niemand. Das ist anatomisch unmöglich.«

»Nur wenn man so kleine hat wie du«, widersprach Alice boshaft.

Mary Catherine Laurent mischte sich diplomatisch ein. Sie spielte oft die Friedensstifterin, denn ihr war jeder Streit verhaßt, und am allermeisten der unter ihren Freundinnen. »Mehr hatte sie nicht an?«

»Keinen Faden. Gut, da war noch ein winziges Glitzerdreieck über ihrer Du-weißt-schon-was.«

»Ihrer Muschi?« Die beiden anderen Mädchen starrten Lisbet mit riesigen Augen an. »Mein Bruder sagt so dazu.« Lisbets Bruder studierte an der Tulane University und erweckte bei den Freundinnen seiner kleinen Schwester ehrfürchtige Bewunderung.

Alice schniefte hoheitsvoll. »Das sieht ihm ähnlich. Er ist unhöflich, ungebildet und hat keine Manieren.«

»Und du bist über beide Ohren in ihn verliebt«, neckte sie Mary Catherine.

»Bin ich nicht.«

»Bist du doch.«

»Das spielt keine Rolle«, verkündete Lisbet und marschierte den Gehsteig entlang, daß ihr die Falten ihres blaugrauen Wollschulrocks über die Waden fegten. »Er hat was mit Betsy Bouvier. Er hat mir erzählt, daß er bei ihrem letzten Rendezvous die Hand unter ihren Rock geschoben hat.« Sie schaute über die Schulter auf Alice, die sie entsetzt ansah. »Reingefallen, Alice!«

»Oh!«

»Bedeutet Möse das gleiche wie Muschi?« fragte Mary Catherine, die sich beeilen mußte, um die anderen einzuholen.

»Psst!« Ihre beiden Freundinnen zischten sie speichelsprühend an. »Mein Gott, Mary Catherine. Du hast wirklich überhaupt keine Ahnung!«

»Ich hab' keine älteren Brüder«, verteidigte sie sich. »Bedeutet es dasselbe?«

»Ja.«

»Aber«, mahnte Alice, »wenn ein Mann so was zu dir sagt, dann mußt du ihm eine Ohrfeige verpassen.«

»Oder ihm mit dem Knie in die Eier stoßen.«

»So ein schlimmes Wort ist es?«

»Es ist das schlimmste von allen.« Lisbet verdrehte dramatisch die Augen.

»Gestern hast du noch gesagt, ›ficken‹ wär' das schlimmste.«

Die beiden Mädchen grinsten sich an und schüttelten den Kopf über Mary Catherines Unwissenheit und Verwirrung. »Es ist hoffnungslos mit ihr.«

Sie stöberten in den billigen Souvenirläden beiderseits der Bourbon Street und taten, als würden sie die gefiederten, flitterbesetzten Mardi-Gras-Masken bewundern, während sie in Wirklichkeit eine Kaffeetasse mit detailgetreuem Phallusgriff studierten.

»Glaubst du, sie werden wirklich so groß, wenn ... du weißt schon ... wenn man es macht?« flüsterte Alice.

Lisbet antwortete scheinbar herablassend: »Oh, sie werden noch viel größer.«

»Woher weißt du das?«

»Das habe ich gehört.«

»Von wem?«

»Ich weiß nicht mehr, aber sie hat gesagt, er wär' riesig gewesen und es hätte höllisch weh getan, als er ihn reingesteckt hat.«

Mary Catherine war entgeistert. »Du kennst eine, die es schon gemacht hat?«

Doch allem Nachbohren zum Trotz konnte Lisbet keinen Namen nennen, deshalb blieb ihre Behauptung ohne Beweiskraft.

»Ich kann es kaum erwarten«, gab Alice zu, als sie aus dem Laden traten und weitergingen.

»Obwohl es weh tut?« Mary Catherine fand, daß die Sache mit dem Sex unappetitlich und undamenhaft klang.

»Es tut doch nur beim ersten Mal weh, dumme Gans. Wenn er deine Kirsche gepflückt hat, ist alles gut.«

»Was ist eine Kirsche?«

Daraufhin fielen die beiden anderen Siebzehnjährigen vor Lachen gegen die Außenwand eines Jazzlokals.

Unweigerlich drehten sich all ihre Gespräche um die menschliche Sexualität. Die Nonnen erklärten ihren Schülerinnen immer wieder, daß es eine schwere Sünde sei, über derlei Dinge nachzudenken, deshalb dachten sie kaum an etwas anderes. Mary Catherine und ihre beiden besten Freundinnen hatten sich über alles Gedanken gemacht – angefangen davon, ob sich die Nonnen außer dem Kopf auch die Scham rasierten, bis zu Spekulationen darüber, wie die männliche Anatomie genau beschaffen war.

Sie hatten sich heimlich Romane von James Joyce, James Baldwin und James Jones ausgeliehen – Lisbet hatte gemeint, daß der Name die Männer irgendwie erotisch machte –, und die Passagen verschlungen, in denen es um Beischlaf ging und die manchmal praktischerweise bereits von anderen Lesern markiert worden waren. Aber zuweilen waren selbst diese Beschreibungen zu beschönigend und vage gehalten.

Mary Catherine hatte den Eindruck, je mehr sie über Sex erfuhr, desto mehr gab es noch zu lernen. Um nicht zu resignieren, schrieb sie alle neuen Erkenntnisse in ihr Tagebuch. Jeden Abend nach dem Beten vertraute sie alles Wichtige dem ledergebundenen Buch mit dem kleinen Goldschloß an. Heute abend würde sie ganze Seiten mit neuen Eindrücken und Worten füllen können.

Sie und ihre Freundinnen wanderten durch das Viertel, ein Trio gutaussehender junger Frauen, deren reife, junge Körper gar nicht zu den strengen Schuluniformen paßten. Die schlanken Fesseln schienen eher für hohe Absätze und Seidenstrümpfe als für die verhaßten Schnallenschuhe und Wadenstrümpfe geschaffen zu sein.

Sie kamen auf den Jackson Square und blieben stehen, um mit einem Straßenkünstler zu flirten, der gelangweilt den Touristen seine Bilder darbot. Unter den ausgestellten Werken stach ein koloriertes Kohleporträt Marilyn Monroes hervor.

»Wahrscheinlich hat er noch ein Nacktbild von ihr«, erklärte Lisbet wissend. »Er hat es in seinem schmutzigen kleinen Rattenloch versteckt. Nachts holt er es raus, schaut es sich an und wichst dabei.«

»Glaubst du, irgendwann wird einmal ein Mann vor meinem Bild wichsen?« fragte Alice sehnsüchtig.

»Du solltest diese Woche lieber zweimal zum Beichten gehen«, sagte Lisbet. »Du hast nur Sex im Kopf.«

»Ich? Du bist doch unser wandelndes Sexlexikon. Wenigstens hältst du dich dafür.«

»Ich habe einfach mehr mitbekommen als du. Ich habe meinen Bruder gesehen –«

»Da ist er wieder.«

Mary Catherines ruhige Bemerkung ließ die beiden anderen Mädchen stehenbleiben. Sie folgten ihrem andächtigen Blick zu der Statue Andrew Jacksons in der Mitte des Platzes. Genauer gesagt, zu dem jungen Mann, der ein paar Passanten, einem schlafenden Penner und einer Schar Tauben eine feurige Predigt hielt.

»Der Herr ist eurer Sünden müde«, verkündete er und schlug dabei auf die zerlesene Bibel in seiner Hand. »Er schaut herab auf unsere Erde und sieht, wie wir lügen und betrügen, trinken und kopulieren –«

»Das ist ein anderes Wort für ficken«, klärte Lisbet Mary Catherine flüsternd auf.

Ungeduldig wimmelte Mary Catherine sie ab. Sie fühlte sich zu dem jungen Prediger hingezogen, nicht so sehr seiner Botschaft wegen, sondern vor allem wegen der Leidenschaft, mit der er sie verkündete.

»Der Tag des Gerichts ist nah, Ladies und Gentlemen. Der Herr wird nicht mehr lange zusehen, wie wir uns versündigen.« Er zupfte ein Taschentuch aus der Brusttasche seines speckigen marineblauen Anzugs und wischte sich damit über die Stirn, auf der unter einer dunkelblonden Haarlocke Schweißperlen standen.

»Ich weine, damit die Sünder *errettet* werden.« Er biß die Zähne zusammen, schloß die Augen, warf den Kopf zurück und flehte den Himmel an: »Herr, unser Gott, öffne ihnen die Augen. Liebster Jesus, sei barmherzig zu den Schwachen. Gib ihnen die Kraft, Satans Versuchungen und Listen zu widerstehen.«

Die Mädchen betraten die umzäunte Mitte des Platzes, um besser sehen zu können. »Irgendwie ist er süß«, sagte Lisbet.

»Findest du?« Alice musterte den Prediger kritisch.

»Ja.«

Lisbet drehte sich zu Mary Catherine um, die den Straßenprediger hingerissen anhimmelte. »Hmmm. Ich glaube, Mary Catherine ist verknallt, Alice.«

Sie wurde rot. »Ich habe ihn hier schon öfter gesehen. Letzten Samstag frühstückte ich mit meinem Daddy im Café du Monde. Da war er auch hier. Aber ihm haben mehr Leute zugehört. Manchen hat er die Hand aufgelegt.«

»Worauf?« fragte Alice und drängte sich näher an Mary Catherine.

»Auf ihren Kopf, Dummkopf«, erklärte Lisbet verächtlich. »Er hat sie doch auf ihren Kopf gelegt, nicht wahr?«

»Ja«, antwortete Mary Catherine. »Wenn er dich errettet, legt er seine Hand auf deinen Kopf, damit du den Heiligen Geist empfängst.«

»Lassen wir uns erretten«, schlug Lisbet begeistert vor.

»Wir sind doch schon errettet.« Plötzlich schien Alice zu zweifeln. »Oder nicht?«

»Natürlich sind wir es. Wir sind getauft. Wir gehen zur Messe. Aber das weiß er nicht.« Lisbet wandte sich an Mary Catherine. »Laß dich erretten.«

»Au ja!« stimmte Alice zu. »Wir schauen zu. Mach schon.«

»Nein!«

»Feigling.«

Der Prediger lud jeden in Hörweite ein, seine Hand zu nehmen, was hieße, Jesus' Hand zu nehmen. »Liebe Brüder und Schwestern, ihr wollt doch nicht in die Hölle kommen, oder?«

»Du willst doch nicht in die Hölle kommen, Mary Catherine«, sagte Alice ernsthaft. »Mach schon. Schließlich schaut er dich an.«

»Tut er nicht. Er schaut uns alle an.«

»Er schaut *dich* an. Vielleicht sieht er, daß du eine echte Sünderin bist. Laß dich erretten.« Lisbet schubste ihre Freundin vor.

Mary Catherine zögerte, aber auf ihr unbegreifliche Weise

fühlte sie sich von der beschwörenden Stimme des jungen Predigers angezogen.

Ermutigt durch ihre Freundinnen, ging sie mitten durch die auffliegenden Tauben zu ihm, so als würde sie von einer unsichtbaren Macht angezogen. Als sie einen Meter vor ihm stand, machte er einen Schritt auf sie zu und reichte ihr seine Hand.

»Hallo, Schwester.«

»Hallo.«

»Möchtest du Jesus in deinem Herzen aufnehmen?«

»Ich ... ich glaube schon. Ja. Ich will.«

»Halleluja! Nimm meine Hand.«

Sie zögerte. Seine Hand war wohlgeformt, kräftig, und die weiche Handfläche war einladend aufwärts gewandt. Sie streckte ihre Hand aus und legte sie in seine. Sie meinte zu hören, wie Alice und Lisbet ungläubig nach Luft schnappten, aber all ihre Sinne waren von der Faust gefangengenommen, die sich plötzlich um ihre Hand schloß.

»Knie nieder, Schwester.« Sie tat es. Das harte Pflaster tat ihren nackten Knien weh, aber als er seine Hände auf ihren Kopf legte und Gottes Vergebung und Segen auf sie herabrief, spürte sie nur noch die Wärme seiner Finger und Handflächen. Nach einem langen Gebet schob er seine Hand unter ihren Ellbogen und half ihr wieder auf.

»Wie Jesus zu der Ehebrecherin sagte, sage ich dir: Gehe hin und sündige nicht mehr.« Dann holte er einen hölzernen Opferteller aus dem abgewetzten Koffer, der offen zu seinen Füßen lag, und hielt ihn ihr hin.

Die Geste überraschte sie. »Oh.« Einen Augenblick war sie zu überrascht, um denken zu können, dann öffnete sie hastig ihr Portemonnaie, holte mit ungeschickten Bewegungen einen Fünfdollarschein heraus und legte ihn auf den Teller.

»Ich danke dir, Schwester. Gott wird dich für deine Großherzigkeit belohnen.«

Schnell ließ er den Opferteller mit ihrem Schein und der Bibel in seinem Koffer verschwinden und klappte ihn zu. Dann hob er den Koffer auf und spazierte fröhlich davon.

»Halt, warten Sie!« Mary Catherine konnte selbst nicht glauben, daß sie so mutig war, aber sie konnte ihn nicht einfach so aus ihrem Leben verschwinden lassen. »Wie heißen Sie?«
»Reverend Jack Collins. Aber alle nennen mich Wild Jack.«

Er war in einer armen Kleinstadt in Mississippi aufgewachsen. Das einzige, was Leben in den Ort brachte, war die Eisenbahn. Ein Bautrupp hatte hier sein Hauptquartier. Die Männer waren größtenteils Junggesellen und lebten in Pensionen.
Abends vergnügten sie sich mit seiner Mutter.
Da sie die einzige Hure im Ort war, florierte ihr Geschäft. Sie hatte den kleinen Jack empfangen und geboren, ohne je zu erfahren, welcher ihrer Kunden ihn gezeugt hatte. Das erste, woran sich Jack erinnern konnte, war, wie er in ihrem vollgepferchten Zimmer herumkrabbelte und seiner Mutter die Lucky Strikes holte. Als er acht war, stritten sie sich um die Packungen, die ihre Gäste manchmal daließen.
Er ging zur Schule, weil der Mann von der Schulbehörde seiner Mutter die Hölle heiß machte, wenn sie ihn nicht weckte und hinschickte. Sie wiederum machte ihm die Hölle heiß, wenn er nicht hinging. Aus purem Trotz lernte er so wenig wie möglich, dafür war er von Natur aus ein Anführertyp. Weil er vor nichts und niemandem Angst hatte, weil er nicht einmal wimmerte, wenn er Prügel bezog, sondern dem Pedell mit unverhohlener Verachtung in die Augen schaute, achteten und fürchteten ihn seine Klassenkameraden gleichermaßen. Er nutzte das aus und besaß auf dem Schulgelände bald mehr Autorität als die Lehrer.
Mit dreizehn nannte er seine Mutter einmal zu oft eine fette, stinkende Hure. Sie überredete einen Freier, ihm aufzulauern und ihn ordentlich zu verprügeln. Als er am nächsten Tag aus seiner Ohnmacht aufwachte, rumpelte ein Güterzug auf den Gleisen neben ihm heran. Er hielt sich mit einer Hand die gebrochenen Rippen und sprang auf. Er kehrte nie mehr zurück und sah seine Mutter nie wieder. Er hoffte, daß sie inzwischen verreckt war und in der Hölle brutzelte.

Ein paar Jahre zog er durch den Süden und nahm jeden Job an. Er arbeitete nur so lange, bis er genug Geld hatte, um was zum Trinken, eine Frau und Ärger zu kriegen, dann fuhr er weiter.

Eines Nachts hielt der Güterzug irgendwo in Arkansas. Im Ort schien ein Volksfest gefeiert zu werden, was einem jungen Stier wie ihm natürlich gefiel. Aber zu seiner Enttäuschung stellte sich das »Volksfest« als Zeltmission heraus. Vor dem Morgen ging kein Güterzug mehr, und es gab einen Wolkenbruch. Er kam zu dem Schluß, daß er in dem Zelt wenigstens trocken bleiben konnte, deshalb ging er wie jeder andere aus dem Ort zur Predigt.

Er fand die Predigt von Anfang bis Ende ebenso lächerlich wie die Menschen im Zelt. Voller Hoffnung lauschten sie dem Prediger, der seiner Gemeinde riet, die Schätze im Himmel und nicht auf Erden zu suchen. Was für ein Quatschkopf, dachte Jack.

Er änderte seine Meinung, als er sah, wie voll der Opferteller war, der ihm gereicht wurde. Er tat, als würde er etwas hineinlegen, und nahm sich einen Zehner. Von diesem Augenblick an betrachtete er den Prediger auf dem Podium mit neuem Respekt.

In jener Regennacht in Arkansas entschied sich Jack Collins, eine neue Laufbahn einzuschlagen. Mit einem Teil der zehn Dollar kaufte er sich eine Bibel und kämpfte sich durch den Text. Er ging öfter zu Feldpredigten. Er hörte aufmerksam zu und lernte. Während der langen Stunden im Güterwagen imitierte er die Gesten und das Gehabe der Prediger. Als er sich gewappnet fühlte, baute er sich in einem Hinterwäldlerort in Alabama an der Straßenecke auf und hielt seine erste Predigt. Als er fertig war, hatte er einen Dollar und siebenunddreißig Cent verdient.

Der Anfang war gemacht.

»Hallo. Wahrscheinlich erinnern Sie sich nicht an mich.«

Mary Catherine fing ihn schüchtern an der Ecke des Presbyteres ab. Er hatte gerade seine Predigt beendet und war zielstrebig wie immer über den Platz gekommen. Inzwischen hatte sie ihn ein paar Tage lang beobachtet, und ihr war aufgefallen, daß er immer ging, als wäre er in Eile.

Er lächelte sie an. »Natürlich erinnere ich mich an dich.«

»Ich habe mich neulich erretten lassen.«

»Und seitdem warst du noch zweimal da. Ohne deine Freundinnen.«

Sie war immer am Rande der Menge stehengeblieben, um nicht aufdringlich zu erscheinen. Er hatte nicht den Eindruck gemacht, als hätte er sie bemerkt. Sie errötete geschmeichelt, weil er es doch getan hatte. »Ich will Sie nicht aufhalten.«

»Du hältst mich nicht auf, Schwester. Was gibt es denn?«

»Sie haben gesagt, der Herr braucht Hilfe, damit sein Werk vollbracht wird.«

»Ja. Und?«

»Deshalb habe ich Ihnen das mitgebracht.« Sie drückte ihm zehn Dollar in die Hand.

Er starrte den Schein einen Augeblick an, ehe er ihr wieder in die Augen sah und voller Inbrunst erklärte: »Gott segne dich, Schwester.«

»Hilft Ihnen das?«

»Mehr, als du glaubst.« Er räusperte sich. »Ich habe Bärenhunger. Wie wär's mit einem Hamburger?«

Bis dahin war sie immer vorher angerufen worden, wenn sich ein Junge mir ihr verabreden wollte. Sie hatte nie zugestimmt, ohne ihre Eltern gefragt zu haben. Es gehörte sich nicht und war darum um so aufregender, eine Einladung anzunehmen, ohne daß jemand davon wußte, nicht einmal Alice und Lisbet.

»Das klingt wunderbar.«

Lächelnd nahm er sie bei der Hand. »Wenn wir Freunde werden sollen, muß ich deinen Namen wissen.«

Als die Sommerferien begannen, wurde es für Mary Catherine leichter, sich aus dem Haus zu schleichen und sich mit Wild Jack Collins zu treffen, der Tag für Tag an den Straßenecken im französischen Viertel predigte. Sie gingen zusammen in billige Restaurants, wo Mary Catherine mindestens so oft zahlte wie er. Es machte ihr nichts aus. Er war der faszinierendste Mensch, dem sie jemals begegnet war. Die Menschen fühlten sich von Natur aus zu ihm hingezogen, die schmierigsten Damen der Nacht genauso wie die skrupellosesten Straßengauner.

Jack unterhielt Mary Catherine mit Anekdoten, die sich während seiner siebenjährigen Predigerlaufbahn zugetragen hatten. Während seiner Reisen von Stadt zu Stadt, auf denen er Gottes Wort verbreitete, von seiner Liebe kündete und den Sündern Vergebung versprach, hatte er mehr Abenteuer erlebt, als Mary Catherine sich vorstellen konnte.

»Ich bräuchte jemanden, der singen kann«, erzählte er ihr eines Abends. »Bist du musikalisch, Mary Catherine?«

»Nein, leider nicht«, antwortete sie traurig. Wie wunderbar wäre es, wenn sie Jacksons Werk unterstützen und mit ihm reisen könnte! Seine Predigten hatten nichts mit den förmlichen ritualisierten Messen gemein, die sie bis dahin gekannt hatte. Die Botschaft von der Erlösung Jesu war zwar dieselbe, trotzdem bezweifelte sie, daß ihre Eltern Jacks einfache Manieren oder seinen dogmatischen Fanatismus gebilligt hätten. Deshalb offenbarte sie niemandem außer ihrem Tagebuch, daß sie sich mit ihm traf.

Je heißer der Sommer wurde, desto inniger wurde ihre Beziehung. Eines Nachts schlug Jack vor, sie sollten sich beim Chinesen etwas zu essen holen und es mit auf sein Zimmer nehmen. Mary Catherine bekam Gewissensbisse. Allein mit einem jungen Mann in dessen Zimmer zu gehen, führte zu Schmach und Schande. Als sie aber sah, wie sehr sie Jack mit ihrem Zögern kränkte, willigte sie ein und zahlte für beide.

Sie war entsetzt, in was für einem baufälligen, kakerlakenverseuchten Haus er lebte. Selbst die Farbigen, die bei ihnen im Garten arbeiteten, wohnten besser. Die Schäbigkeit seines Zimmers führte ihr vor Augen, wie arm Jack war, wie selbstlos er sich seiner Arbeit widmete und wie materialistisch sie erzogen worden war. Aus Scham und Mitleid begann sie zu weinen. Als sie ihm den Grund für ihre Tränen erklärte, zog er sie in seine Arme.

»Ganz ruhig, Liebes. Du brauchst nicht um mich zu weinen. Jesus war auch arm.«

Daraufhin mußte sie nur noch mehr weinen. Er umarmte sie fester. Und bald schon streichelten seine Hände ihren Rücken und wanderten seine Lippen durch ihr Haar, flüsterten ihr zu, wie sehr er sie brauchte, wie süß sie war, wie großzügig es von ihr war, soviel zu spenden.

Und dann trafen sich ihre Münder. Als er sie küßte, wimmerte sie leise. Sie war schon früher geküßt worden. Aber noch nie hatte sie dabei den Mund offen gehabt und die forschende Zunge eines Mannes gespürt.

Verwirrt und ängstlich entwand sie sich seinen Armen und eilte zur Tür. Er holte sie ein, nahm sie wieder in die Arme und strich ihr mit den Händen übers Haar. »So etwas habe ich noch nie erlebt, Mary Catherine«, sagte er heiser und gepreßt. »Als wir uns geküßt haben, habe ich gespürt, wie der Heilige Geist über uns kam. Du nicht?«

Sie hatte zweifellos etwas in sich gespürt, aber sie wäre nie auf die Idee gekommen, daß das der Heilige Geist war. »Ich muß nach Hause, Jack. Meine Eltern machen sich bestimmt schon Sorgen.«

Sie war unten an der dunklen, steilen Stiege angekommen, als er ihr von oben nachrief: »Mary Catherine, ich glaube, Jesus will, daß wir zusammen sind.«

Während der nächsten Tage füllte sie ihr Tagebuch mit quälenden Fragen, auf die sie keine Antwort wußte. Keinesfalls konnte sie das Problem ihren Eltern schildern. Intuitiv wußte sie, daß die beiden nur einen Blick auf Jack in seinem billigen Anzug zu werfen brauchten, und schon würden sie seine abgestoßenen Manschetten und den speckigen Kragen bemerken und ihn als weißen Abschaum abstempeln.

Wenn sie sich ihren Freundinnen anvertraute, würde sie die beiden in einen Loyalitätskonflikt stürzen. Sie konnte nicht riskieren, daß eine ihren Eltern davon erzählte, die es wiederum ihren weitererzählen würden. Sie spielte mit dem Gedanken, sich an Tante Laurel zu wenden, die verständnisvoll und gütig war, entschied sich aber dagegen. Auch Tante Laurel würde sich vielleicht verpflichtet fühlen, ihre Eltern über ihre neue Liebe in Kenntnis zu setzen.

Sie war mit einem Erwachsenenproblem konfrontiert, dem ersten ihres Lebens, und sie mußte es wie eine Erwachsene bewältigen. Sie war kein Kind mehr. Jack redete mit ihr wie ein Erwachsener mit dem anderen. Er behandelte sie wie eine richtige Frau.

Und das war das größte Problem. Die Aussicht, wie eine Frau behandelt zu werden, war beängstigend. Von den Nonnen in der Schule hatte sie alles über Sex gelernt: Küssen führte zum Fummeln. Fummeln führte zum Sex. Und Sex war eine Sünde.

Aber, widersprach sie im stillen, Jack hatte gesagt, er hätte den Heiligen Geist gespürt, als sie sich geküßt hatten. Woher wollten die Nonnen, die alles Fleischliche verdammten und deshalb nie etwas Ähnliches empfunden haben konnten, wissen, wie sich das anfühlte? Vielleicht waren das Schwindelgefühl, das Fieber und dieses Ziehen in der Brust beim Küssen gar keine fleischlichen Reaktionen, sondern geistige. Als Jacks Zunge ihre berührt hatte, hatte sie das Gefühl gehabt zu schweben. Vergeistigter ging es schließlich kaum.

Ein paar Tage nach ihrem ersten Kuß erwartete sie ihn in seinem Apartment, als er heimkam. Auf dem schartigen, wackligen Tisch stand das Abendessen. Sie hatte eine Untertasse mit flüssigem Wachs beträufelt und eine Kerze hineingestellt. Zusammen mit einem kleinen Strauß Gänseblümchen in einer Vase trug das Kerzenlicht dazu bei, daß das Zimmer nicht ganz so häßlich wirkte.

Verlegen sagte sie: »Hallo, Jack. Ich wollte dich überraschen.«

»Das hast du.«

»Ich habe Krabbenétouffée und ein ... Baguette mitgebracht. Und das hier.« Sie schob einen zusammengefalteten Zwanzigdollarschein über den Tisch.

Er sah das Geld an, nahm es aber nicht. Statt dessen kniff er sich mit den Fingern in den Nasenrücken und schloß die Augen. Er senkte den Kopf wie im Gebet. Ein paar Sekunden verstrichen.
»Jack?« Ihre Stimme zitterte. »Was ist denn?«
Er hob den Kopf. In seinen Augen glänzten Tränen. »Ich dachte, du wärst wütend auf mich wegen neulich abend.«
»Nein.« Sie kam um den Tisch, der nicht mehr zwischen ihnen stehen sollte. »Ich war bloß überrascht, daß du mich geküßt hast, das war alles.«
Er zog sie in die Arme und drückte sie an sich. »O Gott, ich danke dir. Liebster Jesus, ich danke dir.« Er fuhr ihr übers Haar. »Ich dachte schon, ich hätte dich verloren, Mary Catherine. Einen so lieben Menschen wie dich habe ich nicht verdient. Trotzdem habe ich unentwegt gebetet, daß Gott dich zurückführt zu mir. Laß uns beten.«
Er fiel auf die Knie und zog sie mit sich. Als sie beide auf dem schmierigen, Wellen werfenden Linoleum knieten, stimmte er ein Gebet an, das ihre Reinheit und Schönheit pries. Die bewundernden Worte, mit denen er sie beschrieb, ließen sie erröten. Als er schließlich »Amen« sagte, sah sie ihn voller Erstaunen und Liebe an.
»Ich hatte keine Ahnung, daß du soviel für mich empfindest, Jack.«
Er starrte sie an wie eine Erscheinung. »Wenn du mit dem Kerzenschein in deinem Haar nicht wahrhaftig wie ein Engel aussiehst, dann soll Gott mich vor meinem nächsten Atemzug mit Blindheit schlagen.«
Gott schlug ihn nicht, und so hob er zaghaft seine Hand und berührte ihr Haar. Während er es liebkoste, beugte er sich vor und legte seine Lippen auf ihre. Mary Catherine war enttäuscht, daß er ihr keinen Zungenkuß gab wie neulich, aber als er seine offenen Lippen auf ihren Hals preßte, entfuhr ihr vor Überraschung und Entzücken ein heiserer Laut.
Bevor sie richtig begriff, was da geschah, knabberte er durch ihr dünnes Baumwollkleid hindurch an ihren Brüsten und löste die Perlmuttknöpfe.

»Jack?«

»Du hast recht. Wir sollten uns aufs Bett legen. Gott will bestimmt nicht, daß ich dich auf dem Fußboden liebe.«

Er trug sie zum Bett und legte sie darauf nieder. Ohne ihr Gelegenheit zum Protest zu geben, küßte er sie auf den Mund und knöpfte gleichzeitig ihr Kleid auf. Seine Hände berührten ihre nackte Haut auf ausgesprochen fleischliche Weise. Seine Liebkosungen waren angenehm und schrecklich sündig. Aber Jack war ein Prediger. Er tat bestimmt nichts Falsches. Er führte die Menschen von der Sünde weg, nicht zu ihr hin.

Während er sie vollständig entkleidete, lobte er murmelnd die Schönheit und Vollkommenheit seiner Eva. »Gott erschuf sie für Adam. Um ihm eine Gehilfin zu geben, die um ihn sei. Jetzt hat er mir dich gegeben.«

Die biblischen Zitate zerstreuten Mary Catherines moralische Bedenken. Aber als Jacks Hose fiel und sie sein hartes Glied erblickte, sah sie erschrocken und ängstlich zu ihm auf. »Pflückst du jetzt meine Kirsche?«

Er lachte. »Ich denke doch. Du bist noch Jungfrau, nicht wahr?«

»Natürlich, Jack, ja.« Ihre atemlose Beteuerung endete in einem Schmerzensschrei.

Lisbet hatte recht gehabt. Es tat höllisch weh. Aber beim zweiten Mal war es gar nicht so übel.

An einem verregneten Septembernachmittag eröffnete Mary Catherine Wild Jack Collins, daß er Vater wurde. Sie erwartete ihn unter den Bögen des Cabildo, einem ihrer Treffpunkte. Er hatte vorzeitig zu predigen aufgehört, weil der Nieselregen zu einem Wolkenbruch ausgewachsen war.

Unter dem Schutz seines Schirmes rannten sie beide zu seinem Apartmenthaus, in dem es so stark nach altem Essen und ungewaschenen Menschen roch, daß ihr übel wurde. Sobald sie in seinem Zimmer waren, sich die nassen Sachen ausgezogen hatten, ins Bett und unter die graufleckige Decke geschlüpft waren, flüsterte sie ihm zu: »Jack, ich bekomme ein Baby.«

Seine Lippen hörten auf, ihren Hals zu erkunden. Sein Kopf schoß hoch. »Was?«

»Hast du mich nicht verstanden?«

Nervös knabberte sie an ihrer Unterlippe; sie wollte es nicht noch mal sagen. Wochenlang hatte sie sich davor gefürchtet. Nachdem ihre Periode zweimal ausgeblieben war, ihr morgens übel wurde und sie immer schneller außer Atem kam, konnte es keinen Zweifel mehr geben.

Sie lebte in ständiger Angst davor, daß ihre Eltern ihre größer werdenden Brüste und den dicker werdenden Bauch bemerken könnten. Sie hatte es niemandem gesagt. Schon vor Monaten hatte sie ihre Freundinnen gegen Jacks Gesellschaft eingetauscht. Sie glaubte nicht, daß sie jetzt mit einem so schwerwiegenden Problem zu ihnen kommen konnte. Außerdem wurden Mädchen, die sich in Schwierigkeiten brachten, von aller Welt verachtet und geschnitten, sogar von ihren besten Freundinnen. Und selbst wenn Lisbet und Alice weiter ihre Freundinnen bleiben wollten, würden ihre Eltern das nie erlauben.

Sie hatte die Beichte in einer Kirche außerhalb ihres Sprengels abgelegt. Mit flammendroten Wangen und gebrochener Stimme hatte sie dem gestaltlosen Wesen hinter dem Gitter die sündigen Dinge gebeichtet, die sie und Jack getan hatten. Hätte sie dabei einem richtigen Menschen von Angesicht zu Angesicht gegenübersitzen müssen, wäre sie vor Scham gestorben. So hatte sie die Last der Schuld allein getragen.

Jetzt wartete sie ängstlich auf Jacks Reaktion. Er stand auf, blieb neben dem Bett stehen und sah sie an, sagte aber nichts. Plötzlich schien ihn seine Redegewandtheit im Stich zu lassen.

»Bist du mir böse?« fragte sie leise.

»Wie? Nein.« Dann lauter: »Nein.« Er setzte sich und nahm ihre rechte, kalte Hand zwischen seine Hände. »Hast du gedacht, ich würde böse werden?«

Sie war so erleichtert, daß sie kaum sprechen konnte. Heiße, salzige Tränen flossen ihr aus den Augen. »O Jack. Ich wußte nicht, was du von mir denken würdest. Ich wußte nicht, was ich tun sollte.«

»Hast du es deinen Leuten schon erzählt?« Sie schüttelte den Kopf. »Ah, gut. Das ist unser Kind. Ich will nicht, daß jemand uns die Freude daran nimmt.«

»Ach Jack, ich liebe dich so.« Sie warf ihm die Arme um den Hals und küßte ekstatisch sein Gesicht.

Er ließ sie lachend gewähren und drückte sie dann von sich weg. »Du weißt, was das bedeutet, nicht wahr?«

»Was denn?«

»Wir müssen heiraten.«

Sie faltete die Hände unter dem Kinn. Mit strahlenden Augen sah sie ihn an. »Ich habe gehofft, daß du das sagen würdest. O Jack, Jack, noch nie war jemand so glücklich.«

Sie liebten sich wieder, lagen dann stundenlang zusammen unter der Decke und planten ihre Zukunft. »Ich wollte New Orleans schon vor ein paar Monaten verlassen, Mary Catherine. Ich bin nur deinetwegen noch hier.« Er streichelte ihr den Bauch. »Aber jetzt, wo das Kleine kommt, muß ich unsere Zukunft planen.«

Er erklärte ihr, wie er seine Missionsarbeit verbessern wollte. »Vielleicht finde ich jemand, der singen und Hymnen spielen kann. Manche Prediger haben mehrere Leute, die für sie arbeiten. Diese Helfer gehen als erste in eine Stadt und bereiten alles vor, so wie die Jünger es für Jesus taten. Wenn der Prediger dann kommt, warten die Leute schon auf ihn. Das will ich versuchen. Ich bin nicht dafür geschaffen, für ein paar Pennies an der Straßenecke zu predigen. Vielleicht komme ich eines Tages sogar ins Radio. Und dann ins Fernsehen. Wäre das nicht toll?«

Mary Catherine war hingerissen von dem missionarischen Eifer, der aus seinen Augen leuchtete. »Ich werde alles tun, um dir zu helfen, Jack. Das weißt du.«

»Also, die Hilfe, die ich zur Zeit brauche ... ach, vergiß es.«

»Was denn?« Sie setzte sich auf und rüttelte ihn an der Schulter. »Sag es mir.«

Er sah niedergeschlagen aus. »Ich weiß nicht, wie ich zu Geld kommen soll, vor allem jetzt, wo ich zwei Münder mehr zu füttern habe. Ich schätze, meine Missionsarbeit wird warten müssen. Erst mal brauche ich einen richtigen Job.«

»Nein! Das werde ich nicht zulassen. Du mußt weiterpredigen, um jeden Preis.«

»Ich weiß nicht, wie das gehen soll.«

»Überlaß das mir. Ich habe Geld.«

Fast weinend zog er sie an seine Brust und drückte sie an sich. »Ich habe dich gar nicht verdient. Du bist eine Heilige. Sieh dir nur dieses Schmuddelzimmer an. In der nächsten Stadt muß ich ein besseres Quartier finden.«

Am nächsten Tag brachte sie ihm zwanzig Hundertdollarscheine.

»Ich habe sie von der Bank abgehoben. Ich habe das Geld zum Geburtstag und zu Weihnachten gekriegt und jahrelang gespart.«

»Das ist zuviel. Das kann ich nicht annehmen, Mary Catherine.«

»Natürlich kannst du.« Sie drückte ihm die Scheine wieder in die Hand, als er versuchte, sie zurückzugeben. »Ich bin bald deine Frau. Was mein ist, ist auch dein. Es ist für uns. Für unser Baby. Für Gottes Mission.«

Sie planten, drei Tage später durchzubrennen. »Warum erst dann? Warum nicht gleich morgen?«

»Ich muß erst alles arrangieren«, erklärte er. »Man muß erst auf ein paar Behörden, bevor man heiraten kann, weißt du?«

»Ach so«, sagte sie enttäuscht. Das hatte sie nicht gewußt. »Ich überlasse alles dir, Jack.«

Sie verabschiedeten sich ausgiebig, weil sie die Stunden der Trennung fürchteten. Mary Catherine ging nach Hause, schloß sich in ihrem Zimmer ein und schrieb mehrere Seiten ihres Tagebuchs voll. Sie konnte nicht einschlafen, weil ihr schlecht war – vor Aufregung und wegen ihrer Schwangerschaft. Also stellte sie sich vor ihren Schrank und überlegte, was sie tragen sollte, wenn sie vor ihren Bräutigam trat.

Kapitel 30

»Natürlich kam er nicht zum vereinbarten Treffpunkt.«

Die Schatten an der Küchenwand in Tante Laurels Haus waren lang geworden. Sie streckten sich über den runden Tisch, an dem Claire und Cassidy saßen, vor sich zwei Tassen mit kalt gewordenem Orangentee.

Claire redete leise; ihre Miene war melancholisch. »Erst glaubte Mama, daß sie vor lauter Aufregung Zeit oder Ort ihres Treffens durcheinandergebracht hätte. Sie ging zu ihm nach Hause, aber er war ausgezogen. Er hatte beim Verwalter keine neue Adresse hinterlassen und keinen Ton davon gesagt, wohin Gott ihn als nächstes schicken würde«, fügte sie sarkastisch hinzu. »Als eine Woche verstrich und Mama nichts von ihm hörte, wurde ihr klar, daß er sie um ihr Geld gebracht und sitzengelassen hatte.« Sie sah Cassidy an. »Noch etwas Tee?«

»Nein danke«, antwortete er grimmig.

Claire erzählte weiter: »Wild Jack Collins hatte sein Blatt geschickt ausgespielt. Als Mama erzählte, daß sie schwanger war, hätte er Hals über Kopf flüchten können. Aber dazu war er zu schlau. Bestimmt hatte er herausgefunden, daß die Laurents weitreichende Verbindungen besaßen. Immerhin hätte Mama ihm den Sheriff auf den Hals hetzen können. Er sah, daß es ratsam war, ihr statt dessen einen Heiratsantrag zu machen. Es klang alles so romantisch. Die heimliche Hochzeit. Die gemeinsame Flucht im Auftrag des Herrn. Vergiß nicht, Mama war eine gläubige Christin und glaubte an die Errettung der verlorenen Seelen. Aber sie war auch unglaublich naiv.«

Ihre Miene wurde kalt. »Wahrscheinlich hat Wild Jack bis zu

seinem Todestag – jenem Tag, an dem ich ihn ermordet habe –
über sie gelacht und sich gratuliert, weil er ein so schlaues Kerlchen war. Falls er sich überhaupt noch an sie erinnerte. Wer
weiß schon, wie viele junge Frauen er während der ersten Jahre
seiner Missionsarbeit geschwängert hat?«

Cassidy schob energisch Teetasse und Untertasse beiseite und
stemmte die Ellbogen auf den Tisch. »Woher weißt du das alles,
Claire?«

»Aus Mamas Tagebuch. Sie hat alles genauestens dokumentiert
– von dem Samstagmorgen an, als ihr Vater mit ihr ins Café du
Monde ging und sie Jack Collins auf dem Platz predigen sah.
Ich fand die Tagebücher, als Tante Laurel starb. Sie hatte sie
weitergeführt, nachdem Mama nicht mehr dazu fähig war.«

»Sie wußte also von Anfang an, wer dein Vater war?«

Claire nickte. »Aber sie war die einzige. Als meiner Mutter klar
wurde, daß sie betrogen worden war, ging sie zu meinen Eltern
und beichtete ihnen, daß sie schwanger war.«

»Haben sie einen Versuch unternommen, Jack Collins zu
schnappen?«

»Nein. Sie hat meinen Großeltern nie offenbart, wer ihr Liebhaber war, sondern immer so getan, als wäre es jemand aus
ihrem elitären Bekanntenkreis. Nur Tante Laurel kannte die
Wahrheit. Mama hatte sich ihr anvertraut. Deshalb begann
Tante Laurel, Wild Jack Collins' Aufstieg zu dokumentieren,
als er Jahre später unter dem Namen Jackson Wilde als Fernsehprediger wiederauftauchte. Vermutlich hatte er seinen Namen
geändert, um seine Spuren zu verwischen.

Offenbar wickelte er Joshs Mutter genauso ein wie meine. Sie
stammte aus einer protestantischen Familie, die sich eher mit
ihm abfinden konnten als eingefleischte Katholiken. Sie waren
auch wesentlich wohlhabender als die Laurents. Eine solche
Chance ließ er sich nicht entgehen. In ihren Aufzeichnungen
deutete Tante Laurel an, daß er vermutlich das angeheiratete
Vermögen benutzte, um seine Missionsgesellschaft ins Radio
und Fernsehen zu bringen.«

»Dann wäre Josh also –«

»Mein Halbbruder«, fiel sie ihm mit sanftem Lächeln ins Wort.

»Deshalb wolltest du dich also mit ihm treffen.«

»Ich wollte sehen, ob er so ist wie unser Vater oder ein ehrlicher Mensch. Er ist schwach, aber soweit ich das nach einem kurzen Treffen beurteilen kann, hat er ein anständiges Wesen.«

»Nicht allzu anständig. Er hatte ein Verhältnis mit der Frau seines Vaters.«

Sie ließ den leisen Tadel nicht gelten, sondern verteidigte ihren Stiefbruder: »Auch Josh wurde von Jackson Wilde psychisch mißbraucht. Durch die Affäre mit Ariel hat er sich gerächt.«

»Und du hast dich gerächt, indem du ihn umgebracht hast.«

»Ich habe der Welt einen Dienst erwiesen, Cassidy. Ariel spielt die trauernde Witwe, aber durch Jacksons Tod hat sie alles erreicht, was sie wollte – sie ist genauso berühmt, wie er es gewesen ist. Und Josh ist von seinem Peiniger befreit.«

»Übertreibst du da nicht ein bißchen? Wilde hatte Josh schließlich nicht an die Kette gelegt.«

»Psychisch schon. Josh wollte Konzertpianist werden. Wild Jack hatte andere Pläne. Er brauchte einen Musiker, den man mit seiner Missionsgesellschaft identifizierte, deshalb machte er sich über Joshs Träume und sein angeblich mangelndes Talent lustig, bis Joshs Selbstvertrauen zerstört war. Irgendwann war er genau so, wie sein Vater ihn haben wollte.«

»Das hat dir Josh alles erzählt?«

»Er hat mir erzählt, daß er wieder klassische Musik studieren will, nachdem Ariel ihn aus der Organisation geworfen hat, genau wie er es sich immer erträumt hat. Den Rest habe ich mir ausgerechnet.«

»Was ist mit deiner Mutter?«

»Was soll mit ihr sein?«

»Hat sie jemals Jackson Wilde mit Wild Jack Collins in Verbindung gebracht?«

»Nein. Gott sei Dank. Seine äußerliche Erscheinung muß sich in den letzten dreißig Jahren verändert haben. Du weißt, daß sie sich nicht lange konzentrieren kann. Selbst wenn sie ihn in einem wachen Moment wiedererkannt hat, hat sie sich das nicht gemerkt.«

Cassidy zog die Brauen hoch und kniff skeptisch die Augen zusammen. »Claire, ich rate dir dringend, ohne einen Anwalt nichts mehr zu sagen.«

»Ich verzichte auf einen Anwalt, Cassidy. Ich habe vor einer ganzen Reihe von Zeugen ein Geständnis abgelegt. Ich habe nicht vor, es zu widerrufen. Ich sage dir alles, was du wissen willst. Obwohl«, fügte sie hinzu, »du das meiste schon erraten hast.«

»Wie meinst du das?«

»Du hast erraten, wie ich in Jackson Wildes Zimmer gekommen bin. Erinnerst du dich daran, wie wir den Weg durchs französische Viertel abgegangen sind, den ich in der Mordnacht genommen habe?«

»Heißt das, unser Gang war umsonst?«

»Nein, ich war in jener Nacht tatsächlich spazieren. Danach. Und als ich von meinem Spaziergang zu French Silk zurückkam, entdeckte ich, daß Mama fort war.«

»Durch einen bizarren Zufall war sie in der gleichen Nacht zum Fairmont gewandert.«

»Genau.«

»Ein ganz schöner Marsch für eine alte Dame.«

»Vielleicht hat sie den Bus genommen.«

Cassidy verkniff sich einen Kommentar. »Weiter«, sagte er. »Du wolltest mir erklären, wie du in Wildes Zimmer gekommen bist. Hat Andre den Retter in der Not gespielt?«

»Nein. Bestimmt nicht.« Sie schüttelte energisch den Kopf. »Er ist völlig unschuldig. Was das betrifft, habe ich die Wahrheit gesagt. Niemand hat gewußt, was ich vorhatte.«

»Yasmine?«

»Nicht einmal sie. Ich war ganz allein. Ich könnte niemals einen Freund mit so etwas belasten.«

»Nein, natürlich nicht. Aber du kannst kaltblütig einen Mann ermorden.«

»Willst du es hören oder nicht?«

Cassidy sprang auf, daß die Teetassen klapperten. »Was zum Teufel glaubst du denn? Scheiße, nein, ich will es nicht hören«, brüllte er. »Und wenn du nur einen Funken Verstand hättest, würdest du sofort einen Anwalt anrufen, der dir den Rat geben würde, nicht mal ›Gesundheit‹ zu sagen, wenn ich niese.«

»Als wir im Café du Monde waren«, sagte sie, »hast du gemeint, der Mörder hätte in Wildes Suite auf ihn gewartet. Du hattest recht.«

»Ich will das nicht hören, Claire.«

Ohne auf seinen Rat zu achten, fuhr sie fort: »Ich habe im Gang gewartet. Als das Zimmermädchen reinging, um die Betten zu machen, habe ich mich in Wildes Suite geschlichen und im Schrank versteckt. Ich war fast eine Stunde da drin, bis er endlich kam.«

»Allein?«

»Ohne Ariel, genau. Er schaute eine Weile fern. Ich konnte es im Schrank hören. Er duschte, dann ging er zu Bett. Als ich ihn schnarchen hörte, habe ich mich auf Zehenspitzen in sein Zimmer geschlichen. Ich habe dreimal auf ihn geschossen.«

»Hast du mit ihm geredet?«

»Nein. Ich habe mit dem Gedanken gespielt, ihn zu wecken. Ich wollte die Angst in seinen Augen sehen. Ich hätte ihm gern verraten, daß er durch die Hand seiner eigenen Tochter stirbt. Ich hätte ihm gern den Namen meiner Mutter gesagt, nur um zu sehen, ob das irgendeine Erinnerung auslöst. Aber er war groß und kräftig. Ich hatte Angst, ihn aufzuwecken. Er hätte mich überwältigen und mir die Waffe wegnehmen können.

Ich habe ihn lange angestarrt. Ich haßte ihn, weil er die Menschen mißhandelte, die ihn geliebt hatten. Mama. Josh. Ariel. Ich habe es für uns alle getan.

Er lag vor mir, friedlich schlafend, in einer Luxussuite, die er von dem Geld vieler Menschen bezahlt hatte, die sich die Spenden gar nicht leisten konnten, aber ihm trotzdem Geld schickten, weil sie an ihn glaubten. Auf der Bibel auf seinem Nachttisch lag eine Rolex. Das Bild war so symbolisch, daß mir schlecht wurde. Er profitierte von dem, wofür die Märtyrer seit Jahrhunderten gestorben waren und immer noch sterben.«

Cassidy setzte sich neugierig wieder auf den Stuhl ihr gegenüber. »Du hast dreimal auf ihn geschossen. Warum, Claire? Warum dreimal?«

»In den Kopf, weil er das Christentum so lange verzerrte, bis es ihm in den Kram paßte. In das Herz, um all die zu rächen, die er zerstört hatte. In sein Geschlecht, weil er ein anständiges junges Mädchen, das wirkliche Liebe verdient hatte, verführt und dann im Stich gelassen hat.«

»Du hast ihn in Fetzen geschossen, Claire.«

»Ja.« Sie schluckte schwer. »Es war ekelhaft. Ich hätte nicht gedacht... Als ich das viele Blut sah, bin ich weggelaufen.«

»Wie bist du aus dem Hotel gekommen?«

»Genauso, wie ich hineingekommen bin. Auf dem Gang hat mich niemand gesehen, weil nur die Wildes auf diesem Stockwerk wohnten. Ich habe den Lift zum Erdgeschoß genommen und bin durch den Ausgang an der University Street verschwunden.« Sie leckte sich mit der Zunge über die Lippen und sah ihn nervös an. »Und für den Fall, daß ich irgendwelche Spuren hinterlassen würde, hatte ich Mamas Sachen angezogen, um nicht erkannt zu werden.«

»Was hast du?«

»Ich hatte ein Kleid von ihr an, den Hut auf, den sie immer aufsetzt, wenn sie wegläuft, und ihren Koffer dabei.«

»Sehr geschickt. Wenn man später irgendwelche Zeugen befragt hätte, wen sie zu dieser Zeit im Hotel gesehen haben, hätten sie Mary Catherine beschrieben. Und die wäre über jeden Verdacht erhaben gewesen, weil sie öfters so loszieht.«

»Ganz genau. Ich hatte bloß nicht damit gerechnet, daß meine Mutter in dieser Nacht tatsächlich ins Fairmont gehen würde.«

»Ohne Hut und Koffer?«

Diese Frage warf sie einen Moment aus der Bahn. »Natürlich mit beidem.«

»Ich dachte, du hättest beides mitgenommen.«

»Das hatte ich auch. Aber vor meinem Spaziergang war ich zu Hause und habe mich umgezogen. Danach ist sie verschwunden.«

»Ich bezweifle, daß deine Angaben mit Wildes Todeszeit übereinstimmen«, wandte Cassidy stirnrunzelnd ein. »Wenn ich dein Anwalt wäre, würde ich auf die Unstimmigkeiten im zeitlichen Ablauf hinweisen und vor der Jury auf berechtigte Zweifel plädieren.«

»Es wird keine Jury geben, weil es zu keiner Beweisaufnahme kommen wird. Ich habe gestanden. Sobald ich verurteilt bin, ist die Sache ausgestanden.«

»Du klingst, als würdest du dich darauf freuen«, meinte er wütend. »Hast du es so eilig, für den Rest deines Lebens ins Gefängnis zu kommen? Und für den Rest meines Lebens?«

Sie wandte den Blick ab. »Ich will es einfach hinter mich bringen.«

Fluchend fuhr er ihr mit den Fingern durchs Haar. »Warum hast du die Waffe behalten, Claire? Warum hast du sie auf deinem Spaziergang nicht in den Fluß geworfen?«

»Ich wünschte, das hätte ich getan«, sagte sie kleinlaut. »Ich habe nicht damit gerechnet, daß sie irgendwann in einem Polizeilabor landen würde.«

»Auf dem Revolver waren ausschließlich Yasmines Fingerabdrücke.«

»Ich hatte Mamas Handschuhe an.«

»Die wir auf Schmauchspuren hin untersuchen können.«

»Ich habe sie weggeschmissen und Mama neue gekauft.«

»Du hast wirklich an alles gedacht, wie?«

»Also, mir wäre es lieber gewesen, wenn ich damit durchgekommen wäre!« fuhr sie ihn an. »Aber du warst so verdammt hartnäckig.«

Er ging nicht darauf ein, sondern fragte: »Wann hast du die Waffe aus Yasmines Tasche gestohlen?«

»Eine Woche vor der Tat. Sie war über Nacht in New Orleans. Sie war schlampig und achtete nicht auf ihre Sachen, daher wußte ich, daß sie sich nicht wundern würde, wenn die Waffe später wiederauftauchte. Genau wie ich erwartet hatte, glaubte Yasmine, sie hätte sie verlegt gehabt.«

»Das sieht dir gar nicht ähnlich, Claire. Indem du mit ihrer

Waffe geschossen hast, hast du Yasmine in einen Mord verwikkelt.«

»Ich dachte nicht, daß die Waffe noch einmal abgefeuert würde. Ich habe jedenfalls nicht damit gerechnet, daß Yasmine sich das Leben nehmen könnte.« Tränen traten ihr in die Augen. Seit ihrer Rückkehr aus New York war so viel passiert, daß sie keine Zeit gefunden hatte, um ihre Freundin zu trauern. »Ich war zu beschäftigt mit dieser Morduntersuchung, um zu merken, daß sie lautlos um Hilfe rief. Ich habe sie im Stich gelassen.«

Cassidy schwieg ein paar Sekunden. Dann fragte er: »Was hast du empfunden, als du Jackson Wilde in dieser Nacht im Superdome gegenübergestanden bist?«

»Es war eigenartig«, antwortete sie leise. »Ich spürte keinen hemmungslosen Haß, wie ich es erwartet hatte. Weil er mich für eine neu Konvertierte hielt, legte er mir die Hand aufs Haupt. Es gab keine kosmischen Strahlen. Ich fühlte keine mystische Verbindung, weder physisch noch psychisch. Als ich ihm in die Augen sah, erwartete ich, ihn irgendwie wiederzuerkennen, einen biologischen Funken, *irgendwas* tief in mir zu spüren.

Statt dessen schaute ich in die Augen eines Fremden. Ich fühlte mich nicht zu ihm hingezogen. Ich wollte ihn nicht zum Vater haben, genausowenig, wie er mich vor zweiunddreißig Jahren zur Tochter haben wollte.« Sie hob den Kopf ein wenig. »Ich bin froh, daß er mich nie kennengelernt hat. Nachdem er meiner Mutter soviel Leid und Krankheit zugefügt hatte, hatte er es nicht verdient, mich kennenzulernen.«

»Bravo, Claire.« Er starrte sie lange und voller Bewunderung an. Er bewegte sogar seine Hand auf ihre Wange zu, senkte sie aber wieder, bevor er sie berührte. Schließlich schob er seinen Stuhl zurück und stand auf. »Ich muß zu meinem Wagen und Crowder anrufen. Wahrscheinlich hat er inzwischen zwei Schlaganfälle hinter sich. Gibt es hier im Haus irgendwas zu essen?«

»Ich habe keinen Hunger.«

»Du solltest trotzdem was essen.«

Sie zuckte gleichgültig mit den Achseln. »Um die Ecke gibt es ein Café. Es sieht nicht besonders aus, aber Mr. Thibodeaux macht gute Austernsandwichs.«

»Klingt gut. Gehen wir.«

»Ich bleibe hier.«

»Auf keinen Fall. Außerdem hast du Harry versprochen, anzurufen.«

Claire hatte keine Kraft mehr, mit ihm zu streiten. Sein Mund war energisch zusammengekniffen und seine Haltung verriet, daß er keinen Widerspurch duldete. Mit schweren Schritten ging sie ihm voran aus dem Haus.

»Ich versuche, Assistant District Attorney Cassidy zu erreichen.«

»Da haben Sie sich verwählt. Hier ist das Polizeipräsidium, Sir.«

»Ich weiß, aber das Staatsanwaltsbüro ist geschlossen.«

»Ganz recht. Das ist es. Rufen Sie morgen an.«

»Nein, warten Sie! Legen Sie nicht auf.«

Andre Philippi war vollkommen aufgelöst. Endlich hatte er den Mut aufgebracht, Mr. Cassidy anzurufen, und nun wurden all seine Versuche vereitelt, erst durch den automatischen Anrufbeantworter und jetzt durch einen gleichgültigen, begriffsstutzigen Trottel in der Polizeizentrale.

»Es ist äußerst wichtig, daß ich Mr. Cassidy heute nacht erreiche. Er muß doch irgendwie aufzutreiben sein. Hat er einen Piepser?«

»Keine Ahnung.«

»Dann fragen Sie bitte Ihren Vorgesetzten.«

»Wollen Sie ein Verbrechen melden?«

»Ich will mit Mr. Cassidy sprechen!« Andres von Natur aus hohe Stimme kippte ins Falsett. Er merkte, daß er allmählich hysterisch wurde und daß seine Stimme das verriet, deshalb zwang er sich zur Ruhe. »Es geht um den Fall Jackson Wilde.«

»Den Fall Jackson Wilde?«

»Ganz recht. Und wenn Sie mir nicht behilflich sind, dann behindern Sie damit die Arbeit der Justiz.« Andre hoffte, daß er sich richtig ausgedrückt hatte. Er hatte den Satz irgendwo gelesen, und er schien auf diese Situation zu passen. Auf jeden Fall schüchterte er den Beamten damit ein.

»Bleiben Sie dran.«

Während Andre darauf wartete, daß der Beamte an den Apparat zurückkam, überflog er wieder die Titelseite der Abendzeitung. Den neuesten Artikeln zufolge hatte Yasmine nichts mit dem Mord an Wilde zu tun. Aber die Bildunterschrift unter ihrem verschwommenen Schwarzweißfoto deutete an, daß sie an umstürzlerischen Aktionen teilgenommen hatte und höchstwahrscheinlich psychisch gestört war. Für Andre waren die ungerechtfertigten Anschuldigungen ein Schlag ins Gesicht. Wie seine *maman* war auch Yasmine zu wenig geliebt und beschützt worden. Er konnte das nicht länger dulden.

Als wäre das noch nicht genug, verkündete die zweite Schlagzeile, daß Claire Laurent den Mord an Jackson Wilde gestanden hatte. Warum in Gottes Namen sollte Claire einen Mord gestehen? Das war lachhaft. Und noch dazu gelogen. Vergeblich hatte er sie zu erreichen versucht, um eine Erklärung zu bekommen. Bei French Silk ging niemand ans Telefon.

Die ganze Welt schien durchgedreht zu sein. Er allein bewahrte in all dem Wahnsinn einen klaren Kopf. Um diese entsetzlichen Irrtümer aufzuklären, blieb ihm nichts anderes übrig, als sich mit Mr. Cassidy in Verbindung zu setzen.

»Hallo? Sind Sie noch dran?«

»Ja«, antwortete Andre eifrig. »Können Sie mir Mr. Cassidys Privatnummer geben?«

»Tut mir leid, nein. Man hat mir gesagt, er ist schon gegangen und kommt erst morgen früh wieder; wahrscheinlich wird er dann eine Erklärung abgeben.«

»Ich bin kein Reporter.«

»Natürlich nicht.«

»Ich schwöre es.«

»Wenn Sie wollen, gebe ich Ihnen die Telefonnummer eines Detectives, der mit Cassidy zusammenarbeitet. Howard Glenn heißt er.«

Andre erinnerte sich an den widerwärtigen Grobian, der am Morgen nach dem Mord in seinem Hotel herumgeschnüffelt hatte. »Ich werde nur mit Mr. Cassidy sprechen.«

»Wie Sie wollen, Kumpel.«

Der Polizist legte auf; Andre fühlte sich hilflos und überdreht. Fieberhaft überlegte er, was er tun sollte. Auf seine Arbeit konnte er sich nicht konzentrieren. Zum ersten Mal seit seiner Beförderung zum Nachtmanager vernachlässigte er seine Pflichten und seine Gäste. Warum ging bei French Silk niemand ans Telefon? Wo war Claire? Wo war Mr. Cassidy?

Und falls er ihn doch noch erreichte, würde er es schaffen, ihm zu verraten, was ihm auf dem Herzen lag?

Kapitel 31

Von Cassidys Wagen aus rief Claire ihre Mutter in Harrys Haus an. Vorerst war Mary Catherine in Sicherheit. Cassidy hatte Crowder nicht erreicht und machte sich deswegen Sorgen.

»Ruf doch diesen Detective an, mit dem du zusammengearbeitet hast«, schlug Claire vor, nachdem sie eine Litanei von Flüchen zu hören bekommen hatte.

»Nein. Ich weiß, was er von mir verlangen würde.«

»Mich in Handschellen vorzuführen?«

»So in etwa.« Cassidy schüttelte den Kopf. »Ich muß unbedingt erst mit Tony sprechen. Vorher bringe ich dich nicht zurück.«

So war ihr noch eine Nacht Aufschub gewährt worden. Sie waren in Tante Laurels Haus zurückgekehrt. Nachdem sie aufgegessen hatten, was sie sich in Mr. Thibodeaux' Café gekauft hatten, zog sich Claire erschöpft in ihr Zimmer im ersten Stock zurück. Sie entkleidete sich und hängte ihre Kleider in den Schrank, in dem immer noch ein paar uralte Sachen hingen. Jetzt spritzte sie sich Wasser aus dem freistehenden Waschbekken ins Gesicht und über ihren Hals.

Das Bad sah noch genauso aus wie damals, als sie aus Tante Laurels Haus ausgezogen war. Sie hatte sich in ihrem neuen Apartment ein Art-déco-Bad einbauen lassen, aber sie liebte immer noch die viktorianische Verspieltheit dieses Badezimmers mit seiner klauenfüßigen Badewanne, dem Waschbecken mit Säulenfuß und den Fliesenböden. In der Badezimmerkommode fand sie Handtücher und Waschlappen, die nach getrockneten Blüten rochen.

Mit einem der Handtücher trocknete sie sich das Gesicht ab. Als sie sich wieder aufrichtete, sah sie Cassidy in dem ovalen, gerahmten Spiegel über dem Becken. Schweigend und reglos stand er in der Tür und beobachtete sie.

Das Lampenlicht im Schlafzimmer hinter ihm war dämmrig, deshalb lag sein Gesicht halb im Schatten, was den raubtierhaften Eindruck noch verstärkte. Seine Brust war nackt, und er hatte einen Arm erhoben und an den Türrahmen abgestützt. Der andere Arm hing herab. Obwohl er sich nicht bewegt hatte, drückte seine Haltung Macht, Kraft und unterschwellige Gewalt aus.

Claire trug nichts außer einer aprikotfarbenen Satinkombination aus einem Büstenhalter und Höschen und fühlte sich nackter, als wenn sie nichts angehabt hätte. Sie widerstand dem Impuls, sich hinter einem Handtuch zu verstecken. Der Ausdruck auf Cassidys dunklem Gesicht sagte ihr, daß jeder Versuch, sittsam zu bleiben, vergebens wäre. Außerdem hätte sie sich wahrscheinlich sowieso nicht rühren können. Sein Blick hatte sie in Bann geschlagen.

Er kam auf sie zu und blieb eine Haaresbreite vor ihr stehen. Hungrig betrachteten sie sich gegenseitig im Spiegel. Er hob die Hände, schob sie unter ihr Haar und legte sie auf ihre nackten Schultern.

»Ich werde mit dir schlafen.«

Ihre Schultern sackten wie unter dem Gewicht seiner Hände nach unten. »Das kannst du nicht. Das können wir nicht.« Er strich ihr Haar beiseite und küßte sie zärtlich auf die Schulter. »Nicht, Cassidy«, murmelte sie. »Nicht.« Aber wie um ihre Proteste Lügen zu strafen, sank ihr Kopf nach vorne, als seine Lippen ihren Nacken liebkosten.

»Claire«, flüsterte er in ihr Haar. »Ich habe mich in dich verliebt.«

»Das darfst du nicht sagen.«

»Ich will dich. Jetzt.«

»Bitte hör auf. Du wirst es bereuen. Ich kenne dich, Cassidy«, sagte sie eindringlich. »Ich weiß, was du denkst. Du wirst dich für den Rest deines Lebens hassen, wenn du das tust.«

»Nein, das werde ich nicht.«

»Doch, doch, du wirst.«

»Psst.«

Er massierte ihr den Rücken und öffnete dabei ihren Büstenhalter. Claire stöhnte leise, als seine Hände in die spitzenbesetzten Körbchen glitten. Er umfaßte ihre Brüste und drückte sie sanft. Dann spielten seine Fingerspitzen mit ihren Brustwarzen, bis sie steif und prall waren. Sein Mund wanderte auf die andere Seite ihres Halses und knabberte liebevoll an ihrer Haut.

»Cassidy, nicht. Ich will nicht, daß du dir meinetwegen Vorwürfe machst. Das ist nicht richtig. Das weißt du. Bitte hör auf.«

Ihre Bitten klangen selbst in ihren Ohren schwach und unaufrichtig, und als seine Hand über ihren Bauch und ihr Höschen glitt, verstummte sie endgültig. Sie konnte ihn vielleicht anlügen, ihr Körper konnte es nicht. Zwischen den Beinen war sie warm und feucht.

Er zog ihr die Unterhose herunter; sie trat aus dem Stoffhäufchen. Er löste seine Hose und kam noch näher, bis sie sein Geschlecht auf ihrer Haut spürte. Als es in ihre warme, seidige Muschel glitt, seufzten sie im Einklang miteinander.

Claire stützte sich am Waschbecken ab und erwiderte seine langsamen, tiefen Stöße. Er nahm ihre Hüften in seine kräftigen Hände und zog sie fester auf sein hartes, heißes Glied. Dann umfaßte er ihre Taille und hielt sie so fest, daß sie sich nicht bewegen konnte. Die Muskeln in ihrem Unterleib schlossen sich wie eine Faust um ihn. Ekstatisch verzog er das Gesicht und vergrub es an ihrem Hals.

»O Gott«, stöhnte er. »Ich kann gar nicht tief genug kommen.«

Claire legte den Kopf zur Seite und rieb ihn an seinem. »Cassidy.«

Seine Fingerspitzen legten sich auf ihre offenen Lippen, dann deckte er seine Hand darüber. Sie küßte ihn in die Handfläche, leckte mit der Zunge über seine Finger, senkte die Zähne in den fleischigen Daumenballen. Seine Stöße wurden schneller, härter, animalisch und besitzergreifend. Claire spürte, wie sich ihre Erregung zum Fieber steigerte. Als seine Hand von ihrem Bauch zwischen ihre Schenkel glitt und die pralle, empfindsame Perle über ihrem Geschlecht zu streicheln begann, konnte sie einen Aufschrei nicht unterdrücken. Elektrische Blitze schossen durch ihren Körper bis in ihre Schenkel, und sie mußte sie zusammenpressen. Sie durchglühten ihren Bauch und ihre Brüste und sammelten sich in den vollen Knospen darauf.

Cassidy legte beide Arme um sie und beugte sich über sie, bis sie über dem Becken hing und seine Brust auf ihrem Rücken ruhte. Sie war ganz und gar umgeben von ihm, erfüllt von ihm, eingebettet in ihn. Ihr Herz drohte vor Glück zu zerspringen. Mit einem freudigen Schluchzen gab sie sich der Liebe und Erfüllung hin. Als sie seinen heißen Samen in sich spürte, drehte sie den Kopf und gab ihm einen innigen, langen, sehnsüchtigen, tränenschwangeren Kuß.

»Du hättest nicht sagen müssen, daß du mich liebst«, flüsterte Claire, während sie ihre Finger durch sein Haar wob. Es war ungekämmt und mußte nachgeschnitten werden. Aber so zottig und ungebändigt gefiel es ihr besser. »Ich hätte dir auch so nicht widerstehen können«, neckte sie ihn.

»Ich habe es gesagt, weil es wahr ist.« Er verschränkte sein Bein unter der Bettdecke mit ihrem. »Ich habe mich vom ersten Augenblick an in dich verliebt. Oder vielleicht, als du mir diese Seifenblasen ins Gesicht gepustet hast. Das war vielleicht symbolisch – und verführerisch und erotisch dazu.«

»Das sollte es nicht sein.«

»Nicht? Vielleicht war es einfach der Mund, den du dabei gemacht hast.« Er fuhr mit dem Finger über ihre Lippen und lächelte wehmütig, dann wurde er wieder ernst. »Jedesmal, wenn Crowder mir vorgeworfen hat, ich würde mich bei meiner Arbeit von meinen Gefühlen zu dir beeinflussen lassen, habe ich ihm widersprochen. Aber er hat recht.« Er kniff einen Moment die Augen zu. »Ich wollte nicht, daß du es warst, Claire.«

Sie vergrub ihr Gesicht in seinem Brusthaar. »Ich will nicht darüber reden. Bitte. Laß uns über etwas anderes reden, so als wären wir ein ganz gewöhnliches Liebespaar.«

»Wir sind keins, Claire.«

»Laß uns wenigstens eine Stunde lang so tun. Wir sind in New Orleans, hier ist alles möglich. Laß uns so tun, als wären wir uns irgendwo begegnet, hätten uns vom ersten Augenblick an füreinander interessiert und uns geliebt, befänden uns aber noch im magischen Stadium des gegenseitigen Kennenlernens.« Sie stützte sich auf die Ellbogen und sah auf ihn hinunter. »Erzähl mir, was dich so ernst gemacht hat.«

»Wie meinst du das?«

»Halt mich nicht für dumm, Cassidy. Du hast etwas sehr Unangenehmes erlebt. Das sieht man dir an. Was ist passiert? Weshalb bist du so zornig und so entschlossen, alles um jeden Preis richtig zu machen? Hat es mit deiner Frau zu tun? Mit der Scheidung?«

»Nein. Wir haben uns in Freundschaft getrennt. Ich habe sie nicht geliebt.« Er zwirbelte eine Strähne aus ihrem Haar zwischen den Fingern. »Nicht wie ich dich liebe.«

»Du lenkst vom Thema ab.«

»Ich versuche es wenigstens.«

»Spar dir die Mühe. Ich bin genauso hartnäckig wie du.«

Er seufzte kapitulierend. »Es ist keine schöne Gutenachtgeschichte.«

»Ich will es trotzdem wissen.«

»Warum?«

»Weil mir so wenig Zeit mir dir zusammen bleibt«, drängte sie ungeduldig. Sie war ernst geworden. Leiser fügte sie hinzu: »Ich will sie so schön wie möglich machen. Du bist der letzte Mann, mit dem ich je zusammensein werde, Cassidy. Ich will alles über dich wissen. Es ist mir wichtig.«

Sein Blick verband sich kurz mit ihrem, dann sagte er: »Es wird dir leid tun.« Sie schüttelte den Kopf. Nach kurzem Zögern offenbarte er ihr die schmerzliche Geschichte, die er vor kurzem Tony Crowder erzählt hatte.

Claire unterbrach ihn nicht, sondern ließ ihn einfach erzählen. Als er fertig war, sagte er: »Weißt du, wo sie das Schwein gefunden haben? Beim Billardspielen und Biertrinken mit seinen Kumpels. Erst hat er eine Elfjährige vergewaltigt, ermordet und in ein Bachbett geworfen, dann hat er mit seinen Freunden gefeiert. Er hatte keine Angst davor, verhaftet zu werden. Er glaubte, ihm könnte nichts passieren. Ich habe mitgeholfen, ihn so arrogant werden zu lassen.«

Sie legte besänftigend die Hand auf seine Brust. »Er wurde von einer zwölfköpfigen Jury freigesprochen. Du warst nicht dafür verantwortlich.«

»Ich habe meinen Teil dazu beigetragen«, widersprach er verbittert.

»Du warst deinem Klienten verpflichtet.«

»Ich habe hunderttausendmal versucht, mich zu rechtfertigen, Claire. Es gibt keine Rechtfertigung. Wenn ich nicht so dick aufgetragen hätte, dann wäre er nie wieder freigekommen. Das Mädchen ist auf dem Altar meiner Falschheit und meines Ehrgeizes gemartert und ermordet worden.«

Er tat Claire so leid. Er würde die Schuld mit ins Grab nehmen. Nichts, was sie sagen oder tun konnte, würde etwas an der Vergangenheit ändern, dennoch wollte sie ihm deutlich machen, daß er inzwischen gesühnt hatte. »Es war eine grausame Lektion, Cassidy, aber du hast daraus gelernt. Du bist ein guter Staatsanwalt geworden.«

Er seufzte aus tiefstem Herzen. »Nur so kann ich meine Schuld abtragen.«

»Es tut mir leid«, sagte sie ernst.

Er sah sie überrascht an. »Leid?«

»Daß es dir passiert ist.«

»Ich dachte, du würdest mich verachten.«

»Ich würde dich verachten, wenn du es dir nicht so zu Herzen nehmen würdest.«

Sie senkte den Kopf, küßte ihn auf die Brust, zog mit der Zunge Kreise darüber und bewegte sich langsam weiter abwärts. Sie tupfte trockene Küsse auf seinen Nabel und wanderte mit ihren

Lippen den seidigen Haarstreifen entlang bis zu dem dunklen, dichten Geflecht um sein Geschlecht.

Als sich ihr Mund um seinen Schaft schloß, flüsterte er stöhnend ihren Namen, nahm ihren Kopf zwischen beide Hände und fuhr mit seinen Fingern in ihr Haar. Liebevoll befeuchtete sie mit der Zunge die samtige Eichel und strich über den seidigen Stamm. Sie gab im alles; sie kostete, neckte und liebte ihn ganz und gar.

Er zog sie auf seinen Schoß und versenkte sich in ihr, Sekunden bevor er sich in sie ergoß. Er vergrub sein Gesicht an ihrem Busen und saugte an ihrer Brustwarze. Sie umklammerte seinen Kopf und ritt auf seinem immer noch vollen, harten Penis. Als Blitze sie zu durchzucken begannen, sang sie im stillen vor sich hin, was sie nicht aussprechen durfte. *Cassidy, mein Leben... mein Leben... mein Leben.*

Kapitel 32

Als Claire aufwachte, war sie allein. Hastig zog sie die Kleider an, in denen sie tags zuvor aus New York gekommen war, und lief nach unten. Eine Polizistin und ihr männlicher Partner warteten im Foyer. Als sie die beiden sah, blieb sie stehen und kämmte sich nervös mit den Fingern das zerzauste Haar zurück. »Hallo.«

»Mr. Cassidy mußte dringend weg«, sagte die Polizistin. »Wir sollen Sie begleiten.«

»Ach.« Die Antwort versetzte ihr einen schmerzhaften Stich. Warum hatte Cassidy sie nicht aufgeweckt, bevor er gegangen war, damit sie wenistens ein letztes Mal vertraulich miteinander reden konnten.

»Sobald Sie fertig sind, Miss Laurent«, bemerkte die Polizistin taktvoll.

Claire schloß Tante Laurels Haus ab und schloß die Erinnerung an die Nacht mit Cassidy zusammen mit dem Schatz anderer Erinnerungen darin ein. Bei dem Gedanken, wahrscheinlich zum letzten Mal über die Veranda zu gehen, brach ihr das Herz, aber sie empfand keine Reue. Dies war nur das erste von vielen Opfern, die ihr abverlangt wurden.

»Ich möchte gern duschen und mich umziehen. Ich war nicht zu Hause, seit ich gestern aus New York zurückgekommen bin.«

Die Beamten waren einverstanden, einen Abstecher zu French Silk zu machen. Als sie dort anhielten, sah Claire erschrocken, daß vor dem Gebäude Streifenpolizisten postiert waren. »Was tun sie hier?« Sofort sorgte sie sich um ihre Mutter, obwohl Mary Catherine bei Harry und in Sicherheit war.

»Sie sollen Ariel Wilde davon abhalten, weiteren Schaden anzu-
richten.«

»Ach so. Danke.«

Die Beamten fuhren mit ihr im Aufzug in den zweiten Stock und
warteten, während sie badete und sich umzog. Irgendwie fand
sie es komisch, ausgerechnet jetzt eitel zu werden, aber sie wollte
so gut wie möglich aussehen und gab sich deshalb besonders viel
Mühe beim Schminken und Frisieren. Sie entschied sich für ein
schlichtes, elegantes, zweiteiliges schwarzes Kostüm mit engem,
kurzem Rock. Der Blazer hatte einen weißen Schalkragen. An
den Aufschlag steckte sie eine Markasitbrosche, ein Geschenk
von Tante Laurel. Das Silberarmband an ihrem Handgelenk
hatte Yasmine gehört. In ihrer Tasche trug sie eines von Mary
Catherines handbestickten Taschentüchern.

Es gab ihr Kraft, Andenken an die Menschen bei sich zu tragen,
die sie geliebt hatten. Sie trat aus ihrem Schlafzimmer und verkündete tapfer: »Ich bin soweit.«

Ihre Tapferkeit schwand, als sie zum letzten Mal durch die
Fensterfront auf den Fluß sah. Alles in ihrer Wohnung zeugte
von den Stunden harter Arbeit, in denen sie ein erfolgreiches
Unternehmen aufgebaut hatte. Für ein Mädchen, das eine psychisch kranke Mutter, keinen Vater und nicht mehr als eine
Singer-Nähmaschine und viel Fantasie gehabt hatte, hatte sie es
weit gebracht.

Als sie zum letzten Mal das Lager durchquerte, traten ihr Tränen in die Augen. Was sollte ohne sie und Yasmine aus French
Silk werden? Die ausstehenden Bestellungen würden verschickt
werden. Waren würden angenommen und Rechnungen bezahlt
werden. Aber es würde keine neuen Aufträge und keinen weiteren Katalog geben. French Silk würde aufhören zu existieren.

Was für eine Ironie – Jackson Wilde hatte sein Ziel erreicht.

Das Gebäude der Staatsanwaltschaft wurde immer noch von
Wildes Jüngern belagert. »Onward, Christian Soldiers«, sangen
die Demonstranten, die auf ihren Plakaten Claire Laurent ins
Fegefeuer und in die ewige Verdammnis wünschten. Bewaffnete
Beamte eskortierten sie ins Haus.

»Ich dachte, sie würden mich direkt ins Sheriffsbüro bringen«, bemerkte sie, als man sie in den Lift drängte. »Werde ich nicht dort offiziell verhaftet?«

»Mr. Cassidy hat uns angewiesen, Sie zum D. A. zu bringen«, beschied ihr der männliche Polizist.

»Wissen Sie warum?«

»Nein, Ma'am.«

Man brachte sie direkt in Tony Crowders Büro. Die Räume davor schienen das Chaos gestern unbeschadet überstanden zu haben. Sekretärinnen saßen an ihren Schreibtischen und gingen ihrer Arbeit nach. Crowders Chefsekretärin stand auf, als sie näher kamen. Sie hielt Claire die Tür auf und schloß sie gleich hinter ihr, so daß sie allein mit dem District Attorney im Zimmer war.

Er saß mit todernster Miene hinter seinem Schreibtisch. Ärger leuchtete aus seinen Augen. Mürrisch sagte er: »Guten Morgen, Miss Laurent.«

»Guten Morgen.«

»Möchten Sie einen Kaffee?«

»Nein danke.«

»Setzen Sie sich.« Sobald sie in dem Sessel saß, auf den er gedeutet hatte, meinte er: »Ich möchte mich für den Zwischenfall gestern nachmittag in meinem Büro entschuldigen.«

»Zum Teil war ich selbst dafür verantwortlich.«

»Aber Sie wurden in Gefahr gebracht. Das ist unverzeihlich. Wir haben die Wachen inzwischen verstärkt.«

»Das habe ich bemerkt. Ich möchte Ihnen auch dafür danken, daß Sie Posten vor French Silk aufgestellt haben. Mein Unternehmen hat zwar keine Zukunft mehr, aber ich möchte nicht, daß es von Vandalen zerstört wird.«

»Das war Cassidys Idee.«

»Ich verstehe«, sagte sie leise. »Ich werde mich bei ihm bedanken.«

»Er will sowieso gleich herkommen. Fragen Sie mich nicht, warum.«

»Sie wissen es nicht?«

»Ich habe keine Ahnung. Er hat mich heute morgen noch vor

dem Aufstehen angerufen und um dieses Treffen gebeten.« Er faltete die Hände über der Tischkante und beugte sich vor. »Miss Laurent, haben Sie Jackson Wilde ermordet?«

»Ja.«

»Mit der Waffe Ihrer Freundin?«

»Ja.«

»Seit wann weiß Cassidy das?«

Die Tür flog auf, und ein Schwall frischer Luft und Energie fegte herein. Sie fuhr herum. Cassidy kam mit ausgreifenden, selbstbewußten Schritten in den Raum. Er hatte sich das Haar gewaschen und säuberlich gekämmt. Und er hatte sich rasiert. Sein dunkler Anzug wies keine einzige Falte auf von der eng anliegenden Weste bis zum Hosensaum, der genau am richtigen Fleck auf seinem Schuh auflag.

»Guten Morgen, Tony.«

Claire traute ihren Augen nicht. Diesen Cassidy kannte sie nicht. Das war nicht der Cassidy, der sie abwechselnd zärtlich und feurig geliebt hatte, der ihr Koseworte ins Ohr flüsterte, während sich sein Körper in ihrem bewegte, der sie emotional und physisch berührt hatte wie kein anderer vor ihm.

»Guten Morgen, Claire.«

Es war dieselbe Stimme. Es war dasselbe gutgeschnittene Gesicht, das sie so liebte. Aber der maßgeschneiderte Anzug irritierte sie. In dieser Bürokratenuniform hatte er sich ihr in dem Augenblick zum Gegner gemacht, in dem er den Raum betreten hatte.

»Guten Morgen, Cassidy«, antwortete sie leise.

»Möchte jemand Kaffee, bevor wir anfangen?«

»Vergessen Sie den Kaffee«, erklärte Crowder unwirsch. »Was soll das alles? Und sollte Glenn nicht dabeisein?«

»Er ist anderweitig beschäftigt. Darauf komme ich später.« Unverzüglich kam Cassidy auf den Punkt. »Claires Geständnis ist falsch. Sie hat Jackson Wilde nicht umgebracht.«

»Herrgott noch mal!« polterte Crowder los. »Dreißig Sekunden, bevor Sie hier reingeschneit kamen, hat sie mir erklärt, daß sie es getan hat.«

»Sie hat gelogen.« Cassidy sah Claire an und lächelte leicht. »Eine schlechte Angewohnheit von ihr.«

»Sie scheint im Vollbesitz ihrer geistigen Kräfte zu sein. Warum sollte sie einen Mord gestehen, den sie nicht begangen hat?« wollte Crowder wissen.

»Um jemand zu schützen.«

»Das stimmt nicht!« fiel Claire ihm ins Wort.

»Sie sagt, das stimmt nicht«, echote Crowder.

»Haben Sie Geduld, Tony«, bat Cassidy. »Geben Sie mir fünf Minuten.«

»Aber keine Sekunde länger.«

»Letzte Nacht habe ich Claire das Verbrechen rekonstruieren lassen.«

»Ohne einen Anwalt? Jesus.« Crowder fuhr sich mit beiden Händen übers Gesicht.

»Halten Sie einfach den Mund und hören Sie zu«, unterbrach ihn Cassidy ungeduldig. »Claire hat darauf verzichtet, einen Anwalt hinzuzuziehen, aber das macht keinen Unterschied. Sie hat Wilde nicht umgebracht. Sie war nicht einmal dort.«

»Sie meinen am Tatort?«

»Das meine ich, ganz recht.« Er fischte etwas aus seiner Brusttasche und reichte es Claire. »Lies die unterstrichene Passage.«

»Was ist das?« fragte Crowder.

»Ein Ausschnitt aus der Erklärung, die wir am Morgen nach der Tat vor der Presse abgegeben haben.«

Claire überflog die unterstrichenen Sätze. Sie beschrieben den Tatort. »Was soll das?«

»Diese Erklärung enthält einen Fehler«, erklärte ihr Cassidy. »Und zwar absichtlich. Ich habe eine falsche Information eingefügt, damit wir die Verrückten und die chronischen Selbstbezichtiger aussieben können, die sich nach jedem Sensationsmord melden.«

Claires Herz begann wie wild zu schlagen. Wieder und wieder las sie die Sätze und suchte verzweifelt das irreführende Detail.

Cassidy beugte sich über sie und senkte die Stimme. »Als du mir gestern nacht den Mord geschildert hast, hast du die Erklärung fast Wort für Wort wiedergegeben. Du hast dein Wissen aus der Zeitung, nicht vom Tatort.«

»Ich war dort. Ich habe ihn ermordet.«

»Wenn das so ist, dann zeig mir den Fehler«, forderte er sie heraus.

»Ich –«

»Du kannst es nicht, stimmt's?«

»Nein. Ja.« Sie suchte nach einem letzten Strohhalm. »Ich kann mich nicht an jede Einzelheit erinnern.«

»Gestern abend konntest du es noch.«

»Du bringst mich durcheinander.«

»Mich bringen Sie auch durcheinander, Cassidy«, mischte sich Crowder ein. »Wenn sie sagt, sie war es, dann war sie es auch.«

»Sie wollte dieser Sache nur ein Ende machen«, brüllte Cassidy.

»Und Sie wollen nur weiter mit Miss Laurent schlafen.«

»Zum Teufel mit Ihnen, Tony!«

»Dann streiten Sie es ab!«

»Das kann ich nicht. Ich will es nicht einmal. Aber ganz gleich, ob ich mit ihr schlafe oder nicht – wollen Sie eine Frau für einen Mord, den sie gar nicht begangen hat, lebenslänglich hinter Gitter bringen?«

Die Frage brachte Crowder vorübergehend zum Schweigen, obwohl er innerlich kochte. Cassidy kniete vor Claire nieder und nahm ihre Hände, die sie fest in ihren Schoß gepreßt hatte.

»Claire, gestern abend hast du gesagt, du standst neben seinem Bett und hast die Rolex auf der Bibel liegen sehen. Du hast gesagt, das Bild sei so symbolisch gewesen, daß dir schlecht geworden ist.«

»Warte! Es war keine Rolex. Es war eine teure Armbanduhr, aber es muß nicht unbedingt eine Rolex gewesen sein. Ich kenne mich mit Uhrenmarken nicht aus. Ich habe ›Rolex‹ nur ganz allgemein gemeint.«

441

»Jetzt sagst du also, daß die Uhr auf der Bibel keine Rolex gewesen ist?«

»Sie hat vielleicht nur so ausgesehen.«

Ein Lächeln breitete sich langsam über Cassidys Gesicht. »Doch, es war eine Rolex. Aber es war keine Bibel da.«

Claire japste leise nach Luft.

Crowder ächzte.

Cassidy beugte sich tiefer über sie. »Claire, du hast Jackson Wilde nicht umgebracht, habe ich recht? Andernfalls hättest du schon viel eher gestehen können.«

»Aber ich habe die Tat auch nie bestritten, oder? Du hast mich immer wieder gefragt, aber ich habe sie kein einziges Mal abgestritten.«

»Nicht wörtlich. So was sieht dir ähnlich. Genauso ähnlich, wie eine Tat zu gestehen, um jemand zu decken.«

»Nein«, wehrte sie sich kopfschüttelnd. »Ich habe ihn getötet.«

»Du mußt mir vertrauen. Vertrau mir ein einziges Mal und sag die Wahrheit, verdammt.«

Sie versuchte, sich nur auf den Ernst in seiner Stimme und die beschwörend blickenden Augen zu konzentrieren, aber all das wurde von dem überlagert, wofür er stand. Er erinnerte sie an den Sozialarbeiter, der behauptet hatte, nur das Beste für die kleine Claire Louise zu wollen. Man hatte ihr Vertrauen eingefordert, als man sie aus Tante Laurels Haus weggeschleppt und ihre Mutter schreiend und in Tränen zurückgelassen hatte.

»Claire, liebst du mich?«

Tränen flossen ihr aus den Augen und über die Wangen, aber sie weigerte sich, ihm zu antworten. Zu leicht konnte sich die Wahrheit als Falle erweisen.

»Du kannst mich nicht wirklich lieben, wenn du mir nicht vertraust. Du hattest recht gestern abend. Ich hätte nie mir dir schlafen können, wenn ich überzeugt gewesen wäre, daß du ihn umgebracht hast. Aber ich bin überzeugt, daß du es nicht warst. Ich schwöre dir, alles wird gut werden, wenn du mir jetzt die Wahrheit sagst.«

Die Worte wollten aus ihr heraus. Sie lagen ihr auf der Zunge. Aber sie hatte zuviel Angst. Wenn sie ihm die Wahrheit sagte, legte sie ihr Leben in seine Hand. Mehr noch, sie legte das Leben derer, die sie liebte, in seine Hand. Jener Menschen, die wichtiger waren als alle Wahrheit, oder nicht? Menschen waren wichtiger als Ideale. Menschen waren wichtiger als alles andere.

»Claire.« Er drückte ihre Finger, bis es weh tat. »Vertrau mir«, flüsterte er eindringlich. »Vertrau mir. Hast du Jackson Wilde umgebracht?«

Sie stand am Abgrund, und er drängte sie zum Sprung ins Ungewisse. Wenn sie ihn liebte, dann mußte sie ihm glauben, daß sie sanft und sicher landen würde. Wenn sie ihn liebte, mußte sie ihm vertrauen.

Und als sie ihm ins Gesicht sah, wußte sie ohne jeden Zweifel, daß sie ihn liebte.

»Nein, Cassidy«, sagte sie mit gebrochener Stimme. »Ich war es nicht.«

Die Spannung fiel von ihm ab. Der Kopf sank zwischen die Schultern. Ein paar Sekunden blieb er so, schweigend über ihre gefalteten Hände gebeugt. Schließlich fragte Crowder: »Warum haben Sie einen Mord gestanden, den Sie gar nicht begangen haben, Miss Laurent?«

Cassidy sah auf. »Sie wollte ihre Mutter schützen.«

»Nein!« Claire verfolgte mit großen, entsetzten Augen, wie er aufstand. »Du hast gesagt –«

»Es wird alles gut, Claire.« Er strich ihr über die Wange. »Aber ich muß Tony alles erzählen, was du mir gestern abend erzählt hast.«

Claire zögerte und nickte schließlich. Cassidy wandte sich Crowder zu und platzte heraus: »Jackson Wilde war Claires Vater.«

Crowder lauschte schweigend, fassungslos und gespannt Cassidys Schilderung, wie Mary Catherine von dem Straßenprediger Wild Jack Collins verführt und sitzengelassen worden war.

»Im Verlauf der Ermittlungen gelangte Claire zu der Annahme, daß Mary Catherine Wilde in einem lichten Augenblick erkannt und getötet hatte. Ihre Vermutungen schienen sich zu bestätigen, als wir herausfanden, daß der Mord mit Yasmines .38er verübt worden war. Mary Catherine hatte Zugriff zu der Waffe, und manchmal ›leiht‹ sie sich etwas aus, was sie später wieder zurücklegt.« Er erzählte Crowder von dem Vorfall mit dem Füller.

»Gestern befürchtete Claire,. daß ich mich daran erinnern und wie sie zwei und zwei zusammenzählen würde, deshalb hat sie schnell gestanden, um von ihrer Mutter abzulenken.«

Crowder atmete tief aus und lehnte sich in seinem Sessel zurück. Er fixierte Claire mit seinem drohendsten Blick. »Stimmt das?«

Sie sah zu Cassidy auf, der knapp nickte. Diesmal fiel es ihr leichter, ihm zu vertrauen. Sie faßte nach seiner Hand. Er drückte sie.

»Ja, Mr. Crowder«, gab sie ruhig zu. »Kurz nach dem Mord erzählte mir Yasmine, daß ihre Waffe verschwunden und auf mysteriöse Weise wiederaufgetaucht war. Damals kam mir zum ersten Mal der Gedanke, daß Mama sie vielleicht genommen, Wilde damit umgebracht und die Waffe zurückgelegt hatte. Sie war in der Mordnacht im Fairmont gewesen, und sie interessierte sich ungewöhnlich stark für die Berichte über Jackson Wilde und den Mordfall.«

»Aber Cassidy haben Sie nichts von all dem erzählt.«

»Nein. Im Gegenteil, jedesmal, wenn Ariel meine Mutter ins Spiel brachte, geriet ich in Panik. Ich hatte Angst davor, irgendwer, vor allem Mr. Cassidy, könnte herausfinden, daß Jackson Wilde ihr lange vermißter Liebhaber war. Damit hätte sie auf jeden Fall ein Motiv gehabt, ihn umzubringen. Ich habe mit dem Gedanken gespielt, gerichtlich gegen Mrs. Wilde vorzugehen, aber ein Anwalt hat mich gewarnt, daß eine Anzeige nur noch mehr Aufsehen erregen würde. Und das wollte ich um jeden Preis vermeiden.«

»Man könnte Sie wegen Behinderung der Justiz anzeigen.«

»Ich würde meine Mutter bis zum letzten Atemzug verteidigen,

Mr. Crowder. Sie stellt für niemanden eine Bedrohung dar, und ich kann sie nicht dafür verurteilen, daß sie sich an Wild Jack Collins gerächt hat.«

»Sie haben geglaubt, daß Cassidy irgendwann aufgeben, die Ermittlungen abbrechen und der Fall ungelöst bleiben würde?«

»Ich habe das gehofft.«

»Was wäre gewesen, wenn jemand anderes verurteilt worden wäre?«

»Das wäre bestimmt nicht passiert. Es gab keine Beweise.«

»Wie ich sehe, haben Sie alles bedacht.« Er betrachtete sie beinahe bewundernd.

»Alles, nur eines nicht. Ich habe nicht geglaubt, daß Yasmines Waffe noch mal abgefeuert würde.« Sie senkte den Blick und spielte mit dem Armband an ihrem Handgelenk. »Als Cassidy mir erzählte, daß Wilde mit ihrer Waffe umgebracht worden war, habe ich ein Geständnis abgelegt, damit kein Verdacht auf meine Mutter fällt.«

Sie sah Crowder flehend an. »Man kann sie für ihre Tat nicht zur Verantwortung ziehen. Sie weiß nicht einmal, daß sie etwas Falsches getan hat. Das wäre genauso, wie wenn ein Kind einen Skorpion zertritt, weil der es gestochen und ihm Schmerzen bereitet hat. Wahrscheinlich erinnert sie sich nicht einmal –«

»Claire, du brauchst dir keine Sorgen um Mary Catherine zu machen«, sagte Cassidy. »Sie hat Wilde nicht umgebracht.« Seine ruhige Erklärung überraschte alle beide.

»Woher wissen Sie das?«

»Weil Alister Petrie ihn erschossen hat.«

Kapitel 33

»Das ist doch lächerlich.«

Belle Petrie machte gerade ihr Bett und sah ihren Gatten fragend an. »Was ist lächerlich, Schatz?«

Petrie spürte den fast überwältigenden Drang, auf den Teppich zu pinkeln, die Etagere mit dem Bakkaratkristall umzuschmeißen oder seine Hände um ihren Hals zu legen und fest zuzudrücken. Irgendwie mußte er seiner Frau doch die kühle Verachtung austreiben können, mit der sie ihn behandelte.

»Ich habe es satt, immer im Gästezimmer zu schlafen, Belle«, sagte er gehässig. »Wie lange willst du mich noch ins eheliche Sibirien verbannen? Ich habe schließlich zugegeben, daß ich ein ungezogener Junge war, wann läßt du mich also endlich wieder in meinem gottverdammten Bett schlafen?«

»Brüll nicht so. Die Kinder könnten dich hören.«

Er stürzte sich auf sie, schlug ihr das Zierkissen aus der Hand und packte sie an den Schultern. »Ich habe mich schon tausendmal entschuldigt. Was willst du denn noch von mir?«

»Ich will, daß du mich losläßt.« Die Worte klangen scharf und spröde wie Eiszapfen. In Verbindung mit dem arktischen Glitzern in ihren Augen brachten sie Alisters Temperamentsausbruch augenblicklich zum Erliegen. Er ließ sie los und machte einen Schritt zurück.

»Es tut mir leid, Belle. Der letzte Monat war ein einziger Alptraum für mich.«

»Ja. Wahrscheinlich geht es nicht mal an dir spurlos vorüber, wenn sich deine Geliebte vor den Augen deiner Tochter das Gehirn aus dem Kopf bläst.«

»Herrgott. Du gibst aber auch kein bißchen nach.«

Er hatte sie immer wieder gebeten, ihm die Affäre und ihr garstiges Ende zu verzeihen. Bis jetzt hatten seine Selbstbezichtigungen Belles Panzer nicht einmal angekratzt. Die kurzfristige eheliche Harmonie nach dem Ende der Liaison war seit Yasmines Selbstmord wieder verflogen. Als ihre Waffe mit dem Mord an Wilde in Verbindung gebracht worden war, hatte er sich in panischer Angst Belles Gnade ausgeliefert und sie um Hilfe angefleht.

»Ich habe alles getan, was du gesagt hast, Belle«, sagte er jetzt. »Ich habe Tony Crowder und diesem Cassidy meine Affäre gebeichtet.« Petries Blick verdüsterte sich. »Ich werde alles tun, damit er nicht der neue D. A. wird. Dieser eingebildete Fiesling. Du hättest hören sollen, wie er mit mir geredet hat. Er hat mich sogar angegriffen!«

Das schien sie vollkommen kaltzulassen.

»Also gut, ich bin in die Klemme geraten. Wir mußten Cassidys Ermittlungen abwürgen, bevor meine Affäre mit Yasmine publik wurde. Zum Glück war Crowder mir noch was schuldig. In ein oder zwei Tagen wird niemand mehr von Yasmines Selbstmord reden, weil alle sich auf das Geständnis dieser Laurent stürzen werden. Können wir diese Angelegenheit nicht endlich begraben? Kann ich heute nacht in meinem Bett schlafen?«

»Du hast mir nicht gesagt, daß sie schwarz war.«

»Was?«

»Deine Geliebte war eine *Schwarze*.« Belle hatte die Fäuste geballt. Ihre Nasenflügel bebten vor Entrüstung und Abscheu. »Es ist beschämend für uns beide, daß du dich außerhalb deines Schlafzimmers vergnügen mußtest. Aber die Vorstellung, daß der Vater meiner Kinder mit einer ... Hast du sie auf den Mund geküßt? O Gott!« Sie wischte sich mit dem Handrücken über die Lippen. »Bei dem Gedanken wird mir übel. Du machst mich krank. Deshalb will ich dich nicht in meinem Bett haben.«

Alister war nicht gewillt, sich runterputzen zu lassen wie ein

Zwölfjähriger, der beim Wichsen erwischt wird. Er hatte sich gestern im Büro des D. A. schon einiges gefallen lassen müssen. Jetzt schlug er zurück. »Wenn du nur halb so gut im Bett wärst wie Yasmine, dann hätte ich gar keine Geliebte gebraucht. Weder weiß noch schwarz.«

Belles Blick bohrte sich in seine Augen. Sie hob nicht einmal die Stimme, aber ihre leise Warnung klang unheilvoller als jedes Brüllen. »Nimm dich in acht, Alister. Du hast schon genug Dummheiten gemacht. Wenn du mich nicht hättest, säßest du wahrscheinlich bis über beide Ohren im Dreck. Du hast es meinem Geschick zu verdanken, daß du bis jetzt für keinen deiner Fehler büßen mußt.«

Sie drehte sich um und holte etwas aus der Schublade des Nachttischs. »Ich bin neugierig, was für Missetaten noch ans Licht kommen werden.« Sie warf den Gegenstand wie eine Münze in die Luft und fing ihn wieder auf. »Ich weiß, daß du dich am Tag vor dem Mord mit Reverend Wilde gestritten hast. Als du am Abend neben ihm auf dem Podium saßest, habt ihr zwar ausgesehen wie ein Herz und eine Seele, aber das Bild hat getäuscht.«

Sie betrachtete das Streichholzheftchen mit dem Aufdruck des Fairmont-Hotels in ihrer Hand und legte es in die Schublade zurück. »Ich hoffe, ich irre mich, aber ich befürchte, du hast meinen Vorschlag, deine Affäre zu gestehen, nur deshalb so eifrig befolgt, weil du etwas Schlimmeres vertuschen wolltest.

Wenn dem so ist, dann sei gewarnt. Ich bin es leid, für deine Fehler geradezustehen, Alister. Wenn mich Mr. Cassidy zum Beispiel nach jener Nacht fragen sollte, dann wäre ich gezwungen, ihm zu verraten, daß ich dich mehrmals im Doubletree vergeblich telefonisch zu erreichen versucht habe. Um mich und meine Kinder zu schützen, bliebe mir nichts anderes übrig, als ihm diese Streichholzschachtel zu zeigen.«

Ihre Stimme war eiskalt. Sie zeigte mit dem Finger auf ihn. »Ich warne dich zum letzten Mal – wenn du noch einmal aus der Reihe tanzt, dann werde ich mich scheiden lassen, dich verstoßen und dich enterben. Und wenn meine Familie und ich fertig sind mit dir, kannst du froh sein, falls du noch irgendwo als Kloputzer arbeiten darfst.

Du stehst unter Bewährung, Schatz«, erklärte sie mit süßem Sarkasmus. »In der Öffentlichkeit wirst du ein leuchtendes Beispiel für Aufrichtigkeit, Gerechtigkeit und den amerikanischen Lebensstil sein. Ein pflichtbewußter Gatte und liebevoller Vater, ein lächelnder, strahlender Pfeiler der Tugend und Integrität. Vielleicht lasse ich dich irgendwann wieder in mein Bett. Aber bis ich dich dessen für würdig erachte, rate ich dir, mich nicht noch einmal darum zu bitten. Ich kann den Gedanken nicht ertragen, daß du mich berührst. Habe ich mich klar ausgedrückt?«

»Glasklar«, antwortete er mit gespielter Heiterkeit.

Er marschierte aus dem Raum und knallte die Tür hinter sich zu. Sollte sie doch allein in ihrem kalten, sterilen Bett schlafen, dachte er wütend auf dem Rückweg ins Gästezimmer, wo er sich fertig auszog.

Seine Wut überdeckte die Angst, die heimtückisch wie eine Ratte in den dunklen Ecken seiner Gedanken lauerte und nur auf eine Gelegenheit wartete, hervorzuschießen und ihn zu packen.

Er zweifelte keine Sekunde daran, daß sie ihre Drohung wahr machen und ihn bloßstellen und verlassen würde, wenn er sich noch einen Fehler leistete. Und er wußte genau, daß sie in der Lage war, ihn zu ruinieren, wenn es ihr gefiel. Sie war wütend, wie es nur eine verletzte Frau sein konnte, und sie verfügte über das nötige Geld, um ihre Drohungen in die Tat umzusetzen.

Sie war gern die Gattin eines Kongreßabgeordneten. Das machte sie zu etwas Besonderem, verlieh ihr Prestige. Aber mit ihrem Vermögen konnte sie sich genausogut einen Richter, einen Gouverneur oder sogar einen Senator kaufen, wenn sie nur wollte. Mit anderen Worten, Alister Petrie war ersetzbar. Was war, wenn Cassidy ihm seine Geschichte nicht abgekauft hatte? Was war, wenn er Belle befragte?

Bei dem Gedanken wurden ihm die Knie weich. Er stolperte an

sein ungemachtes Bett, setzte sich auf die Bettkante und stützte den dröhnenden Kopf in beide Hände. Belle hatte ihn in der Hand, und sie wußte es.

Was konnte er dagegen unternehmen?

Vorerst konnte er nur abwarten. Er war ein paarmal haarscharf davongekommen. Belle hielt zu ihm, aber wie lange noch? Nur, solange für sie nichts auf dem Spiel stand. Gott verhüte, daß es jemals dazu kommen mochte.

Er konnte nur beten, daß Claire Laurent ihr falsches Geständnis nicht widerrief.

Cassidys kühne Behauptung ließ Crowder aufspringen. »Haben Sie Ihren beschissenen Verstand verloren? Verzeihen Sie, Miss Laurent.«

Claire war seine ungehobelte Ausdrucksweise gar nicht aufgefallen. Sie war schockiert und zugleich zutiefst erleichtert. Ihre Mutter stand nicht unter Verdacht! Aber *Alister Petrie*?

»Ich weiß, es klingt verrückt«, sagte Cassidy, »aber wenn ich alle Fakten dargelegt habe, werden Sie genauso wie ich davon überzeugt sein, daß Petrie Jackson Wilde umgebracht hat.«

»Sie sind bloß wütend auf ihn«, widersprach Crowder. »Ich gebe Ihnen einen guten Rat – legen Sie sich nicht mit ihm an. Er ist Gift.«

»Sie mischen sich in meine Arbeit ein, Tony.«

»Petrie hat Geld genug im Rücken, um ein ganzes Schlachtschiff auslaufen zu lassen.«

Cassidy hob beide Hände hoch. »Seine *Frau* hat das Geld. Und Petrie hat sich damit Wildes Schweigen erkauft.«

Crowder ließ sich in seinen Sessel zurückfallen. »Wildes Schweigen erkauft? Sie meinen, Wilde hat ihn erpreßt?«

»Sehen Sie sich das an.« Cassidy legte ihm die Spendenliste für Wildes Organisation vor. »Glenn hat mir das gestern nachmittag gegeben, kurz bevor hier alles drunter und drüber ging. Über Claires Geständnis hatte ich das total vergessen, deshalb habe ich es mir erst heute morgen angesehen. Aber es beweist nur, was ich mir sowieso schon gedacht hatte.«

»Es beweist überhaupt nichts«, Crowder blätterte ungestüm in den Papieren.

»Hören Sie zu, Tony. Eine ganze Menge Leute und mehr als eine Handvoll Unternehmen haben Wildes Organisation Geld zugeschoben. Glenn hat ein paar aufgetrieben, die zugeben werden, daß es sich dabei um Schweigegeld gehandelt hat.«

»Joshua hat mir gestanden, daß sein Vater gegen eine angemessene Summe die Absolution erteilte«, bestätigte Claire Crowder.

»Mir auch«, ergänzte Cassidy. »Diese Block Bag and Box Company ist eine Scheinfirma und gehört der Familie von Petries Frau. Gleich nachdem er eingeheiratet hat, wurde er zum Präsidenten des Unternehmens ernannt. Es ist ein Alibiposten, damit er ein ordentliches Gehalt bezieht. Auf diese Weise hat er Zugang zu den Büchern und kann Schecks ausstellen.«

Cassidy deutete auf den Computerausdruck auf Crowders Schreibtisch. »Warum in aller Welt sollte die Block Bag and Box Company der Missionsgesellschaft des Fernsehpredigers über hunderttausend Dollar spenden, Tony? Angefangen hat es vor fast einem Jahr mit einem Scheck über fünftausend Dollar. Die Beträge haben sich kontinuierlich gesteigert.«

»Irgendwann hätte jemand die Bücher überprüft.«

»Wenn jemand ihn danach gefragt hätte, hätte Petrie wahrscheinlich erklärt, die Spenden seien aus steuerlichen Gründen notwendig. Und wer will sich schon mit dem Schwiegersohn des Besitzers anlegen?«

Crowder nagte an seiner Unterlippe. »Wieso sollte Wilde ihn erpressen? Die beiden sind sich doch gegenseitig in den Hintern gekrochen.«

»In der Öffentlichkeit, weil das beiden nutzte. Ich vermute, daß Wilde von Petries Affäre mit Yasmine gewußt und ihm gedroht hat, damit an die Öffentlichkeit zu gehen.«

Claire sagte: »Yasmine hat mir ein paarmal gesagt, daß Petrie Jackson Wilde eigentlich haßte. Er brauchte ihn nur als Wahlhelfer.«

»Petrie wußte von Yasmines Waffe, Tony. Er hätte sie wegnehmen, in der Mordnacht benutzen und beim nächsten Treffen wieder zurücklegen können. Er war bestimmt schlau genug, Handschuhe zu tragen, damit er keine Fingerabdrücke hinterläßt.«

»Wie ist er in Wildes Suite gekommen?«

»Vielleicht hat Wilde ihn erwartet. Vielleicht sollte ihm Petrie eine weitere ›Spende‹ bringen«, überlegte Cassidy zynisch. »Er hätte sich nichts dabei gedacht, Petrie mitten in der Nacht in sein Zimmer zu lassen.«

»Nackt?« fragte Claire.

»In der Zeitung stand, daß die beiden am Nachmittag gemeinsam in einem Fitneßstudio trainiert hatten. Wilde brauchte sich nicht vor Petrie zu schämen.« Cassidy wandte sich an Crowder. »Gestern stand ich da drüben am Fenster. Ich habe gesehen, wie Petrie das Haus verlassen hat. Seine Begleiter haben ihm in einen Kleinbus geholfen. Einen weißen Kleinbus mit blauen Polstern. Es ist ein Chrysler, Tony.«

Claire kombinierte noch schneller als Tony. »Der Teppich in dem Bus ist der gleiche wie in meinem LeBaron«, ereiferte sie sich.

»Höchstwahrscheinlich. Petrie hat den Bus in der Mordnacht benutzt. Er schleppte die Teppichfasern in Wildes Zimmer.«

Crowder preßte die breiten Fingerspitzen gegeneinander. »Das ist alles ganz interessant, aber es reicht nicht. Was haben Sie sonst noch?«

»Petrie ist gewitzt genug, so zu zielen, daß es aussieht, als hätte eine Frau Wilde ermordet.«

»Es hat geklappt. Er hat Sie von Anfang an auf eine falsche Fährte gelockt.«

»Genau«, gab Cassidy grimmig zu. »Wahrscheinlich glaubte Petrie, daß Ariel unsere Hauptverdächtige sein würde. Er kannte die Wildes gut genug, um zu wissen, daß ihre Ehe nicht gerade im Himmel geschmiedet worden war. Vielleicht hat er sogar von ihrer Affäre mit Josh gewußt.«

»Warum ist er dann gestern zu uns gekommen?«

»Um seine Haut zu retten. Wenn wir weitere Nachforschungen

über Yasmine angestellt hätten, wäre ihre Affäre irgendwann ans Licht gekommen und er wäre mit dem Mord in Verbindung gebracht worden. Er hat eine Sünde gebeichtet, um eine andere zu verheimlichen.«

»Aber er hat Zeugen im Doubletree, die aussagen werden, daß er die Nacht dort verbracht hat«, wandte Crowder ein.

»Er *war* dort. Er hat sich am Empfang eingetragen und dafür gesorgt, daß man ihn bemerkt. Aber den größten Teil der Nacht verbrachte er im Fairmont.«

Crowder schüttelte störrisch den Kopf. »Das sind alles nur Vermutungen und Schlußfolgerungen, Cassidy. Ein Verteidiger – und er kann sich den besten leisten – wird Sie aus dem Gerichtssaal jagen, wenn Sie nicht beweisen können, daß Petrie in jener Nacht im Fairmont war.«

»Ich kann es beweisen.«

»Sie können es beweisen?«

»Ich habe einen Augenzeugen.«

Crowders Braue flog hoch. »Wen?«

»Andre Philippi.«

»Andre?« entfuhr es Claire.

Cassidy nickte. »Er hat gestern abend mehrmals versucht, mich zu erreichen, und als das nicht möglich war, hat er sich an Glenn gewandt, der ihn seitdem nicht mehr aus den Augen gelassen hat. Als ich die Nachricht heute morgen bekam, bin ich zu den beiden hingegangen. Claire wird das verstehen. Sie auch, wenn Sie ihn erst kennengelernt haben, Tony. Er hält es für seine Pflicht, die Intimsphäre seiner Gäste zu beschützen. Das ist so was wie ein Ehrenkodex für ihn. Schon beinahe eine Leidenschaft. Er hat Claires Geheimnis gehütet, bis wir ihn damit konfrontiert haben, erinnern Sie sich? Genauso hat er Petries gehütet. Bis heute morgen.«

»Warum hat er sich plötzlich entschlossen, ihn zu verpfeifen?«

»Anscheinend hatte Andre noch eine zweite Leidenschaft – Yasmine.«

»Das stimmt«, mischte sich Claire ein. Sie erzählte ihnen von

Andres Mutter und der Ähnlichkeit beider Frauen. »Andre hat seinen Vater immer dafür verachtet, daß er seine Mutter zwar finanziell unterstützte, sich aber nie zu ihr bekannte. Ein paar Tage vor Yasmines Selbstmord rief er mich an. Er machte sich schreckliche Sorgen um sie. Bestimmt hat er die Parallelen zwischen ihrem tragischen Ende und dem seiner Mutter gesehen.«

Cassidy führte weiter aus: »Er weiß, daß Yasmine sich wegen Petrie umgebracht hat. Und da Petrie Yasmine durch den Schmutz ziehen läßt und gemeine Lügen über sie verbreitet, fühlt sich Andre nicht länger verpflichtet, ihn zu decken. Er schwört beim Grab seiner Mutter, daß Petrie die Nacht zusammen mit Yasmine im Fairmont verbracht hat. Er ist kurz nach elf gekommen und gegen sieben Uhr morgens wieder verschwunden, noch bevor Ariel Wildes Leichnam entdeckte und wir das Haus abriegelten. Andre hat Yasmine persönlich ein Taxi gerufen. Sie fuhr zum Flughafen, um sich zur vereinbarten Zeit mit Claire zu treffen. Ich wette, niemand im Doubletree kann unter Eid aussagen, daß er Petrie zwischen elf Uhr abends und sieben Uhr morgens gesehen hat.«

»Warum sollten die Geschworenen diesem Andre glauben?«

»Sie werden ihm glauben«, bekräftigte Cassidy zuversichtlich. »Und außerdem werden sie Belle glauben.«

»Seiner Frau?« rief Crowder aus.

»Richtig. Es würde mich nicht überraschen, wenn sie von dem Mord wüßte. Sie hat bis jetzt zu Alister gehalten, aber irgendwie glaube ich nicht, daß sie einen Mord deckt.«

»Das glaube ich auch nicht«, sagte Claire ruhig. »Ich bin ihr vor Jahren ein paarmal begegnet, und sie kam mir vor wie eine Frau, die ihre Haut nicht zu Markte trägt.«

Crowder zupfte an seiner Unterlippe. »Vielleicht gibt Petrie Ihnen den Schwarzen Peter zurück, indem er behauptet, Yasmine hätte Wilde ermordet. Sie hatte ein Motiv, und die Mordwaffe gehörte ihr. Vielleicht beschuldigt er sogar Miss Laurent.«

»Vielleicht«, sagte Cassidy mit selbstbewußtem Grinsen. »Aber trotzdem wird rauskommen, daß er die Nacht mit seiner Geliebten im Fairmont-Hotel verbracht hat. Er ist so und so dran. Zumindest ist er schuldig, der Polizei in einem Mordfall wichtige Informationen vorenthalten zu haben.«

Cassidy beugte sich über Crowders Schreibtisch. »Ich will den Dreckskerl, Tony. Ich will mit allen Männern verdeckt gegen ihn ermitteln. Er fragt sich bestimmt, warum Claire die Tat gestanden hat, und nimmt wahrscheinlich ganz richtig an, daß sie damit Yasmine oder Mary Catherine decken will. Jedenfalls glaubt er, daß er mit einem Mord davonkommt. Er hat sich getäuscht.«

Tony hielt Cassidys Blick ein paar Sekunden lang stand, schaute dann auf Claire und blickte schließlich wieder auf seinen Stellvertreter. »Gehen Sie vorsichtig und unauffällig vor, aber nageln Sie den Hurensohn fest.«

Auf Cassidys Klopfen hin öffnete Ariel Wilde mit der Herzlichkeit einer Klapperschlange die Tür. Ihre Begrüßungworte blieben ihr im Hals stecken, als sie sah, wer ihn begleitete.

»Ich dachte, sie wäre längst hinter Gittern.«

»Ich habe Mr. Cassidy um dieses Treffen gebeten«, sagte Claire. »Dürfen wir hereinkommen?«

Voller Feindseligkeit trat die Witwe beiseite und ließ sie in ihr Hotelzimmer. Ohne einen Grund anzugeben, hatte Cassidy vor einer Stunde angerufen und ihr gesagt, daß er sie und Joshua allein treffen wollte.

Josh saß auf dem Sofa und sah aus, als wäre er gar nicht gerne hier. Er stand auf, als sie eintraten. Sein ebenso neugieriger wie mißtrauischer Blick sprang zwischen beiden hin und her.

»Ich warte.« Ariel verschränkte die Arme vor der Brust. »Ich habe heute nachmittag sehr viel zu tun.«

»Wollen Sie noch mehr Demonstrationen organisieren?« fragte Cassidy freundlich.

»Sie haben ihre Wirkung nicht verfehlt, oder? Schließlich hat sie gestanden.«

»Ich habe Ihren Mann nicht ermordet, Mrs. Wilde.«

»Was?« Ariel stürzte sich auf Cassidy. »Sie schlafen mit ihr, stimmt's? Deshalb lassen Sie zu, daß sie das Geständnis widerruft. Warten Sie nur, bis die Presse Wind davon bekommt. Sie werden –«

»Mrs. Wilde.« Claire sprach leise, aber mit solcher Autorität, daß Ariel verstummte. »Ich habe gestanden, weil ich glaubte, meine Mutter damit zu schützen. Ich dachte, sie hätte Ihren Mann umgebracht.«

»Warum sollten Sie das glauben? Ihre Mutter spinnt doch.«

Claire richtete sich zu voller Größe auf und gab sich alle Mühe, ihren Zorn im Zaum zu halten. »Meine Mutter hat emotionale Probleme, das stimmt. Sie hat sie seit dreißig Jahren, nachdem sie sich in einen jungen Straßenprediger namens Jack Collins verliebte, der den Spitznamen Wild Jack trug. Er verführte sie, stahl ihr Geld und ließ sie sitzen, obwohl sie von ihm schwanger war. Wild Jack Collins war Jackson Wilde. Und ich war das Baby.«

Ariel lachte schrill. »Was soll das denn werden? Haben Sie –«

»Halt den Mund, Ariel.« Die unerwartete Zurechtweisung kam von Josh, der Claire aufmerksam betrachtete. »Ich wußte, daß da was war ... Als ich Sie traf ... Du bist meine Halbschwester.«

»Ja. Noch mal hallo, Josh.« Lächelnd reichte Claire ihm die Hand. Er nahm sie und schüttelte sie, ohne den Blick von ihr zu wenden. »Ich hoffe, du vergibst mir, daß ich dich mit meinem Angebot auf die Probe gestellt habe. Du hast mich nicht enttäuscht und es abgelehnt.«

»Wie rührend«, zischte Ariel, »aber diesen Unsinn glaube ich ganz bestimmt nicht.«

»Wahr ist jedenfalls«, sagte Josh, »daß Daddy als Wild Jack Collins bekannt war, bevor er meine Mutter heiratete. Ich weiß noch, wie mein Großvater ihn einmal so nannte und Daddy daraufhin fuchsteufelswild wurde.«

Claire drückte Joshs Hand noch mal, ehe sie losließ und sich wieder Ariel zuwandte. »Ich beabsichtige keineswegs, meine Verwandtschaft zu Jackson Wilde publik zu machen. Ehrlich gesagt bin ich nicht besonders stolz darauf, und meine Mutter würde ins öffentliche Interesse gerückt, was ich vermeiden möchte.«

»Was wollen Sie dann hier?«

»Ich will Ihnen vorschlagen, daß Sie French Silk und alle, die damit zu tun haben, ein für allemal vergessen.«

»Sonst?«

»Sonst werde ich die Welt über den wahren Jackson Wilde aufklären. Bestimmt möchten Sie nicht, daß Ihr verstorbener Mann als Mädchenverführer, Frauenheld, Dieb, Lügner und Betrüger bloßgestellt wird. Das wäre nicht besonders gut für Ihre Organisation, oder?«

Ariels große blaue Augen blinzelten hektisch. Sie hatte offensichtlich Angst, war aber noch nicht bereit, nachzugeben. »Das können Sie nicht beweisen.«

»Sie können es auch nicht widerlegen. Und die Menschen glauben immer das Schlimmste, nicht wahr, Ariel? Schließlich haben Sie sich genau das zunutze gemacht, sobald Sie meinen Namen in den Mund genommen haben.«

Ariel wollte was sagen, brachte aber keinen Ton heraus.

»Ich war sicher, daß Sie meinen Vorschlag annehmen würden«, sagte Claire. »Ich glaube, es ist für uns beide am besten, wenn wir die Sache auf sich beruhen lassen. Ich will nichts von Jackson Wilde. Nicht einmal seinen Namen. Wenn ich meinen Geschäften nachgehen kann, ohne daß Sie mir weiter Knüppel zwischen die Beine werfen, wird die Vergangenheit Ihres Mannes unser Geheimnis bleiben. Falls Sie aber Ihren Kreuzzug gegen mich und French Silk fortsetzen sollten, wäre ich gezwungen, meine Haltung zu überdenken.« Claire lächelte. »Ich bin fast sicher, daß Sie das nicht tun werden.«

Sie sah Josh an. »Adieu für heute. Ich melde mich bald wieder.« Sie drehte sich um und ging zur Tür.

Cassidy blieb stehen und gab noch einen letzten Schuß ab. »Ich werde den Mord an Ihrem Mann weiter untersuchen, Mrs. Wilde. Ich habe neues Beweismaterial, das mit Sicherheit zu einer Verurteilung führen wird. Bis dahin rate ich Ihnen, sich aus meiner Arbeit rauszuhalten. Bleiben Sie mir fern, verziehen Sie sich nach Nashville und konzentrieren Sie sich darauf, verlorene Seelen zu retten.«

»Ich möchte Josh gern bei seiner Musikerkarriere helfen. Ich kenne eine Menge Leute in New York. Ich könnte ihn in die richtigen Kreise einführen. Er sollte Gelegenheit haben, sein Talent zu nutzen, so wie er es sich immer gewünscht hat.«
Claire und Cassidy saßen aneinandergekuschelt auf der Hollywoodschaukel im Hof hinter Tante Laurels Haus. Am Spätnachmittag hatte die Presse erfahren, daß Claire ihr Geständnis widerrufen hatte. Jeder Reporter im Land wollte eine Erklärung von ihr oder Cassidy. Crowder hatte ihnen geraten, »augenblicklich zu verschwinden, sich ein paar Tage bedeckt zu halten« und ihm die Sache zu überlassen.
Er beabsichtigte, eine öffentliche Erklärung abzugeben, der zufolge Claire Laurent ein falsches Geständnis abgelegt habe, um sich selbst, ihrem Unternehmen und ihrer Familie weitere Unannehmlichkeiten zu ersparen. Er hatte vor, ihr Geständnis als gegenstandslos zu bezeichnen, da es unter dem Druck der Medien sowie der Missionsgesellschaft Jackson Wildes und aufgrund der Belastung durch den Verlust ihrer Freundin und Geschäftspartnerin Yasmine zustande gekommen sei. Er würde zudem andeuten, die Behörden seien im Besitz von Beweismaterial, das gegen jede Beteiligung von Miss Laurent spreche und den Ermittlungen eine ganz neue Richtung gegeben habe. Damit übertrieb er ein bißchen, aber Crowder war und blieb ein Politiker.
Nachdem sie sein Büro verlassen hatten, waren Claire und Cassidy zu Harriett Yorks Wohnung gefahren, um Mary Catherine zu besuchen. Sie hatte Harry Runde für Runde beim Ginrommé besiegt und wies stolz auf die gewonnenen zweiundachtzig Cents.
»Harry ist eine hervorragende Gastgeberin, aber wann fahren wir wieder nach Hause, Claire?«
»Betrachte es einfach als Urlaub, Mama. In ein paar Tagen sind

wir alle wieder daheim.« Sie umarmte ihre Mutter und drückte sie an sich.

»Du warst immer eine wunderbare Tochter.« Mary Catherine streichelte Claires Wange. »Sobald wir daheim sind, backe ich dir einen von Tante Laurels berühmten French-Silk-Kuchen. Mögen Sie Schokoladenkuchen, Mr. Cassidy?«

»Ich liebe ihn.«

Ihr Antlitz hellte sich auf. »Dann müssen wir Ihnen möglichst bald einen backen.«

»Gerne. Vielen Dank für die Einladung.«

Jetzt bettete Claire ihren Kopf an Cassidys Schulter, froh über die Ruhe und Abgeschiedenheit. Sie hatten eine Decke über die verwitterten Leinenpolster auf der Schaukel gelegt. Die Scharniere quietschten leise bei jedem Schwung, aber Claire hatte sich noch nie so wohl gefühlt.

»Wirst du jetzt Josh adoptieren?« fragte Cassidy mit leisem Lächeln.

»Wie meinst du das?«

»Du hast die Angewohnheit, Menschen zu adoptieren und dir ihre Probleme zu eigen zu machen. Mary Catherine. In gewissem Maße Andre. Yasmine.«

»Yasmine nicht. Sie hat mir geholfen.«

»Anfangs vielleicht. Aber du warst die Stärkere, Claire. Das Rückgrat von French Silk. Du warst der kreative Genius, und du hattest genug Geschäftssinn, um eure Produkte effektiv zu vermarkten. Vielleicht hat sie mit ihrem Namen Starthilfe geleistet, aber später brauchte sie French Silk nötiger als French Silk sie.«

Claire wußte, daß er die Wahrheit sagte, aber sie hatte das Gefühl, ihre Freundin zu verraten, wenn sie ihm zustimmte. »Ich werde sie vermissen. Ich frage mich oft, wann sie aus New York kommt, bevor mir wieder einfällt, daß sie nie mehr kommen wird.«

»Das ist ganz natürlich. So was braucht seine Zeit.«

»Sehr viel Zeit.«

Sie schwiegen einen Augenblick, und nur das Quietschen der

Schaukel war zu hören. Schließlich sagte Cassidy: »Was ist mit mir?«

Claire hob den Kopf und schaute ihn verdutzt an. »Was soll mit dir sein?«

»Wirst du mich auch adoptieren?«

»Ich weiß nicht«, antwortete sie fröhlich. »Ich habe schon genug Adoptivkinder. Was sollte ich denn mit dir anfangen?«

»Du könntest mir das Vieux Carré zeigen, das du so liebst und an dem dir soviel liegt. Du könntest mir Französisch beibringen und deine Geschäftsideen mit mir besprechen. Mit mir über meine Fälle diskutieren und mir beim Schimpfen zuhören. Eis holen. Auf der Straße mit mir knutschen.«

»Mit anderen Worten, deine Gefährtin und Geliebte sein.«

»Ganz genau.«

Sie küßten sich im samtenen Zwielicht. Ein paar Blocks weiter röhrte ein Saxophon einen Blues. Der Geruch einer würzigen Mahlzeit schwebte zu ihnen herüber.

Cassidy schlug ihre Kostümjacke zurück und legte die Hand besitzergreifend auf ihre Brust. Der Kuß wurde inniger. Claire rieb mit dem Knie an seiner Hose, und er murmelte kehlig ihren Namen.

Als sie voneinander abließen, sagte er: »Du bist eine faszinierende Frau, Claire Louise Laurent. So bezaubernd. So rätselhaft.«

»Das bin ich nicht mehr, Cassidy.« Sie nahm sein Gesicht zwischen beide Hände. »Jetzt kennst du all meine Geheimnisse. Du weißt alles über mich. Ich hoffe, du verstehst und verzeihst, daß ich dich so oft angelogen habe. Ich konnte nicht anders. Ich mußte Mama noch mehr Leid ersparen.«

Sein Gesicht verwandelte sich in die düstere, nachdenkliche Miene, die so typisch für ihn war und die sie inzwischen so liebte. »Außer dir kenne ich keine Frau – übrigens auch keinen Mann –, die zu so tiefer Liebe fähig ist, daß sie ihr Leben für ihre Liebe opfern würde. Ich weiß, daß es eigentlich so sein sollte, aber ehe ich dir begegnet bin, habe ich das für ein unerreichbares Ideal gehalten. Ich will nur eines wissen – reicht diese Liebe auch für mich?«

Sie küßte ihn zärtlich. »Ich habe dich von dem Tag an geliebt, an dem wir uns begegnet sind, Cassidy. Ich habe mich vor dir gefürchtet und alles gehaßt, wofür du stehst, aber ich habe dich geliebt.«

»Ich habe dir nicht viel zu bieten«, sagte er kleinlaut. »Ich meine, ich bin nicht so reich wie du. Ich liebe meine Arbeit. Ich leiste gute Arbeit, aber ich bin kein Unternehmer. Solange ich im öffentlichen Dienst bin, wird mein Verdienst begrenzt bleiben.« Seine Augen tasteten langsam ihr Gesicht ab. Dann flüsterte er: »Aber ich liebe dich, Claire. Ich schwöre es bei Gott. Willst du mich heiraten?«

»Wie unfair«, sagte sie atemlos, als er zärtlich ihre Brüste küßte. »Du weißt genau, daß ich mich jetzt nicht wehren kann.«

»Willst du?«

»Ja.«

Eifrig und unbeholfen befreiten sie sich aus ihren Kleidern, bis sie mit gespreizten Beinen auf seinem Schoß saß. Langsam ließ sie sich auf seinen harten Schaft sinken, und ihre Seufzer stiegen in die Abendluft.

Das Saxophon begann ein neues, melancholisches Stück. Jemand namens Desiree wurde zum Essen gerufen. Ein Blauhäher flatterte in den Hof, setzte sich auf das Brunnenbecken und trank aus der Regenwasserpfütze. Eine leichte Brise brachte die Glyzinienranken an der Ziegelwand zum Rascheln und erschreckte das Chamäleon, das sich eilig verkroch.

Das leise Quietschen der Schaukel steigerte sich zu einem Beben und einem süßen Seufzer. Dann war alles ruhig.

Linda Howard bei BLANVALET

»Keine schreibt so sexy wie Linda Howard –
ihr Markenzeichen!«
Booklist

35778

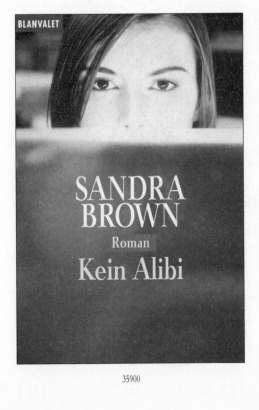

Susan Andersen bei BLANVALET

»Knisternd sinnlich, unglaublich fesselnd
und wunderbar warmherzig!«
Romantic Times

35626